国家は破綻する　金融危機の800年

カーメン・M・ラインハート ＆ ケネス・S・ロゴフ　村井章子 訳

日経BP

THIS TIME IS DIFFERENT

Eight Centuries of Financial Folly

CARMEN M. REINHART
&
KENNETH S. ROGOFF

――ウィリアム・ラインハート、
ジュリアナ・ロゴフ、
ガブリエル・ロゴフへ

日本語版への序文

「機会均等」の銀行危機と日本の経験

本書の日本語版が世に出るのは、たいへん喜ばしいことである。本書は六六カ国にわたる金融危機の長い歴史を綴った本だが、その中で日本が果たした役割はきわめて大きい。現在先進国と呼ばれる国々の多くと同じように、日本も一九世紀から二〇世紀前半にかけては、金融危機の影響を免れることはできなかった。当時は、深刻な銀行恐慌が第二次世界大戦後と比べてはるかにひんぱんだった時代である。一九四二年には、日本はその長い歴史の中で唯一の対外債務デフォルトを起こしたし、*戦後インフレの際には、日本のインフレ率は最高で五六八%に達

図　日本の中央政府債務（国内債務および対外債務）、デフォルト、銀行危機（1885～2009年）（債務は対GDP比率）

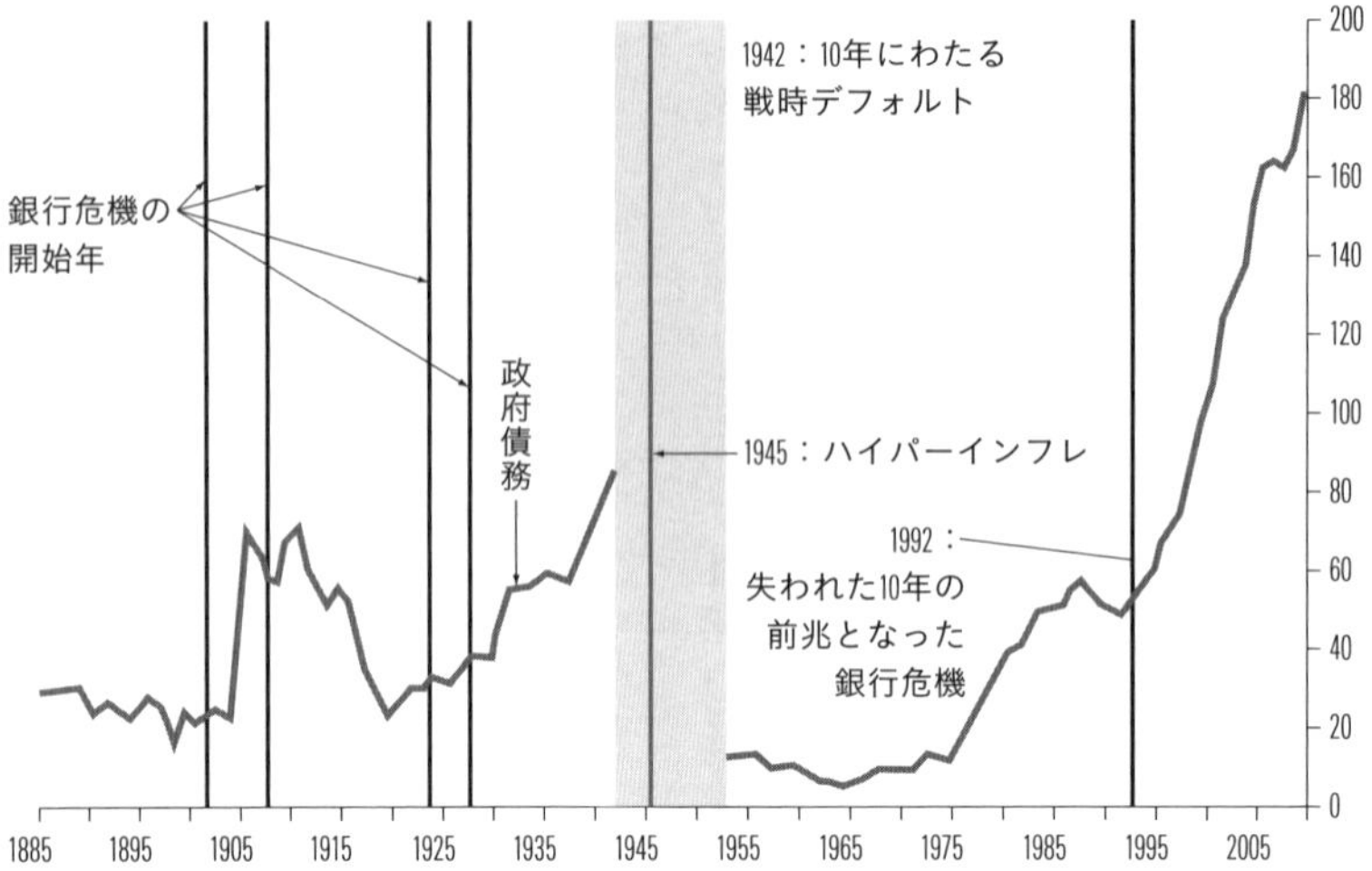

資料：本書の巻末資料

した。だが本書で述べるように、大きな戦争の間やその直後には、デフォルトもインフレもめずらしいことではない。

　日本は特別な国である。第一に、戦後に奇跡の経済成長を遂げた点で、特別である。一九五〇年から一九九〇年代前半にかけて、国民一人当たりの実質所得中央値は、年五・九％のペースで伸びた。当時の先進国の成長率中央値は三％だったから、それをはるかに上回る数字である。第二に、先進国において（ほぼあらゆる指標で見て）最も長いリセッションを経験した点で、特別である。一九九二年から始まった日本の「失われた一〇年」が特異なのは、アジアを始め多くの国の危機のようにリセッションが著しく深刻であるとか、失業率が急上昇したということではなく、力強い回復がまったく認められなかったことにある。一九九二年以来、住宅価格は一年として上がった年がない。インフレ調整後の株価は、一九八九年のピークを七六％も下回ったままだ。危機以降、国民一人当たりの国内総生産（GDP）伸び率の中央値は年一・六％に落ち込み、政府債務は約三倍に膨れあがって、GDPのほぼ二〇〇％に達している（前頁の図参照）。

だが興味深いことに日本の「失われた一〇年」の全体像は、本書でも示すように、金融危機前後の年に多くの国が経験したこととさしてちがわない。民間の借り入れの大幅増と資産価格の急上昇に続いてマクロ経済の破綻と政府債務の急拡大が起きるのは、どれもきわめて典型的な症状である。

それでも日本の出来事は、今日のアメリカやイギリスにも同じようなことが起きかねないという点で、とりわけ重要と言える。危機に見舞われたときのほとんどの国とは異なり、日米英政府は危機の間も資本市場にアクセスすることができた。これは、マクロ経済の安定性に関しても、債務の返済履歴についても、おおむねよい実績を収めてきたからである。資本市場にアクセスできたため、この三カ国はリセッションの衝撃を和らげることができた。しかしそのために、金融部門の徹底的な修正を先送りすることが可能になってしまった。先送りすれば、ほぼまちがいなく修正に時間がかかり、回復は遅れることになる。アメリカの危機を目の当たりにしている日本の専門家は、一九九〇年代に米財務省や国際通貨基金（IMF）が激しく批判していた政策の一つをアメリカ政府が採用したのを見て、自国の危機対応を思い起こしたにちがいない。実際、アメリカの債務をグラフ化したら、現在の政策が変更されない限り、日本のグラフとよく似たものになるだろう。

こうした共通性は、私たちが本書の研究で発見し、非常に驚いたことの一つとぴたりと符合する。銀行危機は、所得水準も政治制度も異なる国々で広く頻発する（すなわち「機会均等の危機」である）だけでなく、マクロ経済統計にひどくよく似た痕跡を残すということである。これは、よく言われるように単に規制当局や中央銀行の不幸な失敗が重なったことが原因なのではなく、人間の性質に根ざす何か根源的なものが働いているからではないだろうか。傲慢と無知は、どの時代にも、どんな政治制度の下でも、人間の性質に普遍的に見られる特徴である。最初に現れるのは、金融危機がどれだけひんぱんに起きているかを知らない、という無知である。もっとも、「ひんぱん」とは半世紀に一度か、もう少し多いという程度だから、知らなくてもふしぎはない。だから、いくつか例外はあるにしても（たとえばドイツ人は、いまだに一九二〇年代のハイパーインフレの苦しみを覚えている）、ほとんどの社会は悲劇をとっくに忘れている。しかし、八世紀という長期間にわたるデータセットを定量的に観察してみれば、世界中で繰り返される普遍的なパターンを見つけることができる。人間の性質に備わったもう一つの欠点は、傲慢である。金融危機は、どこかよその国、よその時代のよその人に起きる出来事だと思い込むのは、傲慢のなせる業である。政策当局、投資家、メディアは、たびたび「今回はちがう」という言葉を口にしてきた。債務が膨らみ資産価格が急上昇しても、今回はこういう理由があるから何も心配はいらない、木が月に届くまで伸びることだってあるのだ、と。

本書では、年表や図表を駆使してこうした主張の誤りを明確に指摘する。そして、長い好景気の後ではとくに注意を怠ってはならない理由を政策当局や投資家に示す。きっと読者には、学問的な分析というものが冷徹であると同時に興味深いことに気づいていただけると信じる。最後に一つ、一般の読者には13章と14章を最初に読むことを奨めたい。13〜16章では最近のグローバル金融危機を取り上げていることもあるが、そこに掲げた図表を眺めるうちに、より多くの危機について知りたい気持ちになると期待するからでもある。

二〇一〇年一一月　カーメン・M・ラインハート
ケネス・S・ロゴフ

＊訳注　第二次世界大戦開戦前に発行した外貨建債券の戦時中の不払い。IMFの研究報告"The Costs of Sovereign Default"(WP08/238, October 2008)(http://www.imf.org/external/pubs/ft/wp/2008/wp08238.pdf)に記載がある。くわしくは、財務省財務総合政策研究所「財政金融統計月報」２７０号の「政府関係外債について」の項を参照されたい(http://www.mof.go.jp/kankou/hyou/g270/270.htm)。

目次

はじめに

本書は、さまざまな形をとって起きてきた金融危機を数字で綴る歴史の本である。私たちがこの本で伝えたいのは、「これはいつか来た道だ」という一言に尽きる。最近の金融狂騒曲がまったく新種のように見えるとしても、いやどの危機もかつての危機とは異なるように見えるとしても、歴史を遡り、また世界を見渡せば、たいていは過去の危機と驚くほど似通っていることに気づく。前例を知り類似性や共通性を知っておくことは、将来の危機発生リスクを抑えるうえでも、また不幸にも危機が発生した場合に賢明に対処するうえでも、世界の金融システムをよりよいものにする第一歩と言えよう。

本書で取り上げる多種多様な危機の共通点をここで一つ挙げるとすれば、それは、債務が過剰に積み上がると、好況期には予想もしなかったシステミック・リスク（金融システムの不安定化リスク）が高まることである。債務は政府の債務のこともあれば、銀行、企業あるいは消費者による債務もある。市場に潤沢に資金を供給すれば、政府は実力以上の経済成長を演出することができる。民間部門で借り入れが野放図に増大すれば、住宅価格も株価も長期的に持続可能な水準をはるかに超えて上昇し、銀行は本来以上に収益が膨らみ、経営は安泰に見える。だがこうした大規模な債務の蓄積は、リスクを伴う。なぜなら、信頼の喪失による危機に対して経済が非常に脆弱になるからだ。とくに危ないのは、短期の債務が多く、ひんぱんに借り換えが必要な場合である。借り入れで勢いづいた好況期には、政府の政策や金融機関の収益力や国民の暮らしぶりが無分別に肯定されやすい。だがこの種のブームの大半は、悲惨に終わる。なるほど、金を借りることは古今東西を問わず経済活動に欠かせない手段ではある。だが借金に伴うリスクとチャンスをうまくバランスさせるのはむずかしいということを、政府も、投資家も、市民も、ゆめ忘れてはならない。

本書では、さまざまなタイプの金融危機を取り上げる。その一つは、政府による債務不履行、すなわちソブリン・デフォルトである。これは、政府が対外債務または国内債務またはその両方の返済を怠ることを指す。もう一つは銀行危機である。世界が二〇〇〇年代後半に経験したのは、まさにこれである。大規模な銀行危機は、巨額の投資損失か取り付け騒ぎ、あるいはその両方をきっかけに銀行が次々に破綻する形で起きることが多い。このほかの重要な危機としては通貨危機があり、こちらは一九九〇年代にアジア、ヨーロッパ、中南米で多発した。典型的な通貨危機では、往々にして自国通貨の下落を必ず防ぐという政府の「約束」に反して通貨の価値が急落する。さらに、突発的な物価騰貴を特徴とする危機がある。言うまでもなく、予想されていなかったインフレの亢進は、事実上のデフォルトに等しい。インフレになれば、政府を含むあらゆる借り手は、借りたときより購買力の小さくなった通貨で債務を返済できるからである。本書では以上の危機をおおむね個別に取り上げるが、実際には危機は重なり合って起きることが多い。このため第16章では、一九三〇年代の大恐慌や今世紀に入ってすぐに起きたグローバル金融危機など、多数の危機が同時発生した例やグローバルに拡大した例を分析する。

読者もよくご存じのとおり、金融危機はけっして目新しいものではない。金融市場が発達してからは、危機はつねに人類と共にあった。古い時代には、通貨の改鋳が原因で起きることが多かった。戦争などで国の財政が苦しくなったときの窮余の策として、君主が自国通貨中の金や銀の含有量を減らすのである。だが技術が進歩したおかげで、政府が財政赤字を埋め合わせるために自国通貨から掠め取る必要は、だいぶ前からなくなっている。だからと言って金融危機がなくなったわけではない。危機はいつの時代にも発生し、今日にいたるまでたくさんの国を苦しめている。

本書で多くのページを割くのは、今日とくに問題になっている二種類の危機、すなわち公的債務危機と銀行危機である。どちらも何世紀も前から、ところを選ばず発生してきた。いまでは先進国と呼ばれる国でも、かつては公的債務危機がたびたび起きていたのである。これらの国は、政府が頻々と破綻する事態からはどうにか「卒業」したようだが、新興市場国はそうではない。新興市場国ではデフォルトの頻発あるいは連続的なデフォルトが、いまだに深刻な慢性的症状を呈している。一方、銀行危機は、先進国か新興国かを問わず、いまでもひんぱんに発生する。この危機は富裕国も貧困国も平等に襲う脅威であり、銀行危機に関する調査は、一九世紀初頭のナポレオン戦争期にヨーロッパで起きた取り付け騒ぎや倒産から、サブプライム問題に端を発する二一世紀のグローバル金融危機にいたる一大ツアーとなった。

本書で私たちがめざしたのは、できるだけ幅広く、体系的に、かつ定量的に分析することであり、その対象は六六カ国、八〇〇年近くにおよぶ。世界の金融危機の歴史については数々の立派な本が出版されており、[*1]中でも一九八九年に出版されたキンドルバーガーの『熱狂、恐慌、崩壊――金融恐慌の歴史』（邦訳日本経済新聞出版社刊）が名高い。[*2]だがこれらの本の多くは物語性が強く、ややデータの裏付けに乏しい。

対照的に本書は、データの分析を基に組み立てられている。それを支えるのは、広く世界の国々を網羅し、また一二世紀の中国や中世ヨーロッパにまで遡る大規模なデータベースである。従来の歴史書が人間と政治の物語であったのに対し、本書の「命」は、これらのデータを提示した簡潔な図表の中に宿ると言えよう。明確な数字で綴った金融危機の歴史は、従来の叙述的なアプローチに劣らぬ説得力があり、また政策の分析や研究に新しい視点をもたらすと期待している。

本書では、「めったに起きない」としてとかく忘れられがちな現象にスポットライトを当てるべく、注意を払った。実際にはそうした現象は一般に考えられているよりはるかにひんぱんに起きているし、互いに似通ってもいる。ところがアナリスト、政策担当者、さらには経済学者までが、新たに起きた危機をごく狭い視界で捉えるという好ましからぬ傾向を示す。すなわち、限られた国、限られた時期の狭い範囲から抽出した標準的なデータセットに基づいて、判断を下そうとする。債務やデフォルトを扱った学術文献や政策研究の大半が、一九八〇年以降に収集されたデータに基づいて結論を出しているのは、こうしたデータなら入手が容易だという理由によるところが大きい。金融危機の周期がもっと短いのならば、あるいはこのアプローチでもよかろう。だが二五年間しかカバーしていないデータセットは、選ぶべき政策や投資対象のリスクについて、適切な見通しを示してはくれない。二五年のスパンではめったに起きないことも、もっと長いスパンで見ればそれほど稀ではなくなる。要するに二五年分のデータしか手元にない場合、「一〇〇年に一度の危機」に行き当たる確率は四分の一に過ぎない。この点を考えるだけでも、データは数世紀にわたって収集する必要があり、本書の目的も、まさにここにある。

標準的なデータセットには、ほかにも重要な点で不都合がある。とくに問題なのは、ある種の政府債務が漏れていることだ。本文で言及するとおり、政府が国内で行った借り入れに関しては、多くの国でデータの収集がきわめて困難だった。銀行のオフバランス取引や他の不正会計行為などがよく問題になるが、透明性に関しては政府会計も誉められたものではない。

今回私たちは、世界各国の債務危機、銀行危機、インフレ、通貨暴落と改鋳などを研究する目的で、包括的なデータベースを構築した。本書の分析は、このデータベースを使って行っている。先ほど述べたように、アフリカ、アジア、欧州、中南米、北米、大洋州から標本国全六六カ国（このほかに、不完全ながらデータを入手できた国が数カ国ある）のデータを収め、その項目は、対外・国内債務、貿易、国民所得、インフレ、為替レート、金利、商品価格など多岐にわたる。時期的にも八〇〇年間をカバーし、多くの国の独立当初まで、国によっては植民地時代にまで遡る。残念ながら本書で提出するのは、この大規模なデータベースから導き出せることのごくごく一部に過ぎない。

だが幸いなことに、「これはいつか来た道だ」というメッセージを理解するのに、データを微に入り細にわたってご覧いただくにはおよばない。栄華を誇った末に破綻に追い込まれる金融機関のタイプも、金融取引で大儲け（あるいは大損）をする手段も、時代と共に変化してきた。それでも金融危機は、どの時代にも、景気の過熱・冷え込みのリズムに呼応して起きている。国や金融機関や金融商品が時の流れの中で変わっても、人間の性質は変わらない。アメリカから全世界に拡がった二一世紀初のグローバル金融危機（本書では第二次大収縮と呼ぶ）は、そのことを改めて示したに過ぎない。

この最近の危機については第五部で取り上げるが、これは独立して読んでも理解できるよう配慮した（この危機にとくに関心のある読者は、最初に第五部を読んでも差し支えない）。

サブプライム危機の前段階で、アメリカの標準的な指標は、金融危機、それも深刻な危機に瀕した国に見られる徴候をほぼすべて示していた。資産価格インフレ、借入比率の増大、長期にわたる巨額の経常赤字、経済成長の減速などである。危機にいたる段階でこうした徴候が見られる点は、注意を要する。また、そこから脱する道のりが危険に満ちていることも併せて示す。金融システム全体に連鎖的に波及するようなシステミックな銀行危機が発生すると、その後は経済活動の収縮が長期にわたって続き、政府の財源は大幅に縮小する。

順序があとさきになったが、本書の第一部では危機を記述する概念を明確に定義し、本書を支えるデータについて解説する。データセットを構築する作業では先人の研究業績に多くを依拠したが、一次資料、二次資料から新たに収集したものも相当な量に上る。公的債務危機、通貨危機、インフレ危機、銀行危機について系統的に発生年と期間の特定を行い、とくに銀行危機については、巻末資料に年表を掲載した。国内債務（多くは自国通貨建て）のデフォルトについて発生年と期間を確定したことは、これまでにない試みとして、今回の研究を特徴付けるものとなっている。第一部で行った緻密な定義は第二部以降で生かされ、検討するデータに統一的に適用した。

第二部では公的対外債務を取り上げ、主権国家が国外の債権者に対する返済を怠った事例を年代順に追っていく。一四世紀半ばにフィレンツェの銀行家がイングランドのエドワード三世に行った巨額の融資、ドイツの商業銀行家からスペインのハプスブルグ家当主への貸し付け、そして一九七〇年代には（主に）ニューヨークの銀行から中南米向けの大規模融資……といった具合で、「債務危機」は枚挙にいとまがない。現代の公的対外債務危機は、銀行危機とは異なり、新興市場に集中している。だがじつは対外債務危機は、新興市場経済が先進的な経済へ成熟する過程で避けて通ることのできない通過儀礼のようなものである。これを免れた国はほとんどないことを、ここで強調しておきたい。しかも経済、金融、社会、政治の発達には数世紀を要することもある。

国家としての初期段階では、あのフランスでさえ、すくなくとも八回は対外債務のデフォルトを起こしている（くわしくは第6章で取り上げる）。スペインは一八世紀末までは六回で済んでいたが、一九世紀に入ってから八回を記録して、フランスを抜いた。このように今日のヨーロッパの大国が新興段階からのし上がる過程では、今日の多くの新興市場国と同じく、対外債務のデフォルトを繰り返し起こしている。

ギリシャは一八〇〇年から第二次世界大戦後までずっとデフォルト状態だったと言ってよく、オーストリアはある意味でもっとひどかった。一九世紀以前の国際資本市場はさほど発達していなかったにもかかわらず、フランス、ポルトガル、プロシャ、スペイン、そしてイタリアの都市国家は頻々とデフォルトを起こしている。ヨーロッパの周縁部に位置するエジプト、ロシア、トルコも、やはり慢性的なデフォルト歴を持つ。

中央政府が対外債務のデフォルトを起こさずに済んでいる国も、オーストラリア、ニュージーランド、カナダ、デンマーク、タイ、アメリカなど少数ながら存在するのに、これほど多くの国が繰り返し起こすのはなぜだろうか——これは、本書が取り上げる興味深い疑問の一つである。

ヨーロッパや中南米の金融危機に比べると、アジアやアフリカの危機の研究ははるかに遅れている。現代にソブリン・デフォルトを起こすのは中南米かヨーロッパの貧困国だと広く考えられているからだが、実際にはこの定説は、他地域の研究が乏しいために生まれた誤解である。本書で見ていくように、共産党支配になる前の中国は対外債務をたびたびデフォルトしていたし、一九六〇年代にはインドやインドネシアがデフォルトを起こした。これは、中南米で戦後初の危機が発生するよりだいぶ前のことである。また独立後のアフリカは、かつての新興市場をそっくり出し抜く勢いで不名誉な記録を伸ばしている。独立後のアジアとアフリカのデフォルト歴を体系的かつ定量的に調べてみると、両地域がこの種の不始末とは無縁だったという思い込みは、完全な誤りだということがよくわかる。

第二部からはデータセットを活用し、デフォルトと金融危機の歴史をふんだんな図表を使って描き出していく。その結果、対外債務のデフォルトがほぼ全世界共通の現象だったことが浮き彫りになった。第二部で行った分析から一つはっきりわかるのは、政府がおおむね返済義務を守ってきたこのところの平穏なひととき（二〇〇三〜〇八年）は、ごく例外だということである。

続いて第三部では、公的国内債務の歴史を論じる。とくに新興市場国における公的国内債務（すなわち政府が国内で行った借り入れ）の歴史は、現代の学者や政策担当者から無視されてきた。国際通貨基金（ＩＭＦ）など、公式統計を担当する機関でさえ例外ではない。彼らは、国内債務のデフォルトを二一世紀になって突如出現した新種の現象とみなしているらしい。だが第三部で明らかにするように、新興市場国の公的国内債務は多くの時代に重大であり、高インフレとデフォルトの発生にまつわる謎を解くにも役立つと考えられる。国内債務データの収集が困難だったことは、ほとんどの政府の「帳簿」が著しく透明性を欠くという事実のほんの一面を表すに過ぎまい。たとえば二〇〇八年には、米政府が住宅ローンの大規模な貸し手に暗黙の保証を与えたため、政府債務が数兆ドル単位で膨らんだ。連邦準備理事会（ＦＲＢ）は数兆ドル規模のオフバランス取引に関与し、銀行のバランスシートから不良債権を取り除くことに関しても暗黙の政府保証が存在する。このほかに年金と医療保険の未積立債務があるのは、改めて言うまでもない。透明性の欠如は政府債務につきものの症状のようだが、中央政府の基本的なデータが見つからないとは、笑止の至りである。

この第三部では、公的国内債務のデフォルトとリスケジューリング（債務繰延）を過去一世紀以上にわたって調べ上げたが、これもおそらく研究史上初めての試みである（国内債務そのものの歴史が無視されてきたため、当然ながらその不履行も研究対象とされていなかった）。国内債務のデフォルトは対外債務に比べれば稀だと考えられており、経済書などには、政府は国債を額面通り必ず償還してきたようなことが書かれている。しかし実際には、そう断言するのはいかがかと思われるほどデフォルトが発生していた。国内債務が公然とデフォルトされるときは、対外債務だけをデフォルトする場合に比べ、生産高の急激な落ち込みやインフレの加速など、経済事情がきわめて悪化しているケースが多い。

続く第四部では、銀行危機、通貨危機、インフレ危機を取り上げる。ごく最近まで、銀行危機の研究対象となるのは、もっぱら先進国における古い時代（とくに第二次世界大戦前）の事例か、でなければ新興市場における最近の事例に限られていた。このような二極化現象が起きたのは、システム全体を不安定化させるような大規模な金融危機は、先進国ではもはや過去の遺物だという思い込みのせいだろう。だが改めて言うまでもなく、最近のグローバル金融危機はこの誤った思い込みを払拭してくれた。そのために多大な社会コストを払わなければならなかったが。

実際には銀行危機は、貧困国も富裕国も同じように苦しめてきた。一九世紀初頭のナポレオン戦争中に起きたデンマーク危機から二一世紀初のグローバル金融危機にいたるさまざまな銀行危機を調べると、そう結論せざるを得ない。銀行危機の発生率は、高・中・低所得国いずれでも驚くほど似通っている。銀行危機が発生すると、まずまちがいなく税収が急減し、財政支出が大幅に増える（その一部はほぼ確実に浪費される）。銀行危機後の三年間で政府債務は平均して八六％増えており、銀行危機が間接的に財政にもたらすこうした影響は、直接的な銀行救済に要するコストよりはるかに大きい。

不安定な高インフレも、たびたび危機を招いている。歴史をひもとくと、インフレの急激な発作を免れた新興市場国は一つとしてないことがわかる。対外債務の度重なるデフォルトを避けられた国が少ししかないように、高インフレの頻発を避けられた国もごくわずかに過ぎない。ことインフレに関する限りアメリカも優等生とは言い難く、たとえば一七七九年にはインフレ率が二〇〇%に近づいた。すでに指摘したように、古くは通貨に含まれる金や銀の量を減らすことが、公的債務の返済をごまかす主な手口だった。今日では紙幣印刷機が、先進技術によってこの目的を効率よく達成している。こうしたわけで、どの時代もインフレ基調になりやすい。二〇世紀に入るとインフレは一段と亢進し、その後のインフレ危機は、一段と高いインフレ率の下で発生するようになった。最近になって為替レートの急落や通貨価値の中央値の大幅変動が頻発するようになったのも、驚くには当たらない。むしろ驚くべきは、とくにナポレオン戦争期などかなり前の時代にも、為替レートの顕著な変動が見られることだろう。こうした事実は、歴史的視点から俯瞰したとき初めて明らかになる。

金融危機には、資産価格、経済活動、対外収支などの点でマクロ経済的にみて共通する前例があるだけでなく、危機の経過にも共通するパターンが見られる。第四部では、最後のテーマとしてこの点を取り上げる。

第五部の内容はすでに述べたので、結論部の第六部に移る。ここでは、危機、政策、そして学問的研究の進むべき方向について考察する。まちがいなく一つ言えるのは、国も銀行も、個人も企業も、大好況期が永久に続くはずもないのに、後々の危険を十分認識しないまま、景気のいいときに過剰に借り入れる習慣を繰り返してきたことである。グローバルな金融システムの参加者が、合理的に考えて抜け出せるとは思えないような債務の泥沼に落ち込む例は少なくない。その最も顕著な例が、二〇〇〇年代後半にアメリカの金融システムで起きた。現在最も問題が多いのは、明らかに政府債務と、政府が保証する債務（預金保険があるので、銀行債務もじつはここに含まれている）である。なぜなら、市場のチェックを受けないまま長期にわたって大量に積み上がる可能性があるからだ。市場によるチェックを実質的に阻害するような規制が存在する場合には、なおのことである。民間債務も多くの危機で重要な役割を果たしていることはたしかだが、今回調査した金融危機に関する限り、総じて問題となるのは公的債務であることの方がはるかに多かった。前述のとおり、公的国内債務に関する基本的なデータが乏しく入手困難であること自体、雲行きがあやしくなったときに政府が躍起になって資料隠しをすることの証拠にほかならない。今回の金融危機に際して銀行が帳簿隠しをしたのとまったく同じである。第六部では、政府会計の透明性を向上させるためにＩＭＦなどの国際機関が果たすべき役割についても論じる。

過去八〇〇年間に起きた危機の細部に分け入り、データの山をつぶさに調べた末に、私たちはこう考えるようになった。金融危機直前の絶頂期に投資家が聞かされてきた助言は、「今回はちがう」という認識に基づいていた、ということである。その代償は大きかった。「昔のルールはもう当てはまらない」という主張は熱狂的に受け入れられ、金融のプロが、さらには政府の指導者が、われわれは前よりうまくやれる、われわれは賢くなった、われわれは過去の誤りから学んだ、と言い始める。そのたびに人々は自分で自分を納得させた。過去のブームはほぼ決まって悲劇的な暴落につながったものだが、今回は大丈夫だ。なぜなら現在の経済は、健全なファンダメンタルズや構造改革や技術革新やよい政策に支えられているのだから、と。

本書が依拠するデータの膨大な量を考えると、一つひとつの危機について文章で逐一解説

図 P.1　対外債務のデフォルトまたは再編中の国が世界に占める比率（GDP 加重）（1800 ～ 2008 年）

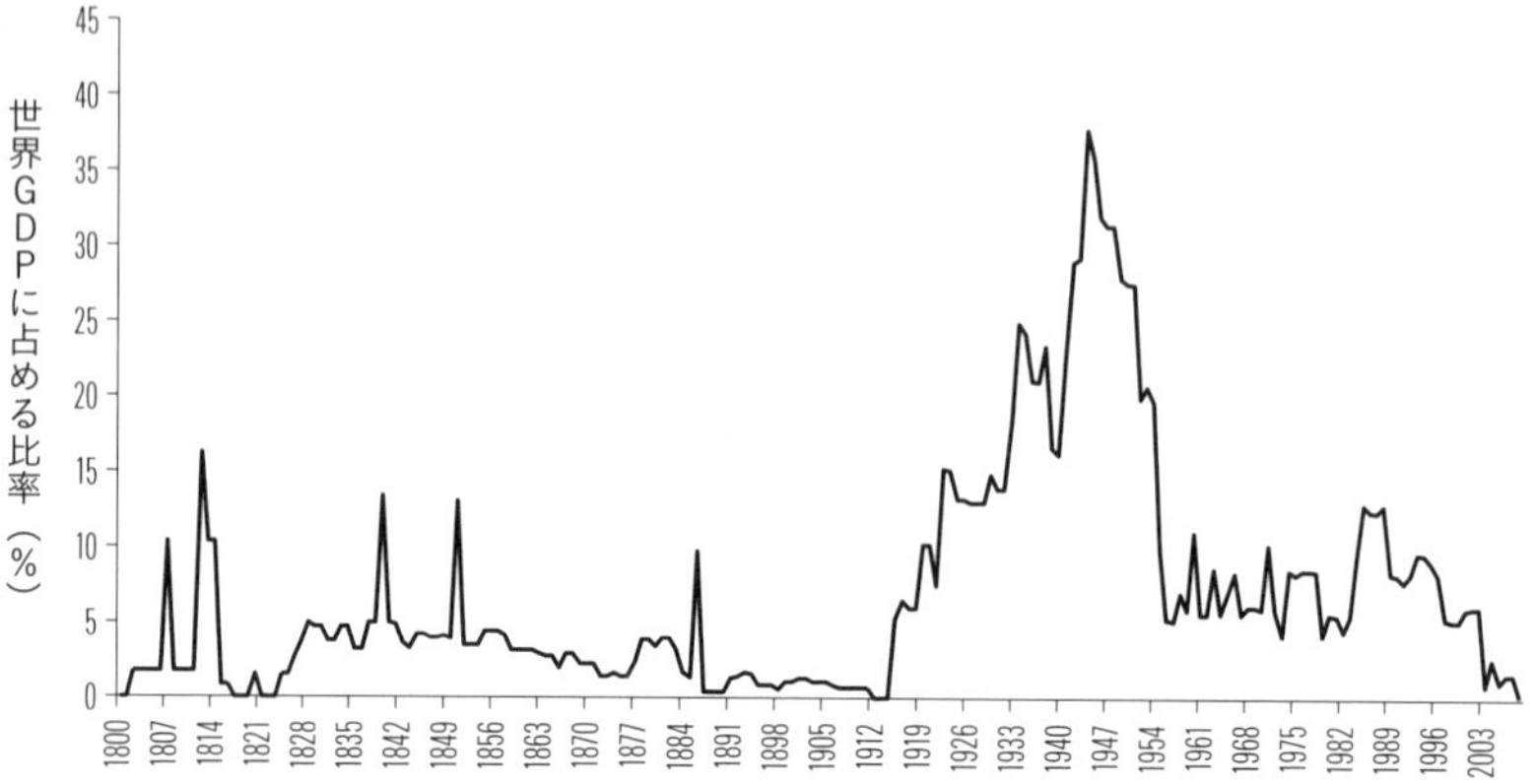

するのはとうてい不可能である。だが、危機が驚くほど何度も繰り返される性質を持つことは、数字や図表が雄弁に物語ってくれるだろう。たとえば図P・1を見てほしい。このグラフは、対外債務デフォルト中の国が世界に占める比率（GDP加重）を時系列で示したものである。

グラフの右端に見える二〇〇〇年代のごく短い期間に限っては、まずまず立派な成績と言えよう。だが二〇〇五年に多くの政府当局が、公的対外債務のデフォルトはもはや過去のことだと宣言したのは、果たして正しかったのだろうか。本書が世に出ないうちにその答えが明らかになるのではないかと、私たちは危惧している。未来の政策担当者や投資家が本書の提出するデータと分析の重みを受け止め、安易に「今回はちがう」と口にするのを控えるよう、願ってやまない。今回がちがうことは、まずないのだ。

謝辞

これほど大部の著作になると、大勢の人の手を借りずに完成することはできない。とくにヴィンセント・ラインハートにはほんとうに助けられた。ヴィンセントは内容を経済・統計の両面からチェックし、すべての章に再三にわたり手を入れてくれた。本書のタイトルになった逸話を話してくれたのも、ヴィンセントである。ヴィンセントは連邦準備理事会（ＦＲＢ）の金融政策局長を務めるなど、ほぼ四半世紀にわたってＦＲＢで働いてきた。一九九八年にヘッジファンドのロングタームキャピタルマネジメント（ＬＴＣＭ）が破綻したときは、いまとなってはさほどの危機とも思われないが当時は一大事と騒がれ、ＦＲＢと市場関係者による会議が開かれたという。その会議に出席していためずらしく記憶力のよいあるトレーダーが、こう言った。「銃の脅しで奪われるよりも多くのカネが、たった四語の言葉のせいで失われる。それは、〝今回はちがう〟（This time is different）という言葉だ」と。

また、原稿を完璧に編集してくれたジェーン・タラハン、最後まで有意義なアドバイスをしてくれたプリンストン大学出版局のセス・ディチックにも心から感謝する。調査に尽力してくれたイーサン・イルゼツキー、フェルナンド・イム、ヴァーニャ・ストラヴラケヴァ、キャサリン・ワードック、チェンジー・スー、ジャン・ジリンスキーにもお礼申し上げる。それから、ピーター・ストラップとプリンストン大学出版局の編集スタッフのみなさんに、こまかい点までプロフェッショナルな技術を発揮し本書を完成させてくれたことに感謝したい。

THIS

TIME

IS

DIFFERENT

序章

金融の脆さと信頼の移ろいやすさを巡る直観的考察

本書は、世界各国でさまざまな形をとって発生してきた金融危機の長い歴史をまとめたものである。歴史の深い海へと乗り出す前に、序章では経済学的な枠組みを示し、金融危機はなぜ予測不能なのか、なぜ深刻な被害をもたらすのかを読者が理解する一助としたい。なおこの先の章でも、この方面に関心のある読者のために、関連する学術文献を折に触れて紹介していく。論理の展開上どうしても必要な場合に限ることとし、かつ簡単な紹介にとどめるつもりだが、理論や学説に興味のない向きは、そこを読み飛ばしていただいて差し支えない。

金融市場、とくにレバレッジに依存する市場（これは、リスクにさらす資産に比して資本が薄いことを意味する）がきわめて脆弱で、信頼の喪失による危機を免れがたいのはなぜか。この問題に関して、経済学は説得力のある原因をいくつも提示してきたと言ってよかろう。[*1] だが残念ながら、危機がいつ起きるのか、どのぐらい続くのかは、理論は示してくれない。経験に基づいて判断せざるを得ないのは、このためである。

「今回はちがう」シンドロームが流行する最大の理由は、おそらくは、信頼というものが移ろいやすく当てにならないことを忘れてしまうことにある。多額の短期債務をひんぱんに借り換えなければならない状況では、信頼の揺らぎはとりわけ重大な意味を持つ。借入比率の高い政府、銀行、企業は、大丈夫いつまでも借り換えを続けられると考えて安心しているが、その日は突然やって来る。借り手は信頼を失い、貸し手は姿を消して、危機が始まる。

誰もが知っているわかりやすい例が、取り付け騒ぎである（くわしくは第10章で扱う）。本書が銀行に焦点を当てるのは、一つには学問的研究が進んでいるからだが、いま一つは収集したデータの多くが銀行と政府の借り入れに関わるものだからである（このほかに短期借り入れをする大口参加者が信用市場に登場したのは、比較的最近のことに過ぎない）。とは言え本書の標本は広い範囲での金融の脆弱性をはっきりと示しており、いま挙げた市場参加者について言えることの多くは、政府系機関にも、投資銀行やマネー・マーケット・ファンド（MMF）にも当てはまる。

銀行は、伝統的に短期で資金を借りる。すなわち預金である。預金は予告なく引き出すことができるが、銀行が貸すのは預金に比べてはるかに長期の資金であり、一旦貸した資金を突然の通知で現金化するのはむずかしい。たとえば銀行が地元の金物屋の建て増しに融資するとしよう。この店は順調に事業を拡大し売り上げを伸ばしているので、長期的にみれば返済は確実だと判断できる。だが事業を拡張したばかりの段階で銀行が返済を要求するのは、無理な相談だ。売り上げはまだ十分に伸びていないから、とくに金利だけでなく元本の返済まで要求されたら、店主は窮地に陥る。

同様に、健全な預金量を維持しつつ流動性の低い融資を活発に行っている銀行の将来は、長期的にみればたいへんに明るいと言えよう。だが何らかの理由で預金者が一斉に預金を引き出そうとしたら、どうなるだろうか。たとえば、あの銀行はあやしげな住宅ローンのせいで大損をしたといった根も葉もない噂で預金者がパニックに陥ったとしたら、どうだろう。銀行が災難に巻き込まれるのは必至である。流動性の低い債権を売る方法がなければ、銀行は押し寄せる預金者に払い出すことはできない。昔懐かしい映画『素晴らしき哉、人生!』や『メリー・ポピンズ』に描かれた銀行は、まさにこうして破綻した。映画は決して絵空事ではなく、実際にも多くの銀行が同じ運命をたどっている。とりわけ、政府による預金の全額保証がなかったときは、破綻は免れなかった。

最も記憶に新しい取り付け騒ぎは、二〇〇七年九月にイギリスのノーザンロック銀行で起きた。不安に駆られた預金者は英国政府による預金の一部保証に満足せず、同行の前に長蛇の列を作ったのである。騒ぎが拡がったため、英国政府は同行を一時国有化し、預金の全額保護に踏み切らざるを得なくなった。

信頼の喪失によって窮地に陥る借り手は、銀行だけではない。二〇〇七年にアメリカから始まった金融危機では、銀行規制対象外の「影の銀行」システムを形成していた大手金融機関も、同じような問題に直面した。この種の機関は預金者からではなく銀行その他の金融機関から借りるのであるが、その脆弱性は銀行と何ら変わらない。投資に対する信頼が揺らぐと、貸し手は短期融資の更新を次第に断るようになる。そうなれば、資産を投げ売りせざるを得ない。売り急げば急ぐほど相場は下がり、さらに損が出て、信頼は一層失われるという悪循環に陥る。最終的には、米国政府が介入して市場を支えなければならなかった。この問題は現在も進行中であり、解決に要するコストはいまも膨らむ一方である。

銀行を混乱に陥れるような移り気な予測の変化には、政府も翻弄されることがある。とくに、外国の貸し手から借りた場合がそうだ。これは、借り手である政府の側が、貸し手にあまり影響力を行使できないためである。政府投資の大半は、直接間接に国とその課税ベースの長期的成長可能性を考えて行われるため、その流動性はきわめて低い。たとえばある国が、税収や成長見通しや市場金利から考えて十分に返済できる程度の政府債務を抱えていたとしよう。この状況で、過激な意見を持つポピュリスト政治家が次期大統領選挙に当選し、気前よく支出を増やして債務が膨れ上がるのではないか、と市場が懸念するようになったらどうなるだろうか。投資家はおそらく、政府が払える程度の金利水準では、短期債務の借り換えに応じなくなるだろう。かくて、信用危機が始まる。

こうした事態が毎日のように起きるわけではないが、本書がカバーするような長い歴史を遡り、また広く世界を見渡せば、きわめてひんぱんに起きていることがわかる。主要国あるいは世界が、信頼の喪失による危機に歯止めをかけられないのはなぜだろうか。すくなくとも、大事になる前に信頼の危機を防ぐ手立てはありそうなものではないか。たしかにあることはあるが、そう簡単ではない。世界中のまっとうな借り手をパニックから守るべく、何らかの国際機関が預金保険のようなものを提供すると想定してみよう。今日では新興市場が流動性危機に陥ったときに備える国際機関として国際通貨基金（ＩＭＦ）が存在するが、それを大型化した機関と考えればよかろう。問題は、そうした機関が誰にでも無条件で保険による保護を提供するとなれば、必ず好ましからぬ行動に走る借り手が現れることである。それにＩＭＦが甘い条件で気前よく融資したら、たちどころにＩＭＦ自身が破綻し、以後の金融危機は収拾が付かなくなるだろう。このように、危機に対する完璧な保険というものは現実性に乏しいし、また望ましくもない（今回の金融危機を契機に、世界の金融関係者はまさにこの難題に直面することになろう。危機を受けてＩＭＦの貸出資金は四倍に増やされると同時に、融資条件は大幅に緩和されたからである）。

どんな国が金融危機に見舞われやすいのだろうか。そしてこの点について、経済学は何を教えてくれるのだろうか。この問いに具体的に答えるために、ここでは政府に的を絞ることにしたい。本書で取り上げる危機の主な発生源となるのは、まずもって政府だからである。経済学は、政府が浪費を慎んでいる限り、信頼の喪失による危機を起こしにくいと教えている。一貫して財政黒字を計上し（すなわち税収が支出を上回り）、債務水準が十分に低く、もっぱら長い満期（たとえば一〇年以上）で借り入れ、かつオフバランスで隠れた巨額の政府保証をしていないなら、債務危機をむやみに心配する必要はない。

だが反対に、毎年のように巨額の財政赤字を出し、短い満期（たとえば一年以下）の借り入れに頼っているような政府は、債務が十分返済可能な水準にとどまっているようにみえても、次第に信頼の喪失に対して脆弱になる。よからぬ意図を持つ政府は、巨額の長期借り入れを行ってこの弱点をカバーしようとすることだろう。だがほとんどの場合に市場はすぐさま実情を見抜き、長期の借り入れには途方もなく高い金利を要求するはずだ。一部の国が長い満期より短い満期での借り入れを選ぶのは、ともかくも信頼が得られる限りにおいて、より低い金利の恩恵を受けられるからである。

経済学は、債務危機がいつ発生するか予測が困難な理由として、信頼というものが人々の将来予測に左右されやすく、移ろいやすい性質を持つことを挙げている。多くの数理経済モデルによれば、債務水準が高い場合には「複数均衡」と呼ばれる状態になりやすい。すなわち、高い債務水準を維持できるという均衡もあれば、できないという均衡もあり得ることになる。[*2]どのような種類の出来事が信頼を揺るがすのか、信頼の脆弱性を具体的にどう評価すべきかについて、経済学はまだたしかな答えを出していない。金融危機の歴史を振り返ってわかるのは、何かが起きると思われているときには、その何かはいずれ起きる、ということだけである。債務が膨れ上がった国は、悲劇に向かっている。借金頼みの投資で資産価格が高騰し、話がうますぎると感じられるようなときは、だいたいにおいてその感覚は当たっていると言ってよい。だが悲劇が起きるその日を正確に予想するのはきわめてむずかしく、すぐそこに迫っていると思われた危機が数年後にようやく始まる例もある。たとえば二〇〇〇年代後半のアメリカがそうだった。危機の前には、赤信号があちこちで点滅していた。だが「最後の一撃」はなかなか来ず、それまでずっと金融業界のトップも経済学者も「今回はちがう」と唱え続けていた（これについては、第13章でくわしく扱う）。

なお、本書では政府の過剰な債務負担と借入比率にとくに注意を促すが、ジェームズ・M・ブキャナンを始めとする伝統的な公共選択論の立場[*3]とは視点が異なることに注意されたい。財政に関する伝統的な研究では、財政赤字を放置する政府の近視眼的な姿勢を戒め、債務の返済が国民に強いる長期的負担を十分考慮しないことを批判する。だが実際には過剰な債務負担は、彼らが考えるより近い時点で問題化することが多い。これは多分に、政府が先々返済に必要な資金を手当する気があるのだろうかと、投資家が疑念を抱くからである。信頼の揺らぎに脆弱であるという債務の性質は、債務に伴う長期の税負担と同じように、場合によってはそれ以上に、大きな問題となりうる。

本書で取り上げる他の危機でも、同じような脆弱性の問題が見受けられる。一九八〇年代、九〇年代から学ぶべき教訓の一つは、為替レートを固定、あるいは「厳重に管理」している国は、信頼の突然の崩壊に弱いということである。固定相場に投機的な攻撃が仕掛けられると、盤石と見えた長年の通貨体制が、一夜にして転覆しかねない。固定相場がうまく機能している間は、「今回はちがう」という発言が繰り返し行われているはずだ。だが二〇〇一年一二月のアルゼンチンを見ればわかるように、信頼は一瞬にして消え失せることがある。このようなときには、政府債務との密接な関連性が認められるものだ。ポール・クルーグマンの指摘によってよく知られているとおり、通貨危機の根本原因は、政府が固定相場の維持と整合的な財政・金融政策をとろうとしないことにある。[*4] 政府の資金はいずれ底をつき通貨を買い支えられなくなると投機家が気づけば、あとは来るべき暴落を見越して売り抜くタイミングを計るだけになる。政府の債務は、必ずしも公表されているものだけではない。多くの危機の核心部には、政府保証などの偶発債務が存在する。

信頼の喪失という事態に国が翻弄されないようにするには、借り入れそのものや借入比率の抑制以外にも、さまざまな方法がある。経済学が教えるのは、透明性を高めることである。以下の章で指摘するとおり、借り入れに関して政府が公明正大であるとは言い難い。また今回の金融危機で露呈されたとおり、民間の借り手も、規制によって開示が義務づけられていない部分に関しては、政府よりましとは言えない。法制度や規制が整備されている国の方が多く借りられることは明白である。一八世紀と一九世紀のイギリスはその好例であり、当時のイギリスが軍事面でも経済面でも成功を収められたのは、しっかりした制度が整い、債務が確実に返済されるとの信頼を得ていたからだと、多くの専門家は考えている。[*5] とは言え過大な圧力がかかってくれば、すぐれた制度や高度な金融システムといえども機能不全に陥る。最近の危機を通じて、アメリカはそのことを思い知らされたはずだ。

最後にもう一つ、金融危機はなぜあれほど大きな痛みを伴うのかという問題がある。これについては、銀行危機を扱う第10章で主に取り上げるが、簡単に言うと、貧しい国も含めほとんどの国が、預金者（おおむね消費者）から投資プロジェクトへ資金を環流させる機能を金融部門に依存していることに問題がある。このため危機に見舞われて銀行システムが麻痺してしまうと、通常の経済活動をなかなか再開することができない。たとえばベン・バーナンキは、一九三〇年代の大恐慌があれほど長く苛酷だった主因として、銀行の破綻を挙げている。金融危機、とりわけ規模が大きく解決困難な金融危機の影響が深刻化しやすいのは、このためである。このテーマは、複数均衡や金融の脆弱性と同じく、多数の専門的な文献で論じられている。[*6] 金融市場と実体経済がこのように深く結びついているため、金融市場が機能停止に陥った場合にはとくに、危機は歴史に残るような大惨事となりやすい。本書で取り上げる危機の多くが、それに該当する。対照的なのが、二〇〇一年のインターネット・バブルの崩壊である。このときはハイテク株が急騰した末に急落したが、実体経済への影響はさほど大きくなく、同年内のゆるやかなリセッション（景気後退）でおさまった。二〇〇〇年代前半に起きた世界的な住宅価格の高騰のように、債務で膨らんだバブルの方がよほど危険である。

第二次大収縮（前述のとおり、二〇〇七年のサブプライム危機に端を発するグローバル金融危機を本書ではこう呼ぶ）は、経済学に多大な影響をおよぼすことになるだろう。とくに金融市場と実体経済の関連性を調べる研究は、大きな影響を受けると考えられる。[*7] 最近の危機のみならず過去に起きた多くの危機、そして言うまでもなくこれから起きる多くの危機について、新たな理論が説明すべき問題を明確にするうえで、本書に提示した事実のなにがしかが一助となれば幸いである。

第一部

金融危機とは何か

PART I FINANCIAL CRISES: AN OPERATIONAL PRIMER

「今回はちがう」シンドロームの本質は、ごく単純である。この症状は、金融危機はいつかどこかで誰かに起きるもので、いまここで自分の身に降りかかるものではない、という強固な思い込みに根ざしている。われわれは前よりうまくやれる、われわれは賢くなった、われわれは過去の誤りから学んだ。それに、昔のルールはもう当てはまらない、という具合である。だが残念ながら、巨額の債務に依存する経済はきわめて脆い。知らないうちに断崖絶壁を背にして座っているようなもので、偶然が重なって信頼が失われると、あっという間に谷底に転落する。

第1章

危機の種類と定義

本書では、金融危機の定量的かつ歴史的な分析に基づいて議論を展開する。したがって、金融危機とは何かを最初に厳密に定義しておかなければならない。また、危機の始まりと終わりを特定する方法も、できるだけ定量的に決めておく必要がある。今回の研究では、さまざまな国さまざまな時代に起きた公的債務のデフォルト、銀行危機、インフレ危機、通貨危機など、およそありとあらゆる経済危機を取り上げており、この章と続く二つの章では、研究で採用した基本概念、定義、研究方法、データの収集・解析手法を説明する。危機の定義を巻末の用語解説などで済ませずに、わざわざ一つの章を割いて微に入り細にわたって述べるのは、いささか退屈に感じられるかもしれない。だが、これから先の章で提出する膨大な数字や図表を読者が適切に解釈するためには、何が危機で何は危機でないかについて、私たちの考えを最初に理解していただくことが欠かせない。従来の研究でも、債務危機、通貨危機といったように本書で取り上げたさまざまな危機が分類されており、本書の分類も従来の実証研究とおおむね一致している。判定基準のわずかな差で危機か危機でないかが分かれるケースや、明らかに不適切なデータが懸念されるケースは、すべてここで説明したい。定義の章を設けると、本書で取り上げる危機の種類をくわしく解説できるという余録もある。

読者は、これから説明する危機の指標が、個々の国で起きた危機の測定に関するものである点に留意されたい。多国間の危機やグローバル規模の危機は第16章で取り上げ、基本的な定義づけを試みると共に、深刻度や伝播経路などを検証する。また本章では危機の判定基準という概念が出てくるが、これはある一つの時期にある一つの国で起きたある一種類の危機（たとえば通貨暴落、インフレ、銀行危機など）を判定する基準である。第16章で改めて指摘するように、多種類の危機が同時に発生する傾向が見受けられるため、危機をシステムとして定義することも不可能ではないかもしれない。だが本書では、最もわかりやすい単純な方法を採用することにした。こう決めた理由はいくつかあるが、そうしないと国と国、時代と時代の比較がむずかしくなるというのが、最大の理由である。このような定義は従来の実証研究に沿ったものであり、参考文献も示した。

以下では、厳密に数値で定義できる危機を最初に論じ、次に、より定性的な判断が必要になる危機を取り上げる。最後に、本書に繰り返し登場する「多発性デフォルト」と「今回はちがう」シンドロームを定義する。

数値で定義できる危機——インフレ、通貨暴落、通貨の品位低下

インフレ危機

まずは、インフレ危機から始めることにしたい。この危機を第一に取り上げるのは、世界のどの国でも、またどの時代にもひんぱんに起きており、比較的単純かつ明確に定義できるからである。ただしインフレの発生頻度だけでなく、（債務の目減りによる）デフォルトの範囲も明らかにしたいので、危機の発生時点と共に、継続期間も正確に特定することを試みる。高率のインフレが続くケースの多くは、慢性的と表現するのがふさわしいだろう。慢性的インフレは何年も続くことが多く、やがて雲散霧消するケースもあるが、高止まりした末に一段と亢進することもめずらしくない。第二次世界大戦後の外国為替制度の分類に関する私たち自身の先行研究も含め、多くの研究が、一二カ月間のインフレ率が四〇％以上に達することを高インフレの目安としている。インフレの影響は、たとえば一〇％程度であっても深刻と言えるかもしれない。だが、ゆるやかなインフレが長期にわたって続いた場合に発生するコストがどの程度か

は、理論的にも実証的にもまだよくわかっていない。先に挙げた私たち自身の研究で高インフレと低インフレを分ける境界線を四〇%としたのは、この水準に達するとインフレがきわめて有害になるとのコンセンサスが、広い範囲で形成されていたためである。インフレ率が月四〇%に達するようなハイパーインフレは、もはや過去の遺物となった。本書の標本中では、現在進行中のジンバブエを除けば、一九四六年のハンガリーが最高記録である（第12章、表12・3参照）。

ところが第一次世界大戦前の時代には、年四〇%でも、インフレの判定基準としては高すぎる。と言うのも、当時は物価上昇率がきわめて低かったからである。現代の不換紙幣（それ自体としては固有の価値を持たず、国内取引において他の通貨は合法でないと宣言することによってのみ価値を持つ）になる前は、とくにそうだった。第一次世界大戦前のインフレ率の中央値は現代より大幅に低く、一五〇〇～一七九九年が〇・五%、一八〇〇～一九一三年が〇・七一%である。対照的に、一九一四～二〇〇六年は五・〇%に跳ね上がっている。平均インフレ率がきわめて低く、しかも高インフレがほとんど想定されていない時代には、ごくおだやかなインフレでも経済にとっては打撃で、影響は深刻であり、したがって危機と見なされた。*1 この点を踏まえ、かなり古い時代まで無理なく含められるよう、本書ではインフレ危機の判定基準を年二〇%以上とする。インフレ危機があったと判断した過去の時点のほとんどについて、この基準は妥当だと検証できた。たとえばある時点に危機があったと判定した場合、基準値をもうすこし低く（たとえば一五%）設定しても、逆に高く（たとえば二五%）しても、この判

表1.1　数値で定義できる危機

危機のタイプ	判定基準	期間	最大値（%）
インフレ危機	インフレ率が年率20%以上。インフレ率が40%を超えるケースは別途扱う。	1500–1790 1800–1913 1914–2008	173.1 159.6 9.63E+26*
通貨暴落	対ドル（または過去の英ポンド、仏フラン、独マルク、現在のユーロなどの基軸通貨）での年間下落率が15%以上。	1800–1913 1914–2008	275.7 3.37E+9
通貨の品位低下（Ⅰ）	通貨の金属含有量が5%以上減少。	1258–1799 1800–1913	–56.8 –55.0
通貨の品位低下（Ⅱ）	通貨改革による新通貨の導入に伴い、現行通貨が大幅に減価。	過去最高はジンバブエで、交換比率は100億対1だった。	

（注記）＊一部のケースではインフレ率が高くなりすぎたため（たとえば1946年のハンガリー）、表記法を工夫しなければならなかった。表中の9.63E+26は、9.63のあとにゼロを26個付け、小数点の位置を右へ26桁ずらすことを意味する。

定は覆らなかった。なお使用したデータはオンラインで公開しているので、インフレ危機についてもそれ以外の危機についても、読者は独自の基準で判定することができる。

通貨暴落

通貨暴落を定義するに当たっては、ジェフリー・フランケルとアンドリュー・ローズが採った手法を、いくらか修正して採用した。フランケルとローズは大規模な通貨暴落のみに注目し、一部条件付きながら、年二五%以上の下落を暴落としている。*2 外貨準備の不足や金利の高騰といった他の変数をまったく使っていない点で、簡潔この上ない定義と言えよう（たとえば外貨準備のデータは政府が用心深く隠しており、公表がかなり遅れることもある。また金利は、政府の厳重な管理下に置かれた金融システムの場合にはさしたる意味を持たない。しかも比較的最近まで、ほとんどの国がそうだった)。しかしインフレ危機のときもそうだったが、二五%という数字は第二次世界大戦後については妥当だとしても(少なくとも深刻な通貨危機を定義するには適切だとしても)、それ以前の時代に適用するには高すぎる。戦前は、もっと小幅の動きでも人々を狼狽させ、大混乱を引き起こした。したがって本書では、通貨が年一五%を超えて下落した場合を通貨暴落と定義する。なおインフレ危機の場合と同様、暴落の開始時点だけでなく、年一五%以上の下落が続いた期間も特定したい(フランケルとローズの研究、カミンスキーとラインハートの研究では、開始時点のみが特定されている)。[*3] 表1・1に示した最大級の暴落が、時期も規模もインフレ危機と似通っているのは驚くことではない。インフレ危機の「記録保持者」はハンガリーだが、通貨暴落の方は一九四四年のギリシャである。

通貨の品位低下

現代のインフレ危機と通貨暴落の先輩格に当たるのが、通貨の品位すなわち金属含有率の低下である。金貨や銀貨など金属貨幣が主な交換手段だった時代には、通貨はたびたび改鋳(悪鋳)された。大規模な改鋳がしきりに行われたのは、当然ながら戦時中である。自国通貨の金や銀の含有量を大幅に減らすことは、国家にとって重要な資金調達手段だった。

本書では、いわゆる「通貨改革」、すなわち新通貨の導入や呼称変更、単位の切り替えなどとその影響も取り上げる。本書の標本では、あらゆるハイパーインフレがこの種の「改革」を伴っており、短期間で矢継ぎ早に実施されることもめずらしくない。たとえばハイパーインフレに悩まされたブラジルでは、一九八六年から九四年にかけて、四度も通貨改革を実施した。私たちが調査を始めた段階では、一九四八年の中国が最も大胆で、旧通貨と新通貨との交換比率は三〇〇万対一だった。ところが調査が終わる頃には、この記録はジンバブエに抜かれていることがわかった。ジンバブエの通貨改革では、交換比率はなんと一〇〇〇億対一に達したのである。通貨改革は高インフレ（必ずしもハイパーインフレではない）が続いた後に実施されることが多く、本書ではこうした事例も品位低下の一種として扱う。

資産価格バブルの崩壊

資産価格バブル（主に株と不動産）の崩壊も、定量的な手法で定義できる。資産価格バブルは、銀行危機の前段階で形成されることが多い。本書では株価の暴落を第16章で取り上げたが、不動産については今後の研究課題とした。[*4] 今回この問題を取り上げなかった理由の一つは、金融危機に関わる主要資産の多くについて、各国の長期にわたる価格データの入手がきわめてむずかしかったことにある。住宅価格データの収集は、とくに困難だった。それでもかなりの数の先進国と新興市場国について過去数十年分の住宅価格データを入手できたので、後段で銀行危機を分析する際に活用することにしたい。

事件（event）で定義する危機——銀行危機、対外債務および国内債務のデフォルト

続いて、銀行危機、対外債務危機、国内債務危機の定義と判定基準に移る。このうち国内債務危機は、これまで記録も研究もきわめて不十分だったものである。コラム1・1に、本書で使った「債務」の基本的な用語について簡単な説明を掲げたので、参照されたい。

コラム1・1 用語の説明

対外債務——外国の債権者に対する一国の債務負担総額。公的債務と民間債務の両方を含む。債権者が債務契約条件の決定権を握ることが多く、裁判権は通常は債権者の国が保有するか、債権者が多くの国にまたがる場合には、国際法に委ねられる。

公的債務（**政府債務**）**総額**——国内および外国の債権者に対する一国の政府の債務負担総額。「政府」には、通常は中央政府、州・地方政府のほか、明確な政府保証付きで借り入れを行った事業主体も含む。

公的国内債務――一国の政府が自国の裁判権の下で行ったすべての借り入れの債務負担。債権者の国籍や債務の表示通貨は問わない。したがってここには、外国通貨建ての公的国内債務（以下に定義）も含まれる。債務契約の条件は市場で決められることもあれば、政府が一方的に決めることもある。

外国通貨建て公的国内債務――一国の政府が自国の裁判権の下で行ったが、表示通貨がその国の法定通貨とは異なる借り入れの債務負担。

中央銀行債務――おおむね暗黙の政府保証が付いているが、通常は政府債務には含まれない。中央銀行は、多くは公開市場操作（不胎化介入を含む）を実施する目的でこうした借り入れを行う。自国通貨建てのこともあれば、外国通貨建てのこともある。

銀行危機

銀行危機は、危機に特徴的な事件や出来事によって定義する。このアプローチを採ったのは、銀行（または他の金融機関）の危機に関する長期時系列データが不足しており、インフレ危機や通貨暴落と同じようには定量的に分析できないことが主な理由である。たとえば銀行（または他の金融機関）の相対株価（市場全体の値動きに対する株価）はよい指標になると考えられるが、実際にはこの方法は問題が多い。というのも、とくに古い時代や開発途上国では、国内銀行の多くが株式を公開していないからである。

別のアプローチとして、銀行の預金量の変化から危機を定義する方法も考えられる。この方法は、銀行危機が取り付け騒ぎと預金引き出しから始まるときにはうまくいく。たとえば一八〇〇年代の銀行恐慌などを扱うには都合がよい。ところが、銀行危機は必ずしもバランスシートの負債の側からばかり発生するわけではない。資産の側で価値が緩慢に劣化する場合にも、危機は起きる。たとえば、不動産価格の急落が引き金となるケース（二〇〇七年アメリカのサブプライム危機など）、非金融部門での倒産増加が原因となるケース（二〇〇〇年代後半の金融危機後期など）がある。後者では、倒産や不良債権の急増を危機発生の目安として使うことができる。しかし事業の破綻や不良債権を示す数値指標は整備されているとは言い難く、今日でさえデータが公表されていない国が多い。いずれにせよ、不良債権の公式発表はきわめて不正確である。これは、銀行はできるだけ長く問題を隠蔽しようとし、監督官庁はとかく見て見ぬふりをするためである。

このようにデータが限られているため、本書では銀行危機を次の二種類の事件で定義することにした。第一は、銀行の閉鎖、合併、国有化につながるような取り付け騒ぎである（一九九三年のベネズエラ、二〇〇一年のアルゼンチンなど）。第二は、取り付け騒ぎが発生していなくとも、重要な金融機関（または複数の金融機関）の閉鎖、合併、買収、大規模な政府支援が行われ、それを端緒に他の金融機関についても同様の措置が講じられる状況である（一九九六〜九七年のタイなど）。調査に当たっては、銀行危機に関する研究文献や金融専門誌の記事などを参考にした。銀行危機が続いている間は、ほぼ例外なく、顕著な信用逼迫が起きる。

銀行危機を総合的に論じた研究は世界各国で数多くあるが、一九七〇年以降ではカプリオとクリングベールによる一連の包括的な研究がよく知られており、信頼できる（最新の研究は二〇〇三年までカバーしている）。この研究は、銀行危機を二種類、すなわちシステミックな危機とやや良性の危機とに分類する際に、とくに信頼できる。このほか、カミンスキーとラインハート、また中南米に関してはジャコムの研究も参考にした。[*5] これらでカバーされない危機については、それぞれの国で行われた研究も参照している。各国固有のこうした研究は、銀行危機の歴史を知るうえで大いに役立った。[*6] 事件に基づくアプローチの問題点を表1・2に簡単にまとめたので、参照されたい。銀行危機の年表を巻末資料A・3とA・4に掲げた（ただし古い時代の危機は、期間の正確な特定が困難だった）。

対外債務危機

対外債務危機は、政府による対外債務の公然の不履行すなわちデフォルトを伴う危機である。対外債務のデフォルトとは、他国の法律の下で実行され、すべてではないが多くは外貨建てで、通常は債権者の大半が外国人であるような借り入れについて、政府が債権者への返済義務を履行しないことである。過去最大の対外債務のデフォルトは、二〇〇一年にアルゼンチンが起こしたもので、九五〇億ドルを上回っていた。このケースは、利払いの減額と繰延措置によって対処された。ときには債務国が返済義務を公然と拒否することもある。たとえば一八六七年にメキシコのファアレス政権は、マクシミリアン皇帝が借り入れた一億ドル以上のペソ建て債務の返済を拒絶した。しかし一般的には債務国の政府は、貸し手に原契約より不利な条件を引き受けさせて債務再編にこぎつける例が多い（たとえば、あまり知られていないが、一九五八〜七二年にはインドの対外債務再編が行われている）。

対外債務のデフォルトには、マイケル・ボルドー、バリー・アイケングリーン、マルク・フランドロー、ピーター・リンデル、ジョン・モートン、アラン・テイラーなど現代の主立った経済史家が、学問的研究の中で強い関心を示してきた。[*7] 古い時代の銀行危機に比べると（またほとんどの研究で無視されてきた国内債務危機と比べても）多分に劇的なこの危機については、原因と結果も多くのことがわかっている。対外債務のデフォルトと再編については第6章でくわしく論じ、発生年の一覧表も掲げた。一八二四年以降の時期については、おおむねスタンダード・アンド・プアーズの資料（巻末資料参照）に基づいて発生年を特定したが、戦後の債務再編や古い時代のデフォルトに関してはデータの不備や漏れがあったため、他の情報で補っている。[*8]

対外債務のデフォルトは、銀行危機などに比べれば発生時期や期間をはるかに明確に特定

表 1.2　事件で定義する危機

危機のタイプ	定義または判定基準	備考
銀行危機（Ⅰ） 連鎖的（重症） **銀行危機（Ⅱ）** 信用逼迫（軽症）	本書では銀行危機を2タイプに分類する。（Ⅰ）は銀行の閉鎖、合併、国有化につながるような取り付け騒ぎから始まるタイプ、（Ⅱ）は取り付け騒ぎが発生していない場合で、重要な金融機関（または複数の金融機関）の閉鎖、合併、買収、大規模な政府支援が行われ、それを端緒に他の金融機関についても同様の措置が講じられる状況がみられるタイプである。	銀行危機の開始時点の特定に関して、このアプローチにはいくらか欠点がある。金融危機は銀行が閉鎖あるいは合併されるよりかなり前に始まっていることが多いため、実際より遅く特定する可能性がある。逆に、最悪の時期がもっと後でやって来る場合もあるため、実際より早く特定する可能性もある。対外債務危機は終了時点を明確に特定することができるが、銀行危機の場合には終了時点を正確に示すのは困難または不可能である。
債務危機 対外債務	ソブリン・デフォルトとは、期日（または支払猶予期間内）に政府が元本または金利を返済しないことを意味する。返済条件が最終的に債権者にとって原契約より不利益となるような債務再編も、ここに含める。	危機の発生時期は、デフォルトの発生で特定することができるが、多くのケースで、債権者との最終合意（存在するとして）の時期は特定しがたい。このため、初年度だけを危機とするダミー変数を使って分析を行った。
国内債務	デフォルトの定義は対外債務と同じである。ただし国内債務危機の場合には、銀行預金の凍結またはドル建て預金の自国通貨への強制的転換といった措置がとられることがある。	最近の国内債務のデフォルトに関してはS&Pの資料があるが、網羅的ではない。S&P資料から漏れたデフォルトや、かなり前のデフォルトについては、解決にいたった時期を特定するのは不可能だった。

でき、異論の余地も小さい（銀行危機は終わりがはっきりしないことがままある）。それでも判断を要するケースがいくらかあった（第8章参照）。たとえば国別のデフォルト発生回数を数える際は、前のデフォルトから二年以内に発生したデフォルトは、一続きのものとしてカウントした。また公的対外債務のデフォルトは、債権者との正式合意が成立した時点で終わったと考えられるので、銀行危機に比べれば終了時期を特定するのは容易なのだが、それでも少なからぬ問題点があった。

危機の発生年はデフォルトの時点とみなせるため正確に特定できるにしても、債権者との最終合意（できたとしての話だが）は、いつまでたっても成立しないように見えるケースがめずらしくない。この点で最長記録を誇るのが、革命直後の一九一八年にロシアが起こしたデフォルトである。これは、六九年かかった。ギリシャは、一八二六年にデフォルトを起こしてから五三年間ずっと、国際資本市場から閉め出された。また一八七三年のホンジュラスのデフォルトも、ほぼ同じ期間にわたっている。[*9] もちろんこの長いデフォルト期間全体を俯瞰して、借り入れやデフォルトの周期の特定や、いわゆるハザードレート（ある時点でデフォルトする確率）の計算などを行うのは、有効であろう。それにしても、五三年もの期間を一つの危機と見なすのは、その期間が繁栄とはほど遠かったにせよ、やはり無理がある。そこで本書では、危機の全期間をカバーするダミー変数を国ごとに設定したほか、デフォルトを中心とする危機のコア期間を表す二種類の定性的な変数も使用した。第一の変数ではデフォルトの発生年のみを危機として記録するのに対し、第二の変数ではデフォルト発生年を中心に前後三年ずつ計七年の時間枠を設定する。七年としたのは、デフォルト前三年間と後三年間は、「通常」どおりの「平穏」な状況とはみなせないからである。この方法により、危機前後のさまざまな経済指標や金融指標の動きを、時代や国を超え一貫して分析することが可能になった。

国内債務危機

公的国内債務は、自国の裁判権の下で行われる借り入れで、多くの国の多くの時代に自国通貨建てであり、債権の大半を居住者が保有する。対照的に公的対外債務は外国の裁判権の下で行われ、その圧倒的多数は外貨建てで、債権の大半を国外居住者が保有する。

国内債務危機に関するデータは乏しいと再三にわたって述べてきたが、これは、危機が発生しなかったからではない。実際には国内債務危機は、平均的な対外債務のデフォルトに比べるとはるかに経済事情が悪いときに発生している（第9章参照）。だが一般に国内債務危機には、無遠慮な外国人債権者は絡んでこない。多くの事例が主要業界誌や金融専門誌で報道されず、またこの種の危機の研究が学術文献であまり取り上げられないのは、このためと思われる。もちろん、すべてが闇に葬り去られるわけではない。メキシコは一九九四～九五年にデフォルトを起こしかけて、大々的に報道された。これなどは、「有名」になった国内債務危機の例と言えよう。とは言えほとんどの人は、問題の債務の大部分が厳密には対外債務ではなく、国内債務であることに気づいていなかった。ＩＭＦと米財務省による救済措置がとられるまでデフォルト寸前だった国債（テソボノスと呼ばれ、その多くはペソ建て短期国債で、ペソは米ドルにリンクしていた）はメキシコ法の下で発行されており、したがって、メキシコの国内債務だった。単なる推測ではあるが、テソボノスがあれほど多くの非居住者に買われていなかったら、おそらく危機はさほど注意を引かなかっただろう。またアルゼンチンは、一九八〇年以降に国内債務のデフォルトを三回起こしている。うち二回は対外債務のデフォルト（一九八二年と二〇〇一年）と同時だったため、世界的に大きな関心を呼んだ。だが一九八九年の大規模なデフォルトは対外債務の新規デフォルトを伴っておらず、したがって非居住者が関与していなかったため、ほとんど取り上げられていない。また一九三〇年代の大恐慌の際には、先進国、途上国を問わず国内債務のデフォルトが多発したが、大方は記録されていない。債務に関する公式文書に記載されている場合でも、脚注扱いで、返済の遅滞や一時中断と書かれているだけのことが多い。

国内債務デフォルトは外貨預金の自国通貨への強制転換を伴うことがあり、そうした事例の一部は、銀行危機かハイパーインフレ、またはその両方が発生しているときに発生している（アルゼンチン、ボリビア、ペルーのデフォルトはこれに相当する）。国内債務危機に関する変数の設定は、前項で説明した対外債務の方式に従った。国内債務デフォルトの多くは、対外債務デフォルトとは異なり、危機の終了時点を確定しにくい。この点は銀行危機と似ている。

その他の基本概念

多発性デフォルト

多発性のデフォルトとは、公的対外債務または公的国内債務（政府保証債務を含む）またはその両方を、主権国家の政府が繰り返しデフォルトすることを指す。デフォルトの間隔は、五年の場合もあれば五〇年の場合もある。また全額の不履行（または返済拒否）もあれば、リスケジューリングによる一部不履行もある（リスケジューリングでは、通常は原契約より債務者に有利な条件で利払いが繰り延べされる）。全額のデフォルトは今日ではめったに起きないが、返済の一部なりとも債権者が受けとるまでに数十年を要するケースはある（第4章を参照されたい）。

「今回はちがう」シンドローム

「今回はちがう」シンドロームの本質は、ごく単純である。*10 この症状は、金融危機はいつかどこかで誰かに起きるもので、いまここで自分の身に降りかかるものではない、という強固な思い込みに根ざしている。われわれは前よりうまくやれる、われわれは賢くなった、われわれは過去の誤りから学んだ。昔のルールはもう当てはまらない。過去には（我が国でさえ）多くのブームが災厄につながったものだが、今回はちがう。なぜなら現在のブームは、健全なファンダメンタルズや構造改革や技術革新や賢明な政策に支えられているのだから……という具合である。

「今回はちがう」シンドロームについては、すでに序章で、レバレッジに依存した経済の脆さ、とくに信頼の喪失に対する脆弱性に注目して理論的根拠を示してある。歴史を振り返ると、このシンドロームは何度も発生していることがわかる。それを端から列挙することは本書の意図ではないが、読者は随所にシンドロームの例を発見できるだろう。たとえばコラム1・2に掲げた一九二九年の広告からは、大恐慌前夜の「今回はちがう」シンドロームをうかがい知ることができる。また第6章のコラム6・2では、一八二〇年代の中南米の借り入れブームを取り上げた。同地域で最初の債務危機につながったのは、このときのブームである。

コラム1・2 一九二九年の大暴落前夜にみられた「今回はちがう」シンドローム

史上最大級の誤断　ヨーロッパが誤りを犯した日

一七一九年一〇月三日、パリ、オテル・ド・ヌヴェールにて群衆が押し寄せて口々に叫んだ。「五〇株！」「私には二〇〇株！」「五〇〇株だ！」「こっちには一〇〇〇！」「一万よこせ！」

ご婦人のけたたましい叫び。紳士方のしわがれ声。誰もが投機家と化し、金や宝石や生涯かかって蓄えたなけなしの貯金を魔法の株に換えようとしていた。ジョン・ローのミシシッピ会社の株である。それさえ持っていれば、一夜にして大金持ちになれた。

けれどもやがてバブルははじけ、株価は下げに下げる。破滅が待っていることを知った民衆は、必死になって売ろうとし、売れないとわかると逆上して王立銀行に殺到した。まったくの無駄だった。金庫は空っぽなのだから。ジョン・ローは逃亡し、ミシシッピ会社も魔法の株券も、いまはもう苦い思い出にしか残っていない……。

しかし投資家のみなさま、ご心配にはおよびません。

歴史は繰り返すこともありますが、必ず繰り返すわけではないのです。一七一九年には、一般の投資家がミシシッピ会社について事実を探り出す方法は、皆無に等しかったと言えるでしょう。けれども一九二九年のいまは、状況がまったくちがいます。

今日では、バブルに金を投じるようなばかげたことをしたら、弁解の余地はありません。なぜなら、それは避けられた失敗だからです。いまではどんな投資家も、つまり数千ドルを投じる人も、数百万ドルを投じる人も、「事実」を知る手段を持っています。そして事実を知っていれば、人知のおよぶ限りにおいて投機の危険を避けることができ、健全な原則に基づいて投資を行うことができるのです。

スタンダード・スタティスティックス

ニューヨーク州ニューヨーク、ヴァリク通り二〇〇番地（現在はメキシコ料理のレストランになっている）
（資料）サタデー・イブニング・ポスト紙、一九二九年九月一四日付
（注記）この広告は、ピーター・リンデル教授が送ってくれた。

以下では、二〇世紀に発生した「今回はちがう」シンドロームを紹介する。

Ⅰ．一九三〇年代の新興市場危機

なぜ「今回はちがう」と思い込んだのか――もう二度と世界大戦はあるまい。安定した政治と力強い成長が世界的にいつまでも続くだろう。それに、開発途上国の債務負担は小さいから大丈夫だ。

FAMOUS WRONG GUESSES IN HISTORY

when all Europe guessed wrong

The date—October 3rd, 1719. The scene—*Hotel de Nevers,* Paris. A wild mob—fighting to be heard.

"Fifty shares!" "I'll take two hundred!" "Five hundred!" "A thousand here!" "Ten thousand!"

Shrill cries of women. Hoarse shouts of men. Speculators all—exchanging their gold and jewels or a lifetime's meager savings for magic shares in John Law's Mississippi Company. Shares that were to make them rich overnight.

Then the bubble burst. Down—down went the shares. Facing utter ruin, the frenzied populace tried to "sell". Panic-stricken mobs stormed the *Banque Royale.* No use! The bank's coffers were empty. John Law had fled. The great Mississippi Company and its promise of wealth had become but a wretched memory.

Today you need not guess.

HISTORY sometimes repeats itself—but not invariably. In 1719 there was practically no way of finding out the *facts* about the Mississippi venture. How different the position of the investor in 1929!

Today, it is inexcusable to buy a "bubble"—inexcusable because unnecessary. For now every investor—whether his capital consists of a few thousands or mounts into the millions—has at his disposal facilities for obtaining the *facts.* Facts which—as far as is humanly possible—eliminate the hazards of speculation and substitute in their place sound principles of investment.

SSC INC

STANDARD STATISTICS

200 VARICK ST.

New York, New York (now the home of Chipotle Mexican Grill)

Saturday Evening Post, September 14, 1929

当時、第一次世界大戦の主要参戦国は巨額の債務を抱えていたが、中南米やアジアなどの地域は甚大な損害を免れており、政府財政はきわめて手堅く、よく管理されているように見えた。一九二〇年代の世界は楽観的な空気に満ちており、今回の金融危機直前の五年にわたる大好況期とよく似た状況だった。世界の平和が二〇〇〇年代の活況を支える重要な要素だったように、第一次世界大戦のようなことはすぐにはあるまいという見方が広まって、当時の経済を支えていた。

だが一九二九年に世界の株式市場を襲った大暴落は、大恐慌の引き金となる。世界的なデフレで実質金利が上昇するにつれ、経済は収縮し、政府の財源は枯渇した。そして史上最大級のデフォルトの波が続いた。

2. 一九八〇年代の債務危機

なぜ「今回はちがう」と思い込んだのか――商品市況は堅調で、金利は低く、オイルマネーが「環流」している。政府には有能な官僚がおり、ハイリターンのインフラ投資に資金が投じられている。一九二〇年代、三〇年代の戦間期と同じく、国債による資金調達より銀行融資が多い。銀行は多額の融資をしているのだから、健全に投資され確実に返済されるよう、ぬかりなく情報を収集し監視するだろう。

商品市況は長期にわたって下落基調が続いた後、一九七〇年代に入ってブームに沸く。世界の経済成長とともに希少な金属資源の相場は高騰し、資源王国である中南米は巨万の利益を手にできるようにみえた。先進国が軒並みインフレだったため、富裕国の債券市場では実質金利が長期にわたって異常な低水準で推移する。さらに重要なのは、中南米では四〇年ほども新たなデフォルトが発生していなかったことである。最後のデフォルトの大波は、大恐慌の頃だった。

多くの政府高官や政策策定に参加する経済学者が、欧米の銀行から開発途上国への融資はたいへん好ましいと語った。そして銀行は、石油輸出国機構（ＯＰＥＣ）から余剰資金を吸い上げて開発途上国へ「環流」させるという重要な仲介サービスを行っていたと言われる。彼らがそうしたサービスに手を染めたのは、中南米に限らずどんな相手にでも、多額の資金を貸し付ける（そしてその見返りに巨利を手にする）のに必要な融資と監督の専門知識を持っていたからだとされている。

一九七〇年代のブームは、多くの前例と同じく悲劇に終わった。実質金利の急上昇と商品相場の世界的な暴落が同時に起こり、メキシコが一九八三年八月にデフォルトを宣言する。その後すぐ、アルゼンチン、ブラジル、ナイジェリア、フィリピン、トルコなど主要新興市場国十数カ国が次々にデフォルトを起こした。さらに一九八〇年代前半には富裕国がインフレ抑制に乗り出し、各国の中央銀行が大幅な利上げを行った結果、一般に短期金利に連動していた開発途上国向けローンは、維持するだけでも途方もなくコストが嵩むようになる（なぜ短期金利に連動していたのかという問題は、対外債務に関する理論を扱う章で取り上げる）。需要が世界的に縮小して商品相場は大幅に下落し、ピーク時から七〇％以上落ち込んだケースもあった。

3．一九九〇年代のアジアの債務危機

なぜ「今回はちがう」と思い込んだのか——アジアは規律ある財政政策を採用しており、為替レートも安定していて、成長率も貯蓄率も共に高い。金融危機を起こしたことなど、思い出せる限りでは一度もないのだ。

一九九〇年代半ばのアジアは、外国資本のお気に入りだった。理由は、第一に家計部門の貯蓄率がきわめて高く、政府は財政が逼迫しても国内貯蓄に頼れたこと、第二に政府の財政状態がまずまず健全で、民間借り入れが大半だったこと、第三に通貨が事実上ドル・ペッグされ、投資が安全だったこと、第四にアジアは金融危機とは無縁だと考えられていたことである。

だが結局は、健全な財政政策の下で高度成長を遂げている国であっても、ショックには耐えられないことが判明した。アジアの重大な弱点は、公然ではなく多くは暗黙の形で、為替レートがドルにペッグしていたことである。*11 そのために、アジア経済は信頼の喪失に対してきわめて脆弱になっていた。そして一九九七年夏に、まさにその恐れていたことが起きたのである。タイを始めとする各国政府は為替介入を行い、買い支えが失敗に終わったとき、巨額の損失を

被った。[12] 中でも韓国、インドネシア、タイはＩＭＦによる大規模な救済措置に頼らざるを得ず、それでも深刻な景気後退と大幅な通貨切り下げを避けることはできなかった。

4．一九九〇年代〜二〇〇〇年代前半の中南米の債務危機

なぜ「今回はちがう」と思い込んだのか――債務の多くは債券を通じており、銀行から借りているわけではない（人々の考えが、債券の方が安全だという見方と銀行融資の方が安全だという見方の間で振り子のように揺れている点に注意されたい）。債券の場合、国際銀行から借りる場合と比べて債券保有者が桁違いに多く、それだけ債務の再交渉もむずかしいのだから、国はデフォルトにはずっと慎重になるだろう。（上記2参照）

一九九〇年代前半に世界の貸し手は、一〇年におよぶデフォルトとスタグネーションから立ち直ったばかりの中南米に資金を注ぎ込んだ。銀行ではなく主に債券を通じて貸し出しが行われたため、債務の再交渉という事態にはなるまいとの見方が一部に出てくる。一九八〇年代の債務危機のときは、債務国が銀行にリスケジューリングを押しつけ、まんまと返済繰り延べと実質的な減額に成功した。しかし今回はあちこちに散らばる多数の債券保有者が請求権を保有しているのだから、あのときの二の舞にはなるまい。再交渉など不可能だから、デフォルトを起こすのははるかにむずかしいだろう、という見方である。

投資家を安心させた要因はほかにもある。一つは、多くの中南米諸国が独裁政権から民主政権へと移行し、「安定性が高まった」ことだ。また一九九四年一月には北米自由貿易協定（NAFTA）が発効し、メキシコはもう心配無用と判断された。さらにアルゼンチンも、カレンシーボード制により通貨を「恒久的に」ドルに固定しているのだから、もはやリスクはないと言われた。

だが一九九〇年代の貸付ブームは、結局は一連の金融危機に終わっている。まず一九九四年一二月にメキシコが破綻し、続いてアルゼンチンが九五〇億ドルをデフォルトする。これは、その時点で史上最大のデフォルトだった。さらにブラジルでは一九九八年と二〇〇二年に金融危機が発生し、ウルグアイは二〇〇二年にデフォルトを起こした。

5．二〇〇〇年代後半の金融危機（第二次大収縮）前のアメリカ

なぜ「今回はちがう」と思い込んだのか——グローバリゼーションにハイテク・ブーム、さらにアメリカの優れた金融システムと金融政策の豊富な知識、そして債務の証券化という新手段。これらのおかげで、万事がうまくいっている。

住宅価格は倍に値上がりし、株価は急上昇し、これらすべてに外国からの記録的な借り入れが拍車をかけた。それでも大半の人は、よもやアメリカが新興市場のような金融危機に見舞

われるはずがないと信じ込んでいた。

本書の第五部では、その後の経過をたどる。第二次大収縮は大恐慌以来最も深刻な金融危機であり、第二次世界大戦後にグローバル規模で起きた唯一の金融危機でもある。第五部までの各章を読むうちに、金融危機は、多くの時代に多くの地域で繰り返し発生する性質を示してきたことがおわかりいただけよう。繁栄の時代は、それがいかに長くとも、最後は悲劇に終わることがめずらしくない。

第2章

債務不耐性

——デフォルト頻発の根本原因

制度的構造に弱点があり政治運営にも問題が多い国では、外国からの借り入れが、政府にとって支出削減や増税など困難な決断を避ける格好の手段となりやすい。債務不耐性（債務に対する耐性が低く、すぐに耐えられなくなる症状）は、こうした国がかかる症状である。

一部の国は、債務をデフォルトしうる事態に繰り返し直面したとき、それに抵抗できない。本章ではこの点に着目し、デフォルトが繰り返されるケースを考えるための統計的な枠組みを提示する。本章と次章ではいくらか技術的な議論を展開することになるが、それはご免被りたいという読者は、飛ばして第二部に進んでも、議論の流れとしてとくに支障はない。

多くの新興市場国は、先進国の基準からすれば十分に対処可能と思われる水準の対外債務であっても、非常な重圧を感じる。債務不耐性は、この極度の圧迫感と定義することができる。この圧迫感は、市場の信頼を失う→公的対外債務の金利が急上昇する→外国の債権者への返済に対して政治的抵抗感が強まるという悪循環をたどる。そして最終的には、債務水準が対GDP比六〇%をはるかに下回る状況でデフォルトしてしまうことが多い。対GDP比六〇%というのはマーストリヒト条約で設定された水準で、ユーロ導入国政府のデフォルトを防ぐ目的で定められた。しかし債務を無理なく許容できる限界は、その国のデフォルトやインフレの履歴に大きく左右されることがわかっている。*1

債務の許容限界

本章では、一部の国がデフォルトを繰り返しやすい理由を理解するための最初の手がかりを提示する。続いて、債務のわずかな増加にも耐えられないような脆弱性、すなわち債務不耐性の度合いを定量的に測定する。

新興市場国で公的債務総額の対GNP比が高いとき、たとえば一〇〇%を上回るようなときにデフォルトを起こすリスクが大きいということは、マクロ経済学者の間では半ば常識である。先進国であっても、債務の定義にもよるが日本のように一七〇%近くに達していれば、問題が多いと考えられる（日本の外貨準備はきわめて潤沢だが、その点を考慮するにしても、純債務がGNP比九四%というのはやはりひどく高い）。[*2] しかし実際には新興市場国のデフォルトは、対外債務GNP比率がもっと低いときに起きている。よく知られている例をみるだけでも、たとえば一九八二年のメキシコのデフォルトは同四七%、二〇〇一年のアルゼンチンは同五〇%強で発生した。

新興市場国の債務の許容限界を調べるに当たっては、まず一九七〇~二〇〇八年に中所得国で発生したすべての対外債務のデフォルトまたは再編を取り上げ、その略年表を作ることから始めた。デフォルトの定義は、第1章に掲げた指針に従った。[*3] なおこれは、対外債務デフォルトの発生年を特定する最初の試みに過ぎず、より多くの国と長い時期を対象にした年表は後の章で提示する。表2・1には、中所得国における対外債務のデフォルトまたは再編（包括的に「クレジット・イベント」と呼ぶ）の発生年、発生年末時点での対外債務の対GNP比および対輸出比を国別に記載した。クレジット・イベント発生年は、定義上、デフォルトの開始年ということになる。[*4] 先に挙げた一九八二年のメキシコや二〇〇一年のアルゼンチンはもちろん、二〇〇八年のエクアドルまでを収録してある。表2・2は表2・1に基づいて作成したもので、これを見ると、対外債務GNP比率が一〇〇%以上だったケースは全体の一六%に過ぎないこ

表 2.1　中所得国におけるデフォルト時の対外債務（1970 〜 2008 年）

	デフォルトまたは債務再編の発生年	デフォルトまたは債務再編の発生年末時点における対外債務残高／GNP比(%)	同、対外債務残高の輸出比（%）
アルバニア	1990	16.6	98.6
アルゼンチン	1982	55.1	447.3
	2001	50.8	368.1
ボリビア	1980	92.5	246.4
ブラジル	1983	50.1	393.6
ブルガリア	1990	57.1	154.0
チリ	1972	31.1	n.a.
	1983	96.4	385.6
コスタリカ	1981	136.9	267.0
ドミニカ共和国	1982	31.8	183.4
エクアドル	1984	68.2	271.5
	2000	106.1	181.5
	2008	106.1	181.5
エジプト	1984	112.0	304.6
ガイアナ	1982	214.3	337.7
ホンジュラス	1981	61.5	182.8
イラン	1992	41.8	77.7
イラク	1990	n.a.	n.a.
ジャマイカ	1978	48.5	103.9
ヨルダン	1989	179.5	234.2
メキシコ	1982	46.7	279.3
モロッコ	1983	87.0	305.6
パナマ	1983	88.1	162.0
ペルー	1978	80.9	388.5
	1984	62.0	288.9
フィリピン	1983	70.6	278.1
ポーランド	1981	n.a.	108.1
ルーマニア	1982	n.a.	73.1
ロシア	1991	12.5	n.a.
	1998	58.5	109.8
南アフリカ	1985	n.a.	n.a.
トリニダードトバゴ	1989	49.4	103.6
トルコ	1978	21.0	374.2
ウルグアイ	1983	63.7	204.0
ベネズエラ	1982	41.4	159.8
ユーゴスラビア	1983	n.a.	n.a.
平均		69.3	229.9

（資料）Reinhart, Rogoff, and Savastano (2003a)。世界銀行「世界開発金融」統計に基づき更新。

（注記）所得分類は、世界銀行「世界開発金融」統計に拠った。表中の「n.a.」はデータ入手不能。債務残高は、表示年の年末時点の数字である。したがって、デフォルトのあった年には多くの場合に実質為替レートが低下しているため、年末時点の対外債務残高の GNP 比は、高めに出る傾向がある。

表 2.2　中所得国のデフォルト時における対外債務比率の度数分布（1970～2008 年）

デフォルトまたは債務再編の発生年における対外債務残高／GNP 比率（%）	全件数に占める比率（%）
＜ 40	19.4
41–60	32.3
61–80	16.1
81–100	16.1
＞ 100	16.1

（資料）表２・１および筆者の計算
（注記）比率の計算は対外債務残高／GNP 比率データのあるケースのみを対象とし、表２・１で「n.a.」のケースは除外した。

と、さらにデフォルトの半分以上はこの比率が六〇％未満で発生しており、四〇％未満で発生しているケースも二〇％近くあることがわかる[*5]（しかも、表2・1に掲げた対外債務GNP比率が本来より高めに出ていることは、ほぼ確実である。クレジット・イベントの期間中は国内外の投資家がその国の通貨を売るため、実質為替レートが下落して、対外債務GNP比率は押し上げられるからである）。

次に新興市場国を過去にデフォルト歴のある国とない国に分け、対外債務の状況を比較した。図2・1には、一九七〇～二〇〇八年の両グループについて、対外債務GNP比率の度数分布を示してある。分布のちがいは明らかで、デフォルト歴のある国の方がない国より（同じ債務水準でも格付けが低いにもかかわらず）借入額が多いことが見てとれる。デフォルト歴のある国とない国との対外債務比率の格差は、対輸出比でみると一段と拡大する。借入時点でデフォルトのリスクが最も高い国（すなわち債務不耐性の度合いが最も強い国）が最も多く借

図2.1　デフォルト歴のある国とない国における対外債務残高／GNP比率の度数分布（新興市場国、1970～2008年）

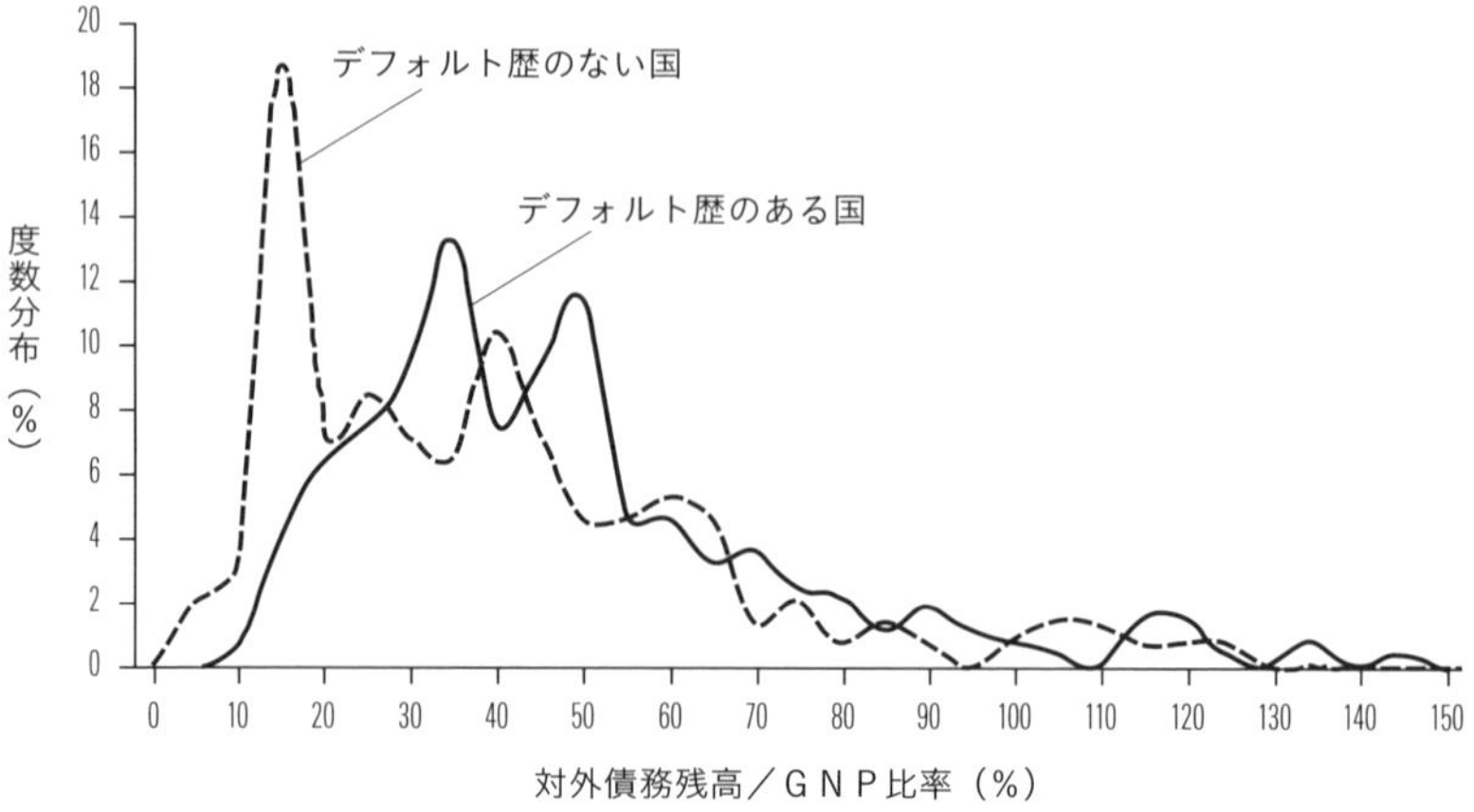

（資料）Reinhart, Rogoff, and Savastano (2003a)。ＩＭＦ「世界経済見通し」および世界銀行「世界開発金融」統計に基づき更新。

りるように見受けられ、この傾向は、最大の外貨獲得源である輸出に対する比率でみたとき、より顕著になる。となれば、好ましからぬクレジット・イベントを起こしたときに資本流入期が終わってしまうのも、当然と言えよう。もっとも、これが借り手だけの責任でないことは言うまでもない。貸し手の側も「今回はちがう」シンドロームに陥った点では同罪である。

この度数分布を活用すると、新興市場国には対外債務ＧＮＰ比率に許容限界が存在し、それを超えると債務不耐性の症状が急激に強くなるのではないか、といった点を検討することができる（ただしこれはほんの手始めに過ぎない。これから見ていくように、債務不耐性の程度によって、国ごとの許容限界は大幅に異なるからである）。ここではとくに、その国の返済実績とインフレの履歴が重要な意味を持つこと、過去の成績が悪い国ほど債務の重みに耐える能力に欠けることを強調しておきたい。調査した限りでは、信用履歴のよい国の半分以上で、対外債務GNP比率が三五％を下回っている（さらに言えば、優良国の四七％で、この比率は三〇％未満だった）。対照的に信用履歴の芳しくない国の半分以上では、対外債務GNP比率が四〇％を上回った。国ごとの債務不耐性の度合いを考慮せずに表2・1と2・2を見るだけでも、新興市場国で対外債務水準が対GNP比三〇〜三五％を上回ると、クレジット・イベントの発生リスクが大幅に高まり始めることがわかる。[*6]

脆弱性の計測

債務不耐性という概念を扱えるようにするため、言い換えれば外国の借り手としての一国の脆弱性を数値化する方法を見つけるために、本書では二種類の指標に注目する。一つはインスティテューショナル・インベスター誌によるソブリン格付け（以下IIRと略称する）、もう一つは対外債務の対GNP比（または対輸出比）である。

IIRは、世界の大手銀行・証券会社のエコノミストとソブリン専門アナリストから提供された調査データに基づき、年二回発表される。〇〜一〇〇点で評価され、政府が債務不履行を起こす可能性の最も低い国に一〇〇点が与えられる。[*7] したがってデフォルト・リスクを表すものとして、「一〇〇マイナスIIR」という変数を設定することが考えられる。デフォル

表 2.3　債務比率とソブリン・リスク（1979 ～ 2007 年）

	100–IIR
対外債務残高／GNP 比率との相関性	
開発途上国全標本	0.45 *
アフリカ	0.33 *
アジア新興市場国	0.54 *
中東	0.14
西半球	0.45 *
対外債務残高／輸出比率との相関性	
開発途上国全標本	0.63 *
アフリカ	0.56 *
アジア新興市場国	0.70 *
中東	0.48 *
西半球	0.47 *

（資料）Reinhart, Rogoff, and Savastano (2003a)。世界銀行「世界開発金融」統計およびインスティテューショナル・インベスター誌に基づき更新。

（注記）＊印は、95％の信頼水準で相関性が統計的に有意であることを示す。

ト・リスクを市場で測定する方法（たとえば流通市場で各国の国債に付けられた価格で評価する）もないわけではないが、残念ながらごく一部の国にしか適用できず、標本期間も大幅に短い＊8。

ある国が対外債務デフォルトを起こしやすく繰り返しやすい性質を数値化するための第二の指標は、対外債務総額の対GNP比または対輸出比である。ある国の持続可能な債務水準を知るのに、対外債務総額（公的債務と民間債務の両方を含む）に着目したのは、次の理由からである。第一に、歴史的にみて新興市場国では公的債務の大半が対外債務である。第二に、対外債務に占める民間債務の割合は、危機が事後になって公になるまでは、ごく小さい[*9]（なお第8章では、分析対象を拡げて国内債務も含める。危機発生前の二〇〇〇年代前半には、多くの新興国政府による公的国内債務残高が巨額に達し、きわめて重要な要素となったからである）。加えて、民間の国内債務に関するデータがいまだに乏しいという事情もあった。

表2・3は、開発途上にある多くの標本国について、二種類の対外債務比率とIIRとの相関性を示したものである。地域グループの相対的な位置づけをみても、債務比率とIIRの相関関係をみても、二つの異なるリスク指標がきわめて似通った傾向を示していることがわかる。予想通りすべての地域グループが一様に正の相関を示し、相関性はほぼすべての事例で統計的に有意であることが確かめられた。

債務国クラブ

次に債務不耐性の数値指標を構成する要素（IIRと対外債務比率）を使って二段階の手順（図2・2参照）に従い、債務国の「クラブ」と脆弱性の領域を設定した。まずインスティテューショナル・インベスター誌が一九七九～二〇〇七年にソブリン格付けを公表した九〇カ国について、平均値（四七・六）と標準偏差（二五・九）を計算し、次にこの数値を使って、九〇カ国をおおまかに三つのクラブに分けた。一九七九～二〇〇七年の平均IIRが七三・五（平均値プラス1標準偏差）以上の国をクラブAとする。ここに入るのは、経済が盤石でほぼ

図 2.2　債務不耐性の度合いに応じた債務国の分類

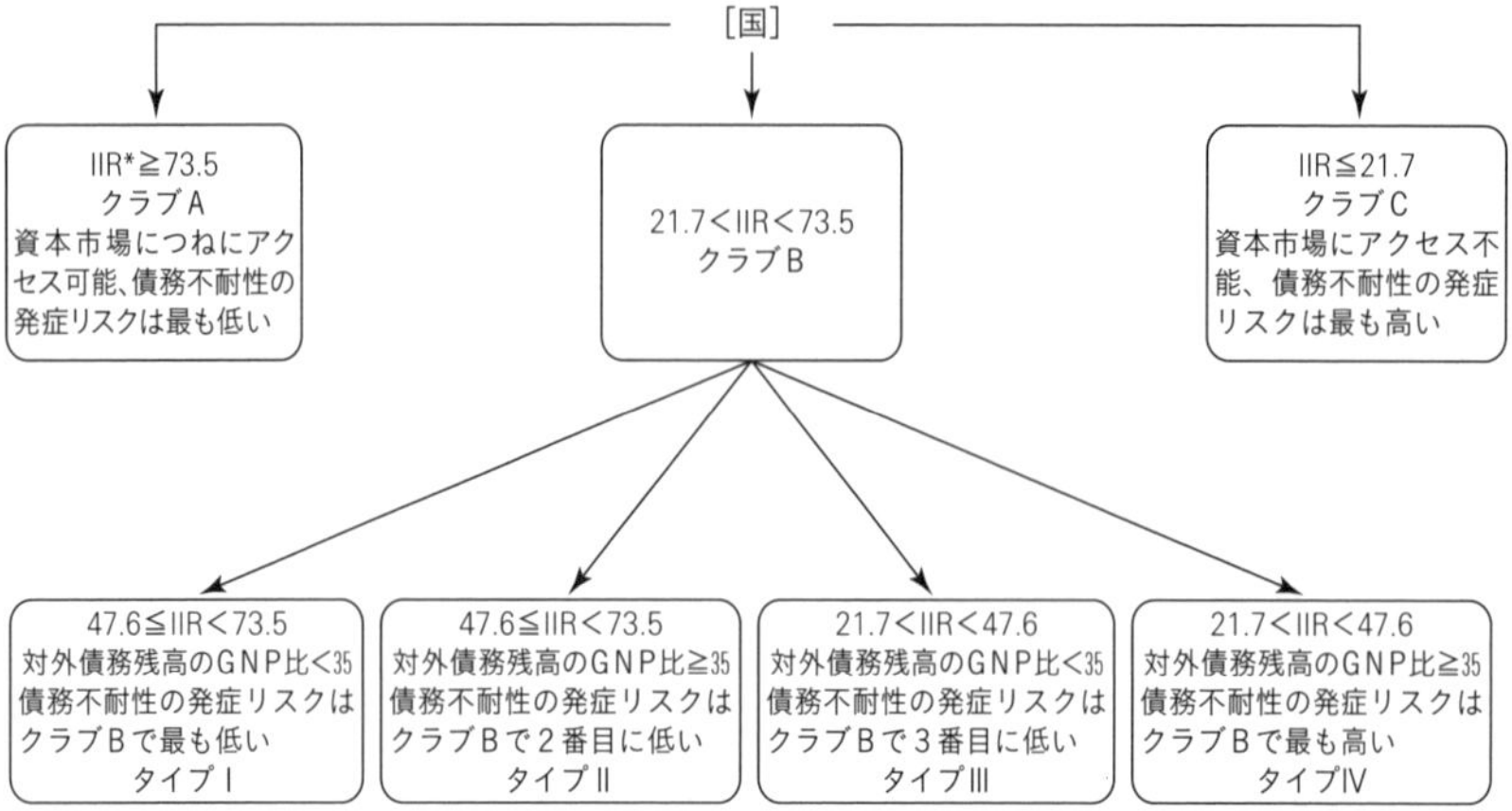

（注記）＊IIRは、インスティテューショナル・インベスター誌の評価に基づく長期平均。

つねに資本市場にアクセスできる国であり、すべての先進国が該当する。返済履歴をみるとわかるように（第8章参照）、クラブAのメンバーは最も債務に耐性がある。クラブAと対極に位置するのがクラブCで、平均IIRが二一・七（平均値マイナス1標準偏差）以下の国がここに入る。[*10] 資本市場へのアクセスを断たれたクラブCの国が、国外からの資金調達源として主に頼るのは、グラント（無償資金協力）と借款である。Cの国は債務不耐性の症状が甚だしいため、市場から借り入れられるチャンスはめったにない。最後に、AにもCにも該当しない国をクラブBにまとめる。本書の重点的な分析対象となるのは、このクラブBの国々である。Bに属す国は、債務不耐性の症状に応じて脆弱性の度合いがちがってくる。クラブBのメンバーは債務理論モデルで「中位」に位置づけられ、デフォルト・リスクは無視できるほどには小さくなく、かつ、危機を予見した人々の行動が自己実現的に危機を招きやすいという特徴を備えている（債権者の信頼を失ったら政府も銀行もいかに脆いか、とくに借り入れや預金を通じた短期資金に依存している場合にいかに危ないかは、本書で繰り返し論じることになろう）。クラブBはメンバーが多く、「卒業」間近の国もあれば、デフォルト寸前の国もある。この中位グループの債務不耐性は、債務市場から完全に閉め出されるほどひどい症状ではなく、借入比率によってリスクが異なることは明らかである。

そこで次のステップとして、先ほどと同じような手順でクラブBをさらに四つのグループに分けた。債務不耐性に最もなりにくいタイプから、なりやすいタイプまでの四段階である。クラブBの中で最もなりにくいタイプIに該当するのは、一九七九〜二〇〇七年の平均IIRが平均値（四七・六）以上七三・五未満で、かつ対外債務GNP比率が三五％未満の国である（すでに述べたとおり、一九七〇〜二〇〇八年にデフォルトを起こしていない国の半分以上は、この比率が三五％未満だった）。これに続くタイプIIは、平均IIRはタイプIと同じ（すなわち平均値以上七三・五未満）だが、対外債務GNP比率が三五％以上の国である。このタイプは、クラブBの中ではタイプIに次いで健全であり、対外債務危機を引き起こす可能性は二番目に低い。次のタイプIIIは、平均IIRは平均値に届かないが二一・七は上回り、かつ対外債務GNP比率が三五％未満の国である。そして債務不耐性に最もなりやすいタイプIVは、平均IIRは平均値に届かず、かつ対外債務GNP比率も三五％以上の国である。タイプIVの国は、あっという間にクラブCに転落することがある。たとえば二〇〇〇年初めのアルゼンチンは、IIRが約四四、対外債務GNP比率は五一%で、クラブBのタイプⅣに該当した。ところが二〇〇三年になるとIIRが約一五に下がり、クラブCに「降格」してしまった。第17章でも論じるが、上のクラブへ昇格するのは容易ではない。クラブBの国がAに上がるためには、数十年にわたって債務をきちんと返済し、かつ債務比率を低水準に維持しなければならないのである。信用を失墜し下のタイプに移動するのはめずらしいことではない。最近の危機後にクラブAから転落する国が出るかどうかは、いずれわかるだろう。

以上の定義と分類の基礎となっているのは、ごく単純なことである。すなわち、制度的弱点を抱えデフォルトを繰り返してきた履歴を持つ国(こうした履歴は低いIIRに反映される)は、債務水準が比較的低いときでも、債務不耐性を「発症」するリスクが高い。そしてその発症リスク(すなわちデフォルト・リスク)には、「患者」の債務に対する脆弱性と、実際の債務比率の両方が深く関わっているということである。

債務不耐性を考える

ある国が繰り返しデフォルトをするようになると、その後は債務不耐性の重い症状が長引く——悲しいかな、これが今回の分析でわかった事実である。もちろんその状態を脱することは可能だし、実際に脱した国もある。だが完治までのプロセスは長く辛い。たとえばギリシャやポルトガルにとっての欧州連合(EU)のように、外から手をさしのべてくれるしっかりした政治機関があれば別だが、そうでなければ何十年、何百年とかかることもある。すくなくとも現時点では、たとえ強力な国際機関の肩入れであっても症状を軽減しうる実験程度にみなしておくのが無難で、決定的な治療法とまでは言えない。

ある国の財政の持続可能性を検証するとき、債務不耐性の持つ意味は重い。財政の持続可能性の検証は、成長率と世界の金利水準に関する妥当な条件の下で、ある国が対外債務の負担に耐えられるかどうかを調べるために行う。こうした検証は広く行われており、たとえば問題国が債務残高を確実に返済できるようにするには、どの程度の債務減額が必要かを計算するときなどに実施する。このとき債務不耐性の度合いを考慮しないと、予想外のショックが市場の信頼あるいは返済の意思を失わせる可能性、ひいてはデフォルト再発の危険性を過小評価することになる。

債務不耐性は、いつか克服できるものなのだろうか。それとも、国内の制度的構造に弱点があり債務負担に耐えられない国は、低成長と不安定なマクロ経済を甘受するほかないのだろうか。あとの方の質問に対する答えは、いくらかはイエスだ。ただし国際資本市場へのアクセスが困難になるのは病気の一つの症状とみるべきであって、原因と考えるのはまちがっている。

国が債務の負担に耐えられなくなる真の原因は制度的不備であり、その基本的な問題点は、大きく分けて三つ挙げられる。

第一に、制度、政治の腐敗、統治といったいわゆる「ソフト」なファクターに問題がある。経済成長に関する近年の実証的な研究は、国民一人当たり所得に大きな格差が生まれる原因として、資本装備率（労働者一人当たりに投下される資本ストックの量）などよりも、こうしたソフトなファクターを次第に重視するようになっている。

第二に、定量的な分析によれば、資本市場の統合によるリスク分散効果はさほど大きくない（「資本市場の統合」とは、ある国の資本市場が事実上も法律上も世界の資本市場と統合されることを意味する。また「リスク分散効果」とは、ここでは消費水準の大幅変動を抑制する効果を意味する）。そうした効果が得られるのは、マクロ経済を不安定化させる無用の政策、国内銀行法の未整備、政治の腐敗、あるいは流入資本を短期債務に誘導する政策といったものを心配しなくてよい理想の世界だけである。[*11]

第三に、新興市場への資本流入は明らかに景気循環と同調しており、景気拡大期には流入額が増え、景気後退期には減る。このような景気循環に呼応した資本流入の変動は、新興市場国のマクロ経済政策が景気循環を増幅しやすい傾向を一段と助長することになる。景気後退期に資本流入が激減するため、新興市場国は富裕国とは対照的に財政・金融政策を引き締めざるを得ず、これが結果的に景気低迷を悪化させる大きな原因となりやすい。[*12]たとえ限定的であっても安定して資本市場にアクセスできる方が、借り入れの急増と急減を繰り返すよくあるパターンよりも、経済にとって明らかに好ましい。したがって、債務市場へのアクセスが限定的だから新興市場経済の成長が阻害されるという定説は、かつてほど説得力を持たない。

先に挙げた学問的研究では、資本が債務、株式、海外直接投資（ＦＤＩ）のいずれの形で流入するのか、また債務の期間が短期か長期か、といった区別を明確にしていない。しかし現場の政策担当者にとっては、言うまでもなく流入資本の形態は重要関心事であり、一般にFDIは債務より好ましい特性を持つとされている。FDIは変動性が小さく、技術移転などの間接的なメリットも伴うからである。*[13] FDIや株式投資の方が債務より問題が少ないという見方はおおむね頷けるが、この点を過大に評価するのは避けたい。というのも実際には、三つのタイプの資本流入は密接に関連し合っているからである（たとえば工場などの買収を考える外国企業の多くは、その前から現金による投資をしている）。しかもデリバティブ契約の存在が、三者の境界を曖昧にしている。こうしたわけだから、どれほど緻密な統計学者であっても、流入する外国資本を正確に分類するのはむずかしい（まして、自国の脆弱性を少なく見せかけるため、ある種の投資をFDIと報告する慣習が疑われる国の場合には、なおさらである）。とは言えこれらの点を考慮してもなお、先進国政府は物価に連動しない債務が他のタイプの資本流入に比べてリスクが大きいことをわきまえ、そうした債務への過度の依存を防ぐ措置をもっと拡充できるはずである。*[14] なお短期債務は、債務危機を引き起こしやすいという点で最も問題が多いとされているが、財の取引を促進する効果があり、民間事業者のヘッジを可能にするためにも、ある程度は必要だという点に注意しなければならない。なお言うまでもないことだが、資本市場にアクセスできるメリットを十分に生かせるのは対外債務GNP比率が低い国だという見方は、妥当と考えられる。

全体としてみれば、債務不耐性は一国の成長やマクロ経済の安定にとって致命傷ではないが、やはり重大なマイナス要素である。多発性のデフォルトに関する本書の分析が示すように、債務不耐性を克服するには、政策当局は計画的に取り組まなければならない。債務水準をかなりの長期にわたって低水準に維持すると同時に、より基本的な構造改革を実行し、いずれは重い債務負担も安易に投げ出さずに消化できる体質に変えていく必要がある。このことは、対外債務だけでなく、ここに来て再び表面化してきた国内債務にも当てはまる。目先の必要に迫られた政策担当者はハイリスクの借り入れに走りがちであり、市場は相応の対価さえ得られれば貸してやるものである。だがそれに伴う基本的な問題点を理解しておくことは、少なくともその国の国民が自ら決断を下すうえで役に立つだろう。もちろん国際的な融資機関や、広く国際社会にとっても有益なはずだ。

対外債務を繰り返しデフォルトする問題について理解を深めることは、危機の防止と解決という観点から国内および対外的な経済政策をよりよく設計するうえで、きわめて重要だと考えられる。今後一層の研究が必要であることは承知しているが、現時点では、債務不耐性を比較的少ない変数（主としてその国のデフォルトと高インフレの履歴）で体系的に把握できることを示せたと自負している。債務に対する耐性が低い国は、外国からの借り入れに対する許容限界が驚くほど低く、それを上回るとデフォルトや再編のリスクが急激に高まる。二一世紀に入ってから国内の借り入れが爆発的に増えたことは本書で新たなデータを示すとおりだが、これに伴って対外債務の許容限界が、一〇年前のすでに低い水準からさらに下がったことは、ほぼ確実である（くわしくは第11章で論じる）。また今回の結果は、対外債務に対する不耐性を決定づける要因が、国内債務に対する不耐性にも重大な影響を与え得ることを示唆している。

もちろんこのほかに国内特有の症状として、国内でのドル化（金融商品の取引または表示に外国通貨を事実上または法律上導入すること）などがある。

債務不耐性の症状を持つ国は、債務水準の対GNP比を何とかして安全水位まで引き下げる方法を見つけなければならないが、それは容易ではない。歴史的に見て、対外債務GNP比率の高い国が、高度成長あるいは長期にわたる多額の返済を通じてその状態を脱した例は、きわめて稀である。[*15] 新興市場国で対外債務が大幅に減ったケースのほとんどは、再編かデフォルトによっている。成長だけを通じて対外債務GNP比率を徐々に引き下げ、債務不耐性の重い症状を完治するのはむずかしい。しかし債務危機の際に政府や民間のアナリストが行う標準的な予測では、この点が見落とされることが多く、こうした予測に潜む重大な誤りの一つとなっている。

本書を書いているこの瞬間にも、多くの新興市場国が経済を「ジャンプスタート」させるべく、先進国のやり方をそっくり真似た景気刺激策を実行している。だが本章の分析からすれば、「債務不耐性の徴候」を抱えているのにそうした政策をとる国には、注意しなければならない。財政赤字が拡大すればその国は次第に債務の許容限界に近づき、返済は一段と困難になるからである。債務に対する耐性が低い国に債務以外の形で資本を投下し、新たな国で悪循環が繰り返されるのを防ぐにはどうすればよいか。二〇〇〇年代後半のグローバル金融危機が鎮静化した暁には、その方法を考えることが課題となるだろう。

第3章 金融危機データベース

一八〇〇年から二〇〇九年にかけて、ソブリン・デフォルトは対外債務について少なくとも二五〇回、国内債務でも六八回はあった。それならば、公的部門の債務について長期にわたる総合的な時系列データを見つけるのは、容易だと思われるかもしれない。だが実際にはまったくちがう。公的債務の時系列データを探すのは、経済指標の中でもひどく大変な部類に属した。

危機を定義し、デフォルトを繰り返しやすい国の体質について最初の簡単な分析も終えたので、いよいよ本書の心臓部とも言うべきデータセットの解説に移る。危機を説明するために、この情報の鉱脈を今回さまざまな角度から掘り起こした。本章では、今回の研究で使った包括的なデータベースについてごくおおざっぱに解説し、情報源を明らかにするとともに、その特長と問題点を評価する。国別、時代別の各時系列データの対象範囲と情報源は、くわしくは巻末資料A・1とA・2にまとめた。A・1は本書で使用したマクロ経済指標、A・2は公的債務に関するもので、この二つが本書の分析を支える柱となっている。

本章の構成をここで簡単に記しておこう。最初の節では、多くはよく知られた主要情報源から採取してとりまとめた時系列データ群について説明する。ここには、物価、現代の為替レート（および古い時代の通貨の金属含有率）、実質GDP、輸出が含まれる。最近の時代については主に大規模な標準的データベースから収集できたが、古い時代については、個人、グループを問わず研究者の資料を参考にした。[*1] 次の節では、情報源や資料作成方法が先に挙げたもののほど一貫していないデータについて説明する。これに該当するのは、政府財政に関するデータと、個人の努力により収集された国民経済計算データ（具体的には一九〇〇年以前の実質および名目GDP）である。残る数節では、多数の国と世紀におよぶ公的債務データベースを構築した手法とデータベースの特徴を説明するとともに、グローバル変数と本書で取り上げる標本国について説明する。公的国内債務と対外債務のデータベースを構築する作業は、経済学より考古学に近かったと表現するのが適切だろう。危機事例の編纂にあたっては、次の二つの方法を採用した。一つは、おおまかな原則を機械的に当てはめて発生年を特定する方法である。もう一つは、三世紀以上の期間にわたって今回参照した専門誌や学術文献（参考文献に掲げてある）の記述に従い、過去の危機を裁量的な判断に基づいて解釈する方法である。

物価、為替レートおよび通貨の金属含有率、実質GDP、輸出

物価

今回の研究で私たちがとくにめざしたのは、過去から現在までに起きたさまざまな形の資産収奪すなわちデフォルトについて、その出現率と規模を明らかにすることである。このような研究は、インフレを通じた収奪を考慮しない限り、完全とは言えまい。かつて紙幣の印刷機が存在しなかった頃は、金貨や銀貨の金属含有率を組織的に減らす「品位低下」が資源を強奪するために君主が使う常套手段だったが、不換紙幣（紙券通貨）が登場してからは、インフレがその現代版となっている。インフレの指標には、原則として消費者物価指数か、これに近い生計費指数を採用した。現代のデータは、主に国際金融統計（IFS）と世界経済見通し（WEO）に拠った。いずれもIMFの標準的なデータベースである。第二次世界大戦前（通常は一九〇〇年代前半以降または一八〇〇年代後半以降）のデータは、グローバル・フィナンシャル・データ（GFD）、ウィリアムソンによる複数の研究[*2]、OXLAD（オックスフォード中

南米経済史データベース）が主要情報源である。[3]

本書で分析対象とした八〇〇年間のうち、古い時代については、多くの経済史家による緻密な研究が頼りになった。これらの研究は、多くは国単位ではなく都市単位で、品目ごとの物価指数を一次資料から構成している。カリフォルニア大学デービス校とオランダの国際社会史研究所のグローバル物価・所得史研究グループ・プロジェクトに参加する研究者の資料は、アジアとヨーロッパの物価についての貴重な情報源となった。[4] これらの学問的研究に関する執筆者別の詳細は、すべて巻末の資料と参考文献に掲げてある。植民地時代のアメリカ大陸については、アメリカはＨＳＯＵＳ（アメリカ歴史統計、最近改訂された）を、中南米の主要都市はリチャード・ガーナーの『経済史データデスク――中南米、米国、新世界の経済史（一五〇〇～一九〇〇）』を参照した。[5]

消費者物価指数の計算方法

同一国で二種類以上の物価指数が入手できた場合は、単純平均をとった。たとえば一八〇〇年代以前のデータのように同一国で二都市以上の物価系列がわかっている場合には、この方法がきわめて有効である。消費者物価指数が入手できない場合には、卸売物価指数または生産者物価指数を採用した（一八〇〇年代の中国、一七二〇年代のアメリカなど）。物価の総合指数がまったく入手できない場合には個別品目の価格で代用し、ほぼ一貫してヨーロッパは小麦、アジアは米の価格を使っている。しかしいかに重要な品目であっても、単一品目の価格はあくまで相対物価であって、私たちが求める集計値でないことは承知している。したがって、少なくとも一種類の消費者物価（または生計費）系列がわかっていて、かつ小麦（または米）価格もわかっている年には、両者を平均せず、総合物価指数を全面的に採用した。また一九八〇年から現在までの期間は、ＩＭＦの世界経済見通しが統一的なデータを提供しているため、情報源としてこれを最優先した。

為替レートおよび通貨の品位低下

通貨価値の下落は、言うまでもなくインフレに付随して起きる。第二次世界大戦後の為替レートは、ラインハートとロゴフの先行研究で定量的にくわしく解説したとおり、公定レートはＩＦＳ、市場レートは「ピックス・カレンシー・イヤーブック」を主な情報源とした。[*6] 現代のうち第二次世界大戦前のレートは、ＧＦＤ、ＯＸＬＡＤ、ＨＳＯＵＳのほか、国際連盟の年次報告書を主な情報源とした。国によっては学術的な情報源で補ったケースもあり、それについては巻末資料Ａ・１を参照されたい。一六〇〇年代後半から一八〇〇年代前半にかけてのヨーロッパ数カ国の為替レートは、ジョン・キャステンの「コース・オブ・エクスチェンジ」に拠った。この冊子は、一六九八年からほぼ一世紀にわたり、週二回（火曜日と金曜日）発行されている。[*7]

それより古い時代の「銀ベース」の為替レート（金属含有率から自明となる）は、ロバート・アレンとリチャード・アンガーの研究で提示されている時系列データに基づいて計算した。アレンとアンガーはヨーロッパ数カ国について、通貨の銀含有率の連続年次データを作成している（その他の情報源については、巻末資料に執筆者名と共に記載した）。[*8] イタリアとイングランドのデータが最も古く、一三世紀半ばまで遡っている（巻末資料A・1・4参照）。これらのデータは、「品位低下による危機」の発生年を特定し数量化する基礎資料となった。品位低下は、現代の通貨下落の前身とも言えるもので、第11章でその歴史をたどり、くわしく論じる。

実質GDP

標本国が多く、また期間もおよそ二〇〇年におよぶことを考慮し、できる限りデータの均質性を確保するために、国にもよるが一八二〇～二〇〇三年のデータがほぼそろっているアンガス・マディソンの資料と、その二〇〇八年までの更新版を主要情報源に採用した。更新は、フローニンゲン大学開発センター（GGDC）の総合経済データベース（TED）に拠る。[*9] GDPは、一九九〇年の購買力平価（PPP）に基づいて計算した。[*10] TEDには、一九五〇年から現在までの世界一二五カ国の実質GDP、人口、国民一人当たりGDPなどのデータが収録されている。この一二五カ国が世界総人口に占める比率は九六％に達する。またデータベースから漏れているのが貧しい小国であるため、世界GDPに占める比率はさらに大きく、九九％になる。なお今回は、一八〇〇年以前の実質GDPは分析対象としなかった。[*11]

一国が世界のGDPに占める比率を継続的に計算するために、年によってマディソンのデータを補間する必要が出てきた（GDPの補間値は、原則として世界GDPに占める比率とウエイトを計算する場合に限って使用し、危機の発生年や規模の計算には使用していない）。というのも、多くの国のGDPは、たとえば一八二〇年、一八五〇年、一八七〇年のように、特定の基準年の報告しかないからである。補間は、最善の方法、まずまず望ましい方法、最も原始的な方法のいずれかに依った。マディソン統計では欠けているが（公式統計または研究資料などにより）実質GDPがわかっている年と、両方が入手できる年がある場合には、入手できたGDP値でマディソンGDP値の補助回帰を行い、その国の欠落しているデータを補間した。これによりデータの比較可能性を確保しつつ、地域あるいは世界のGDP合計を計算することが可能になった。マディソン統計で欠けている年にギャップを埋める他のGDP統計が存在しない場合には、マディソンGDP値と他の経済指標とを関係づけるために補助回帰を用いた。経済指標としては、生産高を採用した場合もあるが、多くは時系列データのそろっている政府歳入を採った。[*12] いかなる回帰値も入手できないと見込まれる場合には、最後の手段として、データのある基準年と基準年の間は経済成長率が一定であると仮定して、マディソン統計の点と点を結ぶ方法を採った。景気循環のパターンを見きわめたい場合には、この方法は言うまでもなく役に立たない。それでも、ある国が世界GDPに占める比率は年ごとに大幅に変化するものではないので、その比率を知るには妥当な方法と言えよう。

輸出

輸出統計は、よく知られているとおり、輸出業者が関税や資本規制や通貨の持ち出し制限を免れようとするため、慢性的に虚偽の申告が多いという問題を抱えている。[*13] それでも対外収支はGDPよりはるかに長期にわたって記録がとられており、GDP統計より一貫性もある。したがって虚偽の申告という問題点はあるにせよ、他のマクロ経済指標に比べておおむね信頼性が高いと言える。本書では、戦後の輸出統計はIMFの資料に、それ以前のデータは主にGFDとOXLADに拠った。主な情報源を補うために参照した過去の公式統計と各種の学問的研究は、巻末資料A・1に掲げてある。貿易収支を見れば、国ごとの資本フローのサイクルをおおまかに把握できるので、資本収支のデータが存在しない古い時代についてはとりわけ役に立つ。輸出データはまた、一国の債務、とくに対外債務を推定するのにも有用である。

政府財政と国民経済計算

政府財政

政府財政のデータは、一九六三年以前は主にミッチェル、それ以降はカミンスキー、ラインハート、ヴェーグの研究と、そこに挙げられた資料に拠った。[*14] 標本国の多くでは、中央銀行と財務省がウェブ上で最新の情報を公開している。アフリカ、アジアを始め標本国の多くについて、中央政府の歳入・歳出に関する時系列データは、植民地時代まで遡って入手できた。各国のくわしい対象範囲は、巻末資料A・1・7に掲載した。ミッチェルの資料はほぼすべてのケースで一八〇〇年代まで遡っており、古い時代の危機の多くについて、債務歳入比率を計算することができた。

一八〇〇年以前のヨーロッパ主要国に関しては、欧州国家財政データベース（ESFD）がきわめてよい情報源となった。このデータベースは多くの研究者が提供したデータを統合したもので、政府の歳出・歳入の非常にくわしいデータに加え、広範な書誌情報が収録されている。

国民経済計算

第二次世界大戦後の国民経済計算データはIMF、国連、世界銀行などの標準的な情報源に拠り（統計の開始年度は国によって異なる）、それ以前の時代はOXLADなどの多国間データベースに拠った。今回の研究で使用した他の時系列データと同じく、国民経済計算データも、とくに第一次世界大戦前については、各国の研究者の努力によって収集されたものである。たとえばインドについてはブラマナンダ、エジプトはユーセフ、ベネズエラはバプティスタの貢献による。[15]

公的債務とその構成

すでに述べたように、公的国内債務に関するデータを見つけるのはきわめてむずかしく、したがって当然ながら、国内債務デフォルトに関するデータは一段と入手が困難だった。本書では、一八〇〇年代前半まで遡って国内債務の公然のデフォルト事例七〇件以上をデータベースに収録したが、それでも実際の件数を大幅に下回ると考えられる。[16]

先進国に関して最も包括的なデータを発表しているのは経済協力開発機構（OECD）で、一九八〇年以降の公的債務全般の時系列データを提供している。しかしOECDの統計にはいくつか重大な欠点がある。まず、新興市場国はほんの数カ国しか含まれていない。また多くの先進国（ギリシャ、フィンランド、フランス、イギリスなど）のデータが一九九〇年以降の分しかなく、時系列の期間がかなり短い。さらに債務の合計のみで、債務の構成（国内債務・対外債務）や満期（短期・長期）の詳細も不明である。IMFの「世界経済見通し（WEO）」データベースはよく知られているが、こちらも、公的債務の資料とするには先ほどと同じような不備がある。[17] WEOは世界一八〇カ国をカバーするが、公的債務のデータがあるのは先進七カ国（G7）のみで、それも一九八〇年以降に限られている。

途上国に関して最も包括的なデータを提供しているのは、世銀の「世界開発金融（GDF）」である（旧World Debt Tables）。データがほとんどの国について一九七〇年から収集され、対外債務の詳細な内容がわかる点で、他のデータベースより優れている。それでも、GDFにも重大な不備がある。まず、比較の手がかりになる先進国がまったく含まれていない（新たに工業化が進んだイスラエル、韓国、シンガポールなども除外されている）。また、IMFと世銀は為替レート、物価、政府財政などについて一九七〇年以前のデータも提供しているが、GDFには一九七〇年以前のデータが一切収録されていない。さらに重大なのは、対外債務しか含まれていないことである。コートジボワールやパナマのように国内債務がわずかしかなく、統計量として対外債務で公的債務を代替できる国も、少数ながら存在する。しかし第7章で取り上げるように、ほとんどの国で、国内債務が公的債務総額に占める比率は高い。この比率の一九〇〇～二〇〇七年の世界平均は、四〇～八〇％の間で推移している。*18

公的債務の埋もれたデータを探し求めて、私たちはあらゆる国際機関の先祖とも言うべき国際連盟の公文書保存館も調べてみた。そして一九二六～四四年の統計年鑑に、公的国内債務と公的対外債務を始めとするデータが収録されていることを発見したのである。戦後になってIMFも世銀もこの仕事を引き継がなかったため、新設された国際連合がこの統計を引き継ぐ。そして一九四八年に国連経済社会局が、一九一四～四六年の公的債務に関する特別号を発行した。以後、国連は国内・対外債務データの収集を続け、国際連盟の統計年鑑の形式を踏襲して毎年発表してきた。旧植民地が独立を果たすにつれてデータベースは拡大している。データの収集と発表は一九八三年まで続けられたが、この年を以て国内債務・対外債務ともに打ち切られた。全部を合わせると、最も完全な形として一九一四～八三年の時系列データがそろう。先進国も開発途上国も含まれ、その大部分は、国内債務が短期と長期に区分されている。ただし私たちの知る限りでは、これを電子化して収録しているデータベースは存在しないので、元の文献に当たらないとデータは入手できない。このデータが、公的債務に関する私たちの時系列データの出発点となっており、可能な限り、一九一四年以前と一九八三年以降についての拡充を行った。

一九一四年以前(当時は植民地だった国も含む)については、各国の統計局や政府機関、研究者の資料など、多くの情報源を参照した。[*19] 国別、時代別の情報源の詳細は、巻末資料A・2を参照されたい。一九一四年以前の公的債務の資料がまったく存在しない場合には、個別の国際的な債券発行額を足し合わせて対外債務残高を推定した。こうした無担保債(物的担保または資産による保証のない債務)データは、外国資本流入総額のおおよその目安にもなる。データの多くは、ミラー、ウィン、リンダートとモートン、マリシャルを始めとする研究者に拠っており、[*20] これらのデータから本書の対外債務系列(債務総額を除く)を構成した。[*21] この作業のおかげで、中南米の新規独立国とギリシャで発生したデフォルトに加え、一九二一年の中国、一八六〇年代と七〇年代のエジプトとトルコにおける重大なデフォルトの際の、標準的な債務比率を検討することができた。国が国際資本市場に初めて登場したときに、それ以前の債務データ系列における欠落を補ううえで、こうしたデータはきわめて有用である。ただしデフォルトや償却や債務再編がたびたびあると、債券発行額の合計とその後の債務残高にずれが生じるため、債務の指標としての有用性は大幅に損なわれる。[*22]

一部の国（または古い時代の植民地）については、公的債務総額は比較的最近のデータしかそろわなかったが、中央政府の歳出・歳入は大幅に遡って信頼できるデータを入手することができた。こうした国については財政赤字額を計算して累計し、ごくおおまかな債務残高の概算値を求めた。[*23]

一九八三年以降については、対外債務データは主にGDFに拠ったが、最近のすぐれた研究も一部参照した。[*24]最後に重要な点として、政府の公式統計当局自体が国内債務データの公表に次第に前向きになってきたことを付け加えておく。その多くは、IMFが一九九六年に定めた特別データ公表基準（SDDS）に従っている。SDDSはIMFのウェブサイトで閲覧できる。[*25]

グローバル変数

本書では、次の二つのタイプの変数を「グローバル」と呼んでいる。第一は、対象範囲が本来的に全世界にまたがるもので、たとえば国際商品価格などが該当する。第二は、一八〇〇〜二〇〇九年に世界の金融センターとして機能し、ほんとうの意味で国際的影響力を持つ国の主要経済・金融指標である。現代で言えば、連邦準備理事会（FRB）の政策金利がその一例である。商品価格については、一七〇〇年代後半以降の時系列データを四つの主要情報源から収集した（巻末資料A・1参照）。また各時代の金融センター（第一次世界大戦前のイギリス、それ以降のアメリカ）については、主要経済指標に経常赤字、実質・名目GDP、長短金利などを含めている。

標本国

表3・1に、本書の標本国六六カ国を掲げた。従来の研究ではせいぜい二、三カ国しか含まれていなかったアジアとアフリカから、多くの国を標本に含めている。全体としては、アフリカ一三カ国、アジア一二カ国、ヨーロッパ一九カ国、中南米一八カ国、そして北米と大洋州各二カ国という構成である（最貧国のほとんどは含んでいない。これらの国は、一般に民間の貸し手から多額の借り入れをすることができず、きわめて有利な条件の政府借款でさえ、事実上全部の国が実質的にデフォルトしている。この問題はそれとして有意義な研究テーマではあるが、今回私たちが主に関心を持ったのは、すくなくとも当初は市場的要素の強い資金の流れである）。[*26]

表3・1の合計欄を見るとわかるように、標本国六六カ国で世界GDPの約九〇%を占めている。ここに挙げた国の多く、とくにアジア、アフリカの国々は、比較的最近になって独立した（表中の独立年の項を参照されたい）。こうした国は、たとえば中南米各国ほど長くはデ

フォルトのリスクに直面していなかったのだから、国同士の比較を行う際に、この点を考慮する必要がある。

表3・1では、「デフォルト未経験国」に＊印を付けた。ここで言う未経験とは、対外債務の公然のデフォルトをしたことがないか、リスケジューリングを一度もしていないという、狭い意味においてである。印のついた集団には、オーストラリア、カナダ、ニュージーランド、アメリカという英語圏の高所得国が含まれる（盟主とも言うべきイギリスは、すでに指摘したとおり、古い時代にデフォルト歴がある）。またデンマーク、フィンランド、ノルウェーはいずれもデフォルトをしたことがない。ベルギー、オランダもそうだ。アジアでは、香港、韓国、マレーシア、シンガポール、台湾、タイが対外債務のデフォルトを免れている。ただし韓国とタイは、一九九〇年代の債務危機の際にＩＭＦから巨額の融資措置を受けてどうにかデフォルトを回避できたのであり、それがなければデフォルト国の悲哀を味わっていたにちがいない。デフォルト歴のないアジア諸国の中で、第二次世界大戦前から独立国だったのはタイだけである。したがってタイ以外の国は、デフォルトが起こりうる期間そのものが比較的短かった。公的国内債務のデフォルトや債務再編になると、「デフォルト未経験国」は一気に減る。特筆すべきは、アメリカも該当しなくなることである。たとえば一九三三年に金約款を破棄し、公的債務はすべて金ではなく不換紙幣で返済すると定めたことは、公的国内債務ほぼ全額の再編にほかならない。最終的にデフォルトも債務再編もしたことがないのは、アフリカのモーリシャス一国のみとなる。

国名（地域別、アルファベット順）	独立年（1800年以降の場合）	世界の実質GDPに占める比率（%）**	
		1913年	1990年
ロシア		8.50	4.25
スペイン		1.52	1.75
スウェーデン		0.64	0.56
トルコ		0.67	1.13
イギリス		8.22	3.49
中南米			
アルゼンチン	1816	1.06	0.78
ボリビア	1825	0.00	0.05
ブラジル	1822	0.70	2.74
チリ	1818	0.38	0.31
コロンビア	1819	0.23	0.59
コスタリカ	1821	0.00	0.05
ドミニカ共和国	1845	0.00	0.06
エクアドル	1830	0.00	0.15
エルサルバドル	1821	0.00	0.04
グアテマラ	1821	0.00	0.11
ホンジュラス	1821	0.00	0.03
メキシコ	1821	0.95	1.91
ニカラグア	1821	0.00	0.02
パナマ	1903	0.00	0.04
パラグアイ	1811	0.00	0.05
ペルー	1821	0.16	0.24
ウルグアイ	1811	0.14	0.07
ベネズエラ	1830	0.12	0.59
北米			
カナダ*	1867	1.28	1.94
アメリカ*		18.93	21.41
大洋州			
オーストラリア*	1901	0.91	1.07
ニュージーランド*	1907	0.21	0.17
合計66カ国		93.04	89.24

（資料）Correlates of War (n.d.), Maddison (2004).

（注記）

＊表中の＊印は、過去に一度も対外債務のデフォルトまたはリスケジューリングをしていないことを意味する。「n.a.」はデータ入手不能。なお、対外債務のデフォルト歴がない国（アメリカなど）でも、国内債務のデフォルトまたはリスケジューリングをした国はかなりある（第7章参照）。

＊＊GDPは購買力平価に基づく1990年基準ドル（ゲアリー＝ケイミス・ドル）で計算。

表 3.1　世界 GDP に占める各国の比率（1913 年および 1990 年）

国名（地域別、アルファベット順）	独立年（1800年以降の場合）	世界の実質 GDP に占める比率(%)** 1913 年	1990 年
アフリカ			
アルジェリア	1962	0.23	0.27
アンゴラ	1975	0.00	0.03
中央アフリカ共和国	1960	0.00	0.01
コートジボワール	1960	0.00	0.06
エジプト	1831	0.40	0.53
ケニア	1963	0.00	0.10
モーリシャス*	1968	0.00	0.03
モロッコ	1956	0.13	0.24
ナイジェリア	1960	0.00	0.40
南アフリカ	1910	0.36	0.54
チュニジア	1957	0.06	0.10
ザンビア	1964	0.00	0.02
ジンバブエ	1965	0.00	0.05
アジア			
中国		8.80	7.70
香港*		n.a.	n.a.
インド	1947	7.47	4.05
インドネシア	1949	1.65	1.66
日本		2.62	8.57
韓国*	1945	0.34	1.38
マレーシア*	1957	0.10	0.33
ミャンマー	1948	0.31	0.11
フィリピン	1947	0.34	0.53
シンガポール*	1965	0.02	0.16
台湾*	1949	0.09	0.74
タイ*		0.27	0.94
ヨーロッパ			
オーストリア		0.86	0.48
ベルギー*	1830	1.18	0.63
デンマーク*		0.43	0.35
フィンランド*	1917	0.23	0.31
フランス		5.29	3.79
ドイツ		8.68	4.67
ギリシャ	1829	0.32	0.37
ハンガリー	1918	0.60	0.25
イタリア		3.49	3.42
オランダ*		0.91	0.95
ノルウェー*	1905	0.22	0.29
ポーランド	1918	1.70	0.72
ポルトガル		0.27	0.40
ルーマニア	1878	0.80	0.30

対外債務のデフォルト歴のない国がおおむねめざましい成長を遂げてきたという点は、注目に値する。このことから、「成長率が高いからデフォルトを防げるのか、それともデフォルトをしないから成長率が高くなるのか」という疑問が出てくる。世界の歴史を振り返って確実に言えるのは、高度成長中の国は、成長が鈍化すると苦境に陥る例が多いということである。

インフレが予想外に亢進すれば、それによって政府は名目国債債務を事実上の一部不履行にすることができる。これについては、第11章と第12章で論じる。政府は債務の一部を返済せずに済ます方法をいくつも持っており、数年におよぶような金融危機の性格は、政府がどのような資金調達手段や不履行手段を選ぶかによって決まってくる。異なるタイプの危機の共通項として公的債務の存在があることは、危機相互間の関係性を取り上げる第16章で、くわしく解明する。

第二部

公的対外債務危機

PART II SOVEREIGN EXTERNAL DEBT CRISES

世界では、あらゆる地域でほとんどの国が、対外債務を繰り返しデフォルトする長い時代を経てきている。

第4章

債務危機を理解するための理論的枠組み

本書では、主権国家が外国人債権者からの借り入れをデフォルトした数百件におよぶ事例の発生年を特定し、年表を作成した。これらの「債務にまつわる危機」は、一四世紀半ばのフィレンツェの銀行家からイングランドのエドワード三世への融資に始まり、一九七〇年代の（主に）ニューヨークの銀行から中南米向けの大規模融資にいたるまで、連綿と続いてきた。国家ともあろうものが、なぜこうもたびたび資金切れに陥るのだろうか。いやそもそも、ほんとうに資金が底をついたのだろうか。

一九六七〜八四年にシティバンクの会長を務めたウォルター・リストンは、「国家は破産しない」という名言を吐いたことがある。いまとなっては甚だしい見当違いとしか思えないが、リストンがこう言ったのは、一九八〇年代のソブリン・デフォルトの大波が押し寄せる直前のことだった。それにリストンは中南米に巨額の投資をしている大銀行のトップだったのだから、この発言も致し方あるまい。とは言え、ある意味でリストンは正しかった。国家というものは、企業のような破産はしないからである。第一に、国が廃業することはまずない。第二に、国は単に経済や金融上の理由からだけでなく、政治的あるいは社会的な配慮をしたうえで、損得勘定に基づいてデフォルトを起こすことが多い。ほとんどの国のデフォルトは、その国が無一文になるよりだいぶ前に起きている。

意志の強い債務国は、たいていは苦しみもがきながらも対外債務を返済する。多くの国で指導者が直面する問題は、どこで一線を引くか、ということだ。彼らの下す決断は、必ずしも完全に合理的とは言えない。たとえばルーマニアの独裁者ニコラエ・チャウシェスクは一九八〇年代の債務危機の際に、外国の銀行から借り入れた九〇億ドルの債務を、国が貧しいにもかかわらず数年で返済しようとした。ルーマニア国民はほとんど暖房なしに厳冬をすごし、工場は電力不足のため操業短縮を強いられたという。

現代の指導者は、まずもってチャウシェスクの優先順位には同意しないだろう。そもそも一九八〇年代の債務危機では多くの開発途上国が債務再編交渉に成功しており、ルーマニアにもそれができる可能性が高かったのだから、チャウシェスクの行動は不可解と言わざるを得ない。さらに現代では、債務を返済するために債務国が国家の貴重な財宝を手放すようなことは、あってはならないとされている。一九九八年のロシア金融危機のとき、西側の債権者を満足させるためだけにロシア政府がエルミタージュ美術館の至宝を手放してよいとは、誰一人として一瞬たりとも考えなかっただろう。[*1]

貸し手は主権国家の返済能力だけでなく返済の意思にも依存しているのであり、この事実がすでに、主権国家の破産が企業の破産とはまったくちがうことを示している。企業や個人が破産した場合、債権者には明確に規定された権利があり、債務者の資産の多くを取り上げ、将来の所得に相応の先取特権を設定することが認められている。だが国家の破産の場合には、たとえ書類上はそうできることになっていても、実際に債権者がそれを執行する力は相当に制限される。

本章では、国際債務市場の基盤を深く掘り下げて考えるための分析的な枠組みを提示する。ここでは問題点を概観することが目的で、この分野の広範な文献を網羅的に取り上げることは、意図していない。[*2] 過去の事例の方に興味があるという読者は本章を飛ばしてもとくに差し支えはないが、ある意味ではここで行う考察は、この章以降のすべての核を成すものである。いったいなぜ外国の債権者は、よその国が万難を排して債務を返済するはずだと信用するのだろうか、とりわけ、過去に何度となく痛い目に遭ってきた場合にも信用するのはなぜだろう。なぜ新興市場国の市民は、やはり過去に何度も痛い目に遭ってきたというのに、銀行にお金を預けたり自国通貨で保有したりするのだろうか。また、あるときには世界中でインフレが多発し

（たとえば一九九〇年代前半には四五カ国が二〇％以上のインフレに見舞われた）、あるときには起きない（たとえば二〇〇〇年代前半には、そのような高インフレに苦しむ国はほんの数カ国だった）のはなぜだろうか。

これらの質問に答えるのは容易ではなく、経済学者の間ではいまも広く議論の的になっている。私たちにしても、完璧な答えに近づいたわけではない。デフォルトの背後にある社会や政治や経済の問題は、端的に言って複雑にすぎる。後世の研究者がこれらの問題を解決し、本書のテーマは用済みになって、ついに世界が「今回こそはちがう」と断言できるときが来るのかもしれない。だが歴史をひもとけば、こうした難題に早まった勝利宣言をした例は、掃いて捨てるほどある。

ここではまず、国際資本市場でおそらくは最も根本的な「欠陥」を取り上げる。それは、国境を越えた債務契約を履行させるための、超国家的な法的枠組みが整っていないことである。これを具体的に言えば、たとえば（デフォルトの多発で名高い）アルゼンチンの政府がアメリカの銀行から借り入れ、デフォルトを起こしたとき、この銀行がアルゼンチン政府から直接取り立てる方法はごく限られている、ということだ。なお、この問題の国際的な要素を明確にするため、借入国の政治と経済が分かれていることは便宜的に無視し、一体的な主体として扱うことにする。したがって、公的国内債務（自国民または自国の銀行からの債務）は無視する。

経済モデルに不慣れな人には、政府と国民をまとめて一体的な主体として扱うのは、いぶかしく感じられるかもしれない。たしかにあまりにも多くの国で政府は腐敗し、国の財産を私物化しているし、国の政策を決めるのは、ふつうの市民ではなく一握りの大物政治家になっている。政治的対立や内部抗争がソブリン・デフォルトや金融危機の主因になることも、めずらしくない。アメリカのサブプライム危機が二〇〇八年の大統領選挙前に一段と深刻化したのは、その典型例と言える。選挙前の駆け引きや選挙後の不確実性は、信頼できる一貫した政策対応の策定という課題を一層困難にする。また二〇〇二年にブラジルで起きた大型金融危機は、投資家の懸念が大きな要因だったと考えられる。中道派のカルドーゾ政権から大衆受けする政策を掲げた労働者党のダ・シルヴァ政権に移行したことに、投資家は不安を感じたのである。もっとも皮肉なことに、左寄りのはずのダ・シルヴァ大統領は、投資家が懸念し一部支持者が願った以上に、マクロ経済運営に関しては保守的だったのだが。

国家への貸し付け

国がデフォルトを起こす主な原因は、返済能力ではなく返済の意思であると先ほど述べたが、この点に疑念を抱いた読者は、ぜひとも第2章の表2・2をご覧いただきたい。この表を見れば、中所得国のデフォルトの半分以上は、対外債務GDP比率が六〇%未満で起きていることがわかる。この比率なら、通常の条件下では国民所得のほんの数パーセント程度の実質金利を払うだけで、債務の対GDP比率を一定に維持することが可能である。債務の対GDP比率は、一般に債務の持続可能性を表す重要な指標とみなされている。後段で述べるように、輸出比や歳入比でみれば、言うまでもなく返済額が占める比率は数倍になるだろう。それでも戦時を除くほとんどの場合には、時間をかければ対処できるはずだ。その国が全体として、完済可能な水準まで長期にわたって徐々に輸出を増やすべくまじめに努力しているなら、なおのことである。

数百年ほど歴史を遡り一六〜一八世紀（本書で、デフォルトに関して「古い時代」と呼んでいる時期）の事例を見ても、返済能力より返済の意思が重要だということは、やはり明らかである。当時の主な借り手は、フランスやスペインなど自前の強力な軍隊を抱える国家だったから、外国の投資家が力ずくで回収することなど、まず望めなかった。一九世紀の植民地時代になると、マイケル・トムズが指摘するとおり、強国は債務契約を履行させる目的でたびたび他国に干渉した。[*3] イギリスは対外債務の返済を怠った国を毎回のように脅しつけ、占領したことさえある。たとえば一八八二年にはエジプトに侵攻したほか、一八七六年にトルコがデフォルトを起こしたときは、直ちにイスタンブールを占領した。アメリカも一八九〇年代半ば頃からベネズエラで「砲艦外交」を展開したが、その一因は債務返済に懸念を抱いたことにある。また一九一五年からハイチを占領したときも、債務の回収のために必要だと正当化した。第5章のコラム5・2には、独立国家だったニューファンドランドが、債務問題のために主権を失った経緯を記した。

だが現代では、砲艦で脅して債務を回収するなどという発想は、強引に過ぎると考えられる（少なくともほとんどの場合には）。費用便益分析をするだけでも、そのような行為が巨額の支出とリスクに見合わないことがわかるはずだ。まして借り入れがヨーロッパ、日本、アメリカに分散して行われているような状況では、個々の国を武力行使に向かわせる誘因は一段と弱くなる。

ではどんなアメあるいはムチを使えば、外国の債権者は債務国に影響力を行使できるだろうか。この問いを初めて明確な形で提出したのは、ジョナサン・イートンとマーク・ジェルソビッツの古典的な論文である。イートンとジェルソビッツは、めまぐるしく変化する不確実な世界では、国際資本市場にアクセスできることは国にとって計り知れないメリットがあると論じた。[*4] かつては、資本市場にアクセスできれば、不作の年に食物を調達することができただろう。現代では、たとえば景気後退に対処するために、あるいは生産的なインフラ整備に取り組むために、国は借り入れを必要とすると考えられる。

資本市場に継続的にアクセスできる便益を考えれば、たとえ債務の履行を強制する法制度が整っていなくとも、政府はきちんと返済しようとするものだ、とイートンとジェルソビッツは主張した。彼らの分析は、政府は世界で借り手としての「評判」を気にしなければならない、という推測に基づいている。債務不履行が評判に傷を付けるとしたら、安易に不履行はしないだろうというのである。イートンとジェルソビッツの説は、制度にあまり左右されない点で、経済理論家に支持されている（すなわち、法制度や政治体制といった政府固有の要因に依存しない点で、理論が「純粋」である）。原理的には、中世の君主の借り入れも、今日の借り入れと同じように説明できる。なおこの説は、国がいま返済するのは将来もっと借りられるようにするためだ、と言っているのではない。もしそうだとしたら、国際的な借り入れはポンジー・スキームと化し、債務水準は急激に上昇しかねない。[*5]

この「評判重視説」には、いくらか微妙な問題点がある。国への貸し出しが評判にだけ支えられているなら、世界の貸出市場はいま以上に脆弱になるだろう。まちがいなく一四世紀イタリアの銀行家は、イングランドのエドワード三世が戦や病に斃れる可能性に気づいていたにちがいない。後継者がまったくちがう野望を抱いていたとすれば、貸した金はどうなるのか。あるいはエドワード三世が首尾よくフランスを征服したら、将来的に貸し手にどんな要求を突きつけるか、考えていたはずだ。[*6]またもし制度がほんとうに無関係なのなら、過去のほとんどのケースで、新興市場国の対外債務の大半が外貨建てで外国の裁判権に服するのは、どうしたわけだろうか。

国際的な貸し付けにおいて制度や法的メカニズムは重要でないという主張に対し、ビュローとロゴフはもう一つ重要な問題点を指摘した。[*7]それは、次のようなものである。たしかにどの国も、きちんと債務を返済して将来また借りる資格を確保しておきたいと考えているだろう。だがイングランドの債務負担は、ある時点で、既存債務返済額の期待値が将来のいかなる借り入れをも上回るような水準に達していたはずだ。つまりある時点で、国は必ず債務の限界に達する。となればエドワード三世（またはその後継者）は、イタリアからの債務は無効だと宣言してしまえばよかったではないか。そうすれば、イングランドは銀行家に払っていたはずの分を金準備に加え、将来の財源不足に備えることができただろう。

したがって、評判重視説にはいくらか留保条件を付ける必要がある。ビュローとロゴフは、現代では高度な投資戦略（たとえば外国株式市場で使われている戦略）が、将来他国から借りられる可能性と同じぐらい、あるいはほぼ同じぐらい、デフォルトに対するよいヘッジ手段を提供しうると述べている。両人はまた別の研究で、外国からの多額の借り入れ、とくに新興市場国による借り入れは、評判だけに頼らずとも、貸し手の国の法律に定められた債権者の法的権利によっても、返済を執行しうると主張している。[*8] ある国が（投資戦略を通じて）自己保険をかけようと試みる場合、その国が必要とする投資の多くは、国外での調達を伴うことになるだろう。すると債権者は、借り手の国にある資産を直接差し押さえることはできないにしても、十分な法的権利の裏付けがあれば、借り手の国の外にある資産、とくに債権者自身の国にある資産を差し押さえることは、十分に可能と考えられる。それだけでなく、法制度が発達した他国にある資産にも権利はおよぶと考えてよかろう。そして国外の資産を差し押さえる権利が存在するとなれば、デフォルト中の国が他国の別の貸し手から借りるのは、むずかしくなる。というのも、外国銀行Aからの借り入れをデフォルトした国が外国銀行Bから借りようとしたとき、B銀行は、返済期日が到来したときにA銀行が上位の請求権を行使するのではないかと、心配しなければならないからだ。この意味では、評判重視説と法制度重視説はさほどちがわないと言えよう。しかし国際金融システムの設計と運用という政策上の問題になると、両者の相違は重要な意味を帯びてくる。たとえば法的権利がどのような場合にもほとんど影響力を持たないなら、国内の裁判所に代わる国際破産裁判所を設置する意味はなくなる。

法的権利を重視する見方では、デフォルトをすれば将来の借り入れができないというコストに加えて、他のコストにも目が行く。外国からの借り入れのデフォルトをもくろむ政府は、貿易に支障を来す可能性も考慮しなければならない。と言うのも、貿易や金融活動で債権者を巧みに避ける必要が出てくるからである。たとえば一四世紀のイングランドにとって、羊毛をイタリアの織物業者に売ることはきわめて重要だったし、イタリアはイングランドが買いたがっている香料の取引中心地だった。したがってデフォルトすれば同国との貿易や同国経由の貿易はやりにくくなり、イングランドにとって痛手となることはまちがいない。しかも今日では、貿易と金融は当時よりはるかに密接に結びついている。たとえばほとんどの貿易は、二国間であれ多国間であれ、商品の出荷から代金の受領までの資金手当をごく短期の銀行信用に依存している。もしある国が多額の長期融資をデフォルトしたら、債権銀行は、貿易信用を提供しようとするあらゆる事業者に強い圧力をかけることができる。国は外貨準備を使って資金手当を支援し、ある程度までは切り抜けられるかもしれない。だが政府には一般に貿易信用をミクロ経済レベルで監視する体制は整っておらず、銀行の専門的な能力の代わりを自らがすぐに果たすことも不可能である。さらに重要な点として、債権者が自国の裁判所に訴え、デフォルト国の物品（または資産）の差押えを許可される可能性もある。現実にはそうした差押えが実際に行われないよう、債権者と債務者が債務の全面的不履行の回避で歩み寄ることが多い、とビューローとロゴフは論じている。

国際的な貸し付けの範囲や規模、あるいは実際にデフォルトとなったときに債権者が講じる措置の多様性を考えると、イートン＝ジェルソビッツの評判重視説も、ビュロー＝ロゴフの法制度重視説も、十分に適切な説明をしているとは言えない。貿易は、法的な仕組みだけでなく関税戦争に対する政治的抵抗にも左右されるし、さらに広く、産業の発展と成長を支える人材・情報の交流にも影響されるからだ。

イートンとジェルソビッツが定義した狭い意味で解釈すれば、返済に関する国の評判は、たしかに限定的な影響力しか持たない。しかし国際関係における信頼できるパートナーとしての評価などまで含めた広い意味に解釈すれば、評判はより重要な意味を持つ。[*9] 債務をデフォルトすれば国家安全保障や同盟などのデリケートなバランスが崩れかねず、多くの国が重大な困難と問題に直面することになろう。

国の発展にとっては、融資だけでなく海外直接投資（ＦＤＩ）も重要である（たとえば外国企業が新興市場にプラントを建設する場合などは、ＦＤＩに相当する）。デフォルト中の国にＦＤＩを行おうとする企業は、自社の工場や設備が没収されるのではないかと不安を感じるはずだ。一九六〇～七〇年代にはそうした事態が目立って多く、たとえば一九七七年にチリ政府は米系企業が所有する銅山を没収した。またＯＰＥＣは一九七〇年代前半に外国石油会社の持ち分を国有化した。債務のデフォルトがＦＤＩに悪影響を与えるのは必至であり、債務国は資本流入のみならず、知識移転も望めなくなる。ＦＤＩが一般に知識移転を伴うことは、貿易専門の経済学者が指摘するとおりである。[*10]

債権者の権利が限られているにもかかわらず、なぜ国は外国から借りられるのかを説明するために、経済学者は以上のようにいくつか論拠を提出してきた。だがどれもきわめて複雑であり、そのことから、持続可能な債務水準というものがまだ根拠薄弱であることがうかがわれる。債務の流れを支えてきたのは、資本市場へのアクセスの確保、貿易の維持、場合によってはより広い国際関係といったものすべてに対する配慮なのであり、どれが相対的に重視されるかは、そのときどきの状況に固有の要因に応じてちがってくる。そして貸し手は、通常の国内債務デフォルトの場合のように直接介入して資産を差し押さえることはできないにしても、少なくともあまり巨額でない融資の場合には、相手国に返済を促すだけの影響力は持ち合わせていると言える。ただし、国が債務を返済するのは将来もっと借りられるようにするためだ、という俗説は認められない。このようなポンジー・スキームはいずれ破綻するに決まっており、国同士の貸し借りの基礎とはなり得ない。

それでは、外国人債権者の影響力が限られているという事実と、序章で指摘した信頼の脆さとはどう結びつくのだろうか。細部に立ち入らなくとも、ここで示した多くの理論や枠組みから導かれるのがきわめて脆弱な均衡であることは、容易に想像がつく。ここで言う脆弱とは、予想のごく些細な変化にも極度に敏感に反応し、往々にして一定でない結果をもたらすという意味である。このような脆弱性は多くの状況で見られるが、最も端的に現れるのは、債務負担の大きい政府が短期資金をひんぱんに借り換えなければならないときである。次節では、この点を検討する。

流動性不足と支払不能

返済能力と返済の意思とはちがうと強調したが、もう一つ重要な点として、短期の資金調達に問題を抱える国と債務の返済を続行する意思または能力がない国とはちがう、ということがある。多くの文献では、これを「流動性不足と支払不能」のちがいと表現している。だが本書をここまで読んできた読者なら、国の債務を企業の債務になぞらえたこの表現が誤解を招きやすいことに気づくだろう。破産した企業は、ゴーイング・コンサーンとして債務を完済できないのだと考えられるが、デフォルトする国は一般に、（全額の）返済がそれに伴う犠牲に見合わないという戦略的な決定を下しているのである。

政府が外国から借り入れをする場合、一～三年程度の短期にせよ、それ以上の長期にせよ、金利は国際的な短期債務に対応した水準になることが多い。なぜ借り入れが比較的短期になりやすいのかは、それだけでも研究テーマとなりうる。たとえばダイアモンドとラジャンは、貸し手は将来の返済確率を高める手段として、資金を投資に回さないといった「不正行為」におよんだ借り手を懲らしめる可能性を確保したがるからだ、と説明する。[*11] ジーンは、短期借り入れをすれば、借り換えができなかったときなどに金融危機の発生リスクが高まるため、国は規律ある政策運用を迫られ、結果的に債務国でも債権国でも経済のパフォーマンスがよくなると主張する。[*12] 以上の点に関連する他の理由もあり、短期借り入れには多くの場合、長期借り入れより大幅に低い金利が設定される。外貨建ての借り入れについても、同様の主張がなされている。

いずれにせよ短期で借りた国は、自前の資金または新たな借り入れによって支払金利の手当てをしなければならないうえに、定期的に元本の借り換えもしなければならない。長期的には返済の意思も能力もある国でも、一時的に借り換えができなかった場合には、流動性危機に陥る。この状況は、ときに無頓着に「支払不能」の問題と呼ばれることがあるが、実際にはまったくちがう。支払不能とは、長期にわたって返済する意思または能力がないと認識される状態を指す。ある国がほんとうに流動性危機に直面しているだけなら、第三者（たとえばＩＭＦのような国際融資機関）は原理的には無リスクで短期のつなぎ融資を提供できる。それによって借り手は持ちこたえ、デフォルト国に転落せずに済むだろう。もっとも、相手は長期にわたって債務を返済する意思が十分にあると債権者が確信していたら、債務国は短期的にも流動性不足に陥る可能性はまずなかったはずだが。

この問題に関して、サックスは重要な指摘をしている。[*13] ある国が借り入れた資金が、小口の貸し手の集団から提供されていると仮定しよう。このような場合には、短期債務の借り換えに応じることが、貸し手の集団的な利益に適うと考えられる。そうであっても、貸し手全員が借り換えに応じず、借入国がデフォルトに追い込まれるような均衡も成立しうる。どの貸し手も、返済に必要な資金を単独では提供できない場合には、「デフォルト均衡」と「非デフォルト均衡」のいずれも成立しうるのである。サックスが挙げたこの例は、金融の脆弱性をよく表すと同時に、債務国がいかに「今回はちがう」シンドロームに陥りやすいかも示している。借り手は貸し手が信頼してくれる間は借り換えができるが、何らかの理由（借り手とは無関係の理由もあり得る）で信頼が失われると、融資は破綻してしまう。どの貸し手も単独では、借り手を救う力あるいは意思を持ち合わせていない。

流動性不足と支払不能とのちがいは、序章でも取り付け騒ぎに関して触れたが、これからもさまざまな形で取り上げることになるだろう。専門的に言うと、国はときに「複数均衡」に直面することがある。このことは、国がデフォルトするケースとしないケースとの差が、場合によっては紙一重であることを意味する。ある一定の債務構造の下であらゆる関係者が自己の利益を追求したとしても、予測と信頼次第で結果が大きくちがうことがありうる。

一部の理論家は、「サンスポット」（経済の実体とは無関係な外因性のショック）が国を非デフォルト均衡からデフォルト均衡に追いやり、その結果としてデフォルトが起こりうる状況について、多数の具体例を提出してきた。[*14] 複数均衡の存在や、国に対する投資家の信頼の一時的な揺らぎは、債権国政府や国際機関によるソブリン債務危機への介入を正当化するうえで、大きな理由となりうる。だが、（国の借入比率が高く、制度的構造も不備で、簡単にデフォルトにいたるという意味で）防ぎようのないデフォルトと、（国は基本的には健全だが、ごく一時的で簡単に解決できたはずの流動性不足に陥り、信頼の維持がむずかしくなったという意味で）防ぎうるデフォルトとを見分けるのは、必ずしも容易ではない。危機の渦中にあると、救世主（今日では、ＩＭＦなどの国際的な貸し手）は事態を見誤りやすい。実際には返済の能力と意思の欠如というもっと根の深い問題であっても、自分たちが直面しているのは一時的な信頼の欠如であって、この問題はつなぎ融資で解決すると自らを納得させがちだ。

債務の一部不履行とリスケジューリング

本書ではこれまでのところ、デフォルトとは正確には何かという点をいくらかあいまいにしてきた。実際にはデフォルトの大半は、タフな交渉を延々と続けた末というケースもあるにせよ、全面的ではなく部分的な不履行に落ち着く。債権者は、完済を強制するほどの影響力はどんなものであれ持っていないにしても、少なくとも一部を返済させる程度の影響力は持ち合わせているものである。それもたいていは、未払額のかなりの割合を返済させるだけの影響力を持っている。全面的なデフォルトとして知られるケースでも、最終的に一部は返済されているものだ――数十年後にほんの少額が返ってくるだけにしても。たとえばロシアのボルシェビキ政権は、ツァー時代の債務の返済を一九一八年に拒絶した。しかしロシアが六九年後に債務市場に復帰を果たしたときには、履行しなかった債務について、形ばかりとは言え返済の交渉をしなければならなかった。

ただしほとんどのケースで、一部返済は形ばかりには終わらず、かなりの額に上っている。おそらくは本章で取り上げたような複雑な費用便益を勘案して、返済額が決定されてきたのだろう。合意にいたるまでには粘り強く交渉を重ねる必要があるため、第三者機関が関与するケースが多い。たとえばビュローとロゴフは、善意の第三者（たとえばＩＭＦなどの国際機関）や債権国政府が関与して、交渉促進のために便益を提供する可能性を示した。これは、家を売るために不動産業者が手数料を下げるのといくらか似ている。[*15] 交渉が決裂すれば、貿易の妨げになるほか、他の借り手にも悪影響をおよぼすなど、世界の金融システムに一層大きな問題を引き起こすことになる。このため債務国と債権者はどちらも、第三者機関に対して交渉力を持ちうる。[*16] すでに指摘したように、第二次世界大戦後にＩＭＦが設立された時期（一九四七年）は、ソブリン・デフォルトが頻発した一時期と偶然にも一致している。貸し手も借り手も窮地に陥ったらＩＭＦや債権国政府からの支援を当てにできると気づいたため、デフォルトがむしろ増えたという見方は、この現象と整合する（最近の研究では、潤沢な資金を持つ第三者の関与が、海外融資に「モラルハザード」を招くという表現が使われる）。

ソブリン・デフォルトに関する交渉力という側面に注目すれば、本書のソブリン・デフォルトの定義に公然のデフォルト（一部か全額かは問わない）に加え、いわゆるリスケジューリングも含めた理由が説明しやすくなる。典型的なリスケジューリングでは、債務者が債権者に返済スケジュールの繰り延べを承諾させるとともに、多くは（市場金利に対して）金利の引き下げも受け入れさせる。ムーディーズやスタンダード・アンド・プアーズ（Ｓ＆Ｐ）などの格付け会社が、このようなリスケジューリングを「合意による一部不履行」とみなすのは正しい。たとえ一時的にせよ交渉が決裂し大々的なデフォルトとなれば、法的手続きを始め無駄な支出を強いられるが、合意によるリスケジューリングでは、そうした費用は最小限に抑えられる。

データセットでは両者を区別したが、このように理論的には、リスケジューリングと公然のデフォルトはきわめて似通っている。

最後に重要な点として、国はときに債務をデフォルトするが、だからと言って投資家が不合理だとは言い切れないことを挙げておく。リスクの高い主権国家に用立てすれば、投資家は年五%、ひょっとすると一〇%ものリスク・プレミアムを受けとることができる。リスク・プレミアムの存在は、債権者が万一のデフォルトの埋め合わせを先取りしていることを意味する。しかもデフォルトの大半は、一部不履行に過ぎない。企業の債務に比べれば、国の債務ははるかに多くを回収できることが多い。公式の救済措置がとられれば、なおのことである。

とは言え、貸し手の合理性をむやみに強調するつもりもない。主権国家に課されるリスク・プレミアムが少なすぎて、起こりうるリスクをほとんど埋め合わせられないケースも、ままある。しかし言うまでもなくハイリスクの借り手は、借入金利にリスク・プレミアムを上乗せされるだけでなく、デフォルトをすれば債務問題が景気後退の深刻化を招くなど、往々にして多大なコストも引き受けなければならない。したがって「今回はちがう」シンドロームは、貸し手以上に借り手にとってコストが大きいと言えよう。この問題も、より広くデフォルトを分析する際に、改めて取り上げる必要が出てくるだろう。

悪い債務

主に国際的な貸し付けに関して考えるべき重大な倫理問題として、「悪い債務」という概念がある。中世には、親が借金を抱えたまま死ぬと、子供を債務者監獄に送ってもよかった。この仕組みによって（返済不履行に対する罰がこれほど重いため）、原理的には親の借り入れ能力は拡大した。しかし今日ではほとんどの国が、社会規範として、そうした債務の移転を言語道断と考えているだろう。ところが国は世代間の借り入れをすることができ、親世代の債務を子世代が返さなければならない。たとえば第二次世界大戦が終わった時点で、アメリカの国内債務総額は対GDP比一〇〇％以上に達していた。この比率をより正常な五〇％にするまでに、数十年を要している。

悪い債務という考え方からすれば、明らかに腐敗した悪い政府がこしらえた借金については、後継政権は返済を強制されるべきではないことになる。ジャヤチャンドランとクレマーは、標準的な評判重視モデルを修正して悪い債務は返済しない習慣を認めることは可能であり、それが国民をより幸福にすると主張する。[*17] しかし、現実問題として悪い債務を明確に定義できるかどうかについては、異論の余地が大きい。大虐殺に関与した国家の指導者が軍隊に投じる目的で借り入れをしたら、貸し手はそれを悪い債務と認識し、政権交代の際には返済拒否もありうると覚悟すべきだろう。この点には誰もが同意するとしても、ではアメリカの債務はどうか。仮にアメリカの債務が悪い債務かどうかを世界中の官僚が議論するとしたら、この概念が現実に使える明確な定義を示せるとは思えない。悪い債務に関する実務的なガイドラインが実行可能であるためには、もっと厳密に解釈できなければならない。しかし現実には、この問題に関わってくるのは、おそらくは悪い債務よりもっとおだやかなケースだと考えられる。債務負担が積み上がっている状況は、債務国の「公平感」に、ひいては返済の意思にも影響をおよぼす。そうした状況では、場合によっては国際社会が債務国を寛大に扱おうとする（すくなくとも資金援助によるつなぎ融資を受けやすくする）可能性がある。

公的国内債務

公的国内債務に関する理論は、公的対外債務に関する理論以上に複雑である。そこでこの節の議論に限り、公的国内債務とは自国通貨建てであり、かつ国内に裁判権があり、かつ国内居住者が保有するものと仮定する。この三つの条件のうち、第1章の定義では、自国に裁判権があるという点だけを必須とした。外貨建ての債務はかなり昔からあり、最初の例はおそらく一九世紀後半にアルゼンチンが発行した英ポンド建て「内国債」である（最も有名な一九九〇年代前半にメキシコが発行したテソボノスと、それ以前の事例については、第7章のコラム7・1を参照されたい）。近年では、外貨建て債務は一段と増えている。資本規制の緩和に踏み切る新興市場国が増えるにつれ、非居住者が国債を保有することは次第にめずらしくなくなってきた。ある種の国債を居住者と非居住者の両方が保有することは注意を払うべき問題ではあるが、議論を単純にするために、ここではひとまず棚上げすることにしたい。[*18]

国内債務とは、国が自らに負う債務である。リカードの等価命題に関するロバート・バローの有名な債務モデルでは、公的国内債務は経済に何ら影響を与えないとされる。政府が借り入れをすると、国民は将来の増税に備えて貯蓄を増やすからである。[19] しかしバローの分析は、そうした貯蓄パターンが一様でなく、債務の返済が（返済拒否とは対照的に）一部の集団を利して他を犠牲にするとしても、債務は必ず返済されるという前提になっている。この前提には、政治の結果次第で国が周期的に国内債務のデフォルトを起こさないのはなぜか、という質問が提起されよう。その一方で、そもそも誰かが政府に貸してやるのはなぜか、という質問は排除される。たとえば高齢者が国債の大半を保有しているような場合、若い有権者が選挙のたびに立ち上がって債務契約の破棄に賛成票を投じ、高齢者を犠牲にした若年世代向けの減税で出直しを図ることも可能なはずだが、なぜそうならないのだろうか。

国内債務を取り上げる第三部できわめて驚くべき発見の一つは、公然のデフォルトが、公的対外債務ほどではないにしても、一般に考えられているよりもはるかに多いことである。そのうえ政府は、予期せぬ高インフレを通じて公的国内債務をデフォルトすることができる。たとえば一九七〇年代には、アメリカや多くのヨーロッパの国がそれをしていた。

となれば、いったい何が公的国内債務を可能にしているのだろうか。国内の国債保有者が、ともかくも何らかの支払いをしてもらえるのはなぜだろうか。ノースとワインガストは、多額の債務も継続して返済しうる政治体制を確立した政府は、とくに戦時に巨額の資金を調達できるため、戦略的にきわめて優位になると主張する。[20] たとえば一六〇〇年代後半の名誉革命がもたらした重要な結果の一つは、債務契約を重んじる基礎が築かれ、それによってイングランドがライバルのフランスより明らかに優位に立てたことだ、と彼らは指摘している。当時のフランスはデフォルト全盛期にあったが、イングランドでは国王発行の国債が信頼を得られるため必要な戦費を調達することができ、大きな強みとなった。この頃すでに戦争は資本集約型になっていたのである。

コトリコフ、パーソン、スヴェンソンは、民主国家における国内債務市場は評判によって維持される仕組みとみなしうる、と論じる。これは、イートンとジェルソビッツが公的対外債務について提出したモデルと共通する考え方である。[*21] タベリーニは、この問題に関連する論文の中で、若い有権者が高齢の有権者に十分配慮するなら、債務は持続可能であろうと述べている。[*22] これらの研究に加え、民主主義でない君主制国家を扱った他の研究も、債務市場は費用と便益が厳密に釣り合って持続的に機能しうる自立した仕組みである、との前提に依拠している。とは言えすでに論じてきたとおり、いかなる種類の政府債務も、その返済を促す要因となるのは、単に税収や消費の平準化を図る必要性だけでなく、幅広い配慮だと考えられる。公的対外債務をデフォルトすれば、ことは債務だけでおさまらず、おそらくは広く国際社会で反応を引き起こすだろう。まさにそれと同じように、国内債務のデフォルトは、将来の借り入れができるかどうかといった問題をはるかに超えて、社会契約の破綻につながりかねない。一つ確実に言えるのは、多くの国にとって、公的債務は政府が税収を平準化する手段であるのみならず、信用市場の流動性維持に役立つ価値保存手段でもあるということだ。政府はときたま債務をデフォルトするかもしれないが、ほとんどの国で、民間企業の方がずっと成績が悪い。

国内債務市場を拡大する手段として、金融抑圧の一種である金融資産の保有規制が行われることがある。たとえば今日の中国とインドでは、大半の一般市民は保有してよい金融資産の範囲を極端に制限されており、基本的には現金か超低利の銀行預金しか選べない。現金や宝石は紛失や盗難のリスクが高く、定年後や医療費や子供の教育費に備えた富の蓄積手段の選択肢がほとんどないため、利息が異常な低水準に抑えられていてもなお、市民は相当額を銀行に預金する。インドでは、銀行はその大半を直接政府に貸し出す。したがって政府は、自由化された資本市場で要求される金利に比べ、はるかに低い金利で資金を調達できる。中国では、国営企業やインフラ整備プロジェクトへの直接融資に使われ、ここでも金利は、本来の水準よりはるかに低い。この種の規制はいまに始まったことではなく、とくに第二次世界大戦から一九八〇年代にかけて国際資本規制が最も厳しかった頃は、先進国でも新興市場国でもこうしたことがさかんに行われていた。

金融資産の保有規制を行えば、政府は貯蓄手段に対する独占権を最大限に活用し、巨額の資金を調達することが可能になる。だが後段で取り上げるように、そうした規制をほとんど行わなくても、新興市場国で国内の借り入れが活発に行われた例もある。第二次世界大戦前の数十年間はその代表例である。

国内債務を巡るさらに踏み込んだ議論は、第7~9章に譲る。第7~9章ではこの問題を実証的に分析するとともに、対外債務と国内債務の間には重要な相互作用が認められることも示す。公的対外債務の場合と同じく、公的国内債務モデルでも複数均衡の問題がたびたび発生

する。＊23

まとめ

本章では、主権国家の債務とデフォルトを規定する基本概念を簡単に説明するとともに、通貨危機や銀行危機など他の危機にも触れた。この章は、やや抽象的な形ではあるが、国際金融危機に関する基本的な問題を取り上げている。この後の章で、今回収集した広範なデータセットがより困難な問題に新たな光を投じてくれるときに、ここで取り上げたテーマのいくつかも改めて論じることにしたい。

海外融資や資本市場の基礎に関する理論研究からは、多くの面で、なぜデフォルトはもっとひんぱんに起きないのかという疑問が想起される。現代のソブリン・デフォルトの記録保持者であるベネズエラでさえ、一八三〇年に独立して以来、平均一八年おきにしか新規デフォルトは起こしていない。もし危機が毎年のように繰り返されていたら、「今回はちがう」シンドロームはめったに発生しなかっただろう。毎回同じということになれば、借り手も貸し手もずっと神経を張り詰め、債務市場はさほど発達しなかったはずだからである。少なくとも、大々的な暴落が発生しうる段階には達しなかったにちがいない。だが経済理論はこう教えている。かなり脆弱な経済であっても、信頼のバブルが崩壊するまでにはかなり長い間繁栄することがあり、その間に債務の山が築かれることもめずらしくないのだ、と。

第5章 公的対外債務デフォルトの周期

公的対外債務のデフォルトが相次いで発生した二〇年間を経て、二〇〇三〜〇九年には大規模なデフォルトは起きていない。だが、政策担当者は浮かれるべきではなかった。多発性のデフォルトはいまも健在であり、デフォルトの波の間隔は何年か空くことはあっても、数十年も空くことはない。

デフォルトの発生パターン

金融危機の全貌を展望するに当たっては、まずは公的対外債務のデフォルトから始めることにしたい。前章で理論的に分析したが、公的対外債務のデフォルトは、政府が外国人に対する債務の返済を履行しないときに発生する（ソブリン債務市場が出現した歴史的背景の一部をコラム５・１で紹介した）。

コラム5・1 イングランドとスペインにおける国際的なソブリン債務市場の発展

今日理解されているような近代的な債務の仕組みは、徐々に形成されてきたものである。とくに国内での借り入れがそうで、かつては往々にして税金、返済、権力の関係があいまいだった。融資の大半は甚だしく透明性が低く、金利や返済スケジュールが明確に定められておらず、元本返済の期日がはっきりしないこともままあった。国王の「返す」という約束が、貸し手の首と共にあっさり飛ばされてしまったことも一度や二度ではない。借りること自体が強迫的に行われることが多く、古い時代には、土地や財産を取り上げるために一家皆殺しということもめずらしくなかった。一三世紀のフランスでは、十字軍に参加したテンプル騎士団員全員が、国王に財産を没収され国外追放されている。

中世になると教会が高利貸し規制法を定め、キリスト教徒同士が利子を取って貸し借りすることを禁じた。もちろんキリスト教徒以外のユダヤ人などは金貸しをしてもよかったが、これでは国王が借りられるのは、国内にある資金のごく一部になってしまう。もっと巨大な資金源から借りられるようにするために、借り手は（ときに神学者の知恵を借りて）教会法の抜け穴を探さなければならなかった。当時の国際融資市場は、元の表示通貨より安定した強い通貨で返済させる方法に支えられていた面もある。安定した通貨としては、たびたび品位低下（改鋳）が行われない通貨が選ばれたと想像される。このような仕組みは金利を上乗せするのと同じだが、おおむね妥当と受け止められていた。

初期の金融市場で群を抜いて高度化していたのは、一三世紀後半のジェノバ、フィレンツェ、ベニスといったイタリアの都市国家である（マクドナルドまたはファーガソンのすぐれた研究を参照されたい[*1]）。初期の融資は「あとで戻してもらえる税金」の形を取っていたが、やがて仕組みは成熟し、ソブリン・ローンは透明性が高まり、流通市場が発達するまでになった。

歴史家のカルロ・チポッラが指摘したとおり、史上初の本格的な国際債務危機は、イタリアの商人からイングランドへの融資に端を発する。こうした融資は一三世紀後半から行われていた。*2 当時のイタリアは発達した金融センターであり、イングランドは羊毛を中心とする天然資源の豊富な発展途上国だった。すでに論じたように、イングランドとフランスの長きにわたる戦争では、さまざまな局面でイタリアからの一連の融資によって戦費がまかなわれていた。イングランドのエドワード三世が負け戦を続けた挙げ句、一三四〇年に債務不履行の挙に出たという報せは、ただちにフィレンツェに届く。主要銀行はエドワード三世に巨額の融資をしていたから、フィレンツェ経済は取り付け騒ぎに巻き込まれた。すべての出来事は、いまの基準からすればスローモーションで起きたが、それでも一三四三年に大口の貸し手の一つだったペルージャ銀行が破産し、同じくバルディ銀行も一三四六年に破産に追い込まれている。このようにイングランドは、のちの新興市場国とまさに同じようにソブリン・デフォルトの不名誉を一度ならず喫した末に、ようやくデフォルト国から「卒業」したのである。卒業にいたるまでにイングランドはこの後も数回にわたり公的債務の再編を経験するのだが、これらはすべて国内債務だった。こちらについては後の章で取り上げる。

じつのところ、イングランドがデフォルトを繰り返す状態から本式に卒業したのは、一六八八年に名誉革命が起きてからである。この革命で議会の力が大幅に強化された。ノースとワインガストの画期的な研究は、この革命によって初めてイギリスの債務を支える自立的な制度が整ったと述べている。ワインガストはまた、イングランド銀行が官僚的な「派遣監視員」として政府の債務返済状況を監視したおかげで、議会はその権限を生かせるようになったと指摘する。[*3] イギリスの成功に寄与した要因は、もちろんほかにも数多くある。戦費調達には短期債務を活用し、戦争が終結すると長期債務に転換したことも、その一つだ。戦費を短期債務で手当てするのは理に適っている。戦争の結果が不確実なため、政府はプレミアムを払わざるを得ないが、それを長期的に固定するのは好ましくないからだ。長期債の発行は流通市場を活性化する効果もあり、それによって英国債の流動性が高まった、とカルロスらは指摘する。[*4] さらに、イングランドがまずまず立派に返済ができていたことの大きな要因として、同国が多くの戦争ではなばなしい勝利を収めたことも見逃すわけにはいかない。先ほどのエドワード三世の例からもわかるとおり、敗戦はデフォルトの最大の原因となる。デフォルト国からの「卒業」については、本書の最後で再び触れる。

一八〇〇年以前には、他国から多額の借り入れを重ね、その後にデフォルトする能力を備えていた国は、イングランド以外にほとんどなかった。大規模なデフォルトをひんぱんにするためには、その前にまず十分な国富を蓄え、次世代の債権者に「この国なら債務返済に必要な利益をきっと獲得できる」と信じさせなければならない（つまり、「今回はちがう」と信じさせなければならない）。また、将来の返済が確実に行える程度に国が安定しているという安心感を与える必要もある。一八〇〇年以降になると、産業革命のおかげで所得が世界的に急伸し、またイギリスが過剰貯蓄をばらまけるようになったことも手伝って、多くの国が借り入れのための国富の条件を満たせるようになる。だが一八〇〇年以前は、初期のイタリアの都市を除けば、十分な国富と安定性の点で他国からの借り入れ（およびデフォルト）の条件を満たしていたのは、イングランド以外にはフランスとスペインだけだった（このほかは、ポルトガルとプロシャが各一回を数えるにとどまる）。そしてスペインは六回、フランスは八回、立派にデフォルトをしてのけている。これについては本章で改めて述べる。

スペインのデフォルトの第一波は、一五五七年、一五七五年、一五九六年で、いずれもフェリペ二世（在位一五五六～九八年）の治世である。第一波よりさらに見苦しい第二波は一六〇七年、一六二七年、一六四七年で、フェリペ二世の後継者たちの時代だった。いずれのデフォルトも多くの経済史家が熱心に研究し、活発な議論が展開されている。スペインのデフォルト事例には、のちの多発性デフォルトにも共通する問題が数多く見受けられる。スペインはまた、ナポレオン登場以前にヨーロッパ支配を狙った最後の国としても、歴史的にきわめて重要な地位を占めている。

一六世紀以前のスペインは、勢力が拡散し、地方財政も貧弱で、大規模な海外融資などとても受けられない状況だった。だが「新世界」の発見がすべてを変えた。メキシコとペルーで途方もなくゆたかな銀山が発見され、一五四〇年代には大量の銀がヨーロッパに流れ込むようになる。国庫収入が大幅に増えたおかげで国王の権力は強大になり、もはや議会の承諾が必要な税収になど頼らなくてもよくなった。同時に、銀を中心とする貴金属の流入によって、ヨーロッパの物価には強いインフレ圧力がかかってきた。
スペイン国王は発見した富のおかげで、借り入れるのが比較的簡単になった。そして、彼らは借りた。ヨーロッパ全土を支配できるかもしれないのだから、借りるのは道理に適っているように思われたのである。フェリペ二世はオスマントルコと戦い、ネーデルランドに軍隊を派遣し、そして「無敵艦隊」でイングランドに挑むという致命的な誤りを犯した。これらすべてには莫大な金がかかる。たっぷりとリスク・プレミアムを乗せられるのだから、銀行家も、イタリア、オランダ、ドイツ、ポルトガルの富裕な投資家も、スペインに喜んで貸した。当時のスペイン国王は、どの年をとっても歳入の約半分に相当する額を借りており、ときには借入額が二年分の歳入を上回ることさえあった。その結果、表6・1にも示したとおり、たびたびデフォルトを起こすことになる。

図5・1は、最も完全なデータを入手できた一八〇〇〜二〇〇八年について、債務をデフォルトまたは再編中の独立国の数が世界に占める比率を示したものである。二〇〇三〜〇八年の比較的短い期間はデフォルトがほとんど発生していないが、世界全体（厳密には本書のデータセットに含まれる国で、世界GDPに占める比率は九〇％以上）を捉えると、この期間はグローバル金融危機前の一時的な凪と見なせることがわかる。こうした短い凪以外は、デフォル

図 5.1　公的対外債務のデフォルトまたは債務再編中の国の比率（1800 ～ 2008 年、加重なし）

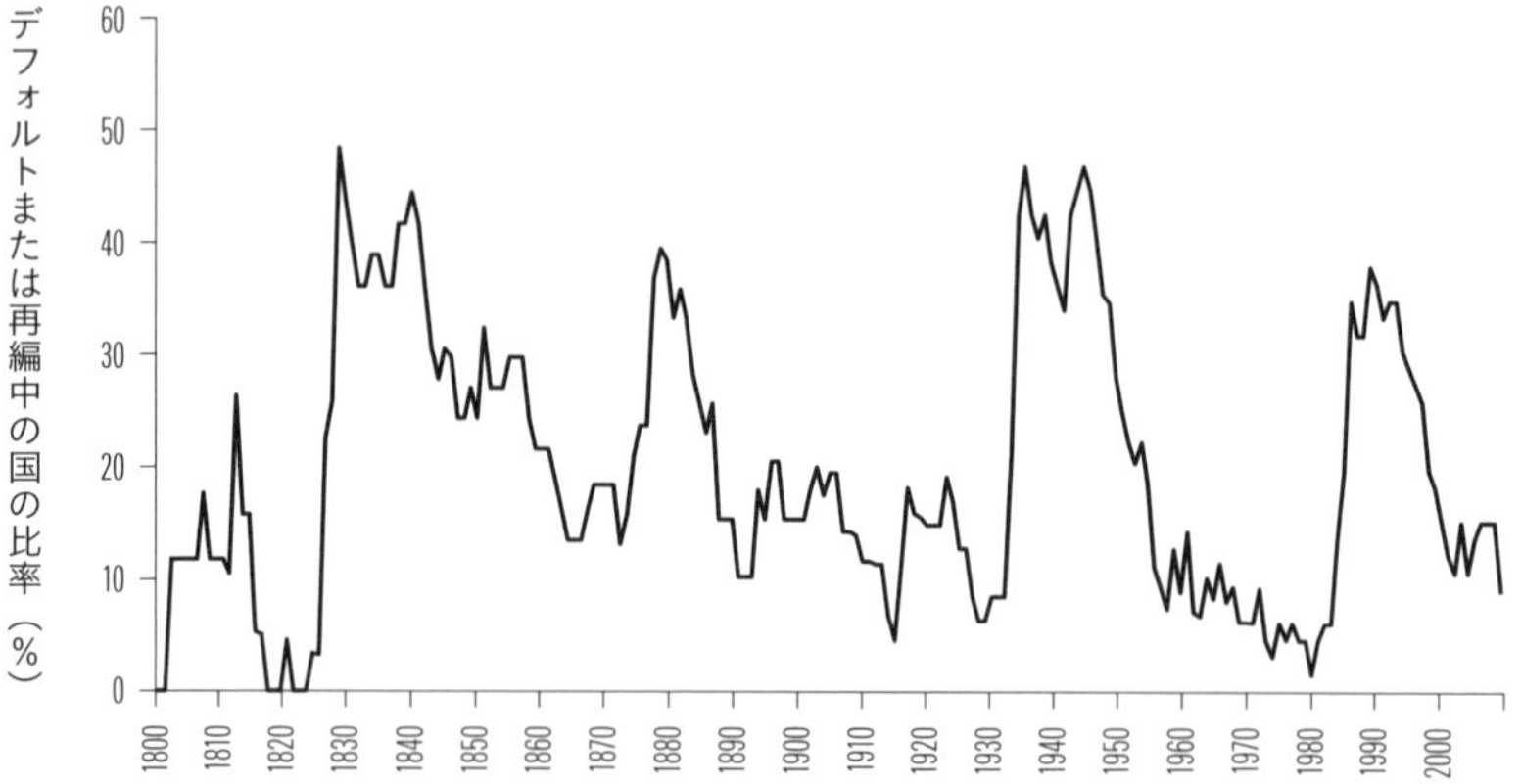

（資料）Lindert and Morton (1989); Suter (1992); Purcell and Kaufman (1993); Reinhart, Rogoff, and Savastano (2003a); MacDonald (2006); and Standard and Poor's.

（注記）表 3・1 に掲げた標本国 66 カ国のうち、該当年に独立国だったすべての国を対象とした。

トまたは再編中の国の比率が高い時期が長く続く。図5・1からは、五つのはっきりしたピークすなわちデフォルトの周期を読み取ることができる。

最初のピークが訪れるのは、一九世紀初頭のナポレオン戦争期である。第二のピークは一八二〇～一八四〇年代で、このときは世界の半分近い国（すべての中南米諸国を含む）がデフォルト中だった。第三のピークは一八七〇年代前半に始まり、やはり二〇年ほど続いた。第四のピークは一九三〇年代の大恐慌中に始まり、一九五〇年代前半まで続いている。このときは、またしても世界の半分近い国がデフォルトに陥った。[*5] 図中の最後の周期は、一九八〇～九〇年代に新興市場国で発生した危機と重なる。

世界GDPに占める比率で加重すると、

図 5.2　公的対外債務のデフォルトまたは債務再編中の国の比率（1800 〜 2008 年、GDP 加重）

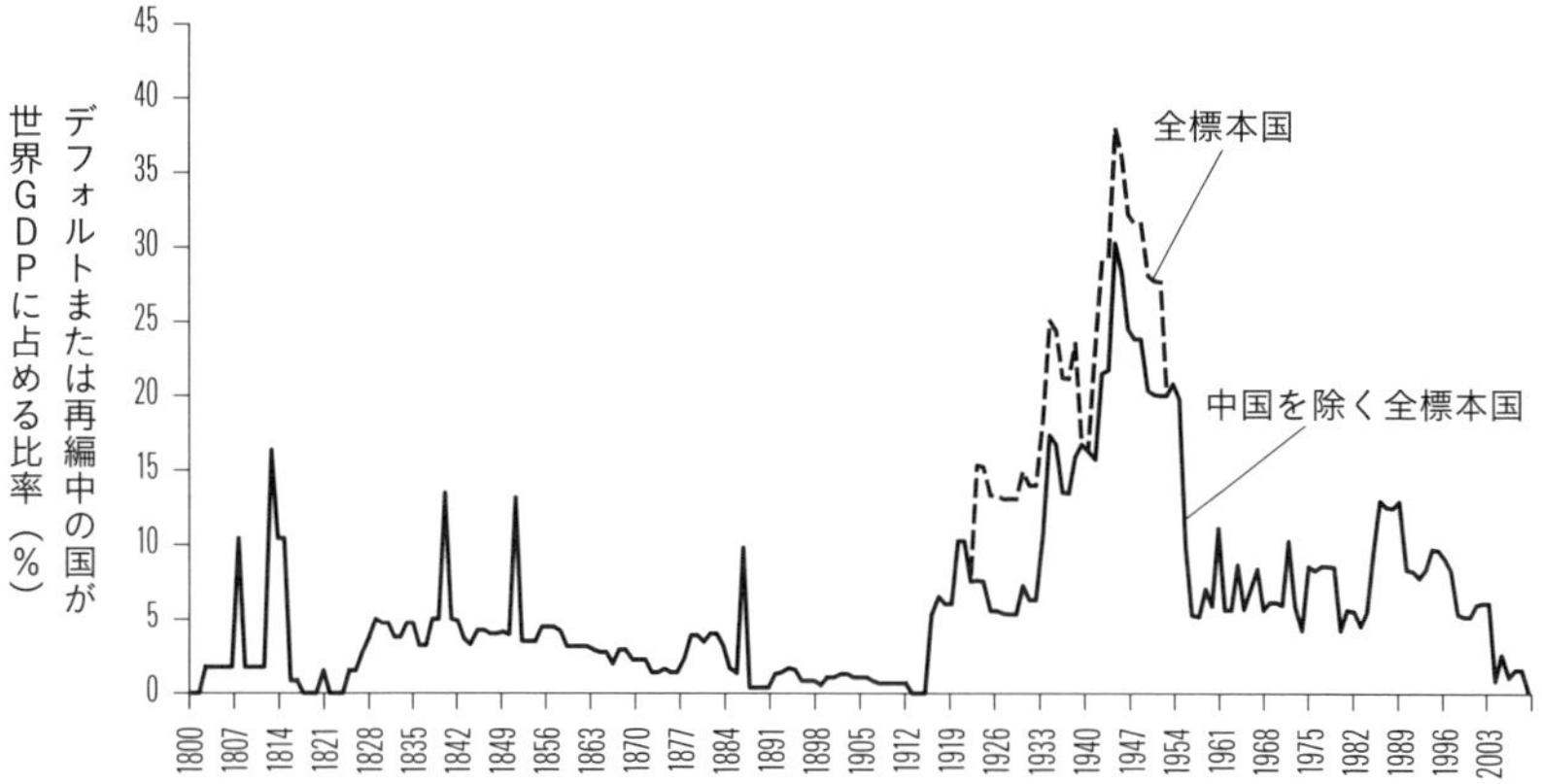

（資料）Lindert and Morton (1989); Suter (1992); Purcell and Kaufman (1993); Reinhart, Rogoff, and Savastano (2003a); Maddison (2004); MacDonald (2006); and Standard and Poor's.

（注記）表 3・1 に記載の標本国 66 カ国のうち、該当年に独立国だった国すべてを対象とした。ウェイトは、1913 年（1800 〜 1913 年に適用）、1990 年（1914 〜 1990 年に適用）、2003 年（1991 〜 2008 年に適用）の 3 通りを使用。

図5・2に示すように、二〇〇二年の後に訪れたデフォルトの凪が、二〇世紀全体と比べて突出していることがわかる。二〇〇三〜〇八年の静けさにいくらかでも近いのは、第一次世界大戦前の二〇年間、あの金本位制はなやかなりし時代だけである。[*6] とは言え将来を展望するならば、次の点を指摘しておかなければならない。凪の時期が一〇年、二〇年と続く例がまったくないとは言えないが、どの凪も必ず新たなデフォルトの大波によって終止符を打たれている、ということである。

図5・2はまた、第二次世界大戦直後の数年間に、現代史上で最大のデフォルト期のピークが来たことを示している。一九四七年には、世

界GDPのほぼ四〇％を占める国がデフォルトまたはリスケジューリング中だった。これは、戦争によって新たなデフォルトが引き起こされたことも一因だが、多くの国が一九三〇年代の大恐慌時のデフォルトからまだ立ち直っていなかったことも一因となっている。[*7] 同じ理由から、一八〇〇年代初めのナポレオン戦争中のデフォルトは、他の時期のデフォルトに劣らぬ重要性を持つ。第二次世界大戦後の危機を除けば、このときの水準に近いのは、一九八〇年代のピークだけである。

対外債務のデフォルトを繰り返す症状は、アジアやヨーロッパも含め世界のあらゆる地域でごくふつうに見られる現象である。この点は、第6章で個々の国の事例を取り上げるときに改めて示す。

デフォルトと銀行危機

歴史を振り返ると、銀行危機が世界で頻発しているときは、公的対外債務のデフォルトも頻発していることがわかる。図5・3には、銀行危機中の国と対外債務のデフォルトまたは再編中の国が世界に占める比率を示した。対外債務のデフォルトは（銀行危機と同じく）第一次世界大戦の開戦と同時に増え始め、大恐慌と第二次世界大戦の期間を通じて増え続けた（この間に多くの先進国がデフォルト国に転落した）。その後の数十年は比較的平穏だったが、一九八〇年代、九〇年代になると、債務危機が新興市場を襲っている。[*8]

図 5.3　銀行危機・公的対外債務危機発生国の比率（1800 〜 2008 年、加重なし）

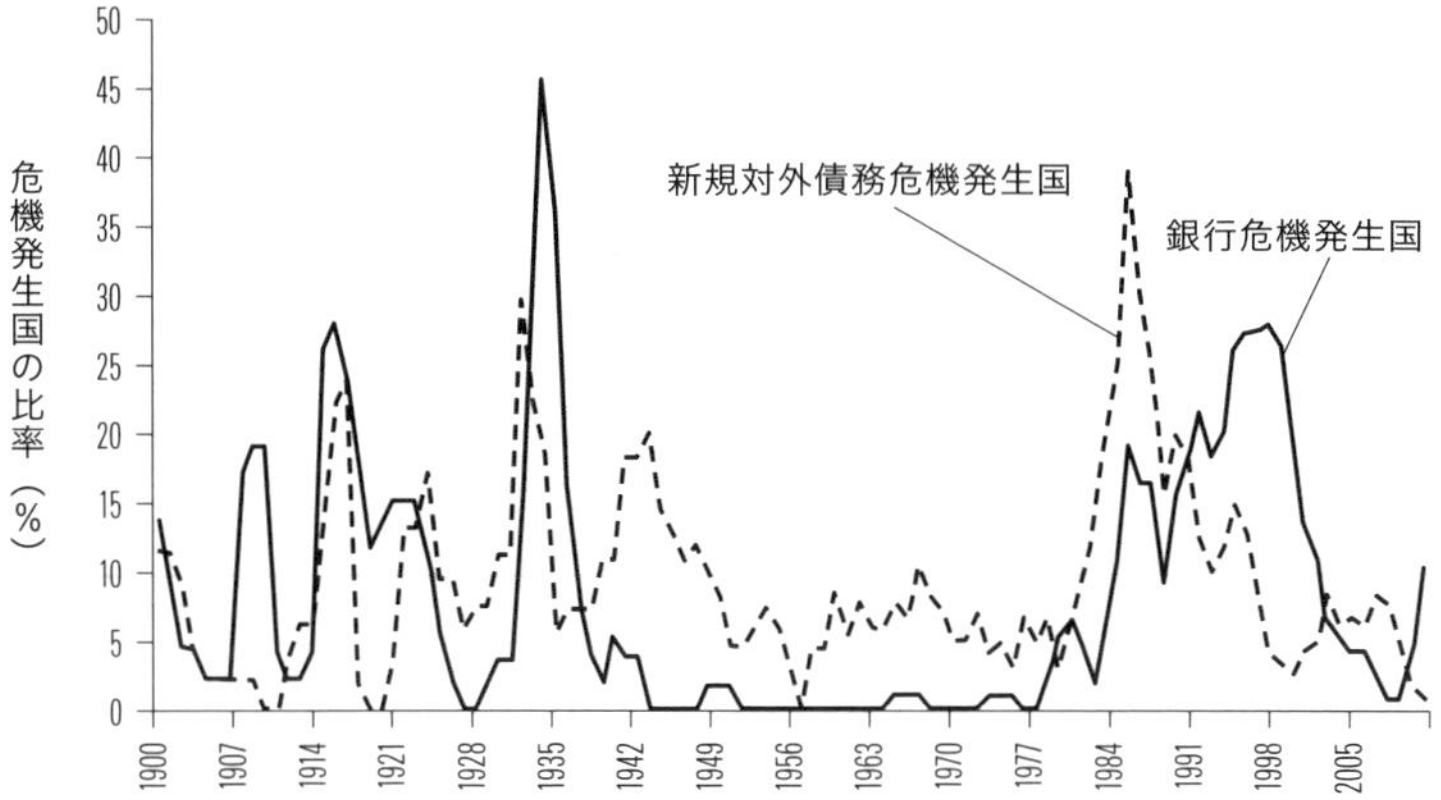

（資料）Lindert and Morton (1989); Suter (1992); Purcell and Kaufman (1993); Kaminsky and Reinhart (1999); Bordo et al. (2001); Macdonald (2003); Reinhart, Rogoff, and Savastano (2003a); Maddison (2004); Caprio et al. (2005); Jáome (2008); and Standard and Poor's.

（注記）全標本国。表中の「新規対外債務危機発生国」とは、その年にデフォルトが発生した国を意味する。3 年間の移動平均。

世界的な金融の混乱が新興市場国で公的対外債務危機を引き起こすにいたるまでの経路は一通りではなく、しかも複雑に絡み合っている。たとえば次のような経路が考えられる。

●先進国で銀行危機が発生し、世界経済の成長が大幅に鈍化する。経済活動が停滞あるいは大幅に縮小すれば、輸出はとくに大打撃を受け、新興市場国政府にとってハードカレンシーを獲得する手段が乏しくなる。その結果、対外債務の返済が一段と困難になる。

●世界経済の成長鈍化は、歴史的にみて世界の商品市況の下落を伴う。このため一次産品生産国の輸出収入は減少し、したがって債務の返済が困難になる。

●世界の金融センターとして機能する国で銀行危機が発生し、それに伴って信用収縮が起き、（ギレルモ・カルボの表現を借りるなら）周辺国への貸し出しが「急停止（サドン・ストップ）」する。[*9] 先進国からの資本流入は、基本的に新興市場国のファンダメンタルズとは無関係に止まってしまう。すると信用が逼迫し、新興市場国の経済活動は縮小する。そして政府の資金が乏しくなるにつれて、債務負担が重くのしかかることになる。

●銀行危機は、歴史的にみて「伝染」する。これは、投資家がリスク回避姿勢を強め、ある国で起きたことが別の国でも起きると懸念し、資産が減るにつれてリスク・エクスポージャーを全面的に減らすためである。こうした状況で新興市場国が公的対外債務の借り換えや返済をすることは、明らかに困難である。

●ある国で起きた銀行危機は、近隣国やよく似た国での信頼の喪失を招きやすい。これは、投資家が共通の問題を予期するためだと考えられる。

デフォルトとインフレ

二〇〇〇年代後半には、世界の多くの国で金融部門の混乱が発生した。本書を執筆中の現在、これがソブリン・デフォルトのサイクルに過去と同じような結果をもたらすのかどうかは、まだはっきりしない。だが図5・3の前例を見る限り、前途は楽観できないと思われる。現在のグローバル金融環境では、ソブリン・デフォルトが急増してもすこしも驚くには当たらない。

図 5.4　インフレ危機と対外債務デフォルト（1900 〜 2007 年）

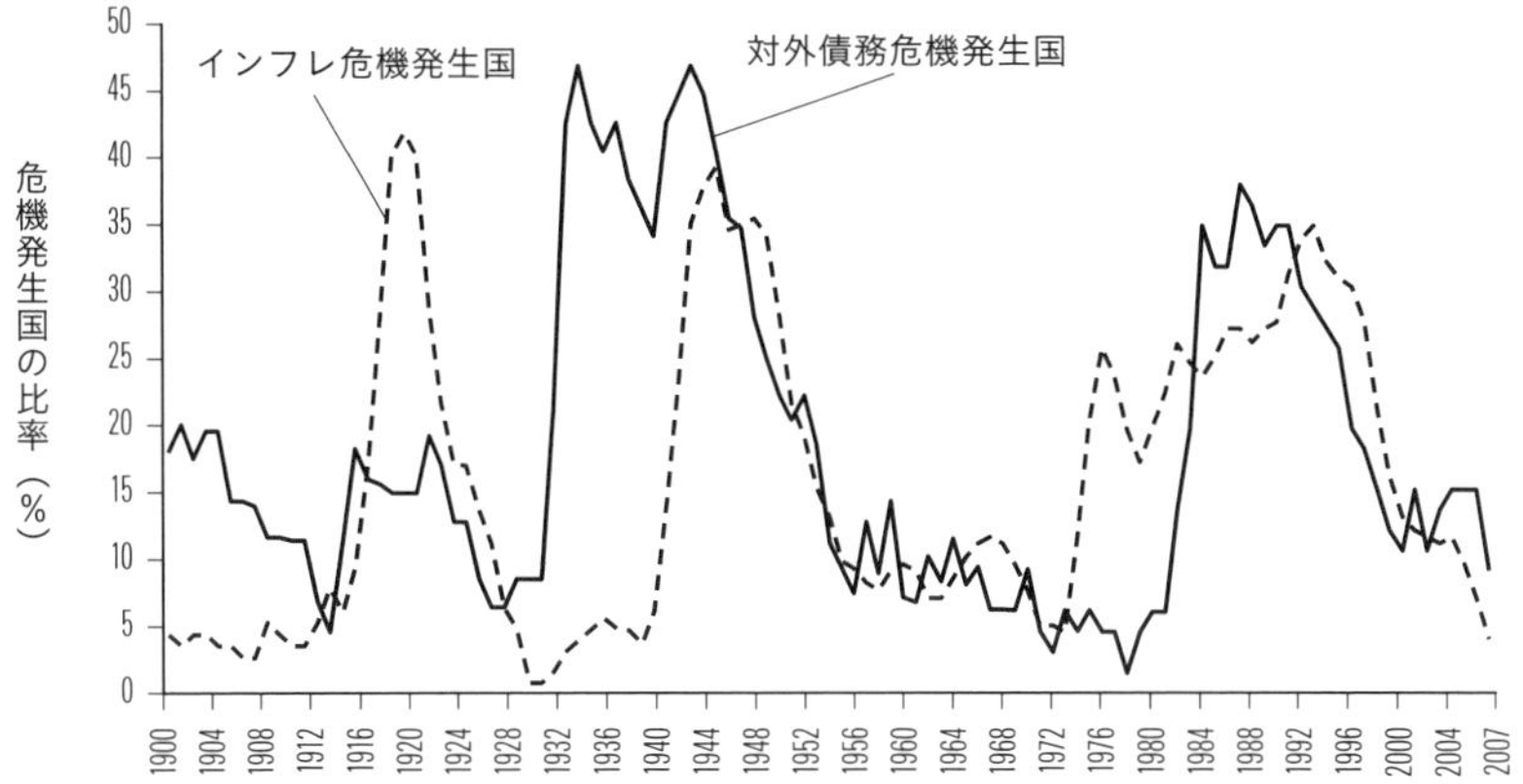

（資料）対外債務デフォルトについては、図5・1と同じ。インフレについては、資料が多いため、巻末資料A・1を参照されたい。

（注記）インフレ危機とは、インフレ率が年 20％を上回った期間を指す。発生率は、デフォルト、インフレいずれも加重なしの単純平均。相関係数は、1900 〜 2007 年が 0.39、大恐慌期を除くと 0.60。1940 〜 2007 年は 0.75。

銀行危機の世界的な急増は、ソブリン・デフォルト発生率上昇の可能性を示すと同時に、高インフレに見舞われる国の比率が高まる前兆ともなる。図5・4に、一九〇〇〜二〇〇七年の期間について、インフレ中の国とデフォルト中の国が世界に占める比率を示した。このグラフを見ると、デフォルト中の国の比率と、高インフレ（ここでは年二〇％以上とする）中の国の比率が、きわめて似通った動きをしていることがわかる。とは言え物価または為替レートに完全にはスライドしていない政府債務に関する限り、インフレはその一部不履行を意味するのだから、両者の動きが一致してもさほど驚くべきではあるまい。*10

　第12章で示すように、インフレを介したデフォルトは、主な交換手段として不換紙幣が金属通貨に取って代わるようになってから、次第に増えている。一九〇〇年以降の不換紙幣時代だけをとっても（図5・4参照）、このパターンは明らかだ。インフレと対外債務の公然のデフォルトの密接な関係は、現代に入ってからきわめて長く続いてきた。一九〇〇〜二〇〇七年の二者間の相関係数は〇・三九だが、一九四〇年以降に限れば、倍近い〇・七五となる。

このように相関性が強まったのは、マクロ経済要因の変化によるのではなく、どの収奪手段を使うかについて政府の考えが変わったことと、金（または他の金属）本位制の放棄とで説明できると考えられる。大恐慌時代のデフォルトは、つねにデフレの下で発生していた。物価水準の低下が予想外である限り、債務負担は経済活動にとって一段と重荷になり、阻害要因となる。この関係性が、アービング・フィッシャーの有名な「債務デフレ」理論の柱をなす。[*11] この理論から、経済状況の悪化はソブリン・デフォルトを招きやすいという命題が導かれる。これに対して、高インフレ基調であれば、経済がデフレ・スパイラルに陥る可能性は低くなるはずである。第二次世界大戦後しばらくしてデフォルトとインフレが同じ動きを示すようになったのは、おそらくは政府が両方の手段に訴えて実質金利負担の軽減を図ったことを表している。

対外債務のデフォルト後には、インフレは悪化傾向をたどることが多い。[*12] 国際資本市場から閉め出され、かつ歳入の激減に直面すると、支出を維持できなくなった政府は当然のごとくたびたびインフレ税という手段に訴えてきた。それも、ハイパーインフレという最も極端な形に頼った例さえある。

デフォルトのグローバル要因と周期性

すでに図5・1と5・2で見てきたように、グローバル金融危機という大嵐は、デフォルトの大波を生む重大な要因となりうる。商品価格や世界の金融センターとして機能する国の金利など、グローバルな経済要因が対外債務危機の発生で重要な役割を果たすとの見方が経済学者の間では有力であるが、今回収集した広範なデータセットによっても、この見方を裏付けることができた。[*13]

今回私たちは、一八〇〇〜二〇〇八年の期間について、さまざまなグローバル商品価格指数を使ってデフォルトと商品価格の同調的な動きを分析した。商品価格サイクルの山と谷は、資本フロー・サイクルの山と谷の先行指標となり、谷になると、一般に多数の国でデフォルトが発生している。

新興市場国の借り入れがきわめてプロシクリカル（景気循環増幅的）な性格を持つことは、戦後期についてカミンスキー、ラインハート、ヴェーグが実証し、アギラーとゴピナスが最近モデル化した。[*14] 新興市場にとって貿易条件が好ましい（すなわち一次産品の価格が高い）ときには、借り入れが増大する。商品価格が下落すると借り入れは縮小し、デフォルトが増える。図5・5に、第二次世界大戦の前と後に分けて商品価格のサイクルを示した。一八〇〇〜一九四〇年について上のグラフがおおざっぱに示すように（かつ計量経済学的な検査が裏付けるよ

図 5.5 商品価格と対外債務デフォルト（1800 ～ 2008 年）

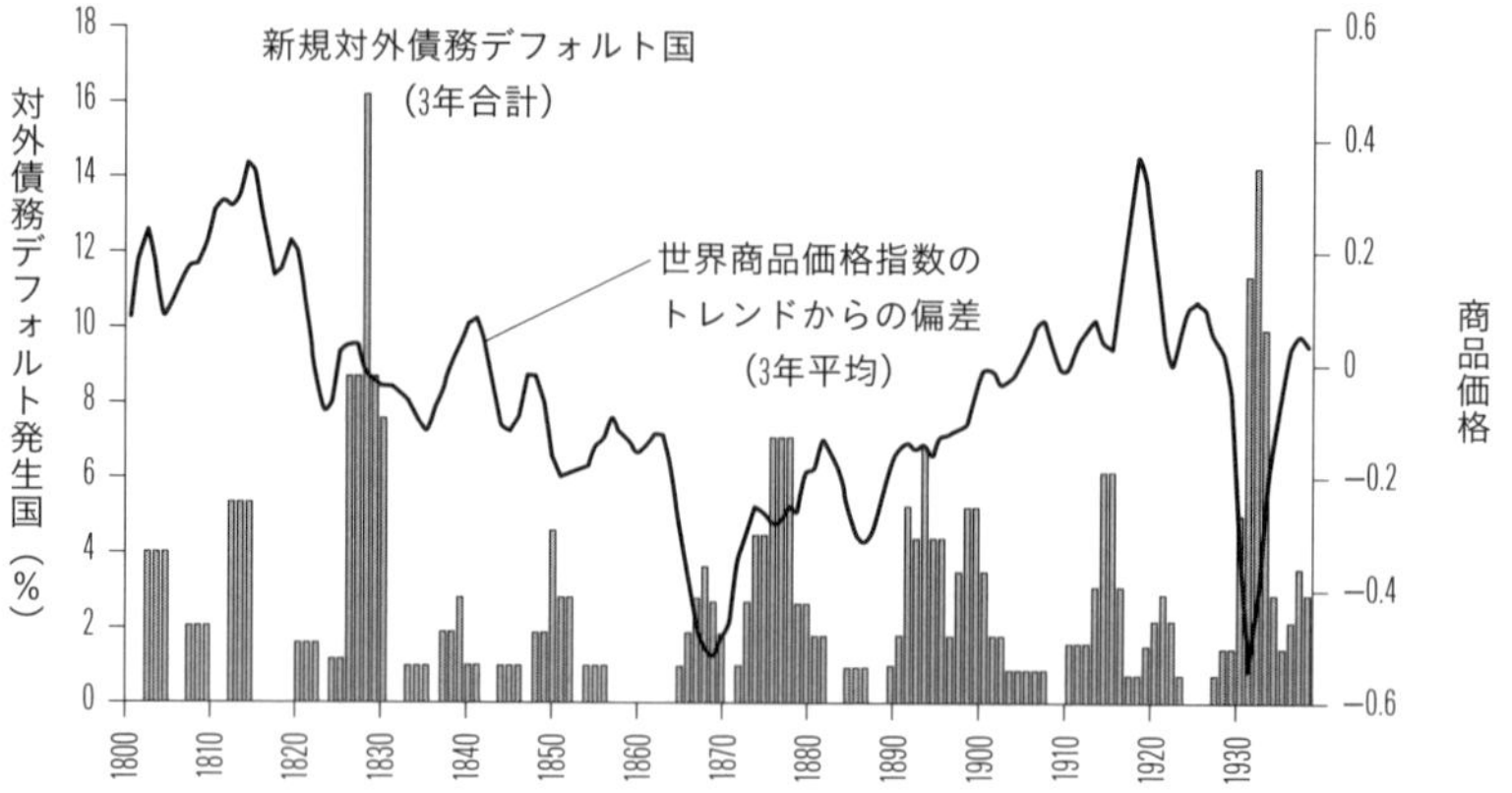

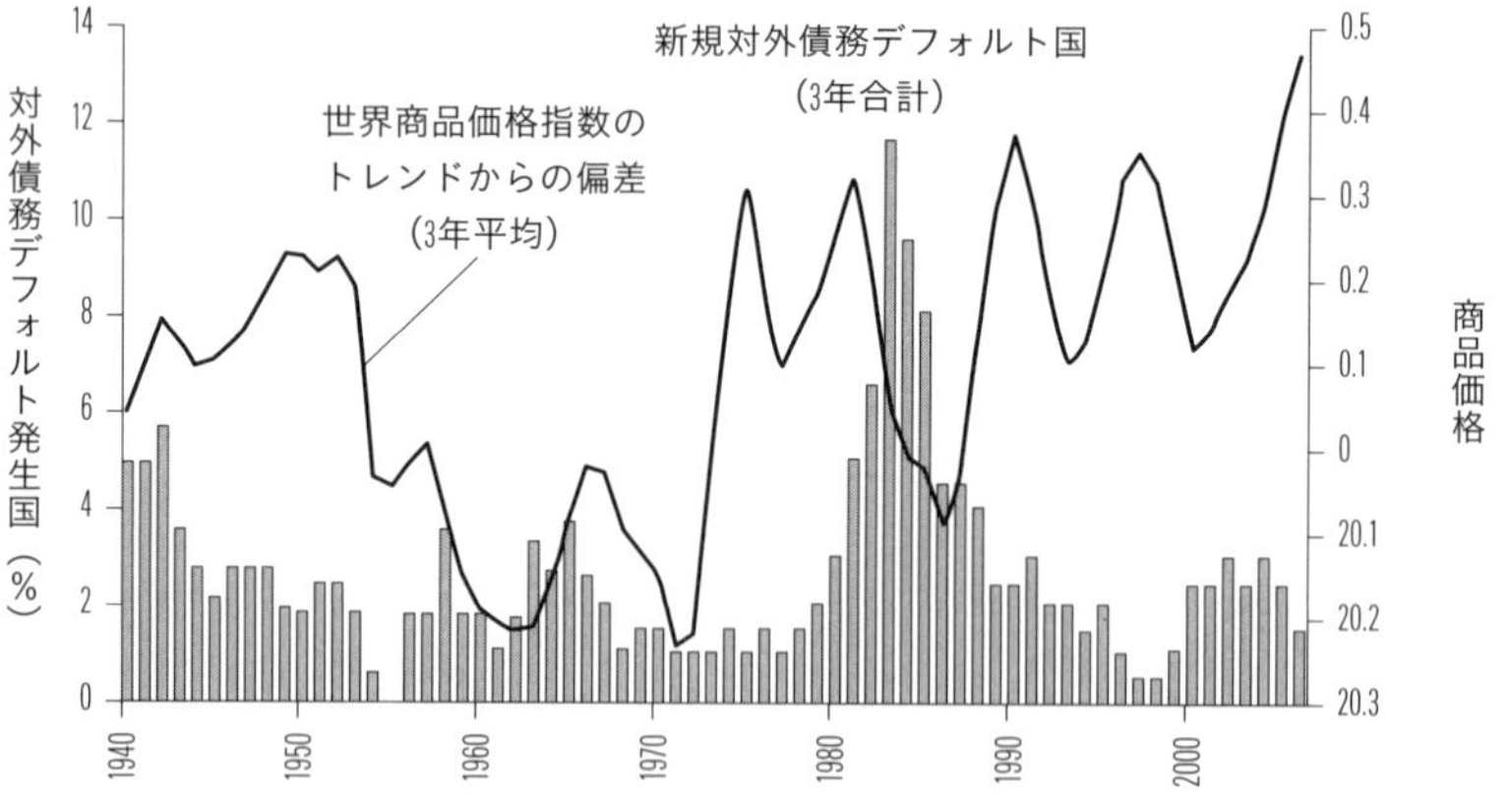

（資料）Gayer et al. (1953); Boughton (1991); The Economist (2002); International Monetary Fund (various years), *World Economic Outlook* および巻末資料 A・1、A・2 に基づいた筆者の計算。

（注記）対外債務デフォルトはデフォルト発生年を採用。標本期間中に商品価格が著しく下落したため、価格のサイクル的な動きを引き立たせるために回帰直線を用いてトレンドを外した。

うに）、商品価格の急激な山形（急騰・急落）の後には、ほぼ必ず新たなソブリン・デフォルトの波が起きていることがわかる。下は一九四〇〜二〇〇八年についてのグラフで、戦後期にも同様の傾向は見られるものの、上のグラフほど明確ではない。

すでに見てきたように、デフォルトはグローバルな資本フローのサイクルにもきわめて敏感である。資本の流れが急激に止まると、デフォルトを起こす国が増える。図5・6には、ブレトンウッズ体制崩壊前の世界の金融センター国（イギリスとアメリカ）の経常収支と、対外債務の新規デフォルト発生国が世界に占める比率とを対比させ、資本フローとデフォルトの関係を示した。両者のピークがみごとに一致することがわかる。金融センター国の経常収支は（データセットの資本フロー系列から得たグロスの数字ではなく）ネットの貯蓄超過を表すので、「世界的な貯蓄過剰」の圧力を示すものと言える。

現代の金融危機に関する研究では、より鮮明な規則性として、資本流入が急増した国では債務危機の発生リスクが高まることが指摘されている。*15 ここに挙げた予備的なデータは、過去のより広い範囲についても、同じことが当てはまる可能性を示唆する。少なくとも一八〇〇年以降は、国、地域、世界いずれのレベルでも、対外債務危機の前に資本流入が急増した例が多い。

とは言え、以上の図に示された相関性は一つの説明に過ぎず、それぞれのデフォルトには当然ながらそれぞれに異なる要因が存在することは、重々承知している。だが広範なデータセットから得られる多くの有益なヒントはさて措くとしても、これらの図は、グローバルな景気

図 5.6　金融センター国からの正味資本流入と対外債務デフォルト(1818 〜 1939 年)

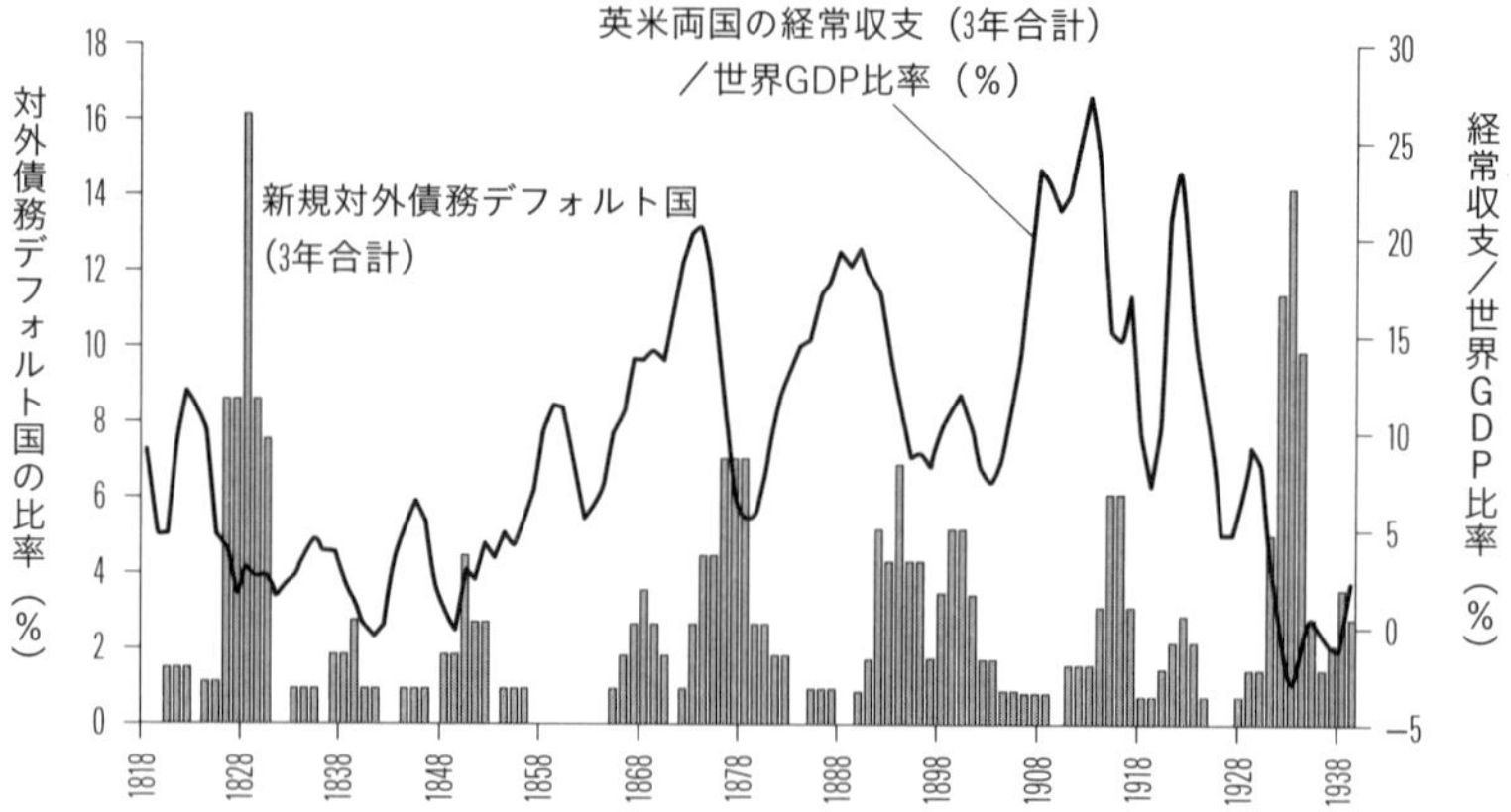

（資料）Imlah (1958), Mitchell (2003a, 2003b), Carter et al. (2006), and the Bank of England.

（注記）英米両国の経常収支には、金融センターおよび資本供給国としての重要性に従い（いささか恣意的ながら）加重した。1818 〜 1913 年はイギリスが 1 でアメリカは 0。1914 〜 1939 年は対等。1940 年以降はアメリカを 1 とした。

循環に対して国がいかに脆弱かをくっきりと浮かび上がらせたと言えよう。問題は、危機を起こしやすい国、とりわけデフォルトをひんぱんに繰り返す国が、景気のいいときに過剰に借り入れ、景気が落ち込んだとき（景気は必ず落ち込む）に脆さを露呈することだ。「今回はちがう」シンドロームが蔓延するのは、たいていは今回がちがわないからであり、いずれは悲劇が繰り返されるからなのである。

なお図5・6に示した資本フロー・サイクルは、国別のケーススタディではさらに説得力があるのだが、残念ながらここではそのスペースがなかった。

図 5.7　対外債務デフォルトの継続年数（1800 ～ 2008 年）

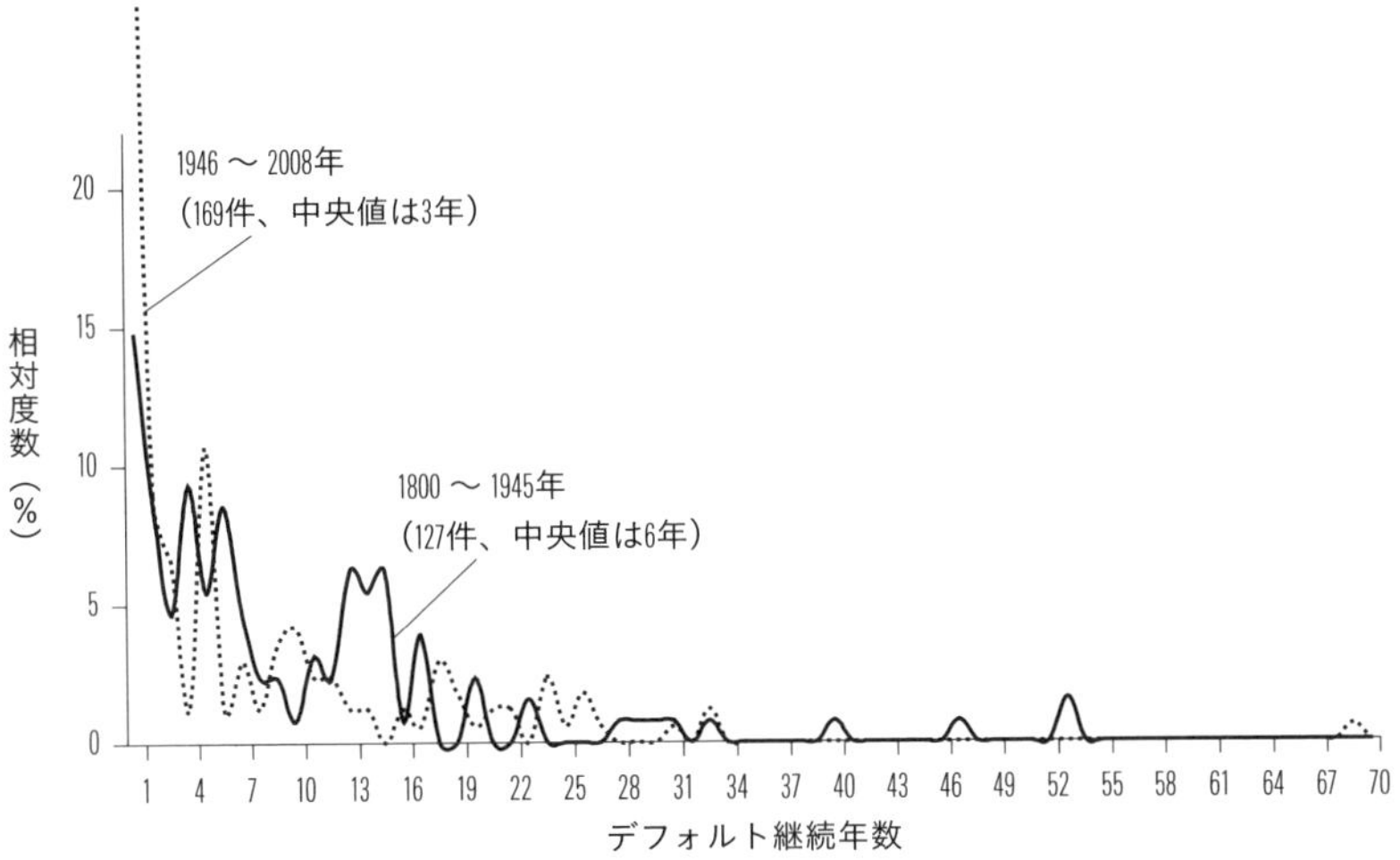

（資料）Lindert and Morton (1989); Suter (1992); Purcell and Kaufman (1993); Reinhart, Rogoff, and Savastano (2003a); MacDonald (2006); Standard and Poor's および筆者の計算。

（注記）デフォルトの継続年数とは、デフォルト発生年から解決した年までの年数を意味する。解決は、債務再編、返済、債権放棄いずれでもよい。2 標本分布の同一性についてコルモゴロフ・スミルノフ検定（KS 検定）を行った結果、有意水準 1％で、両者を同一とする帰無仮説は棄却された。

デフォルトの継続期間

対外債務デフォルトのパノラマを俯瞰したときにもう一つ気づく点は、第二次世界大戦後に起きたデフォルトは、継続年数の中央値が、一八〇〇～一九四五年のデフォルトの半分だということである。図5・7を見るとわかるように、戦前は六年、戦後は三年である。

この事実を好意的に解釈するなら、砲艦外交の時代が終わり、危機を退治するメカニズムが整ったからだと考えられる。それでもニューファンドランドは、一九三六年に対外債務のデフォルトが避けられなくなったとき、主権まで失い、最終的にはカナダ領になった（コラム５・２参照）。このほかエジプトは、デフォルト後にイギリスの保護領となっている。

コラム5・2　対外債務の高すぎる代償――ニューファンドランドの悲劇（一九二八～三三年）

政府が仲立ちをして、破産した銀行を健全な銀行に吸収させることがある。まさにそれと同じように、イギリスは破産した主権国家ニューファンドランド（二〇世紀初頭に独立）をカナダが吸収するよう、働きかけた。

次頁の表は、ニューファンドランドがデフォルトへと突き進んだ一九二八～三三年の財政状態を簡単にまとめたものである。

関税収入頼みだった政府の歳入は一九二八年から三三年にかけて減少し、それに伴って債務歳入比率は上昇した（上記の表参照）。また、一九三〇～三二年には漁業も不振に陥り、生活保護の申請件数も増加している。こうして、債務返済の負担は耐え難いものになってきた。

返済が困難であることが明らかになったのは一九三一年だが、それよりかなり前から、ニューファンドランドの財政は不安定な基盤の上で運営されていた。比較的景気のよかった一九二〇年代を通じて財政赤字が続き、公的債務（大半は対外債務）が積

●表

年	公的債務総額（単位：百万ポンド）	債務／歳入比（倍数）	支払金利／歳入比（倍数）
1920	n.a.	n.a.	0.20
1928	79.9	8.4	0.40
1929	85.5	8.6	0.39
1930	87.6	7.6	0.36
1931	87.6	9.0	0.44
1932	90.1	11.4	0.59
1933	98.5	12.6	1.58

（資料）Baker(1994);League of Nations(various years),*Statistical Yearbook* および筆者の計算。

（注記）全標本 89 件の対外債務デフォルト時の平均債務／歳入比は、4・2である。表中の「n.a.」はデータ未入手。

●年表　財政悪化の原因と主権放棄にいたるまでの過程

年	摘要
1928 − 1933 年	鮮魚の価格が 48%、新聞用紙も 35% 下落。同時期に輸出総額は 27%、輸入総額も 44% 縮小した。
1931 年初め	債務返済が非常に困難になり、政府はそのために借り入れをする必要に迫られた。
1933 年 2 月 17 日	イギリス政府がニューファンドランドの将来を検討する委員会を設置。委員会の使命は、同国の財政状態と将来展望を調査分析することにあった。
1933 年 10 月 4 日	委員会は、国が再び自立できるようになるまで、現行の統治体制を停止すべしとの第一回勧告を出す。
1933 年 12 月 21 日	融資法が可決成立し、デフォルトに陥るのを避けるため自治権の返上が決まる。

み上がっていったためである。大恐慌が始まった時点での債務歳入比率はおおよそ八〇〇%で、本書の標本約九〇件の平均の約二倍に達している。一九三二年には、歳入の中で、利払いが単独項目として最大の割合を占めるにいたった。デフォルトは避けられない状況だったと言えよう。実際には同国はデフォルトをしてはいないが、それは形の上だけに過ぎない。

デービッド・ヘイルは次のように述べている。「一九三〇年代のニューファンドランドの政治史は、いまではカナダの歴史の中でとるにたらない一場面とみなされている。あの国で起きた尋常ならざる出来事に、もう誰も注意を払わないと言ってよかろう。だがイギリスの議会と、自治領であるニューファンドランドの議会は、民主主義より債務を優先することに合意したのだ。大英帝国の中で英国議会に次ぐ古い歴史を誇っていた同国の議会は廃止され、七八年にわたり直接民主制を維持してきた二八万の英語を話す国民に、異なる政体が押しつけられた。そしてイギリス政府は憲法上の権限を利用して、ニューファンドランドがカナダに統合されるように仕向けたのである」[*17]

ニューファンドランドと状況は異なるが、エジプト、ギリシャ、トルコも一九世紀にデフォルトを起こしたとき、少なくとも政府財政に関する主権の一部をイングランドに献上した。またアメリカは、莫大な債務を抱えたドミニカ共和国で関税徴収を行うため一九〇七年に同国を保護国とし、一九一六年には占領した。アメリカはハイチとニカラグアにも干渉して関税徴収を行い、債務返済に充てる税収を確保している。これが、砲艦外交の時代のやり方だった。

戦後のデフォルト期間が短いことの説明として、IMFなどの国際融資機関による救済が進められているときは、たびたびデフォルトを起こす「お得意様」に対して債権者が手加減をしてやるからだ、との皮肉な見方もある。ともあれ、アイケングリーンが複数の論文で指摘したように、第二次世界大戦後にはデフォルトとデフォルトの間隔が大幅に縮まったという事実に変わりはない。債務再編が成立すると、多くの国がすぐさま次の借り入れを行っている（コラム5・3参照[*18]）。

コラム5・3 対外債務デフォルトは高くつくか——消えたブレイディ債の謎

問題の多い債務国が、もっぱら経済成長に頼って、債務の大幅償却なしに高い債務GDP比率を低水準に引き下げ、「債務比率の圧縮」を実現できると想定するのは、果たして現実的なのだろうか。それを試みた一つの例が、ブレイディ債である。ブレイディ債とは、米財務省のゼロ・クーポン債を担保に新興市場国が発行した米ドル建て債券を指す。ローンのデフォルトが頻発していた開発途上国の債務を軽減する目的で一九八〇年代に構想され、債務削減プログラムを推進したニコラス・ブレイディ財務長官にちなんでブレイディ債と命名された。参加したのは、アルゼンチン、ブラジル、ブルガリア、コスタリカ、ドミニカ共和国、エクアドル、ヨルダン、メキシコ、モロッコ、ナイジェリア、ペルー、フィリピン、ポーランド、ウルグアイ、ベトナムである。

債務比率圧縮の検証

中・低所得国で一九七〇～二〇〇〇年に債務比率の大幅圧縮が実現した事例を検証するため、ラインハート、ロゴフ、サヴァスターノの研究では、三年未満の期間で対外債務GNP比率が二五％以上低下した事例をすべて抽出し、さらにその原因が、分子（債務）の減少、分母（GNP）の増加、またはその両方のいずれかであることを確かめた。[*19] 同研究で用いられた判断基準によれば、一九七〇～二〇〇〇年で該当する事例は五三件あり、うち二六件が中所得国、残り二七件は低所得国だった。

債務比率圧縮の成功例

中所得国で債務比率が圧縮された事例のうち、新興市場国は二二件だった。うち一五件は、何らかの形で対外債務のデフォルトまたは再編（両者をクレジット・イベントと総称する）と同時に起きている。クレジット・イベントと同時期でなかった七件をみると、六件までが正味の債務返済によって債務比率を圧縮しており、経済成長によって債務比率圧縮に成功したのはわずか一件（一九八五年のスワジランド）だった。一方、クレジット・イベントと同時期だった一五件のうち、経済成長が債務比率圧縮の主要因と考えられるのは三件（モロッコ、パナマ、フィリピン）だった。以上を総合すると、国が成長だけによって債務負担から抜け出せるとは言い難い。したがって債務に対する耐性が低い国にとっては、債務の持続可能性の計算基準が楽観的過ぎると疑う理由が、また一つ増えたことになる。

クレジット・イベントを伴ったケースのうち、エジプトとロシアは、債務再編交渉を通じて名目債務負担を（少なくとも現時点までで）最も多く減らすことに成功した。一方、クレジット・イベントが回避されたケースの中では、危機に見舞われたアジアの二カ国（韓国、タイ）が、最も多額の返済をやり遂げている。

一九九〇年代にも、よく知られたブレイディ方式の債務再編が行われたが、このときには債務比率が大幅に圧縮された例は皆無だった。前掲研究で用いられた判断基準では、ブルガリア、コスタリカ、ヨルダン、ナイジェリア、ベトナムで債務比率の低下が認められたものの、ブラジル、メキシコ、ポーランドといった経済規模の大きい国での低下は認められなかった。

消えたブレイディ債の謎

前掲のラインハートらの研究は、一九八〇年代後半にブレイディ方式で一括して債務再編が行われた一七カ国について、対外債務の推移を跡づけている。債務のプロフィールを分析することによって、前出の判断基準では一七件のうち一二件が債務比率圧縮に該当しなかった理由がはっきりした。

●一二件のうち一〇件では、ブレイディ債の債務再編に起因する対外債務GNP比率の低下が、二五％未満にとどまった。またアルゼンチンとペルーでは、債務再編三年後の対外債務GNP比率が、なんと再編前より高くなっている。

●二〇〇〇年までには、ブレイディ方式の債務再編が行われた一七カ国のうち七カ国（アルゼンチン、ブラジル、エクアドル、ペルー、フィリピン、ポーランド、ウルグアイ）で、対外債務GNP比率が再編三年後より高くなっていた。そして同年末時点では、うち四カ国（アルゼンチン、ブラジル、エクアドル、ペルー）で、この比率が再編前の水準より高くなった。

●二〇〇三年までに、同一七カ国のうち四カ国（アルゼンチン、コートジボワール、エクアドル、ウルグアイ）が、対外債務を再びデフォルトまたは再編するにいたった。

●債務再編から二〇年足らずの二〇〇八年までに、エクアドルは二度もデフォルトを起こした。ブレイディ方式の債務再編が行われた国の中には、ほかにも追随しそうな国がある。

次の第6章では対外債務デフォルトの歴史を遡り、デフォルトは周期的に繰り返す性質があることを、国別、地域別、時代別に広範なデータを使って実証する。デフォルトや再編の有名な事例もあれば、ほとんど知られていない事例もあり、また現在では先進国と呼ばれる国の事例もあれば、金融優等生といわれるアジアの事例も登場する。

第6章 対外債務デフォルトの歴史

公的対外債務のデフォルトを繰り返す症状は、けっして今日の新興市場国が発明したわけではない。いまでは富裕国となった国の多くも、かつて新興国だったときには同じような問題を起こしていた。度重なる対外債務のデフォルトは、アジアやヨーロッパも含め世界のどの地域でも、めずらしくもない出来事だったのである。

本書の広範なデータセットは、時空を超えた視点、すなわち時代や国・地域を超えた視点を与えてくれる。この視点に立つと、デフォルトを理解するうえで重要な事実に気づく。それは、世界のほぼすべての国が新興市場国だった時期に少なくとも一度は対外債務をデフォルトした、ということである。そのうちの少なからぬ国が何度も起こしており、その時期はおおむね一世紀か二世紀は続いた。

一三〇〇～一七九九年の新興ヨーロッパの多発性デフォルト

今日の新興市場国は、残念ながら多発性デフォルト第一号の栄誉に浴することはできない。表6・1に、現在では富裕国のヨーロッパ六カ国（オーストリア、イングランド、フランス、ドイツ、ポルトガル、スペイン）について、一三〇〇～一七九九年に発生したデフォルトの件数と発生年を掲げた。

デフォルト回数の記録保持者はスペインで、現在にいたるまで破られていない。同国は一九世紀だけで八回デフォルトを起こし、それに先立つ三〇〇年間にも六回デフォルトした。

スペインは、一九世紀にデフォルトを多発したおかげで世界最高記録の栄誉をフランスから奪ったのだが、そのフランスはと言えば、一五〇〇～一八〇〇年に八回にわたって債務を返済せずに済ませている。同国では、対外債務のデフォルト中に国王が国内の有力債権者を処刑する習慣があった（これは、原始的かつ決定的な「債務再編」と言えよう）。このため国民は、

表 6.1　ヨーロッパにおける 19 世紀以前の対外債務デフォルト（1300〜1799 年）

国名	デフォルト発生年	デフォルト回数
オーストリア	1796	1
イングランド	1340, 1472, 1594*	2*
フランス	1558, 1624, 1648, 1661, 1701, 1715, 1770, 1788	8
ドイツ（プロシャ）	1683	1
ポルトガル	1560	1
スペイン	1557, 1575, 1596, 1607, 1627, 1647	6

（資料）Reinhart, Rogoff, and Savastano (2003a), MacDonald (2006).
（注記）＊印のデフォルトは、現時点でまだ対外債務か国内債務か結論が出ていない。

デフォルトを「瀉血《しゃけつ》」と言い習わすようになった（瀉血とは、静脈血の一部を抜く治療法のことである）。[*1] 一七六八〜七四年にフランスの蔵相を務めたアベー・テレは、政府は少なくとも百年に一度は、財政均衡を回復するためにデフォルトを起こさなければならない、と放言した。[*2]

だが驚いたことに、フランス革命やナポレオン戦争で深い痛手を負ったにもかかわらず、フランスはやがてデフォルトを繰り返す状態を脱する。同国は一九世紀にも二〇世紀にもデフォルトを起こさなかったし、二一世紀にも（これまでのところ）起こしていない。したがって、フランスは多発性デフォルトから早々と「卒業」した国の一つと言えよう（コラム6・1を参照されたい）。このほか後段で触れるように、オーストリアとポルトガルは一八〇〇年以前には一回しかデフォルトを起こしていないが、一九世紀になると、どちらも何度も起こしている。

イングランドはエドワード三世の治世でデフォ

ルトを起こし、さらに二世紀後のヘンリー八世の時代には大規模な通貨の改鋳を行って、国王の国内債務を実質的にデフォルトした。そのうえヘンリー八世はカトリック教会の広大な所有地をすべて没収しており、没収と共に所有者を処刑することもたびたびだった。こうした行為は厳密には国債のデフォルトではない。しかし、正確な意味での対外債務ではないにせよ、主権国家が返済義務を履行しなかった事例であることはまちがいない。

コラム6・1　多発性デフォルトから卒業したフランス（一五五八～一七八八年）

一五〇〇年以前のフランスの財政は絶えず不安定だったが、その一因は、大規模な通貨の改鋳がのべつ行われたことにある。一三〇三年だけで、同国の通貨に含まれる銀の量は半分以上も減らされた。年によっては、こうした操作による収入が、他の収入を全部合わせたより多かったほどである。[*3]

フランスの国王が急激に借り入れを増やすようになったのは、フランソワ一世の治世だった一五二二年からである。甚だしく不透明な財務会計と短期借入への依存が重なってフランスが弱体化していた頃に、折悪しく一五五七年にスペインのフェリペ二世がデフォルトを決断し、金融市場を混乱に陥れた。ちょうど現代の金融市場で一国のデフォルトが他国に伝染するように、当時のフランス王だったアンリ二世も、短期債務の借り換えができなくなる。アンリ二世は貸し手を安心させようと、フェリペ二世をまねてデフォルトするつもりはないと確約し、そのおかげでしばらくは災厄を回避できたが、結局一五五八年にはデフォルトを宣言せざるを得なくなった。一五五七〜一五六〇年のこの恐慌は国際的な規模に達し、ほぼヨーロッパ全土に拡がっている。[*4]

一五五八年のフランスの首を絞めた直接の問題は、たしかにスペインのデフォルトだったかもしれないが、根本的な問題はほかにあった。透明性の高い財政システムを構築しなかったことである。たとえばフランソワ一世は組織的に公職を売り、当面の支払いのために、実質的に将来の税収を犠牲にした。汚職も蔓延していた。宮廷には税収の管理能力がなく、フランスは恒常的にデフォルトに悩まされるようになる。表6・1に掲げた八回のデフォルト以外にも、小口のデフォルトが何度もあった。

全ヨーロッパを巻き込んだスペイン継承戦争（一七〇一〜一四年）では各国で債務が爆発的に増えたが、とくにフランスは、宮廷が税収の拡大に失敗したこともあり、機能不全に陥った。ミシシッピ会社事件や南海泡沫事件など、金融史上最も話題になり研究もされてきた壮大な金融実験（キンドルバーガーの古典的名著『熱狂、恐慌、崩壊――金融恐慌の歴史』でも取り上げられている）の一部は、こうした巨額の戦争債務がきっかけとなって引き起こされたものである。[*5]

一八世紀にフランスが起こしたデフォルトの最後を飾るのは、一七七〇年と一七八八年のものである。[*6] 一七七〇年のデフォルトは、七年戦争（一七五六〜六三年）の後に起きた。このときは金融の発達したイングランドが戦争を拡大し（したがって政府にとってより多くの戦費が必要になり）、金融後進国だったフランスの政府が持ちこたえられなくなった。

厳密な意味でのデフォルトは一七八八年が最後だが、あとで触れるように、革命後のフランスではすさまじいハイパーインフレが起きている。その結果、公的部門、民間部門を問わず、事実上すべての債務が蒸発した。とは言えフランスのその後の歴史をたどったとき、同国が公然のデフォルトからみごとに卒業し、以後二度と起こしていないことは、特筆に値しよう。

図 6.1　17 世紀スペインのデフォルトと資本流入（3 年移動平均）（1601 ～ 79 年）

（資料）Gelabert (1999a, 1999b), European State Finance Database (Bonney n.d.).
（注記）デフォルトのあった 1607 年、1627 年、1647 年を点線で示した。

旧世界の資本流入とデフォルト

図6・1を見ると、資本フローのサイクルをはっきりと読み取ることができる。グラフは一七世紀のスペインへの流入額を示しており、資本流入がピークを打って下落に転じた後にデフォルトが発生していることがわかる（資本流入は、「今回はちがう」という気分を伴った高揚感に満ちた時期に増える）。

一八〇〇年以降の世界の公的対外債務デフォルト

一九世紀に入ると、国際資本市場の発展と多数の独立国家の誕生により、対外債務のデフォルトは爆発的に増えた。表6・2は、一九世紀にアフリカ、ヨーロッパ、中南米で発生した対外債務のデフォルトと再編をまとめたものである。理論的な見地からすれば、債務のリスケジューリングは実質的には合意による一部不履行にほかならないことを、すでに第4章で示した。しかしここではこの点がきわめて重要なので、さらに検討しておくべきだろう。リスケジューリングが公然のデフォルトに等しいことを、とくに実務的な観点から明らかにしたい。

実務家は、主に二つの理由から、リスケジューリングが合意による一部不履行であると正しく理解している。第一は、言うまでもなく、リスケジューリングが多くの場合に（たとえ元本は据え置かれても）金利の減免を伴うからである。第二は、対外債務のリスケジューリングが行われると、一般に投資家は流動性の乏しい資産を抱えることになるからである。支払われるのが何十年も先になる可能性もあるのだから、理由としてはこちらの方が重大かもしれない。このような流動性の欠如は、多くは市場水準よりはるかに低い見返りでリスク資産の保有を強いられるという点で、投資家にとって大きなコストとなる。たしかに、デフォルトされたソブリン債をずっと（ときには数十年）持ち続けていれば、最終的には多くの場合、金融センター国（かつてのイギリス、現在のアメリカ）が発行したほぼ無リスクの国債に匹敵するリターン

表 6.2　19 世紀における対外債務のデフォルトとリスケジューリング（アフリカ、ヨーロッパ、中南米）

国名 （カッコ内は独立年）	デフォルトまたはリスケジューリングの発生年 1800–1824	 1825–1849	 1850–1874	 1875–1899
アフリカ				
エジプト（1831）		1876		
チュニジア		1867		
ヨーロッパ				
オーストリア・ハンガリー	1802, 1805, 1811, 1816	1868		
フランス	1812			
ドイツ				
ヘッセン	1814			
プロシャ	1807, 1813			
シュレースウィヒホルシュタイン		1850		
ウェストファリア	1812			
ギリシャ（1829）		1826, 1843	1860	1893
オランダ	1814			
ポルトガル		1828, 1837, 1841, 1845	1852	1890
ロシア		1839		1885
スペイン	1809, 1820	1831, 1834	1851, 1867, 1872	1882
スウェーデン	1812			
トルコ				1876
中南米				
アルゼンチン（1816）		1827		1890
ボリビア（1825）				1875
ブラジル（1822）				1898
チリ（1818）		1826		1880
コロンビア（1819）		1826	1850, 1873	1880
コスタリカ（1821）		1828	1874	1895
ドミニカ共和国（1845）			1872	1892, 1897, 1899
エクアドル（1830）		1826	1868	1894
エルサルバドル（1821）		1828		1898
グアテマラ（1821）		1828		1876, 1894, 1899
ホンジュラス（1821）		1828	1873	
メキシコ（1821）		1827, 1833, 1844	1866	1898
ニカラグア（1821）		1828		1894
パラグアイ（1811）			1874	1892
ペルー（1821）		1826		1876
ウルグアイ（1811）				1876, 1891
ベネズエラ（1830）		1826, 1848	1860, 1865	1892, 1898

（資料）Standard and Poor's, Purcell and Kaufman (1993), Reinhart, Rogoff, and Savastano (2003a).

（注記）1800 年代に独立した国のみ、独立年を記載した。

を手にできるだろう。実際、そうした計算結果を示す論文も多数発表されている。[*7]

とは言え、最終的に得られる利益が同程度になることは興味深くはあるが、比較対象とすべきはハイリスクで流動性に乏しい資産のリターンであって、ローリスクで流動性に富む資産のリターンではないことを強調しておかねばならない。二〇〇七年にアメリカでサブプライム・ローンに端を発する債務危機が始まった直後に、サブプライム債務が将来返済額の期待値から大幅に割り引いて売られたのは、けっして偶然ではない。リスクの大きい非流動的ポジションをとる気さえあるなら、資金を回収して他の投資機会からもっと高いリターンが得られる、と投資家は賢明な判断を下したのである。そしてもちろん、彼らは正しかった。リスクの大きい非流動性資産に投資するからこそ、ベンチャー・キャピタルやプライベート・エクイティ・ファンド、そして大学の運用基金は（少なくとも二〇〇〇年代後半までは）、めざましいリターンを手にしてきた。対照的に市場の金利水準を下回る条件で決着するリスケジューリングでは、債権者にリスクだけが押しつけられ、ベンチャー・キャピタル投資のような旨味がまったくない。このように、債務のリスケジューリングすなわち合意に基づく一部不履行と公然のデフォルト（最終的には一部返済になることが多いが）とのちがいは、それほどはっきりしていないのである。

表6・2には、各国の独立年も記した。アフリカとアジアでは対象期間中に多くの国が植民地だったため、放漫財政とデフォルトにいたる道のりでは、ヨーロッパと中南米がかなり先行している。この期間中にデフォルトを起こしたのは、アフリカではチュニジア（一八六七

年）とエジプト（一八七六年）だけだが、ヨーロッパでは、スペインほどの濫費をしなかったオーストリアでさえ、五回もデフォルトをしている。ギリシャは一八二九年にようやく独立したというのに、すぐに出遅れを取り戻し、四回デフォルトした。同様に中南米でもデフォルトは頻発しており、ベネズエラが六回、メキシコが五回、コロンビア、ドミニカ共和国、グアテマラが各四回となっている。

表6・2の数字を上から下へと見ていくと、デフォルトは地域的あるいは世界的に集中発生する傾向があることが見て取れる。ヨーロッパの多くの国が、ナポレオン戦争中または直後にデフォルトを起こしていることに注意されたい。一方、中南米の多くの国とその宗主国であるスペインは一八二〇年代にデフォルトを起こしているが、これらの大半は、同地域で繰り広げられた独立戦争と深く関わっている（国際市場における一九世紀初頭の中南米については、コラム6・2で簡単に説明した）。それ以降は、デフォルトの集中発生現象は、巻き込まれる国の数に関する限り、さほど顕著ではなくなる。それでも、一八六〇年代後半から一八七〇年代半ばにかけてと、一八八〇年代半ばから一八九〇年代前半にかけては、注目に値するグローバル規模のデフォルトが起きた。デフォルトが集中発生する現象については、後段でもうすこし系統的に分析する。

コラム6・2 一九世紀初頭の国際資本市場における中南米諸国（一八二二〜二五年）

●表

国名	1822 〜 25 年にロンドンで発行された国債の総額（単位：ポンド）
アルゼンチン（ブエノスアイレス）	3,200,000
ブラジル	1,000,000
中央アメリカ	163,300
チリ	1,000,000
大コロンビア（コロンビア、エクアドル、ベネズエラ）	6,750,000
メキシコ	6,400,000
ペルー	1,816,000
ポイエス	200,000

（資料）Marichal(1989) および筆者。

上の表は、中南米で新たに独立した（または新たに捏造された）国が一八二二〜二五年に行った借り入れをまとめたものである。

ヨーロッパの金融市場は、ナポレオン戦争中は変動が大きくしばしば混乱していたが、一八二〇年代前半には落ち着く。スペインは中米さらに南米の植民地を次々に失い、新世界の伝説的な銀山や金山は略奪されるがままになった。

飽くなき利益追求に走るロンドンの銀行家や投資家はすっかり銀鉱山熱に取り憑かれ、ヨーロッパ全体が中南米での投資機会を熱心に探し求めた。この強い投資需要が、独立したばかりの国々で新指導者が建国のための（それ以外の用途のためにも）資金を渇望していたことと結びつき、（主に）ロンドンから（主に）中南米の統治者への融資が急増する。[*8]

マリシャルによると、一八二五年半ばには、鉱山会社二六社が王立取引所に上場している。一世紀前の南海会社の株（南海泡沫事件は一八二五年にはすでに有名になっていた）を思い出させる勢いで、誰もが中南米に投資したがった。こうした「根拠なき熱狂」の中で、中南米各国は一八二二〜二五年に二〇〇〇万ポンドを上回る資金の調達に成功する。

その中には、架空の国もあった。同地に渡り、傭兵としてシモン・ボリバル（グラン・コロンビア共和国初代大統領）の軍で戦ってきたというグレゴール・マックレガー将軍なる人物が、同郷のスコットランドの人々を言葉巧みに言いくるめ、虎の子の貯金を架空の国ポイエスに投資させたのである。当時配布された目論見書によると、ポイエスの首都サンジョゼフには「広い大通りが整い、列柱のある建造物がつらなり、円屋根のある大聖堂がそびえ立っている」という。大西洋を渡ってポイエスに住み着く勇気と知恵がありさえすれば、天然の森林を開発して製材所を建てることもできるし、金鉱開発事業を興すこともできる……。[*9] ロンドンの銀行家連中までこの大儲けのチャンスに目がくらみ、ポイエスの王子と称するマックレガーは、一八二二年に首尾よくロンドンで総額一六万ポンドの債券を発行した。発行価格は八〇ポンドで、チリの第一回国債よりも高い。[*10] 表面利率は六％で、同時期のブエノスアイレス、中央アメリカ、チリ、大コロンビア、ペルーの国債と同じだった。中南米諸国が一八二六〜二八年に軒並み対外債務のデフォルトを起こし、同地域初の債務危機を招いたことを考えれば、ポイエスに実在の主権国家と同じ借入条件が適用されたのは、理に適っていたと言えるかもしれない。

続いて二〇世紀に移ろう。表6・3には、アジア、アフリカ（新たに独立した多数の国を含む）で発生したデフォルトをまとめた。ナイジェリアは豊富な石油資源を持つにもかかわらず、一九六〇年に独立を果たしてから五回もデフォルトを起こしたが、これは対象期間中ではどの国よりも多い。インドネシアは四回である。モロッコは一九〇三年の最初のデフォルトを含め二〇世紀に入ってから三回デフォルトした。インドの自慢は一九九〇年代のアジア危機を免れたことだが（その一因は大規模な資本規制と金融資産の保有制限にある）、じつは独立してから三回ほど、対外債務のリスケジューリングを余儀なくされている。ただし一九七二年以降はしていない。中国は共産党支配になってからは一度もないが、一九二一年と三九年に対外債務のデフォルトを起こした。

したがって、表6・3からもわかるとおり、二〇世紀にデフォルトを起こしたのはヨーロッパの低所得国と中南米だけだという通説は、控えめに言っても、事実からかけ離れている。次の表6・4には、ヨーロッパと中南米を掲げた。ごく一部の例外を除き、ほとんどの国

表 6.3　20世紀以降の対外債務のデフォルトとリスケジューリング（アフリカおよびアジア、1900～2008年）

国名 （カッコ内は独立年）	デフォルトまたはリスケジューリングの発生年 1900–1924	 1925–1949	 1950–1974	 1975–2008
アフリカ				
アルジェリア（1962）				1991
アンゴラ（1975）				1985
中央アフリカ共和国（1960）				1981, 1983
コートジボワール（1960）				1983, 2000
エジプト				1984
ケニア（1963）				1994, 2000
モロッコ（1956）	1903			1983, 1986
ナイジェリア（1960）				1982, 1986, 1992, 2001, 2004
南アフリカ（1910）				1985, 1989, 1993
ザンビア（1964）				1983
ジンバブエ（1965）			1965	2000
アジア				
中国	1921	1939		
日本		1942		
インド（1947）			1958, 1969, 1972	
インドネシア（1949）			1966	1998, 2000, 2002
ミャンマー（1948）				2002
フィリピン（1947）				1983
スリランカ（1948）				1980, 1982

（資料）Standard and Poor's, Purcell and Kaufman (1993), Reinhart, Rogoff, and Savastano (2003a).
（注記）1900年以降に独立した国のみ、独立年を記載した。

表 6.4 20世紀以降の対外債務のデフォルトとリスケジューリング（ヨーロッパおよび中南米、1900～2008年）

国名 （カッコ内は独立年）*	デフォルトまたはリスケジューリングの発生年 1900–1924	1925–1949	1950–1974	1975–2008
ヨーロッパ				
オーストリア		1938, 1940		
ドイツ		1932, 1939		
ギリシャ		1932		
ハンガリー（1918）		1932, 1941		
ポーランド（1918）		1936, 1940		1981
ルーマニア		1933		1981, 1986
ロシア	1918			1991, 1998
トルコ	1915	1931, 1940		1978, 1982
中南米				
アルゼンチン			1951, 1956	1982, 1989, 2001
ボリビア		1931		1980, 1986, 1989
ブラジル	1902, 1914	1931, 1937	1961, 1964	1983
チリ		1931	1961, 1963, 1966, 1972, 1974	1983
コロンビア	1900	1932, 1935		
コスタリカ	1901	1932	1962	1981, 1983, 1984
ドミニカ共和国		1931		1982, 2005
エクアドル	1906, 1909, 1914	1929		1982, 1999, 2008
エルサルバドル	1921	1932, 1938		
グアテマラ		1933		1986, 1989
ホンジュラス				1981
メキシコ	1914	1928		1982
ニカラグア	1911, 1915	1932		1979
パナマ（1903）		1932		1983, 1987
パラグアイ	1920	1932		1986, 2003
ペルー		1931	1969	1976, 1978, 1980, 1984
ウルグアイ	1915	1933		1983, 1987, 1990, 2003
ベネズエラ				1983, 1990, 1995, 2004

（資料）Standard and Poor's, Purcell and Kaufman (1993), Reinhart, Rogoff, and Savastano (2003a).
（注記）第二次世界大戦により連合国がアメリカに負った戦時債務（とくにイギリスの債務）は、合意に基づき一部のみが返済された。このような債務免除は、形式的にはデフォルトに入る。
＊ 1900年以降に独立した国のみ、独立年を記載した。

が二〇世紀の初めから独立を維持している。この表からも、先の表と同じく、デフォルトが集中的に発生する傾向が見て取れる。中でも大恐慌期、一九八〇年代の債務危機、一九九〇年代の債務危機の際が顕著で、とくに大恐慌のときは世界の大半の国がデフォルトを起こした。ただし表中の最後の時期になると、国際通貨基金（ＩＭＦ）や世界銀行を始めとする公的機関による大規模介入が行われたおかげで、デフォルトは形の上ではいくらか減ってきている。ただし、こうした大規模介入が賢明であったかどうかはまた別の問題であり、ここでは取り上げない。表6・4で目を引くのは、トルコが五回、コスタリカ、ペルー、ウルグアイが六回、チリ、ブラジル、エクアドルが七回のデフォルトを起こしていることである。他にも、何度もデフォルトを起こした国がある。

さてここまでデフォルトの回数を述べてきたが、じつは数え方にはいくらか恣意的な判断が入っている。というのも、デフォルト同士が関連づけられるケースがあるからだ。とくに債務再編の条件が厳しく、デフォルトの再発が避けられないような場合がこれに該当する。したがって表を作成するに当たっては、明らかに関連づけられるデフォルトは除外しようと考え、前のデフォルトから二年以内に次のデフォルトが起きた場合には、二つのデフォルトを一件とカウントしている。その一方で、各国のデフォルトの歴史をより総合的に視野に収めるために、一国がデフォルトに陥っていた期間が独立以来どれほどの長さにおよぶのかも見ておくことにしよう。

まずはアジアとアフリカの計算結果を表6・5に掲げる。デフォルトおよびリスケジュー

表 6.5 デフォルトまたはリスケジューリング期間と件数の累計（アフリカおよびアジア、独立年～ 2008 年）

国名	デフォルトまたはリスケジューリング期間が独立年（または 1800 年）～ 2008 年に占める比率（%）	デフォルトまたはリスケジューリングの件数
アフリカ		
アルジェリア	13.3	1
アンゴラ	59.4	1
中央アフリカ共和国	53.2	2
コートジボワール	48.9	2
エジプト	3.4	2
ケニア	13.6	2
モーリシャス	0.0	0
モロッコ	15.7	4
ナイジェリア	21.3	5
南アフリカ	5.2	3
チュニジア	5.3	1
ザンビア	27.9	1
ジンバブエ	40.5	2
アジア		
中国	13.0	2
香港	0.0	0
インド	11.7	3
インドネシア	15.5	4
日本	5.3	1
韓国	0.0	0
マレーシア	0.0	0
ミャンマー	8.5	1
フィリピン	16.4	1
シンガポール	0.0	0
スリランカ	6.8	2
台湾	0.0	0
タイ	0.0	0

（資料）Authors' calculations, Standard and Poor's, Purcell and Kaufman (1993), Reinhart, Rogoff, and Savastano (2003a).
（注記）1800 年以前に独立した国については、1800 ～ 2008 年を計算の対象とした。

リングの回数（先ほど説明したカウント方式による）と並んで、一八〇〇年（または独立年のいずれか遅い方）以降現在までにデフォルトまたはリスケジューリングに陥っていた年数の比率（%）を、国ごとに示した。表を見ると、アジアではデフォルトが何度も発生しているものの、一般に比較的短期間で解決されていることがわかる。デフォルト期間が独立後の年数の一〇%以上に達したのは、中国、インド、インドネシア、フィリピンだけである（もっとも人口で加重すれば、この四カ国でアジアの大半を占める）。これに対してアフリカの成績ははるかに悪く、いくつかの国ではデフォルト期間が独立後の年数のおよそ半分を占める。アフリカのデフォルトが、たとえば中南米のデフォルトほど話題にならない主な理由の一つは、一般に債務の額が小さく、システミックな影響もさほど深刻ではないことだろう。もちろん、だからと言ってアフリカの人々の被る苦痛が少ないわけではなく、急激な財政引き締めと信用市場へのアクセス縮小という点で、まったく同じ代償を強いられることになる。金利の引き上げと通貨の下落を伴うことも少なくない。

続く表6・6は、ヨーロッパと中南米について、先ほどと同じ計算の結果を示したものである。ギリシャのデフォルト期間は、すでに述べたように、一八〇〇年以降の年数の半分以上におよぶ。また中南米では多くの国でデフォルト期間が四〇%前後に達している。エクアドルとホンジュラスを筆頭に、コスタリカ、メキシコ、ニカラグア、ペルー、ベネズエラなどが挙げられる。

ヨーロッパの大半の国でもデフォルトは同じように多発しているが、とくにデフォルトが

国名	デフォルトまたはリスケジューリング期間が独立年（または1800年）～2008年に占める比率（%）	デフォルトまたはリスケジューリングの件数
パナマ	27.9	3
パラグアイ	23.0	6
ペルー	40.3	8
ウルグアイ	12.8	8
ベネズエラ	38.4	10
北米		
カナダ	0.0	0
アメリカ	0.0	0
大洋州		
オーストラリア	0.0	0
ニュージーランド	0.0	0

（資料）The authors' calculations, Standard and Poor's, Purcell and Kaufman (1993), Reinhart, Rogoff, and Savastano (2003a).
（注記）1800年以前に独立した国については、1800～2008年を計算の対象とした。

表 6.6　デフォルトまたはリスケジューリング期間と件数の累計（ヨーロッパ、中南米、北米、大洋州、独立年～ 2008 年）

国名	デフォルトまたはリスケジューリング期間が独立年（または 1800 年）～ 2008 年に占める比率（%）	デフォルトまたはリスケジューリングの件数
ヨーロッパ		
オーストリア	17.4	7
ベルギー	0.0	0
デンマーク	0.0	0
フィンランド	0.0	0
フランス	0.0	8
ドイツ	13.0	8
ギリシャ	50.6	5
ハンガリー	37.1	7
イタリア	3.4	1
オランダ	6.3	1
ノルウェー	0.0	0
ポーランド	32.6	3
ポルトガル	10.6	6
ルーマニア	23.3	3
ロシア	39.1	5
スペイン	23.7	13
スウェーデン	0.0	0
トルコ	15.5	6
イギリス	0.0	0
中南米		
アルゼンチン	32.5	7
ボリビア	22.0	5
ブラジル	25.4	9
チリ	27.5	9
コロンビア	36.2	7
コスタリカ	38.2	9
ドミニカ共和国	29.0	7
エクアドル	58.2	9
エルサルバドル	26.3	5
グアテマラ	34.4	7
ホンジュラス	64.0	3
メキシコ	44.6	8
ニカラグア	45.2	6

どの程度長期化しやすいかによって、比率には大きなちがいが出ている（オーストリアとギリシャを比較されたい。デフォルトを繰り返していたオーストリアはわりあい短期間でデフォルトから立ち直っているが、ギリシャは一世紀以上にわたって恒常的なデフォルト状態にある）。全体として見ると、デフォルトは繰り返し発生するが、連続性があるとは言えない。デフォルトとデフォルトの間隔が大きく空くのは、おそらくはデフォルト・サイクルの後で、債務者と債権者が何らかの対応をするからだろう。たとえば今日では、多くの新興市場国がきわめて保守的なマクロ経済政策を実行している。やがてこうした慎重さは忘れられ、楽観論と浪費が幅を利かすようになるものだが、それは平穏な時期がかなり続いてからになる。

表6・5と6・6のデータをとりまとめる一つの方法として、各年のデフォルトまたはリスケジューリング中の国の数を時系列でグラフ化することが考えられる。これは第5章ですでに、国の数については図5・1に、世界GDPに占める比率については図5・2に示した。デフォルトが集中発生する傾向は、これらのグラフから、デフォルト発生年を記した表よりも一層明確に見て取ることができる。

なお、グローバルな金融危機とは何かという問題については、後段の第16章で、より体系的に掘り下げて論じる。

第三部

国内債務とデフォルトの忘れられた歴史

PART III THE FORGOTTEN HISTORY OF DOMESTIC DEBT AND DEFAULT

公的国内債務のデータを探すのは、それがほんの数十年前のデータであっても、ほとんどの国で考古学の調査をするようなものだった。

第7章

国内債務とデフォルトに関する標準的な項目

国内債務は、一国が抱える債務全体の中で大きな割合を占める。長期の時系列データを入手できた六四カ国をみると、国内債務が公的債務総額に占める比率は、平均してほぼ三分の二である。標本の大半では、第二次世界大戦後に金融抑制が行われた時期を除き、国内債務には一般に市場金利が設定されていた。

図 7.1　公的債務総額に占める国内債務の比率（全標本国、1900～2007年）

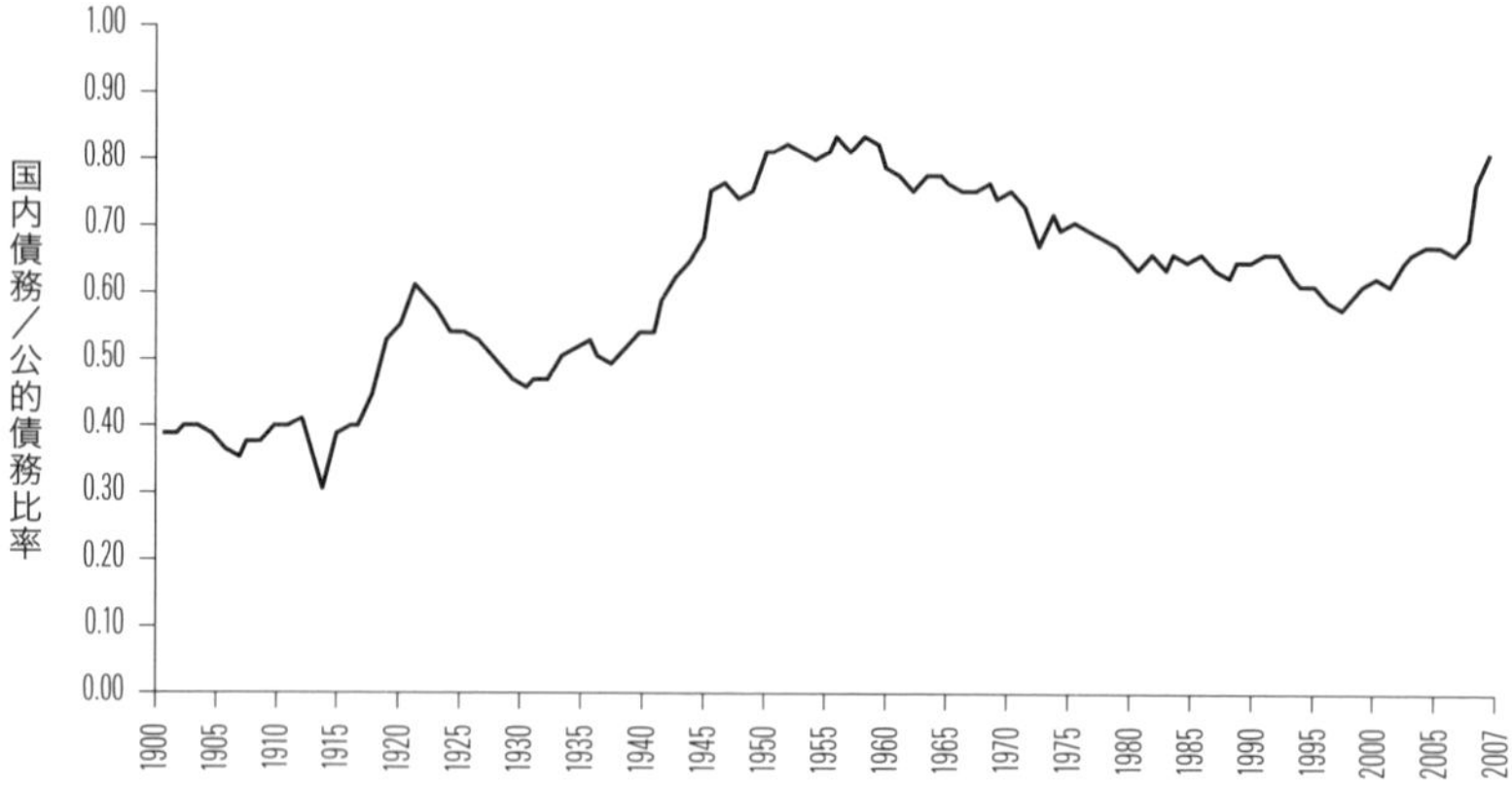

（資料）The League of Nations, the United Nations およびその他の出典は巻末資料A・2を参照。

国内債務と対外債務

すでに第一部で、公的国内債務に関して六四カ国もの長期にわたるデータセットを作成するのはきわめて稀な試みであると述べた。ごく少数の研究者グループが現代のデータの収集を始めたのも、かなり最近のことに過ぎない。[1]

図7・1に、一九〇〇～二〇〇七年の公的債務総額に占める国内債務の比率を示した。この比率は、四〇～八〇％の間で推移している（国別の情報源については、巻末資料A・2を参照されたい）。図7・1を地域別に示したのが、図7・2と7・3である。グラフに示されているのはすべて対象国の単純平均だが、これらの数字は標本国中の新興市場国（いまでは富裕国になったオーストリア、ギリシャ、スペインなどの新興時代を含む）をきわめてよく代表している。[2] 対外債務に関

図 7.2　公的債務に占める国内債務の比率（先進国のみ、1900 〜 2007 年）

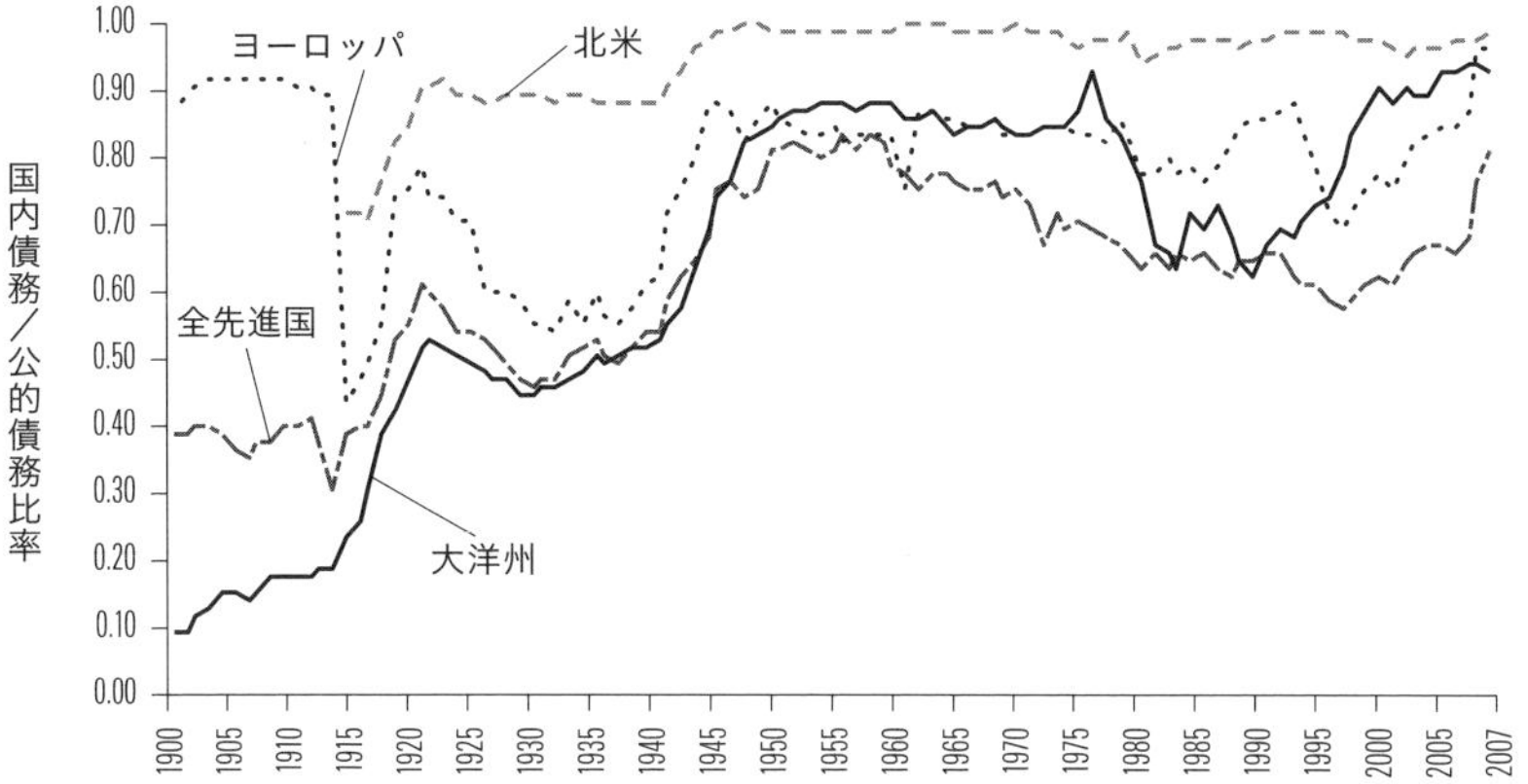

（資料）The League of Nations, the United Nations およびその他の出典は巻末資料 A・2 を参照。

図 7.3　公的債務総額に占める国内債務の比率（新興市場国のみ、1900 〜 2007 年）

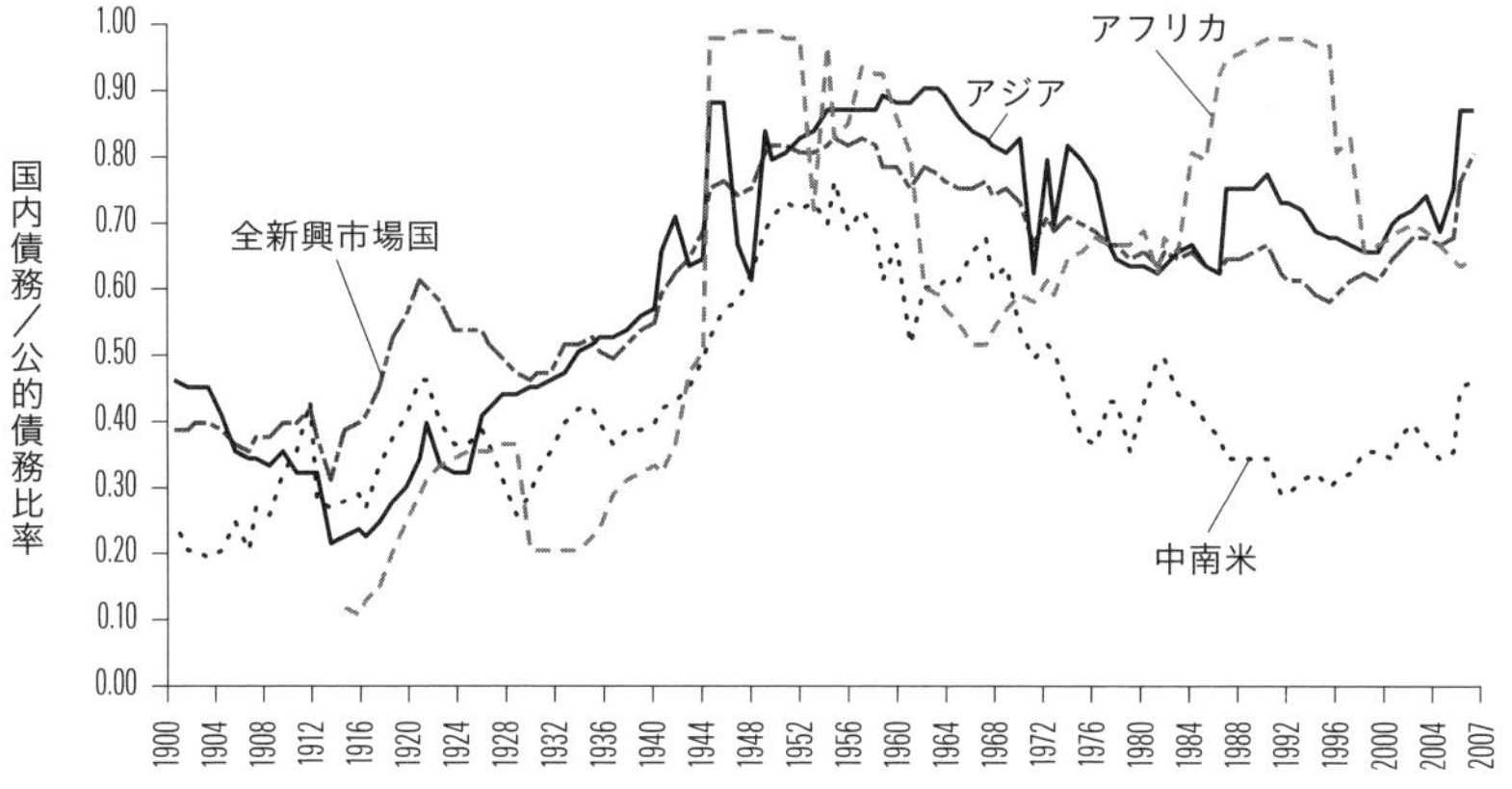

（資料）The League of Nations, the United Nations およびその他の出典は巻末資料 A・2 を参照。

する研究の大半では、一握りの中南米・ヨーロッパ諸国に対象が限定されてきた。しかし本書のデータセットは、グラフからもわかるように、五大陸それぞれを代表する標本を収録している。

言うまでもなく、債務の状況は国によってまちまちである。先進国では、国内債務が公的部門の負債の中で最も大きな割合を占めている。これとは正反対に一部の新興市場国では、とくに一九八〇年代と九〇年代には、多くの政府がインフレ性向を示したため（ときにハイパーインフレを招くこともあった）国内債務市場が大きなダメージを被った。たとえばペルーでは、一九八九～九〇年のハイパーインフレ後数年間は、公的債務に占める国内債務の比率が一〇～二〇%になっている。とは言え、つねにそうだったわけではない。第一次大戦後から蓄積された国際連盟の初期のデータを見ると、当時のペルーの国内債務は、公的債務総額の三分の二となっている。また、他の多くの中南米諸国も同じ水準である。さらに一九五〇年代になると、世界の金融センターが多額の海外融資を手控えたため、国内債務の比率は一段と上昇した。

満期、利回り、通貨構成

データを見ると、公的債務に占める国内債務の比率が高いということのほかに、新興市場国（および開発途上国）はごく最近まで長期の借り入れができなかったという通説が誤りであることもわかる。図7・4に示すように、少なくとも一九一四～五九年に関する限り、標本の多

図 7.4　公的国内債務に占める長期債務の比率（全標本国、1914 ～ 1959 年）

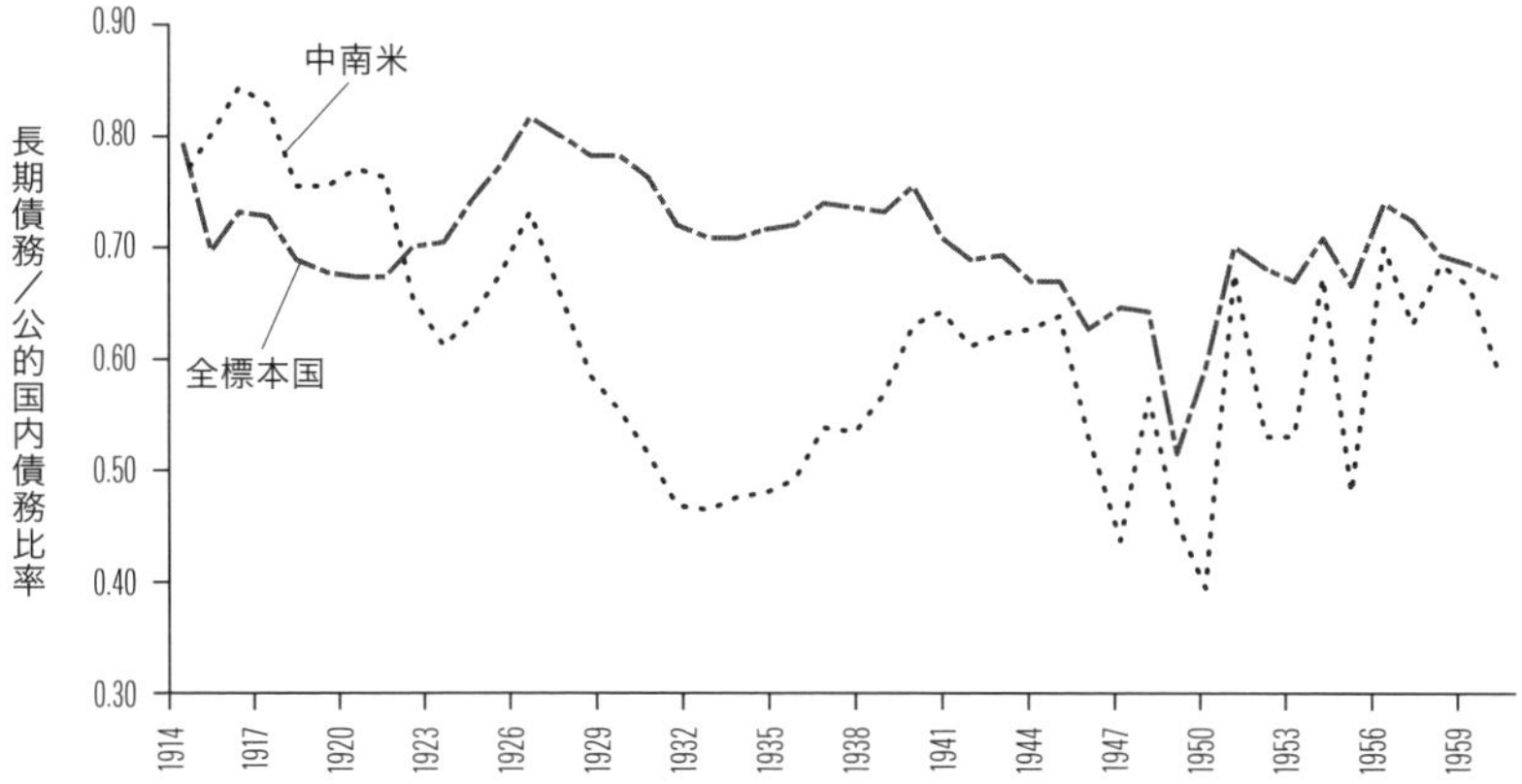

（資料）The League of Nations, the United Nations およびその他の出典は巻末資料 A・2 を参照。

くの期間で長期債務が債務残高の大きな割合を占めていた。国際連盟と国際連合の資料には、この期間の債務の満期構造もくわしく記載されている。現代の短期債務偏重がかなり最近の現象だというのは、私たちも驚いたのだが、多くの読者にとっても意外な事実ではないだろうか。これは明らかに、一九七〇年代、八〇年代のインフレで懲りたことが原因だと考えられる。

さほど目新しくない事実ではあるが、二〇〇七年の金融危機に先立つ一〇年間には、多くの新興市場国が国内債務に市場水準に沿った金利を払うようになったことも、データから確かめられた。たしかに第二次世界大戦後しばらくは、多くの国で政府が自国の金融市場を規制し、預金金利の上限を低く、預金準備率を高く設定したほか、貸出の指導、年金基金や商業銀行に対する国債保有義務といった措置も講じられていた。だが二〇世紀前半の金利データを見る限り、金利規制（一種の

表 7.1　国内債務・対外債務の金利（1928 ～ 46 年）

国名	利率（%）	
	内国債	外債
アルゼンチン	3–6	3½–4½
オーストラリア	2–4	3.375–5
オーストリア	4½–6	5
ベルギー	3½–5	3–7
ボリビア	¼–8	6–8
ブラジル	4–7	4–7
ブルガリア	4–6½	7–7½
カナダ	1–5½	1¼–5½
チリ	1–8	4½–7
コロンビア	3–10	3–6
コスタリカ	6	5–7½
デンマーク	2½–5	4½–6
エクアドル	3	4–8
エジプト	2½–4½	3½–4
フィンランド	4–5½	2½–7
ドイツ	3½–7	5½–6
ギリシャ	3–9	3–10
ハンガリー	3½–5	3–7½
インド	3–5½	3–5½
イタリア	3½–5	外債なし
日本	3½–5	4–6½
オランダ	2½–6	外債なし
ニュージーランド	2½–4	2½–5
ニカラグア	5	4–5
ポーランド	3–7	3–7
ポルトガル	2.1–7	3–4
ルーマニア	3½–5	4–7
南アフリカ	3½–6	3½–6
スペイン	3½–6	3–4
スウェーデン	2½–4½	外債なし
タイ	2½–4½	4½–7
トルコ	2½–5½	6½–7½
イギリス	1½–4	流通可能な外債なし
アメリカ	1½–2½	外債なし
ウルグアイ	5–7	3½–6
ベネズエラ	3	3

（資料）国連（1948）

（注記）内国債の利率は長期債のものを採用した。その方が、満期構造の近い外債と比較しやすいためである。表中の利率は、高い利率ほど代表性が高い。

金融抑圧）は実際にはさほど強力ではなかったし、広く行き渡っていたわけでもないことがわかる。表7・1が示すように、一九二八〜四六年（資料が最もよくそろっている期間）には、国内で発行した国債と国外で発行した国債の金利はかなり近い。このことから、公的国内債務の金利は市場によって決められたか、少なくとも市場の実勢が相当程度反映されていたことがわかる。

データから読み取れる最後の点は、インフレまたは為替レートとの連動性に関するものである。多くの人が、一九九〇年代前半にメキシコが発行したドル連動型短期国債（テソボノスと呼ばれた）を革新的な試みだと考えた。そして、今回こそはちがうという考えにたどり着く。だがいまでは、すこしも新しくなかったことがわかっている。アルゼンチンは一八〇〇年代後半に英ポンド建ての内国債を発行していたし、タイはドル連動国債を一九六〇年代に発行した（ケーススタディはコラム7・1を、情報源は巻末資料を参照されたい[*3]）。

コラム7・1　外貨に連動する国債――タイ版テソボノス

国内債務に関する本書の時系列データは全標本六六カ国中六四カ国をカバーしており、期間は一九一四年（ケースによってはもっと前）から始まる。この長い期間中、国内債務はほぼ例外なく（とくに一九九〇年代以前）国内通貨建てであり、保有者は圧倒的に国内居住者（多くは銀行）だった。だが例外として、国内債務なのか対外債務なのか境界があいまいなケースもいくつかある。その中からとくによく知られている事例を以下に挙げる。

メキシコの悪名高いドル連動債テソボノス

一九八〇年代後半のメキシコでは、インフレ安定化計画の一環として、メキシコ・ペソは公表された公定固定レートバンドで米ドルに連動していた。つまり事実上、ペソはドルにペッグしていた。ところが一九九四年三月に大統領候補のルイス・ドナルド・コロシオが選挙運動中に暗殺されるという事件が起き、政情不安を背景にペソに投機売り圧力がかかる。当時メキシコ国債を大量に保有していたのは主にアメリカ人投資家だった。メキシコ政府は国債発行時にペソ価値の維持を確約していた経緯もあり、アメリカ人投資家を安心させるために、「テソボノス」という手段を使って短期の既発債を米ドルにリンクし始める。テソボノスは、ペソで償還できるがドルにリンクした短期国債である。一九九四年一二月にペソに新たな投機が仕掛けられる頃には、国債はほぼすべてドル建てになっていた。そして年末にメキシコが変動相場に移行すると、ペソはたちどころに急落し、翌九五年初めには通貨危機と銀行危機が同時に発生する。当時としては空前の規模の救済措置をＩＭＦと米政府が講じなかったら、メキシコがソブリン・デフォルトを起こしていたことはまちがいない。中央銀行のドル準備は枯渇しかかっており、満期が到来する国債をカバーしきれないことは確実だった。

テソボノスがドルにリンクしており、その大半を非居住者が保有していたため、対外債務のデフォルトと見なす向きが多かった。メキシコはアメリカの商業銀行から借り入れた対外債務を一九八二年八月にデフォルトしており、その再現だと考えたのである。しかし一九九五年の場合には、デフォルトとなった場合の手続きはメキシコ法の下で行われたはずで、この点が一九八二年のケースとは大きくちがう。テソボノスの一件は、どんな種類であれ外貨建て債務への依存度が高い国は脆弱であることを、世界各国が改めて認識するきっかけとなった。だがこの教訓はブラジルには通じなかったらしく、ブラジルはレアル計画（クルゼイロからレアルへの通貨単位の変更）終了間近の混乱期に、大量のドル連動債を発行した。驚いたことに、メキシコの危機を経験したあとだというのに、もっぱら対外債務を対象とした債務の持続可能性検定の妥当性や有用性を懸念する声は上がらなかった。その後一〇年近くにわたり、国際機関も金融業界も公的国内債務の存在を無視し続けたのである。

アルゼンチンの英ポンド建て内国債

現代のような外貨連動型国債を新興市場国が広く非居住者向けに発行したのは、私たちが知る限りでは、一八七二年のアルゼンチンが最初である。[*4] 一八二〇年代に最初の融資でデフォルトを起こした同国は、一八六〇年代後半まで国際資本市場からほぼ閉め出されていた。しかしその後は、一八九〇年の有名なベアリング恐慌など数度の中断を挟みながらも、ロンドン市場でたびたび外債を発行する。さらに、一八八八年、一九〇七年、一九〇九年の少なくとも三回は、国内債（当時の呼び名に従えば内国債）も発行した。これらは、国内外いずれで発行したものも英ポンド建てである。それから約一世紀が過ぎ、慢性的な高インフレとの長い戦いに敗れた同国では、国内債務（および銀行部門）がほぼ全面的にドル化される可能性が出てきている。*5

タイの不可思議なドル連動債

タイは、高インフレに悩まされた歴史を持つわけではない。一九五〇年と五四年に大幅な通貨切り下げを行い、ややゆるやかなインフレ効果はあったものの、一九五〇年代後半から六〇年代前半にかけての同国の状況は、物価連動型の債務や外貨建て債務契約といったインフレ・ヘッジを必要とするようなものではなかった。にもかかわらず、私たちにはいまだに理由がわからないのだが、同国政府は一九六一～六八年にドル連動債を発行したのである。この期間中は国内債務が公的債務総額の八〇～九〇％を占めていた。ドル連動債は国内債務残高の約一〇％を占めたに過ぎないから、当時のどの時点をとっても、タイが意味のある「債務のドル化」をしていたとは言えない。ドル連動債の主な保有者が誰だったかはわかっておらず、この点が判明すれば、そもそもなぜ発行されたかの謎も解けるのではないかと考えられる。

国内債務についてわかっていることを簡単にまとめると、過去のほとんどの時代にほとんどの国（とくに新興市場国）で、国内債務は公的債務総額の中で大きな割合を占め、その重要性はきわめて高かったと言うことができる。対外債務の持続可能性や物価の安定性を見積もる際に国内債務が無視されることが多いが、国内債務の満期構造や支払金利を考え合わせると、そうしたやり方は到底妥当とは言えない。

本書のデータセットに重大な不備があることは、私たちも承知している。まず、原則として中央政府の債務しかカバーしていない。州政府や地方政府の債務、さらには準公的機関の政府保証債務まで含めた連結ベースで政府債務の時系列データを入手するのが望ましいことは言うまでもない。このほか多くの国では、為替介入の不胎化などのために中央銀行が独自の借り入れを行っている。[*6] こうしたデータが加われば、当然ながら国内債務が重要であるとの指摘は一層説得力を増すことになろう。

以下では、データを適用して論じられる重要なテーマをいくつか取り上げることにしたい。

図 7.5　公的国内債務のデフォルトまたは再編中の国の比率（5 年移動平均）（1900 ～ 2008 年）

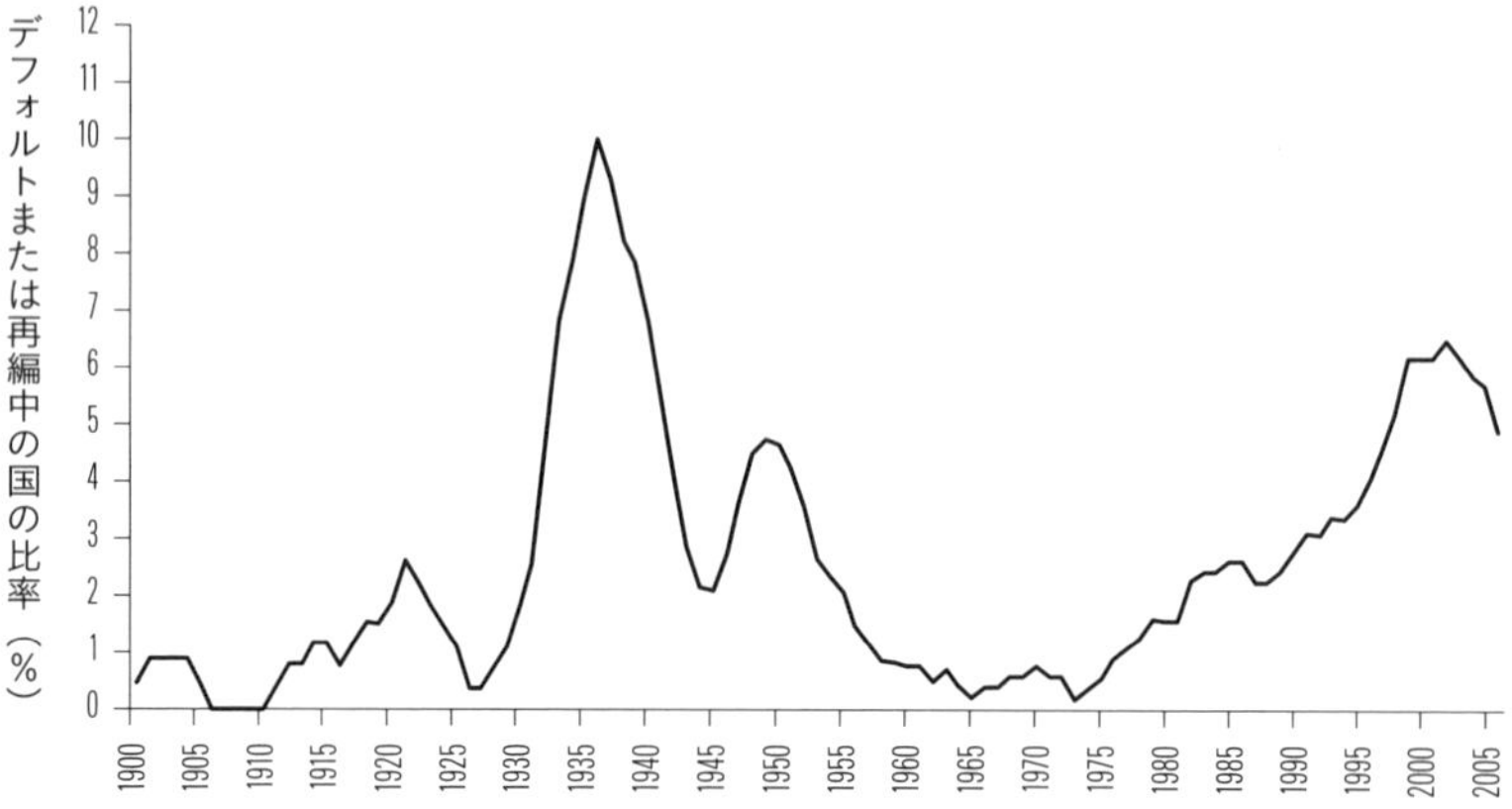

（資料）League of Nations; Reinhart, Rogoff, and Savastano (2003a); Standard and Poor's および筆者の計算。

（注記）加重なしの合計

国内債務のデフォルト

各種の理論モデルにおける公的国内債務に関する仮定にはかなり幅があるが、その大多数が、債務は必ず履行されることを前提している。たとえば、リカードの等価命題により財政赤字策は経済に何ら影響をおよぼさない、とするモデルがそうだ[*7]（リカードの等価命題では、政府が国債を発行して減税を実施し、国民の税引き後所得が増えても、将来の増税に備えるため国民は増えた所得を使わない、とされている）。このほか、公的国内債務は政府の予算制約を通じて物価水準の決定要因になるとするモデルや世代重複モデルなどでも、債務は必ず履行されるとの前提になっている[*8]。その一方で、そもそも政府はなぜ国内債務を履行

表 7.2　第一次世界大戦終了までの公的国内債務のデフォルトまたは再編事例（1740～1921年）

国名	発生年	摘要
アルゼンチン	1890年	デフォルトは、ロンドン市場で起債され国外で販売された外貨（ポンド）建ての「内国債」にも拡大。1990年代にメキシコが発行した「テソボノス」の先行事例となった。
中国	1921年3月	1919年以降に発行した国債の多くについて、国内債務の統合化計画により返済を遅らせた。
デンマーク	1813年1月	危機の間、対外債務の返済は行ったが、国内債務の償還は39％減額した。
メキシコ	1850年11月30日	同年10月に対外債務を再編。公的債務総額の60％を占める国内債務は約半分に減額した。
ペルー	1850年	植民地時代の国債は解除にはいたらなかったが、価格が急落したため、最終的に再編された。
ロシア	1917年12月～1918年10月	債務返済を拒絶。形態を問わずあらゆる金（ゴールド）を没収したのに続き、外貨も没収した。
イギリス	1749、1822、1834、1888～89年	表面利率の低い債券への強制転換を数回にわたって実施。利率の下げ幅は、おおむね0.5～1.0％だった。
アメリカ	1790年1月	名目利率は6％に維持したものの、一部の利子は10年繰り延べとした。
アメリカ（9州）	1841～42年	3州が債務の返済を全額拒絶した。
アメリカ（州および地方政府）	1873～83年または84年	1873年の時点で10州がデフォルト。ウェスト・バージニア州の場合、完済されたのは1919年だった。

（資料）本表作成に使用した資料は相当量に上るため、巻末に記載した。

国名	発生年	摘要
ウルグアイ	1932 年 11 月 1 日〜37 年 2 月	対外債務の償還を 1 月 20 日に中止。国内債務の償還も同じ頃に中止した。
オーストリア	1945 年 12 月	1 人当たり 150 シリングを上限として返還し、残りは封鎖済みの預金口座に振り込んだ。1947 年 12 月に封鎖済み口座のシリングの大半を無効と宣言。預金の 50％を一時凍結した。
ドイツ	1948 年 6 月 20 日	通貨改革によりライヒスマルクをドイツマルクに切り替え、ドイツマルクの保有高を 1 人当たり 40 マルクに制限。預金口座をすべて封鎖したうえ、一部を無効とした。
日本	1946 年 3 月 2 日〜52 年	戦後インフレ対策として、1 人当たり 100 円を上限として旧円を新円に切り替えた。残りは預金させたうえで、預金口座を封鎖した。
ロシア	1947 年	通貨改革を行い、個人が保有していた貨幣の価値を 90％切り下げた。
	1957 年 4 月 10 日	国内債務（当時の価値で 2,530 億ルーブル）の返済を拒絶した。

（資料）本表作成に使用した資料は相当量に上るため、巻末に記載した。

(a) League of Nations (various years), *Statistical Abstract*.

(b) アメリカに対する第二次世界大戦時の債務は、両国の合意により一部しか返済されなかった。このような債務免除は、形式的にはデフォルトに相当する。

表 7.3 第二次世界大戦戦後期までの国内債務のデフォルトまたは再編事例（1920 年代後半～ 1950 年年代）

国名	発生年	摘要
ボリビア	1927 年	利払いが少なくとも 1940 年まで延滞された。
カナダ（アルバータ州）	1935 年 4 月	カナダでデフォルトを起こした唯一の州で、完済まで約 10 年を要した。
中国	1932 年	第 1 回債務統合計画の下で、国債の月間償還額を約半分として償還期間をほぼ 2 倍に延長し、9％以上だった利率は 6％に引き下げた。
ギリシャ	1932 年	国内債務の利率を 1932 年から 75％引き下げ。同国の国内債務は、公的債務総額の約 25％を占めていた。
メキシコ	1930 年代	対外債務の返済を 1928 年に中止。1930 年代には、利払いに未払いの社会保障費と公務員・軍人年金が含まれた（a）。
ペルー	1931 年	5 月 29 日に対外債務の返済を中止。国内債務については金利のみ一部支払われた。
ルーマニア	1933 年 2 月	国内債務および対外債務の償還を中止（融資 3 件を除く）。
スペイン	1936 年 10 月 ～ 1939 年 4 月	対外債務の利払いを中止。未返済の国内債務も積み上がった。
アメリカ	1933 年	金約款を破棄。1903 年条約（運河条約）に基づくパナマへの年間使用料（金ベース）の支払いを拒絶。係争は 1936 年に決着し、アメリカは両国が合意した額をバルボア（パナマの通貨）で支払った。
イギリス（b）	1932 年	第一次世界大戦の際に発行された戦時国債の返済の大半を利率 3.5％の終身年金に統合した。

国名	発生年	摘要
ウクライナ	1998～2000年	国債の償還日を一方的に延期した。
中南米		
アンティグア・バーブーダ	1998～2005年	
アルゼンチン	1982、1989～90、2002～2005年	米ドル建て国債をペソ建てに強制転換。
ボリビア	1982年	ドル預金を現地通貨に強制転換。外貨預金を再び認めたのは、資本規制を解除した1985年になってからである。
ブラジル	1986～87年、1990年	原債務契約に物価連動債の連動破棄条項を挿入。1990年のデフォルトは史上最大規模（620億ドル）。
ドミニカ	2003～05年	
ドミニカ共和国	1975～2001年	
エクアドル	1999年	
エルサルバドル	1981～96年	中南米において、国内債務のデフォルトが対外債務のデフォルトを伴わなかった唯一の事例。
グレナダ	2004～05年	
メキシコ	1982年	ドル預金をペソに強制転換。
パナマ	1988～89年	国内の輸出信用、給与、公務員・軍人年金の支払いを延滞した。
ペルー	1985年	ドル預金を現地通貨に強制転換。外貨預金を再び認めたのは、1988年。
スリナム	2001～02年	
ベネズエラ	1995～97年、1998年	

（資料）本表作成に使用した資料は相当量に上るため、巻末に記載した。

表 7.4　現代の国内債務のデフォルトまたは再編事例（1970 ～ 2008 年）

国名	発生年	摘要
アフリカ		
アンゴラ	1976、 1992 ～ 2002 年	
カメルーン	2004 年	
コンゴ（キンシャサ）	1979 年	
ガボン	1999 ～ 2005 年	
ガーナ	1979、1982 年	新通貨への切り替えに伴い、中央銀行券を無効とした。
リベリア	1989 ～ 2006 年	
マダガスカル	2002 年	
モザンビーク	1980 年	
ルワンダ	1995 年	対外債務のデフォルトはなし。
シエラレオネ	1997 ～ 98 年	
スーダン	1991 年	
ジンバブエ	2006 年	満期まで 1 年未満の債務（国内債務の 98.5％以上が該当）を再編。
アジア		
モンゴル	1997 ～ 2000 年	
ミャンマー	1984、1987 年	
スリランカ	1996 年	対外債務のデフォルトはなし。
ソロモン諸島	1995 ～ 2004 年	
ベトナム	1975 年	
ヨーロッパおよび中東		
クロアチア	1993 ～ 96 年	
クウェート	1990 ～ 91 年	
ロシア	1998 ～ 99 年	自国通貨建て債務のデフォルトとしては 1990 年のブラジル以来最大規模で、390 億ドル相当に達する。

するのかについて説明を試みた研究も、少数ながら存在する。[*9] しかしこれらの研究に総じて見られる前提は、政府はインフレによって債務を目減りさせることがあるとしても、公的国内債務の公然のデフォルトはきわめて稀だというものである。公的対外債務に関する研究では、政府にデフォルトを促す誘因が大きな研究テーマの一つになっていることを考えると、この点はきわめて対照的と言えよう。

しかし過去の記録をたどってみると、対外債務のデフォルトほどひんぱんではないにせよ、公的国内債務の法律上の公然のデフォルトはけっして稀ではないことがわかる。本書のデータセットには、一八〇〇年以降の公然のデフォルトが七〇件以上含まれている（対外債務のデフォルトは二五〇件である）。[*10] このような法律上のデフォルトは、表面利率の低い債券への強制的な転換から、一方的な元本の減額（通貨の転換と組み合わされるケースもある）、さらには返済の一時停止まで、ありとあらゆる手法を通じて行われている。表7・2〜7・4は、こうした事例をまとめたものである。また図7・5には、国内債務デフォルト中の国が世界に占める比率を年次別に時系列で示した。

先ほど挙げた国内債務のデフォルト件数は、まずまちがいなく低めに出ているはずだ。というのも、国内債務のデフォルトを突き止めるのは、対外債務の場合よりはるかにむずかしいからである。たとえば一九三〇年代の大恐慌中には、先進国、開発途上国を問わず広範囲でデフォルトが発生したが、これについてさえ、十分な記録が残っていない。もうすこし最近の例では、アルゼンチンがある。一九八〇〜二〇〇一年に同国は国内債務を三回デフォルトした。

うち二回は対外債務のデフォルト（一九八二年と二〇〇一年）と同時だったため世界的に関心を集めたが、一九八九年のデフォルトは規模が大きかったにもかかわらず、対外債務の新規デフォルトが絡んでいなかったため、国外ではほとんど知られていない。

国内債務デフォルトに関する注意点

なぜ政府は、インフレで問題を解決できるときに、わざわざ国内債務の返済を拒否するのだろうか。言うまでもなく一つの答えは、インフレがとくに銀行システムと金融部門に歪みを生じさせるから、というものである。インフレという選択肢があっても、支払い拒絶の方がましであり、少なくともコストは小さいと政府が判断することもある。インフレに伴う潜在的なコストは、債務が比較的短期または物価に連動している場合にとりわけ問題になる。というのも、このような場合に返済額を実質的に大幅に減らすには、政府ははるかに強硬なインフレ誘導策をとらなければならないからだ。また大恐慌期のアメリカのように、緩和的な財政・金融政策を通じて経済をデフレから脱却させる前提条件を整えるために、国内債務をデフォルトする措置（一九三三年の金約款の破棄）がとられることもある。

事実上のデフォルトは、もちろんインフレ以外の形をとることもある。一九六〇年代から八〇年代前半にかけてとくによく見られたのは、金融抑圧の強化とインフレを組み合わせる形だった（くわしくは第10章を参照されたい）。ブロックは、預金準備率とインフレの間には正の相関関係があり、とくにアフリカと中南米ではその傾向が顕著だと指摘する。[*11]金利の上限設定とインフレ急騰も、よくあるパターンである。たとえば対外債務リスケジューリング（一九七二〜七六年）中だったインドでは、一九七三年から七四年にインフレ率が二一・二％から二六・六％に加速したが、インターバンク金利は六・六％から一三・五％に上がっただけだった。本書では、このような金融抑圧を通じた事実上のデフォルトは、法律上のクレジット・イベントには分類しない。インフレ率が年二〇％の判定基準を上回った場合のみ、定義に従いインフレ危機とみなす。[*12]

以上のように、多くの理論モデルにみられる「政府はつねに債務を名目額面通り履行する」という仮定は、とくに新興市場国に関しては、過去現在を問わず大幅な誇張と言わざるを得ない。だからと言って、「政府は国内の有力なステークホルダーを無視して好き勝手に国内債務の（法律上または事実上の）デフォルトを起こす」と逆の極端な仮定を立てるのも、慎むべきである。次章では、過剰に積み上がった巨額の国内債務が対外債務およびインフレにおよぼす影響について考察する。

第8章

国内債務

——対外債務デフォルトとインフレをつなぐ失われた環

多くの国が、見たところ低い許容限界で対外債務をデフォルト（または再編）するのはなぜか。この謎を解明するには、国内債務の重要性を理解することが有用である。これまで無視されてきた国内債務を考慮に入れると、デフォルト時の財政逼迫が、多くの場合にきわめて深刻であることがわかる。

また一部の政府は、マネタリーベースを活用して得られる通貨発行益（シニョリッジ）では到底正当化できないような水準までインフレ率を誘導したがっているようだが、これはなぜ

表 8.1 デフォルト発生時の債務比率（大規模なデフォルトのみ）

国名	デフォルト発生年	公的対外債務／歳入比率	公的債務総額／歳入比率
メキシコ	1827	1.55	4.20
スペイン	1877	4.95	15.83
アルゼンチン	1890	4.42	12.46
ドイツ	1932	0.64	2.43
中国	1939	3.10	8.96
トルコ	1978	1.38	2.69
メキシコ	1982	3.25	5.06
ブラジル	1983	0.83	1.98
フィリピン	1983	0.23	1.25
南アフリカ	1985	0.09	1.32
ロシア	1998	3.90	4.95
パキスタン	1998	3.32	6.28
アルゼンチン	2001	1.59	2.62

（資料）巻末資料Ａ・１およびＡ・２を参照。

か。本章では、このパラドックスも国内債務で説明できることを示す（おおざっぱに言えば、政府が野放図に紙幣を印刷して通貨発行権を濫用すれば、やがては通貨需要の低下を招き、低インフレのときに比べて通貨創造による実質的な利益は減少する）。高インフレやハイパーインフレに関する多くの実証研究では、国内債務はおおむね無視されてきた。しかし今回の研究で、隠れた公的国内債務の存在は、多くの場合マネタリーベース（通貨＋市中銀行の準備預金）と少なくとも同程度の影響をインフレにもたらすこと、ときにはマネタリーベースの何倍もの影響をもたらすことがわかった。

図 8.1　対外債務デフォルト発生時の債務／歳入比率（標本数：89）（1827〜2003年）

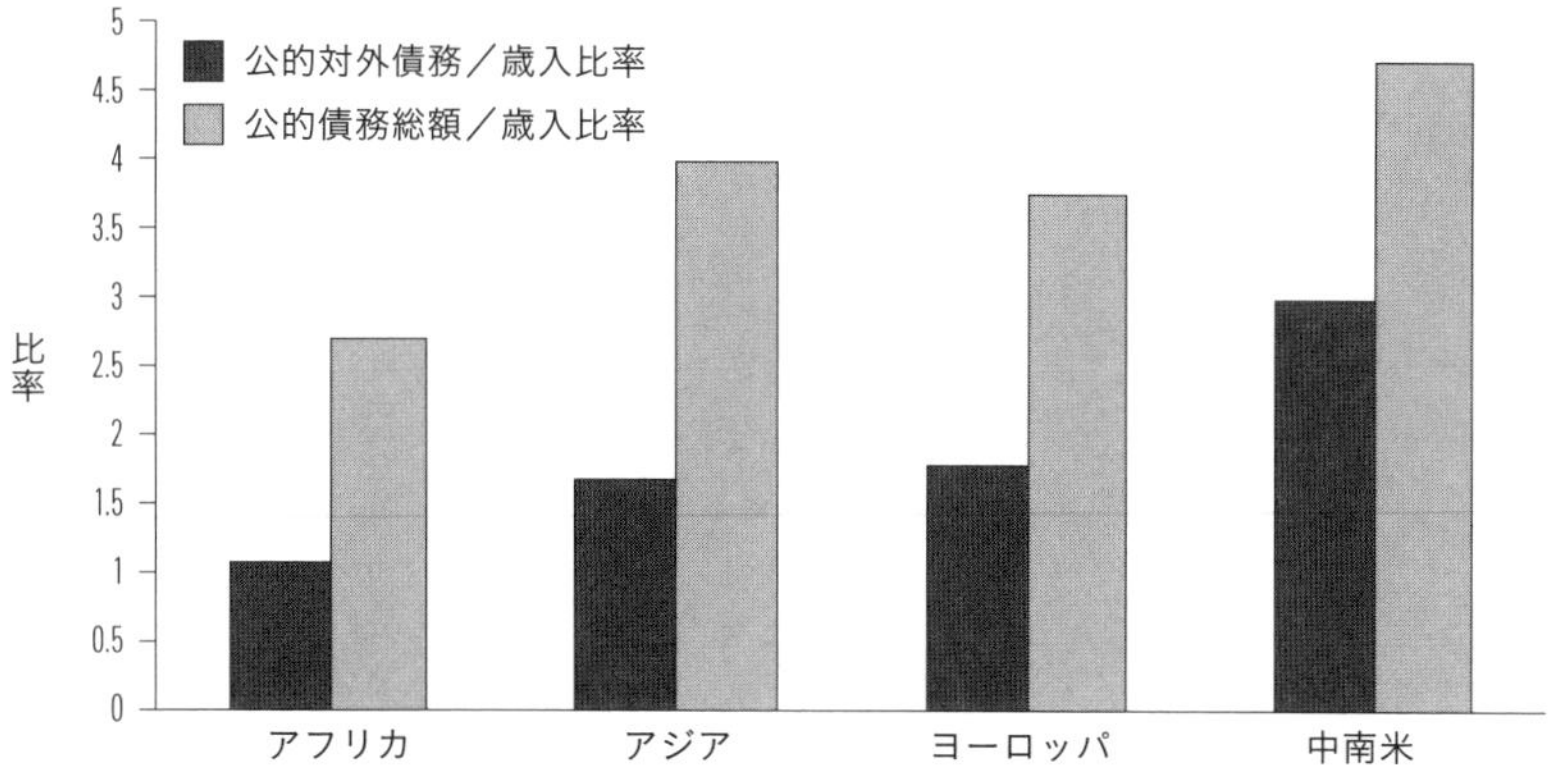

（資料）The League of Nations, Mitchell (2003a, 2003b), the United Nations および他の出典は巻末資料 A・1とA・2に掲載。

債務不耐性の謎を解く

最初に、対外債務デフォルト、デフォルトが債務持続可能性の検定におよぼす影響、債務の許容限界に関する基本的な了解を再確認しておこう。本書のデータベースに収録した対外債務デフォルト二五〇件をみると、その大半に国内債務が大きな影を落としていることがわかる。表8・1には、一九世紀と二〇世紀に発生した重大なデフォルトを抽出し、その直前の歳入に対する対外債務の比率と債務総額の比率をまとめた。歳入を使って債務比率を基準化したのは、一九世紀のデフォルトに関しては名目GDPのデータが存在しないか、あっても信頼できないためである（一九世紀に関する限り、多くの国の標準的な資料には、GDPの連続時系列データに近い情報は含まれていない)[*1]。輸出統計は、対外債務の返済能力を評価するときには主要な資料となりうるが、国内債務も加えて債務の持続可能性を判定するときには、輸出より歳入の方が適切と考えられる。

標本をさらに多角的に分析するため、一八二七~二〇〇三年の対外債務デフォルトのうち対外債務、債務総額、歳入の三種類のデータがすべてそろっている八九件に基づいて、図8・1を作成した。このグラフを見ると、中南米を除くすべての地域で、対外債務デフォルト中の年には対外債務が債務総額の半分以下であることがわかる。また中南米も、平均比率が高いとは言え、六〇%程度に過ぎない。

対外債務に関する研究では、なぜ新興市場国の政府は、返済額や債務GDP比率があれほど低い水準のときにデフォルトをするのか、ということがつねに問題にされてきた[*2]。先ほど挙げたデータは、この基本的な疑問に対する答えの一部にはなるだろう。たとえば第2章で検討したデータによれば、多発性デフォルト国は、対外債務GDP比率が六〇%(マーストリヒト条約で定められたユーロ圏の上限)にならないうちにデフォルトを起こしやすい[*3]。しかし公的国内債務を考慮すれば、それもさほどふしぎではなくなる。

図8・2と8・3は、データがそろっている標本について、対外債務歳入比率と債務総額歳入比率の度数分布(相対度数と累積度数)を示したもので、データをさらに別の角度から見ることが可能になる。二つのグラフから、対外債務デフォルト中の年には、対外債務歳入比率の平均は、債務総額歳入比率に比べ大幅に低い数値に集中していることがわかる。平均は、前

図 8.2　対外債務デフォルト発生時の債務比率の度数分布（1827 ～ 2003 年）

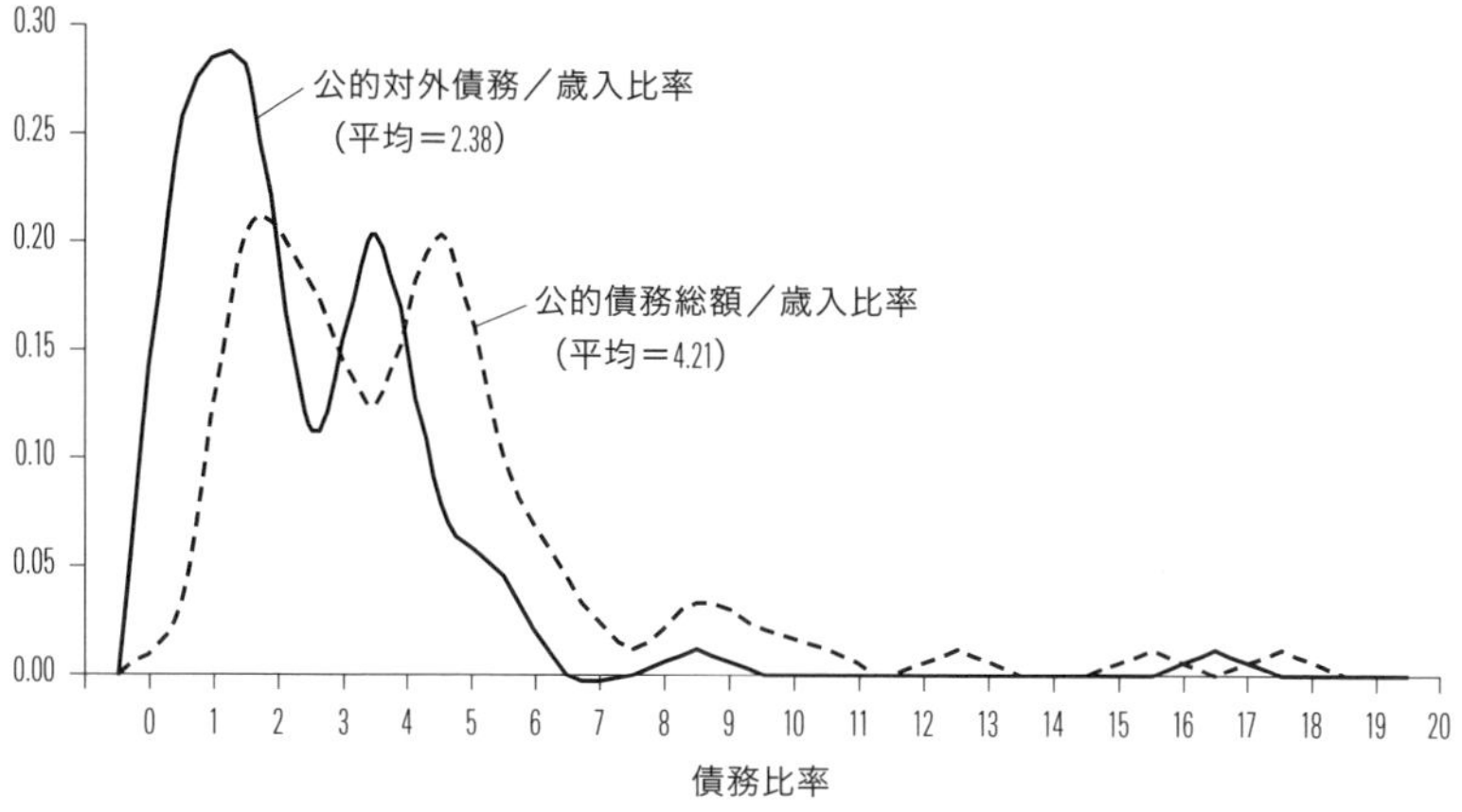

図 8.3　対外債務デフォルト発生時の債務比率の累計度数分布（1827 ～ 2003 年）

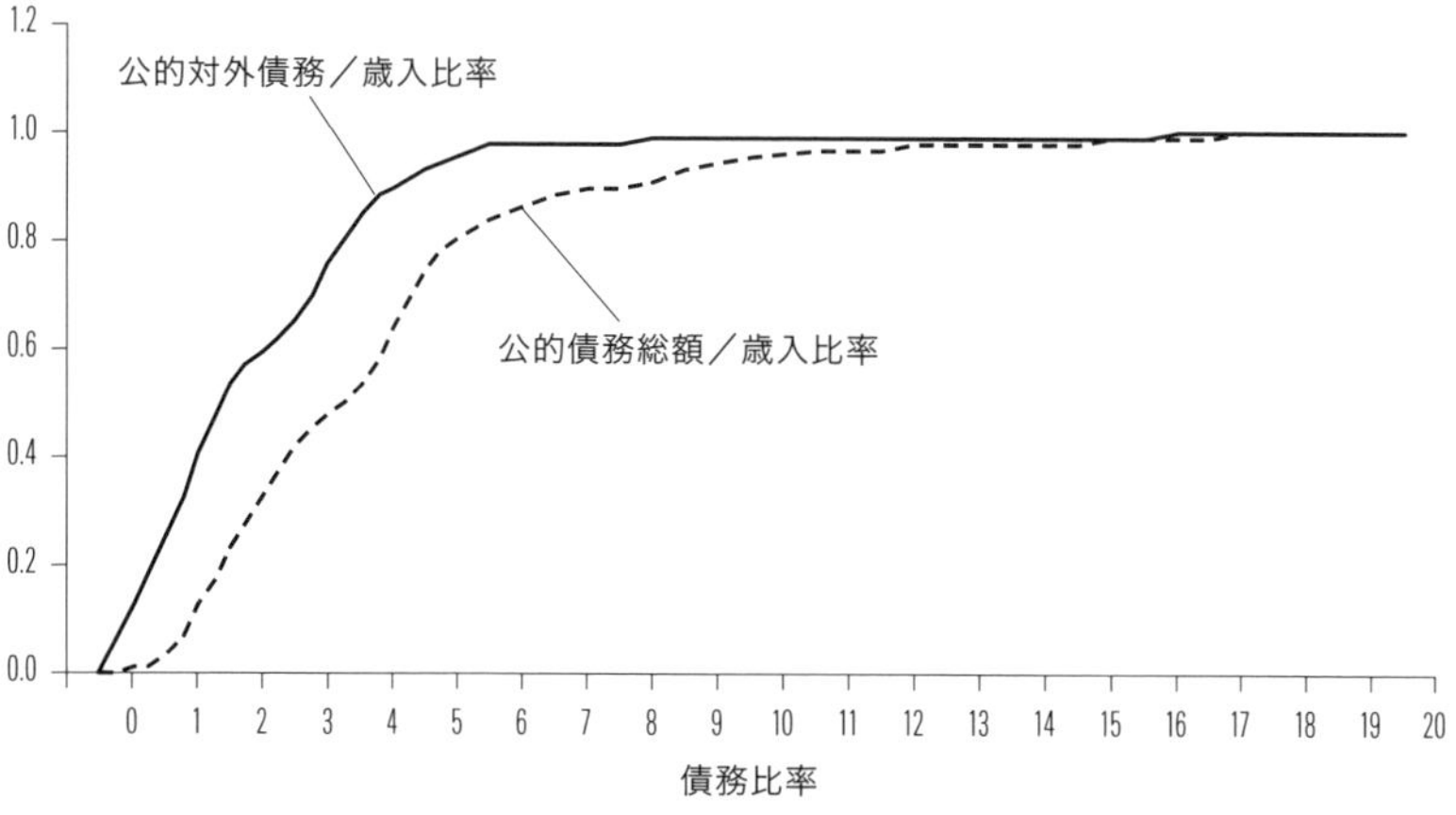

（資料）The League of Nations, Mitchell (2003a, 2003b), the United Nations. 他の出典は巻末資料 A・1 と A・2 に掲載および筆者の計算。

（注記）KS 検定、31.46、有意水準 1％

者が二・四、後者は四・二である。同様の差は個々のデフォルトでも認められるほか（よく知られた事例をまとめた表8・1を参照されたい）、地域や時代を問わずに見受けられる。

国内債務が取るに足らない規模であるなら、デフォルト時の債務総額歳入比率の度数分布曲線は、対外債務歳入比率のそれと重なるはずである。重なった場合には、デフォルト直前の国内債務が債務総額に占める比率はごく低いということができる。だがグラフを見るとわかるように両者は重なっておらず、標準的な検定によっても、この仮説は全面的に棄却された。[*4]

対外債務デフォルト前後の国内債務

対外債務デフォルトの前と後とでは、国内債務の水準は同じではない。対外債務のデフォルト前に外国からの借り入れが急増するのと同じく、危機前には国内債務も常軌を逸した急増ぶりを示すことが多い。このパターンは、図8・4にはっきり表れている。このグラフは、さきほどの標本八九件すべてについて、デフォルト前から発生年までの五年間に債務が積み上がる様子を示す。

国内債務と対外債務が同じ動きを示すのは、おそらく先行研究で指摘された財政政策のプロシクリカル（景気循環増幅的）な性格が原因だろう。[*5] 過去何度となく繰り返されたことだが、新興市場国の政府は、自国に都合のよい一時的な動向を永久に続くと考えて無節操に支出と借り入れを増やし、最後に窮地に陥るということになりやすい。[*6] 図8・4のグラフはデフォルト

図 8.4　対外債務デフォルト直前 5 年間の国内債務・対外債務の推移（標本数：89）（1827 ～ 2003 年）

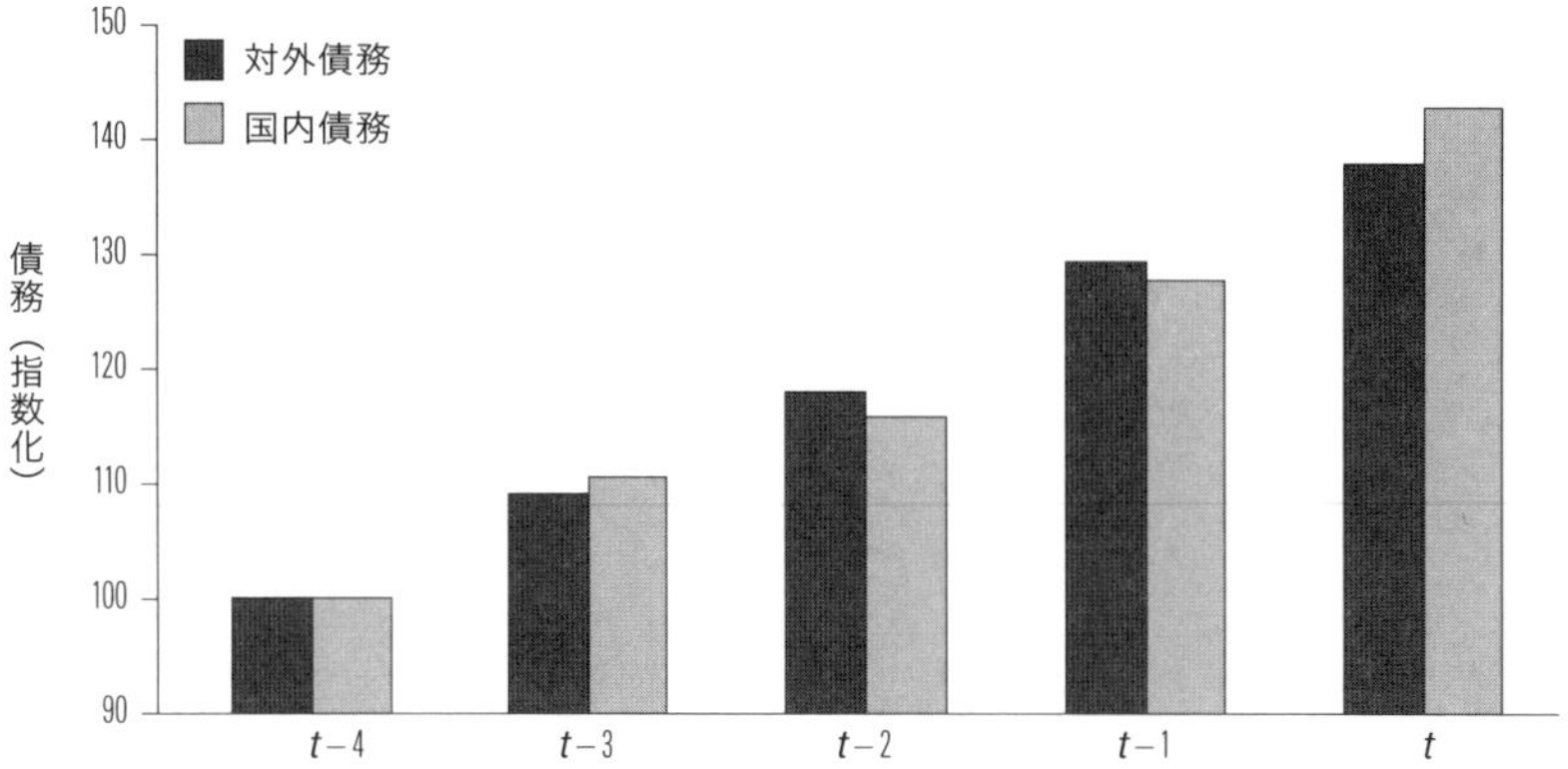

（資料）The League of Nations, the United Nations および他の出典は巻末資料 A・1 と A・2 に掲載。
（注記）デフォルト発生年＝ *t*。債務は、*t*-4 を基準年（＝ 100）として指数化した。

図 8.5　中国の公的国内債務残高（1895 ～ 1949 年）

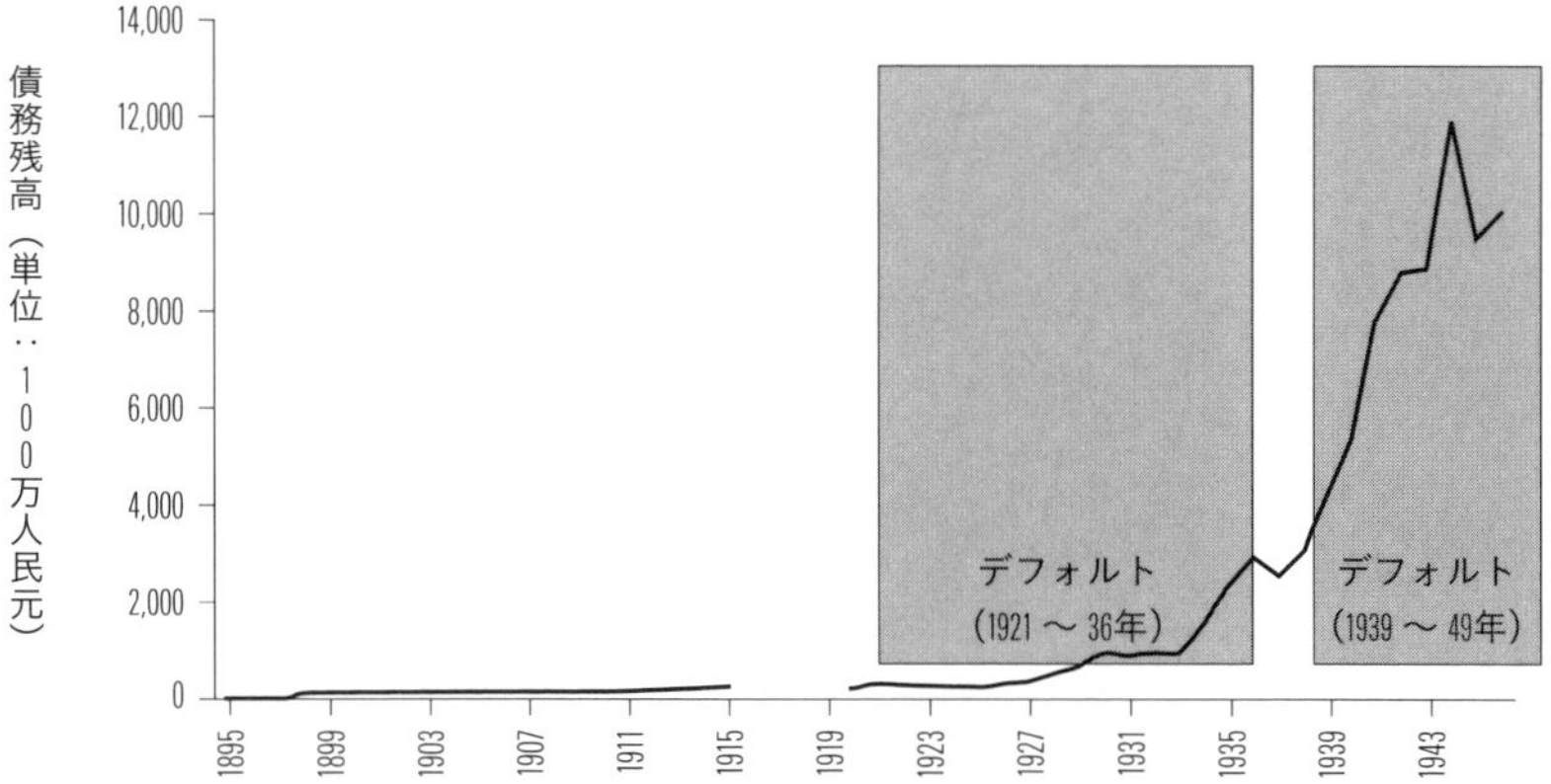

（資料）Huang (1919); Cheng (2003); the United Nations, Department of Economic Affairs (various years), *Statistical Yearbook*, 1948–1984 および筆者の計算。
（注記）1916 ～ 19 年のデータは欠落。

発生年で途切れているが、もしデフォルト後まで続けたら、国際資本市場から閉め出された結果、多くの国で公的国内債務が引き続き急増することがわかったはずだ。

共産党支配になる前の中国がまさにそうで、対外債務デフォルト後に国内債務が増えがちな理由を示す例として、興味深い(図8・5参照)。同国は一九二一年と三九年に大規模なデフォルトを起こすまで、政府はほぼ全面的に対外債務に依存していた。だがデフォルトで外国から借りる道が閉ざされると、資金難に陥った政府は、自国の金融市場が未発達であるにもかかわらず、国内からの借り入れに頼らざるを得なくなった。となれば、対外債務のデフォルト後に公的国内債務が爆発的に増えたのも驚くには当たらない。一九四〇年代半ばまで、中国政府はほぼ全面的に国内債務に依存することになった。

インフレおよび「インフレ税」に関する研究

高インフレやハイパーインフレに関する実証研究でも、国内債務は大体において無視されている。ケーガン以来、研究者の関心は、政府がマネタリーベースから通貨発行益を得ようとするインセンティブの問題に集中していた。[*7] これらの研究でよく取り上げられるパラドックスは、ときに政府は通貨発行益を最大化しうる以上にインフレ率を押し上げているようだが、それはなぜか、という問題である。多くの研究が時間整合性や信頼性の問題をあざやかに論じ、もっともらしい巧妙な答えを提出してきた。だがこれらの研究では、多額の公的国内債務の存在という重要な要因が、見落とされているように思われる。すでに論じたように、債務の大半が長期かつ物価非連動であることを考えると、とくにこの要因が持つ意味は大きい。この指摘は、ごく稀なハイパーインフレに関する研究だけでなく、高インフレやゆるやかなインフレなど、はるかにひんぱんな現象についての研究（ドーンブッシュとフィッシャーを始め、その後の多くの研究）にも当てはまる。[*8] 開発途上国や紛争終結直後の国におけるインフレによる財源調達を取り上げた研究は多数あるが、国内債務にはほとんど言及されておらず、まして時系列分析は言うまでもない。

国内債務とマネタリーベース

対外債務に関する研究は、国内債務はさほど重要でないという暗黙の仮定に基づいている。だがこれは正しいやり方なのだろうか。表8・2は、多くの重要な事例で、政府にインフレ容認を決意させる重要な要因が国内債務だったことを示唆している。[*9] したがって実際のインフレ率を、マネタリーベースだけから計算された仮想的な「通貨発行益を最大化するインフレ率」と比較するのは、妥当とは言えまい。

たとえば表8・2を見ると、第一次世界大戦後の一九二〇年にドイツのインフレ率が六六％に達したとき、国内債務はマネタリーベースのほぼ三倍だったことがわかる。またブラジルの場合も、国内債務がマネタリーベースのほぼ二〇倍に達していた。[*10]

表 8.2　インフレと公的国内債務（1917～94 年のハイパーインフレと高インフレ事例を抽出）

国名	発生年	インフレ率	国内債務／GDP 比率	マネタリーベース／GDP 比率	国内債務／国内負債総額比率
		ハイパーインフレ			
アルゼンチン	1989	3079.5	25.6	16.4	61.2
ブラジル	1987	228.3	164.9	9.8	94.4
	1990	2947.7	155.1	7.1	95.6
ドイツ	1920	66.5	52.6	19.4	73.0
	1923	22, 220, 194, 522.37	0.0	0.0	1.0
		高インフレ			
ギリシャ	1922	54.2	53.0	34.3	60.7
	1923	72.6	41.3	32.7	55.9
イタリア	1917	43.8	79.1	24.1	76.6
	1920	56.2	78.6	23.5	77.1
日本	1944	26.6	236.7	27.8	89.5
	1945	568.1 *	266.5	74.4	78.2
ノルウェー	1918	32.5	79.3	86.4	47.9
	1920	18.1	106.9	65.6	62.3
フィリピン	1981	13.1	10.4	6.6	61.1
	1984	46.2	11.0	13.9	44.2
トルコ	1990	60.3	14.7	7.4	66.6
	1994	106.3	20.2	7.1	73.9

（資料）巻末資料Ａ・１とＡ・２を参照。

（注記）マネタリーベースと債務は、インフレ発生時の水準。ハイパーインフレの事例は、フィリップ・ケーガンの古典的な定義に一致する。
＊印の付いたインフレは、ケーガンの定義に一致しない。

国内債務が重要になるのは、ハイパーインフレのときだけではない。表8・2には、ハイパーインフレとまではいかない高インフレも併記した。一九四五年の日本でインフレ率が五〇%を上回ったときは、公的国内債務はマネタリーベースの三倍を上回り、国内債務総額（通貨を含む）の約八〇%に達している。表8・2に掲げたすべての事例で、公的国内債務は少なくともマネタリーベースと同じ規模に達した（例外は一九一八年のノルウェーで、国内債務がマネタリーベースをわずかに下回った）。

再び「インフレの誘惑」について

債務の実質価値をインフレによって目減りさせるのは、政府にとってどれほどの利益になるのか。この点を正確に計算するためには、債務の満期構造と支払金利に関して、現時点のデータセットをはるかに上回る情報が必要になる。とくに必要なのは、インフレがどの程度予見されているか、またはまったく予見されていないか、という点に関する情報である。さらに、市中銀行の準備率、金利規制、金融抑圧策の程度など、正確な計算に欠かせない他の条件も知っておかなければならない。しかし高インフレの主要事例の多くで名目国内債務がマネタリーベースに比してきわめて大きかった事実を踏まえると、今後の研究では債務にもっと関心を払うべきだと考えられる。*11

本章では、対外債務、インフレ、国内債務をつなぐ環とみられるものをいくつか検討するとともに、インフレを介したデフォルトが、国内債務デフォルトを分析するうえで重要な要因であることを指摘した。次章では、これまで十分に研究されていなかったもう一つのテーマとして、さまざまな国における国内債務デフォルトと対外債務デフォルトの関係を取り上げ、その特徴について論じる。

第9章 国内債務デフォルトと対外債務デフォルトはどちらが悪いか、どちらが優先されるか

前章では、国内債務の規模が一般的に大きく、とりわけ対外債務のデフォルトや高インフレのときがそうであることを示した。となれば、危機の発生過程を理解するうえで、国内債務と対外債務のどちらが優先されるのかを知っておくことが役に立つはずだ。本章ではデータからいくつかの重要項目に注目し、最初の説明を試みる。言うまでもなく、危機発生にいたる道筋は国や時代によってちがうし、中央銀行の独立性や為替制度など多くの要素も関わってくると考えられる。それでも、国内債務・対外債務デフォルト前後の産出高やインフレ率の動きを単純

に比較するだけで、多くのことが明らかになる。[*1]

　とは言え現時点の分析は、いくつかの理由から、あくまで方向性を示すにとどまるものと理解されたい。理由の一つは、今回構築したデータベース以前には、国内債務デフォルトに関する総合的なデータベースが、事実上のデフォルトは言うまでもなく、公然のデフォルトについても、一切存在していなかったことにある。今回の標本で、対外債務デフォルトと高インフレに関しては全体像をかなり把握できたと自負しているが、国内債務デフォルトに関しては、法律上のデフォルトに限っても、一体いくつ事例が漏れているかさえわかっていない。本章では、国内債務の明らかなデフォルトや再編が古い記録の中にいかに隠されていたかを、さまざまな角度から示す。こうしたわけで、今回数えた国内債務の件数が実際よりかなり少ないことはまちがいない。

　もう一つ、議論に値する点を挙げておきたい。それは、今回のアプローチはデフォルトの発生に関しては系統的であるが、当初デフォルトの規模に関しては、そうは言えないことである。公的債務に関する本書のデータベースから、デフォルトまたは再編の当初の規模について有益なヒントを得ることは可能だとしても、その後の再編の状況や回収率のくわしい情報まで得られると期待するのは、行き過ぎであろう。以上の注意点を念頭に置くと、分析結果をよりよく理解できる。

デフォルト前後の実質ＧＤＰ

まず、デフォルト直前のマクロ経済状況は、どの程度悪化しているのだろうか。国内債務デフォルト前の産出高が、対外債務のデフォルト前と比べて顕著に減少していることは明らかだ。図９・１と図９・２から、国内債務デフォルト前三年間の実質ＧＤＰの累積減少率は平均八％、デフォルト発生年のみの減少率は四％であることがわかる。これに対して対外債務デフォルトの場合には、発生年の減少率は平均一・二％にとどまっている。国内債務デフォルトおよび対外債務デフォルト前の状況を比較するために、デフォルト前の各年の変化と一定期間の累積的変化の両方について、さまざまな検定を行った。後者の検定は、国内債務危機については合計二二四個の観測値（危機前の各年の計測値×危機の件数）、対外債務危機については八一三個（同上）を数える。

すでに述べたとおり、結果の解釈には注意を要する。と言うのも、国内債務のデフォルトは対外債務のデフォルトと同時発生する例が多く、そうなれば国外の信用市場へのアクセス（あるとしても）が制限されるので、やはり産出高の低下を招くからである。

図 9.1　債務デフォルト前・中・後の実質 GDP（1800 ～ 2008 年）

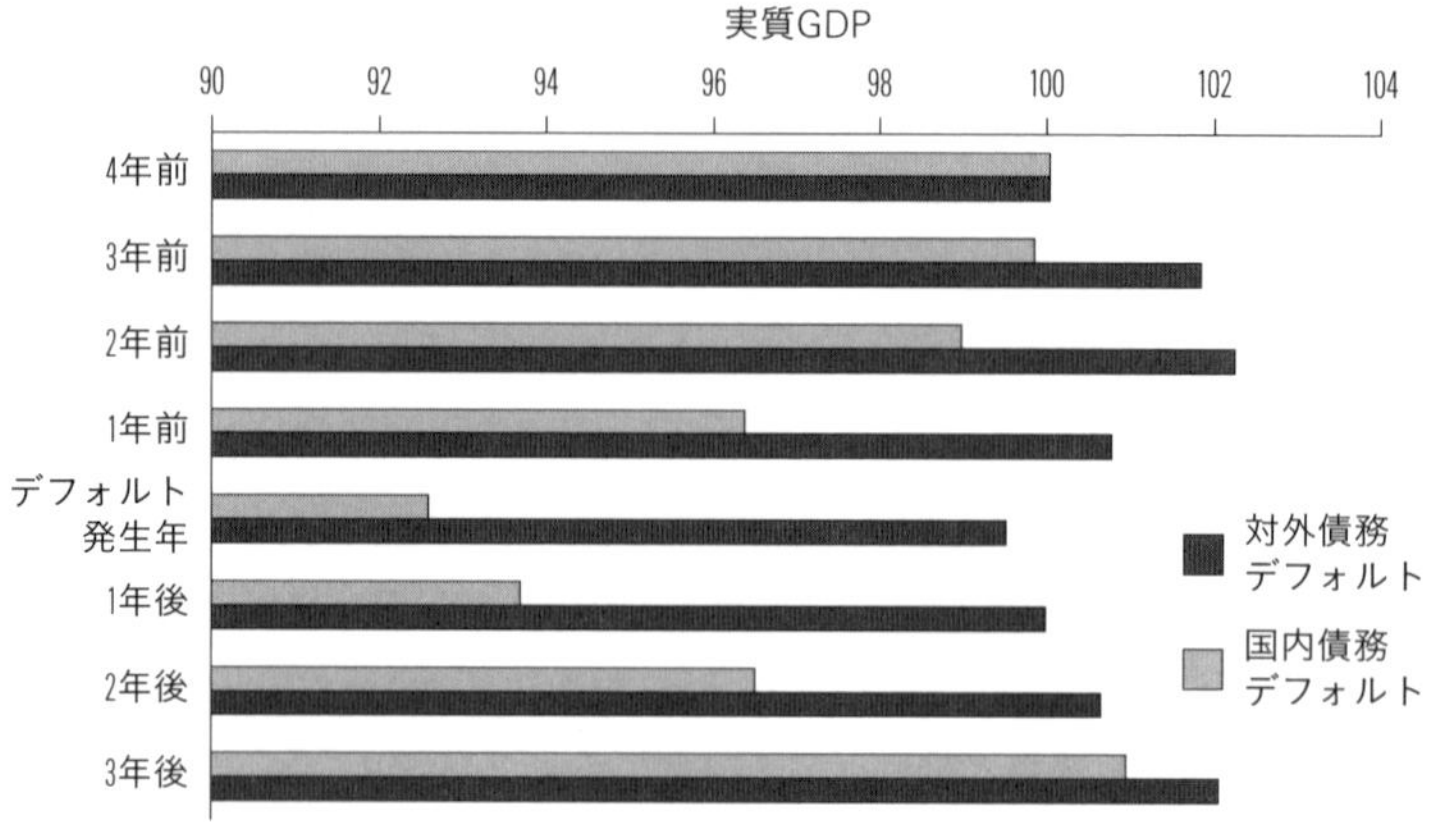

（資料）Maddison (2004), Total Economy Database (2008) および筆者の計算。
（注記）実質 GDP は、デフォルト 4 年前を基準年（＝ 100）として指数化した。

図 9.2　債務デフォルトと実質 GDP 成長率（デフォルト 3 年前～発生年）（1800 ～ 2008 年）

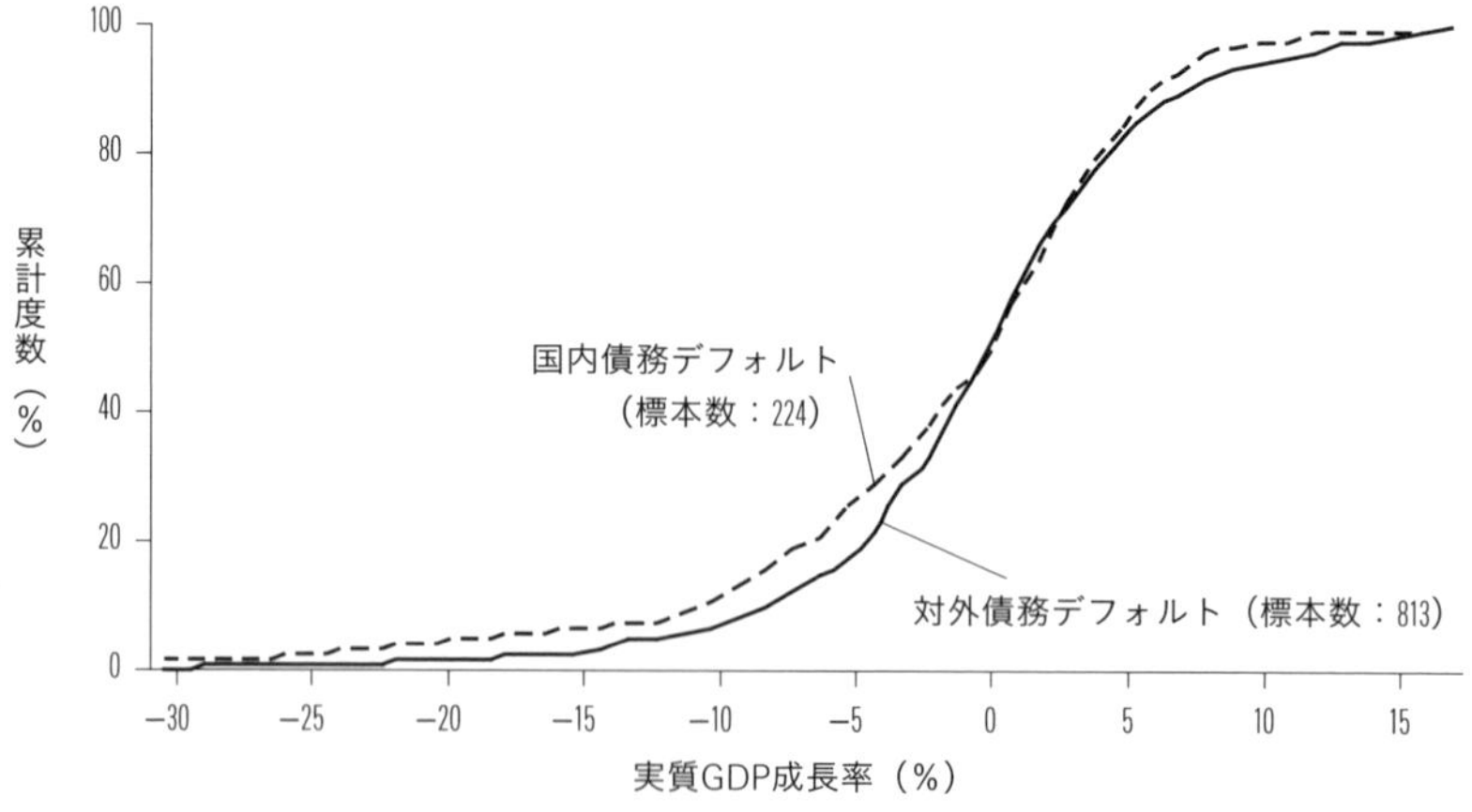

（資料）Maddison (2004), Total Economy Database (2008) および筆者の計算。
（注記）KS 検定は、2 群の分布に有意なちがいがあるかどうかを確かめるときに用いられる。KS 検定はノンパラメトリック検定で、ある特定のデータ分布を仮定せず、どのような母集団分布にも適用できるというメリットがある。KS 検定、8.79；有意水準 1%。

デフォルト前後のインフレ率

インフレ率についても同様の比較を行ったところ、一段と顕著なちがいが現れた（図9・3、9・4参照）。対外債務デフォルト発生年のインフレ率は平均的に高く、三三%である。[*2] ところが国内債務デフォルト中のインフレの加速ぶりは甚だしく、発生年の平均インフレ率は一七〇%だった。[*3] しかもデフォルト後数年にわたり、一〇〇%以上に高止まりしている。とは言え、インフレを通じたデフォルトと通常のデフォルト（すなわち、より公然の資産収奪）が、デフォルトの前・中・後を通して歩調をそろえて起きているのだから、驚くには当たらない。インフレに関しては学問的研究が広く行われているが、この点は言及されてこなかった。[*4] しかし私たちは、公然の国内債務デフォルトはマクロ経済状況がよほど悪化したときに限って発生する傾向がある、との結論に達している。

表9・1には、国内債務デフォルトと対外債務デフォルトの前と後に関して、実質GDP成長率とインフレ率をより分析的に比較した結果を示した。表中の数字は、両債務のデフォルト前と後における標本国の成長率とインフレ率の平均値を示す。一番下の列には、コルモゴロフ・スミルノフ検定（KS検定）の結果を掲げた。KS検定は、二種類の度数分布が等しいかどうかの確認に用いられる標準的な検定手法である。実質成長率とインフレ率は、対外債務デフォルト時よりも国内債務デフォルト時に明らかに異なる動きをしている。

図 9.3　債務デフォルト前・中・後の消費者物価指数（1800 ～ 2008 年）

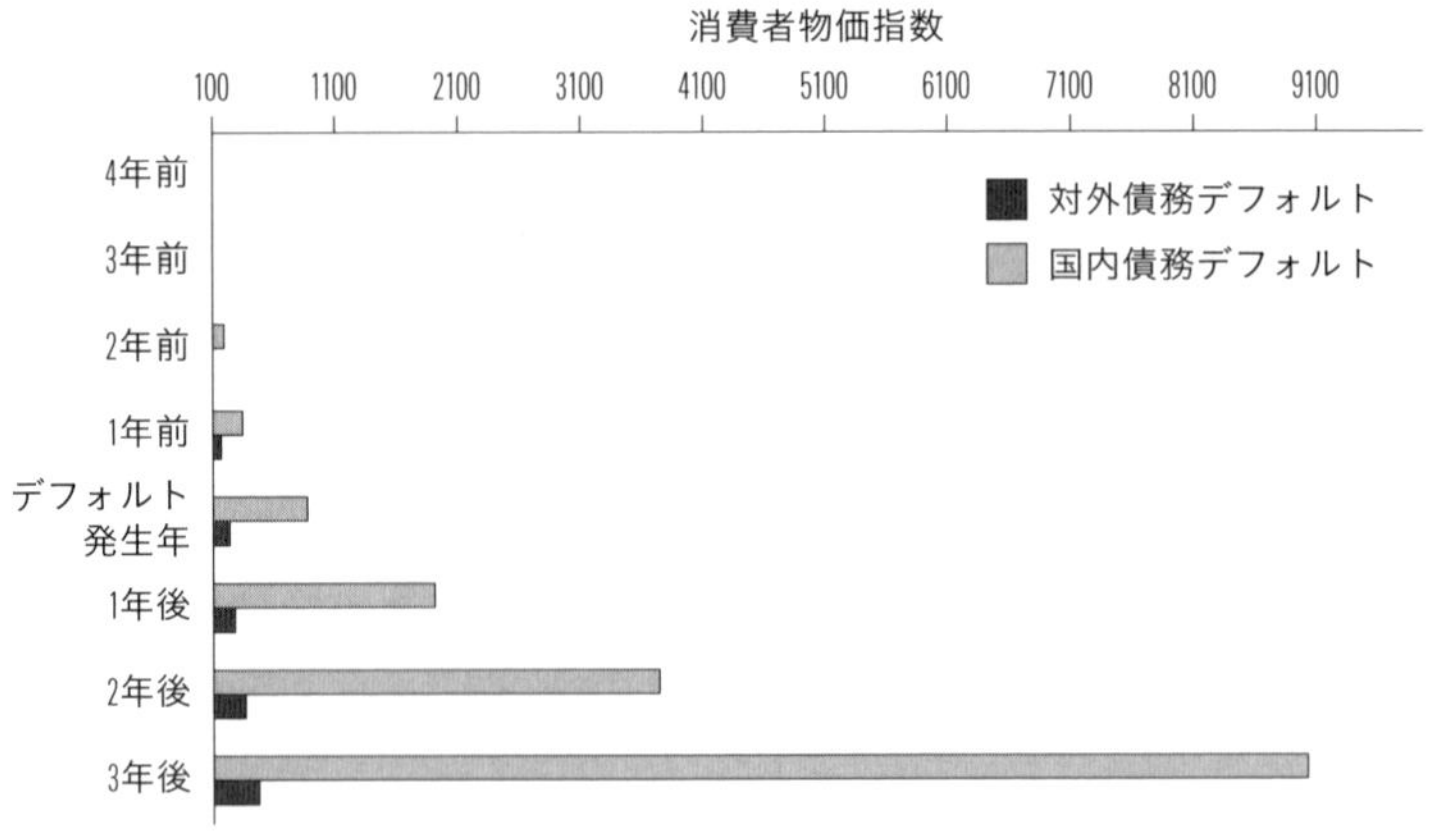

（資料）International Monetary Fund (various years), *International Financial Statistics and World Economic Outlook;* 追加的な出典は巻末資料 A・1 に掲載。および筆者の計算。
（注記）消費者物価指数は、デフォルト 4 年前を基準年（＝ 100）として指数化した。

図 9.4　債務デフォルトとインフレ率（デフォルト3年前～発生年）（1800～2008年）

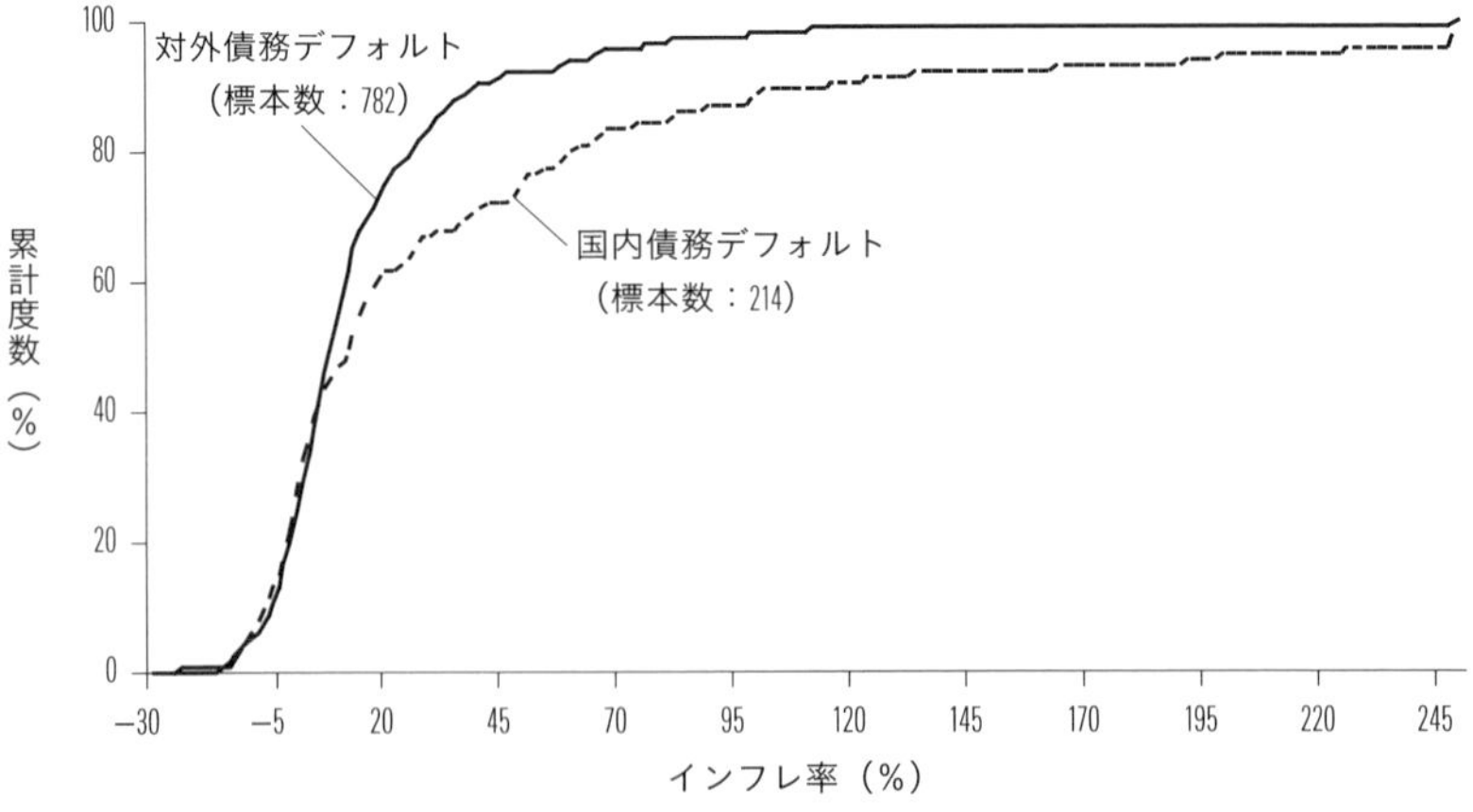

（資料）International Monetary Fund (various years), *International Financial Statistics* and *World Economic Outlook*; 追加的な出典は巻末資料 A・1 および筆者の計算。

表 9.1　債務デフォルト前後の実質 GDP 成長率とインフレ

	平均値の検定（t 検定）					
	実質 GDP 平均成長率			平均インフレ率		
	国内債務デフォルト	対外債務デフォルト	差	国内債務デフォルト	対外債務デフォルト	差
$t-3$	−0.2	1.8	−2.0*	35.9	15.6	20.3*
$t-2$	−0.9	0.4	−1.3	38.3	14.6	23.7*
$t-1$	−2.6	−1.4	−1.2	68.0	15.0	53.0*
t（デフォルト発生年）	−4.0	−1.2	−2.8*	171.2	33.4	137.8*
$t+1$	1.2	0.4	0.8	119.8	38.2	81.6*
$t+2$	3.0	0.7	2.3*	99.2	28.9	70.2*
$t+3$	4.6	1.4	3.2*	140.3	29.1	111.2*
$t-3$〜t	−1.9	−0.1	−1.8*	79.4	19.7	59.7*
$t+1$〜$t+3$	2.9	0.8	2.1*	119.8	32.1	87.7*

	2 分布の同一性に関する KS 検定					
	標本数		KS 検定統計量	標本数		KS 検定統計量
	国内債務	対外債務		国内債務	対外債務	
$t-3$〜t および $t+1$〜$t+3$	224	813	8.8*	214	782	20.0*

（資料）International Monetary Fund (various years), *International Financial Statistics* and *World Economic Outlook*; Maddison (2004); Total Economy Database (2008); 追加的な出典は巻末資料 A・1 と A・2 および筆者の計算。

（注記）t 検定は、未知の不等分散を仮定する。デフォルト発生年＝t。＊印は、有意水準 1％で統計的に有意であることを示す。KS 検定の棄却限界値は、有意水準 1％で 5.16。

居住者と非居住者とでは、どちらが資産収奪の憂き目に遭いやすいのか。この点を明らかにするために、一八〇〇～二〇〇六年について四種類の時系列データを作成した。各年の対外債務デフォルトの発生率（ある年においてデフォルト中の標本国が全標本国に占める比率）、同じく国内債務デフォルトの発生率、インフレ危機の発生率（ここでは、ある年における二〇％以上のインフレが発生中の標本国が全標本国に占める比率）、高インフレと国内債務デフォルトの合計発生率である。この合計発生率は、国内の債権者が収奪される率を表すと言える。[*5]

海外債権者と国内債権者に対するデフォルト発生率

図9・5に、対外債務デフォルトの発生率と国内債務デフォルトの発生率を対比して示し、表9・2には、基礎データの要約統計量をまとめた。一九世紀初めから第二次世界大戦前までは、その後に比べ、対外債務デフォルトの発生率の方が高かった。[*6]とくに一八〇〇～一九三九年には、対外債務のデフォルト発生率が約二〇％なのに対し、国内債務のデフォルト発生率は一二％にとどまっている。ただし標本全体では、国内債務と対外債務のデフォルト発生率に統計的に有意な差は認められなかった。不換紙幣の導入が進むにつれ、インフレの方が資産収奪の方法として明らかに便利になった結果、第二次世界大戦後には、国内居住者にインフレ税を課す形のデフォルトが増えた。[*7]

図9・6に、高インフレと国内債務デフォルトの合計発生率が、全デフォルト発生率に占

図 9.5　国内債務デフォルトと対外債務デフォルトの発生率（1800 〜 2006 年）

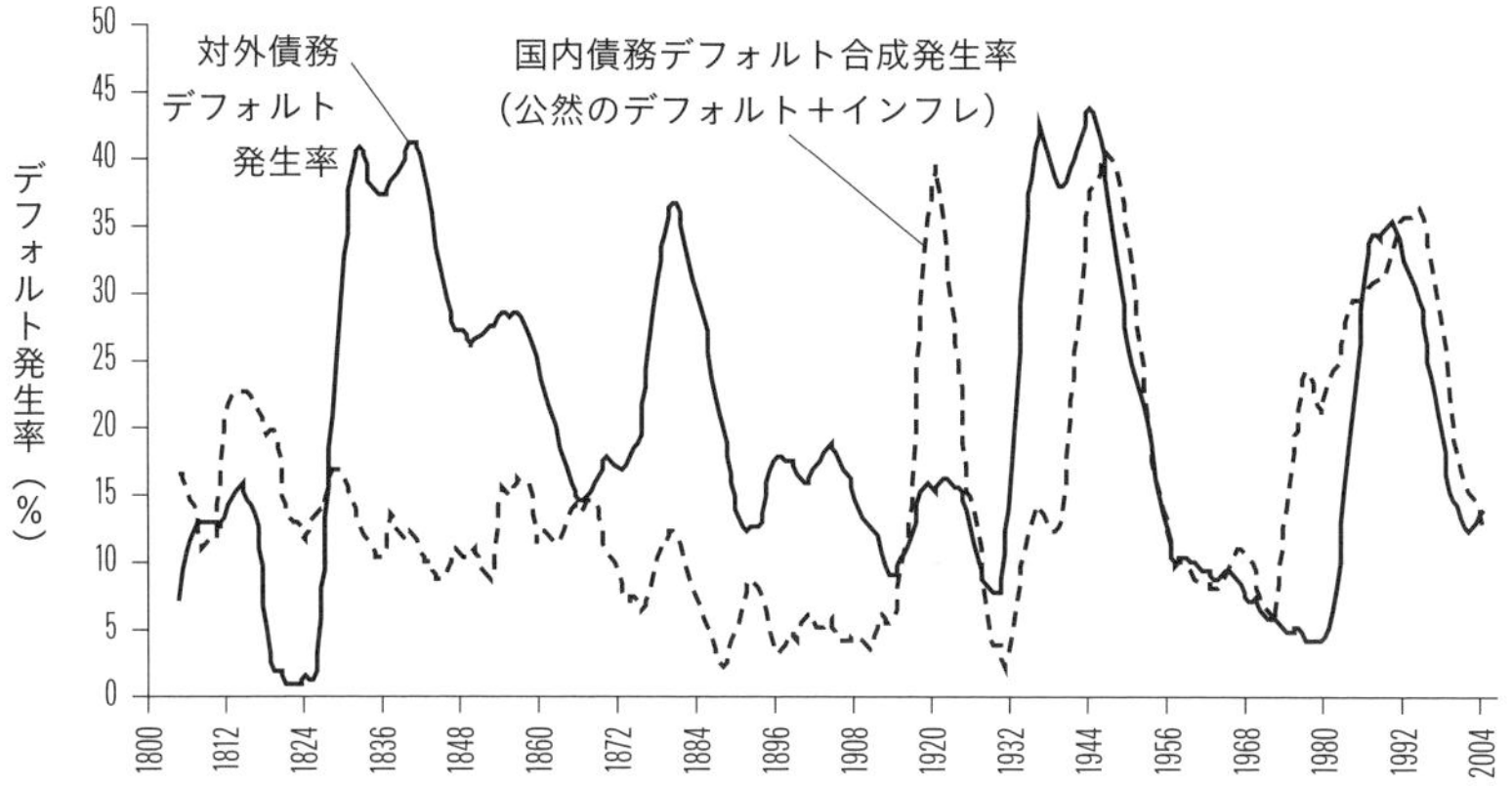

（資料）International Monetary Fund (various years), *International Financial Statistics* and *World Economic Outlook*; Maddison (2004); Total Economy Database (2008); 追加的な出典は巻末資料A・1に掲載および筆者の計算。

図 9.6　国内債務デフォルト合成発生率がデフォルト発生率合計に占める比率（1800 〜 2006 年）

（資料）International Monetary Fund (various years), *International Financial Statistics* and *World Economic Outlook*; Maddison (2004); Total Economy Database (2008); 追加的な出典は巻末資料A・1に掲載および筆者の計算。

表 9.2　2種類の発生率の同一性に関する予備検定（二項分布）（1800～2006年）

	2標本	1800–2006	1800–1939	1940–2006
$n_1 = n_2$	デフォルト発生率の計算対象とした標本数（年）	207	139	66
p_1	対外債務デフォルト発生率	0.198	0.205	0.182
p_2	国内債務デフォルト合成発生率 [(a)]	0.151	0.120	0.214
$p_1–p_2$	差	0.047	0.085	–0.0315
Z 検定		1.263	1.9122*	–0.4535
	有意水準	0.103	0.028	0.675
損害を被るのは国内債権者か、国外債権者か？		どちらも同じ	国外債権者	どちらも同じ

（資料）International Monetary Fund (various years), *International Financial Statistics* and *World Economic Outlook*; Maddison (2004); Total Economy Database (2008); 追加的な出典は巻末資料A・1とA・2に掲載および筆者の計算。

（注記）この表は、「1800～1939年と1940～2006年を比較した場合、国内債権者が損害を被る可能性は、後者の方が高いか？」という質問に対する答えとなりうる。答えは、イエスである。Z検定、1.4716、有意水準0.0706**。

同一性検定の検定統計量は、以下の式で求める：

$$Z = \frac{(p_1 - p_2)}{\left\{P(1-P)\left[\frac{1}{n_1} + \frac{1}{n_2}\right]\right\}^{½}}\text{，式中の } P = \frac{p_1 n_1 + p_2 n_2}{n_1 + n_2}$$

(a)　国内債務の合成発生率は、公然のデフォルトの発生率＋インフレ危機（インフレによるデフォルト）発生率で表す。

＊印は、有意水準5％で統計的に有意であることを示す。

＊＊印は、有意水準1％で統計的に有意であることを示す。

める比率を示した。比率が0・5を上回れば国内の債権者が、0・5を下回れば外国の債権者が損害を被る。

これが手始めのごくおおざっぱな分析に過ぎないことは、重々承知している。とは言え、国内債務は債務国の政治的に重要なステークホルダーが保有するケースが多いのだから、あたかも劣後債のように軽々に返済をやめるわけにはいかないはずだ。私たちはそう考えていたし、アラン・ドレーゼンもこの点を強調している。そして今回の分析では、この認識を覆すような結果は見当たらなかった。*8

表9・2は、国内居住者と非居住者の扱いには長期的にどのような差が付くのかについて、より系統的な分析結果を示した。表には、一八〇〇～二〇〇六年までの全期間と、この期間を第二次世界大戦前と大戦後に分割した期間について、国内債務デフォルトと対外債務デフォルトの発生率の標本平均を掲げた。表の注記に記載したとおり、大戦後には国内居住者が収奪される比率が高くなっている。

本章のまとめと問題提起

第三部では、政府がこれまで驚くほど巧みに隠し通してきたある重要なマクロ経済指標、すなわち公的国内債務について、多くの国にまたがるデータセットを提出した。また過去二〇〇年の間に六六カ国で発生した公的国内債務デフォルトの一覧表も提示したが、これは研究史上初めての試みと言えよう。

データの最初の分析を行ってみて一つ言えるのは、公的国内債務に関して今回新たに発見されたデータを考慮したうえで、公的対外債務の持続可能性に関する実証研究および政府が高インフレやハイパーインフレに手を染める誘因に関する実証研究の再検討が必要だということである。その際には、できれば広義の政府債務や政府保証債務に関するデータも考慮することが望ましい。言うまでもなく、国内債務がインフレや対外債務におよぼす影響は、発生の経緯やそのときの状況によっても異なる。国内債務が高インフレで目減りするケースもあれば、政府が対外債務をデフォルトするケースもある。

それにしても、新興市場国の公的国内債務が多くの経済学者の視界に入っていなかったのは、なぜだろうか。一九八〇年代、九〇年代の超高インフレ時代には新興市場国による借り入れが困難だったことだけに注目し、新興市場国の腐敗した政府に、それも現地通貨建てで貸したがる人間はいるはずがない、と思い込んでしまったのだろう。そのような政府であれば、インフレによって債務を帳消しにする誘惑に抵抗できまい。となれば論理的帰結として、国内通貨建ての公的債務は成り立たない、ということになる。とは言え国内債務の可能性を指摘した研究者も少数ながら存在し、たとえばアレジーナとタベリーニは、国内債務が対外債務に優先して履行される理論仮説を発表した。[*9] しかし、事実上すべての国（とくに新興段階）が古くから大規模な公的国内債務を抱えていたにもかかわらず、そのデータがなく、債務の存在すら認識されていなかったため、こうした少数の研究は、主流的な学術研究や政策研究に大きな影響を与えることはなかった。

多くの国の政府や国際機関が国内債務に関する時系列データを容易に利用できるよう整備せず、透明性が欠如しているのは、まことに解せない。これらの国の政府は、国内市場でも国外市場でもしきりに国債を売りさばこうとしている。しかしふつうは、政府の過去の返済履歴が不透明であれば、新発債にはより高いリスク・プレミアムを要求されるだろう。さらにふしぎなのは、いやしくも国際投資家たるものが、これから買おうとする証券の価値にかかわるこうした履歴情報をなぜ要求しないのか、ということである。どんなクレジットカード会社でも、消費者の購買履歴や返済履歴を知りたいと考えるし、過去にどんな状況でどの程度の債務負担を処理してきたかを調べようとする。まったく同じように、政府に関してもこうした過去の実績に関する情報は重要である。

これでは、大方の政府は資金調達コストが跳ね上がるのを恐れて、積み上がった債務や債務保証に伴うリスクの本当のところを資本市場に知らせたくないのだと邪推せざるを得ない。なるほど過去のデータを公表すれば、現在のデータをなぜ同じように公表できないのか、と投資家は疑問を抱くだろう。それでも、濫費を慎む政府ほど帳簿を堂々と公開し、低い金利という見返りを手にできるという論理は成り立つと考えられる。こうして一部の国で透明性が確保されれば、やましい借り手には圧力がかかるはずだ。にもかかわらず、現在のところアメリカでさえ政府の会計システムは言語道断に不透明であり、予算外の保証が後を絶たず、高い代償を支払うことになりかねない。最近の金融危機への対応として、アメリカ政府（ＦＲＢを含む）はオフバランスの巨額の保証を帳簿上に移した。これによって引き受けることになった負債は、救済時点の金額を厳密に評価したら、国防費より多いとは言わないまでも、ほぼまちがいなく同程度にはなるだろう。なぜこれほど多くの政府が、債務の履歴を標準的なデータベースが容易に収録できるようにしないのかという問題は、今後の学問的研究や政策研究で取り上げるべき重要なテーマである。

政策的な観点から一つ有望と考えられるのは、国際機関が各国に報告の要件や透明性の維持を強制するか、少なくとも指導することである。こうすれば、透明性の高い統計という貴重な公共財を確保できよう。むしろ今日の国際金融機関が、公的債務統計を組織的に収集し公表する役割をまったく果たしてこなかったことの方が、おかしい。こうした機関の使命は、危機のリスクを率先して政策当局や投資家に警告することにあると考えられているのだから、なおさらである。それとも国内債務の歴史はすっかり忘れ去られ、今日の国債市場の隆盛は、これまでとはちがう新しい現象とみなされているのだろうか。[*10] だが中央政府の国内債務の歴史に関する本書のデータセットが驚くほど鮮明に示しているように、これほど真実から遠い思い込みはない。私たちは十分な根拠から、次のように考えている。公的部門の明示的債務と偶発債務の完全な把握という点から言えば、今回のデータは氷山の一角を示したに過ぎない、と自信を持って言える。

第四部

銀行危機、インフレ、通貨暴落

PART IV BANKING CRISES, INFLATION AND CURRENCY CRASHES

高インフレを繰り返す状態から脱した国はあるが、銀行危機と無縁になった国はいまだかつて存在しない。

第10章 銀行危機

現在先進国と呼ばれる多くの国は、公的債務のデフォルトやきわめて高率のインフレを繰り返す状態からは卒業した。だがいまのところ、銀行危機からも卒業したとは言えない。一八〇〇～二〇〇八年の先進国を見ると、銀行危機が度々発生していることがわかる。

銀行危機に関する研究は、ごく最近まで、先進国の過去の事例（主に第二次世界大戦前の銀行恐慌）か、現代の新興市場国の事例に集中していた。[*1] このような二極化現象が生まれたのは、おそらく、多くの国に波及し混乱を招くようなシステミックな金融危機は、先進国においては過去の遺物になったという思い込みがあったからだろう。[*2] だが改めて言うまでもなく、第二次大収縮すなわちアメリカとヨーロッパを呑み込んだ二一世紀初めのグローバル金融危機は、この誤った思い込みを一気に正してくれた――そのために法外な社会的コストを払わなければならなかったが。

実際には銀行危機は、長きにわたって富裕国も貧困国も区別なく襲ってきた。本章では、主要標本国六六カ国のデータ（場合によってはさらに標本を追加した）を使って、この点を論じる。ここで取り上げる銀行危機は、ナポレオン戦争中のデンマークの金融恐慌から「二一世紀初のグローバル金融危機」まで多岐にわたるが、銀行危機の発生率は、高・中・低所得国いずれでもさして変わらないことがわかった。もっとも、世界の金融センターの役割を果たすフランス、イギリス、アメリカでの発生率は、目立って高い。さらに驚かされるのは、まったく異なる所得グループの間で定性的・定量的な特徴が似通っていることだ。富裕国は現代の公的債務デフォルトに関する限りかなり成績優良であるにもかかわらず、こうした類似性が認められる。

本書で使用するデータセットには、銀行危機の分析においてとくに有意義な点が三つある。第一は、繰り返しになるが、一八〇〇年まで遡っていることである。第二は、アジア、ヨーロッパ、中南米の新興市場国で発生した大規模な銀行危機に関して、その前後の住宅価格の変動パターンが含まれていることである。私たちの知る限りでは、これは初めての試みである。今回、新興市場国の住宅価格データを収集できたため、すでにこの方面のデータのそろっている先進国と、住宅価格サイクルの期間や規模を比較することが容易になった。先進国では住宅価格のサイクルが金融危機で重要な役割を果たすことが、かなり前から知られている。両者の比較を行った結果、銀行危機前後の実質不動産価格のサイクルが、期間、規模いずれについても、先進国・新興市場国グループでよく似ていることが判明した。これ以外のマクロ経済および金融関連の時系列データ（所得、消費、政府支出、金利など）では、そのほとんどについて新興市場国の方が大きな変動性を示していることを考えると、これは意外な結果と言わねばならない。[*3]そして第三の特徴は、中央政府の税収と債務に関する包括的な時系列データ（くわしくは第3章を参照されたい）が含まれていることである。今回の分析ではこのデータを活用し、銀行危機が政府財政にもたらす影響、とりわけ税収と公的債務への影響を新たな視点から検討することができた。従来の学問的研究では銀行救済コストに焦点が絞られがちだが、政府財政への影響の方がはるかに重大である。

　銀行危機はほぼ必ず税収の急減を招くが、このほかにも財政赤字を膨らませる要因として、財政の自動安定化装置の発動、景気刺激策、リスク・プレミアムの上昇と格付けの引き下げに伴う利払いの増加（とくに新興市場国がそうだが、他の国でも起こりうる）などの存在があきらかになった。現代では、銀行危機後の三年間で、政府債務は平均して八六％上昇している

（すなわち、危機発生時点の政府債務が一〇〇〇億ドルだったとすれば、三年後には、インフレ調整後で一八六〇億ドルに達する）。直接・間接コストを含めた財政へのこうした悪影響は、通常の銀行救済コストを上回る規模になる。しかもこの規模が先進国と新興市場国でさして変わらないという事実は、またしても注目に値すると言えよう。なお救済コストもその他の財政コストも、当然ながらさまざまな政治的・経済的要因に左右されるが、とくに重要な要因は、政府の政策対応と、危機の引き金となった現実のショックの深刻度である。*4

銀行危機を論じる前に

厳格な金融抑圧下の銀行危機

本書のデータセットに含まれている銀行危機は、主に二種類に分けられる。第一は、アフリカを始め貧しい開発途上国によく見られ、稀にはアルゼンチンなど比較的ゆたかな新興市場国でも発生するタイプの危機で、実際には国内債務デフォルトの一種と言えるものである。厳重な金融抑圧が主な徴税手段となっているような国では、政府がこの形のデフォルトを起こす。厳重な金融抑圧の下では、銀行は、政府が国民から間接的に税を搾り取る道具と化す。というのも、政府が通貨のみならず貯蓄や決済システムを独占することになるからである。政府は国民に銀行への預金を強要し、他の選択肢をほとんど、あるいはまったく与えない。次に預金準備などの手段を使い、銀行に対する政府の債務を膨らませる。こうして、政府が債務の一部をきわめて低い金利で調達できる状況が作り出される。このように、金融抑圧は一種の徴税手段となっている。国民は、ほかに安全な貯蓄手段がほとんどないため、やむなく銀行に預金する。そこで政府は、その資金の政府への貸し出しを銀行に強制する規則や規制案を成立させ、公的債務に充当する。銀行が国営であれば、中央政府に直接貸すよう指示すれば事足りる。

政府は預金金利に上限を設けると同時にインフレを誘発することにより、金融抑圧という名の税金を一層増やすことができるし、実際にもひんぱんにそうしている。たとえばインドが一九七〇年代前半にやったのは、まさにこれである。同国政府は銀行金利の上限を五％に設定したうえで、インフレを二〇％以上に加速させた。ときにはこうした手段だけでは、収入を蓄えておきたいという政府の貪欲な要求を満たすことができず、結局は債務返済を完全に打ち切ってしまうケースもある。すなわち国内債務のデフォルトである。こうなれば銀行も自らの債務をデフォルトせざるを得ない。かくて預金者は、預金の一部または全部を失うことになる(政府が預金保険を提供するケースもあるが、デフォルトとなれば、結局は保険も反故《ほご》にされる)。

銀行危機と取り付け騒ぎ

新興市場国と先進国でもっと一般的に発生する銀行危機は、第一のタイプとはまったくちがう。

序章で述べたように、銀行は債務の満期構造を変換する役割を持つ。すなわち、短期の預金を長期のローンの形で貸し出す。このため銀行は、取り付け騒ぎに対してとくに脆弱になる。[*5] 銀行は、貯蓄預金や要求払い預金（これらは原則として通知なしに引き出すことができる）の形で借り入れる一方で、借り入れよりも期間の長い貸し出しを行う。企業に直接融資することもあれば、期間が長くリスクの大きい証券に投資することもある。銀行は、通常の状況であれば、預金の引き出しが多少増えても十二分に対応できるだけの流動資産を保有している。しかし取り付け騒ぎとなれば、話は別だ。預金者は銀行に対する信頼を失い、大勢が一度に大量に引き出そうとする。引き出しが増えれば、銀行は一刻を争って資産を現金化せざるを得ない。そうなると足元を見られ、資産を「投げ売り」価格でしか処分できない。きわめて流動性が低く特殊事情を伴う融資（銀行だけが事情に精通している地元企業への融資など）を抱えている場合には、とくにそうなりやすい。ここで主に取り上げるシステミックな銀行危機のさなかには、こうしたことがきわめて広い範囲の資産にまで拡大することがある。銀行が保有する資産はおおむね似通っているので、あらゆる銀行が一度に売りに出れば、市場は完全に麻痺してしまう。そして銀行が緊急に現金を必要とする、まさにそのときに、通常であれば比較的流動性の高い資産まで、突如として流動性が大幅に失われる。

こうしたわけだから、取り付け騒ぎさえなければ完璧に支払能力を維持していたはずの銀行も、投げ売り価格で資産を換金する事態となれば、破綻に追い込まれかねない。そうなると、破綻を見越した預金者の行動が、実際に破綻を招くことになる。この状況は、債権者グループが短期債務の借り換えを集団で拒絶するケースと心理的に似ており、複数均衡のもう一つの例と言える。取り付け騒ぎの場合には、預金者が集団で借り換えを拒絶するわけである。

とは言え現実には、銀行システムには取り付けに対処するさまざまな手段が備わっている。ターゲットになったのが一行だけなら、民間銀行の資金プールから一時的に借りて急場を凌ぐことができる。資金プールが実質的に銀行相互の預金保険の役割を果たすのである。だが広い範囲の銀行がターゲットになったら、このような民間の資金プールは機能しない。サブプライム・ローン問題に端を発する二〇〇七年のアメリカの金融危機は、そうした例の一つである。このときには、疑わしい住宅ローン資産が銀行部門で広く保有されていた。一国のほぼ全部の銀行に波及したシステミックな金融危機の例としては、もう一つ、一九九〇年代に多くの開発途上国で発生した通貨危機が挙げられる。どちらの例でも銀行システムに現実の損失が発生し、それが最終的にショックを誘発した。銀行への信頼が維持されるなら、ショックは鎮静化できるかもしれない。だが一旦取り付け騒ぎが始まればシステム全体が破綻しかねず、痛手で済んだはずの問題が災厄へと変質する。ダイアモンドとディビックは、預金保険で取り付け騒ぎを防ぎうると主張するが、彼らのモデルでは、適切な規制を設けないと預金保険が銀行の過度のリスクテイクを促すという事実が見落とされている。[*6]

一般に取り付け騒ぎは、官民を問わずレバレッジの高い借り手の脆弱性を示す重要な例と言えよう。この点は、すでに序章で論じたとおりである。二〇〇七〜〇八年にアメリカの金融システムが破綻したのは、伝統的な銀行部門に属さず、したがって規制を受けない金融会社が、流動性の低い投資を短期借り入れでファイナンスしたからだった。現代の金融システムにおいては、取り付け騒ぎのターゲットになるのは銀行だけではない。他のタイプの金融機関も、短期借り入れによるレバレッジの高い投資ポートフォリオを抱えていれば、格好のターゲットとなり得る。

銀行危機に伴うリセッションはなぜ高くつくのか

深刻な金融危機が単独で起きることは滅多にない。金融危機はリセッション（景気後退）の引き金になることより、増幅メカニズムとして作用することの方が多い。生産高の伸びが落ち込んで銀行融資の返済不履行が相次ぎ、それを受けて他の銀行が貸し渋り、さらに生産が落ち込み、返済遅滞や不履行が増える……という悪循環である。銀行危機はまた、通貨危機、国内および対外債務危機、インフレ危機など、他の危機を伴うことも多い（危機の同時発生やタイミングの問題は、第16章でくわしく扱う）。こうしたわけだから、本章で行うデータセットの最初の分析が、銀行危機の原因究明に関する決定的なものだとは考えないでほしい。これは比較的新しい分野であり、今後の研究に待たれる部分が大きい。

とは言え、金融危機が実体経済におよぼす影響に関する理論研究と実証研究はきわめて幅広く行われており、多大な発展がみられる。中でも非常に影響力の大きい研究の一つが、一九八三年に発表されたバーナンキによるものである。バーナンキはこの研究で、一九三〇年代初めにアメリカの銀行の半分近くが破綻した際には、銀行システム全体の融資能力が回復するまでに長期間を要したと指摘した。通常のリセッションが一年か二年で終わるのに対し、大恐慌は断続的に一〇年ほども続いたが、バーナンキによれば、あれほど長引いたのは金融システムの崩壊が主因だという（改めて言うまでもなく、バーナンキは二〇〇六年にＦＲＢ議長に就任している。したがって二〇〇七年に始まった第二次大収縮では、自身の学問的知見を実行に移す好機を得たわけである）。

バーナンキは後にマーク・ガートラーとの共同研究で理論モデルを提出し、借り手と貸し手の間の情報非対称に起因する金融市場の不完全性によって、金融政策ショックが増幅しうることをくわしく説明した。[*7] バーナンキ＝ガートラー・モデルでは、（たとえば負の生産性ショックなどで）正味資産が減少すると、企業は設備投資計画の縮小を余儀なくされ、生産に多大な影響がおよぶとされている。企業が投資計画を縮小するのは、内部留保が減るからである。このため比較的安上がりな内部金融ではなく資金調達コストの嵩む外部調達への依存度が高まり、計画の縮小を余儀なくされる。またリセッションになれば担保価値も目減りし、これも金融システムを通じて増幅される。

清滝とムーアは、より高度な異時点間モデルを使って同様の動きを解析した。[*8] この研究は、土地価格の急落（たとえば日本で一九九〇年代前半から始まったような急落）が企業の差し入れた担保の価値を毀損し、それが設備投資の縮小を招き、さらに土地価格が下落するという悪循環につながった可能性を示している。

バーナンキの一九八三年の論文では、景気後退中の信用チャネルの崩壊が、とくに中小企業にとって大きな痛手となったことが強調されている。知名度の低い中小企業の場合、大企業に比べ社債や株式の発行による資金調達がむずかしく、地縁や人的関係などでつながっていた銀行からの融資が受けられなくなると、これに代わる資金調達の道が閉ざされてしまう。その後の多くの研究でも、中小企業にとって銀行融資が主要な資金チャネルであることを示す豊富な事例と共に、リセッションになると中小企業が不当に痛手を被ることが指摘されている。[*9] だが、金融市場と実体経済に関する広範な理論研究にこれ以上紙面を割くのはやめておこう。ここでは、一国の銀行システムの崩壊がその国の成長軌道に甚大な影響をもたらすという見方は、多くの理論研究と実証研究に支持されている点だけを付け加えておく。[*10]

それではいよいよ、実証的な証拠に移ることにしたい。銀行システムは取り付け騒ぎに対して脆弱であるうえ、銀行危機がリセッションの増幅装置となりうることを示す理論的・実証的な証拠もあることを考えると、国にとって公的債務危機の長い歴史から脱するより金融危機を免れる方がむずかしいのは、容易に想像がつく。公的債務危機に関する限り、何世紀もデフォルトを起こしていない国は「卒業」したと言ってもよかろう。だがこれまでのところ、銀行危機から卒業できた主要国は一つもない。

表 10.1 対外債務のデフォルトと銀行危機（アフリカおよびアジア）（独立年～ 2008 年）

国名	デフォルトまたはリスケジューリング期間が独立年（または 1800 年）～ 2008 年に占める比率（%）	銀行危機中の期間が独立年（または 1800 年）～ 2008 年に占める比率（%）
アフリカ		
アルジェリア	13.3	6.4
アンゴラ	59.4	17.6
中央アフリカ共和国	53.2	38.8
コートジボワール	48.9	8.2
エジプト	3.4	5.6
ケニア	13.6	19.6
モーリシャス	0.0	2.4
モロッコ	15.7	3.8
ナイジェリア	21.3	10.2
南アフリカ	5.2	6.3
チュニジア	9.6	9.6
ザンビア	27.9	2.2
ジンバブエ	40.5	27.3
アジア		
中国	13.0	9.1
インド	11.7	8.6
インドネシア	15.5	13.3
日本	5.3	8.1
韓国	0.0	17.2
マレーシア	0.0	17.3
ミャンマー	8.5	13.1
フィリピン	16.4	19.0
シンガポール	0.0	2.3
スリランカ	6.8	8.2
台湾	0.0	11.7
タイ	0.0	6.7

（資料）筆者の計算。Purcell and Kaufman (1993); Kaminsky and Reinhart (1999); Bordo et al. (2001); Reinhart, Rogoff, and Savastano (2003a); Caprio et al. (2005); Jáome (2008); and Standard and Poor's. 巻末資料 A・2 も参照のこと。

（注記）1800 年以前に独立した国については、1800 ～ 2008 年を計算対象とした。

国名	デフォルトまたはリスケジューリング期間が独立年（または1800年）～2008年に占める比率（%）	銀行危機中の期間が独立年（または1800年）～2008年に占める比率（%）
コスタリカ	38.2	2.7
ドミニカ共和国	29.0	1.2
エクアドル	58.2	5.6
エルサルバドル	26.3	1.1
グアテマラ	34.4	1.6
ホンジュラス	64.0	1.1
メキシコ	44.6	9.7
ニカラグア	45.2	5.4
パナマ	27.9	1.9
パラグアイ	23.0	3.1
ペルー	40.3	4.3
ウルグアイ	12.8	3.1
ベネズエラ	38.4	6.2
北米		
カナダ	0.0	8.5
アメリカ	0.0	13.0
大洋州		
オーストラリア	0.0	5.7
ニュージーランド	0.0	4.0

（資料）筆者の計算。Purcell and Kaufman (1993); Kaminsky and Reinhart (1999); Bordo et al. (2001); Reinhart, Rogoff, and Savastano (2003a); Caprio et al. (2005); Jáome (2008); and Standard and Poor's. 巻末資料A・2も参照のこと。

（注記）1800年以前に独立した国については、1800～2008年を計算対象とした。

表 10.2 対外債務のデフォルトと銀行危機（ヨーロッパ、中南米、北米、大洋州）（独立年〜 2008 年）

国名	デフォルトまたはリスケジューリング期間が独立年（または 1800 年）〜 2008 年に占める比率（%）	銀行危機中の期間が独立年（または 1800 年）〜 2008 年に占める比率（%）
ヨーロッパ		
オーストリア	17.4	1.9
ベルギー	0.0	7.3
デンマーク	0.0	7.2
フィンランド	0.0	8.7
フランス	0.0	11.5
ドイツ	13.0	6.2
ギリシャ	50.6	4.4
ハンガリー	37.1	6.6
イタリア	3.4	8.7
オランダ	6.3	1.9
ノルウェー	0.0	15.7
ポーランド	32.6	5.6
ポルトガル	10.6	2.4
ルーマニア	23.3	7.8
ロシア	39.1	1.0
スペイン	23.7	8.1
スウェーデン	0.0	4.8
トルコ	15.5	2.4
イギリス	0.0	9.2
中南米		
アルゼンチン	32.5	8.8
ボリビア	22.0	4.3
ブラジル	25.4	9.1
チリ	27.5	5.3
コロンビア	36.2	3.7

銀行危機はどんな国にも起きる「機会均等」の脅威である

すでに述べたように、対外債務のデフォルト（または再編）の発生頻度は、先進国の方が新興市場国より目立って低い。多くの高所得国での発生率は、一八〇〇年以来実質的にゼロである。[*11] 一八〇〇年以前には度重なるデフォルトを長らく起こしてきた国（たとえばフランス、スペイン）も、現在のデータを見る限り、対外債務デフォルトを繰り返す症状からは卒業したと言ってよい。

表10・1と10・2の中央の列を見てほしい。ここには、公的対外債務のデフォルトまたはリスケジューリング期間が独立年（または一八〇〇年のいずれか遅い方）以降の期間に占める比率を示した。新興市場国（とくにアフリカと中南米、およびアジアの一部）と高所得国（ヨーロッパ、北米、大洋州）との大幅なちがいを見て取れる。同じ表10・1と10・2の右列には、同様に算出した銀行危機の期間の比率を掲げた（本書の拡張データセットを使い、銀行危機の年数を、独立年または一八〇〇年のいずれか遅い方から現在までの年数で除して算出した）。表を見て驚かされるのは、ソブリン・デフォルトに陥った状態の平均年数の方が、銀行危機に陥っている平均年数よりもはるかに長いことである。これは、国外の債権者であれば長い間言いくるめられるが、国内の銀行危機を長引かせると取引や投資に支障を来し、はるかに高い代償を伴うからだろう。

表 10.3　銀行危機発生件数（アフリカおよびアジア）

国名	1800年（または独立年）〜2008年	1945年（または独立年）〜2008年
アフリカ		
アルジェリア	1	1
アンゴラ	1	1
中央アフリカ共和国	2	2
コートジボワール	1	1
エジプト	3	2
ケニア	2	2
モーリシャス	1	1
モロッコ	1	1
ナイジェリア	1	1
南アフリカ＊	6	2
チュニジア	1	1
ザンビア	1	1
ジンバブエ	1	1
アジア		
中国	10	1
インド＊	6	1
インドネシア	3	3
日本	8	2
韓国	3	3
マレーシア	2	2
ミャンマー	1	1
フィリピン	2	2
シンガポール	1	1
スリランカ	1	1
台湾	5	3
タイ	2	2

（資料）筆者の計算。Kaminsky and Reinhart (1999), Bordo et al. (2001), Caprio et al. (2005), and Jáome (2008). 巻末資料A・2も参照のこと。

（注記）＊南アフリカは1850〜2008年、インドは1800〜2008年を計算対象とした。

国名	1800年（または独立年）〜2008年	1945年（または独立年）〜2008年
エルサルバドル	2	2
グアテマラ	3	2
ホンジュラス	1	1
メキシコ	7	2
ニカラグア	1	1
パナマ	1	1
パラグアイ	2	1
ペルー	3	1
ウルグアイ	5	2
ベネズエラ	2	2
北米		
カナダ	8	1
アメリカ	13	2
大洋州		
オーストラリア	3	2
ニュージーランド	1	1

（資料）筆者の計算。Kaminsky and Reinhart (1999), Bordo et al. (2001), Caprio et al. (2005), and Jáome (2008).

（注記）1800年以前に独立した国については、1800〜2008年を計算対象とした。

表 10.4 銀行危機発生件数（ヨーロッパ、中南米、北米、大洋州）

国名	1800年（または独立年）～2008年	1945年（または独立年）～2008年
ヨーロッパ		
オーストリア	3	1
ベルギー	10	1
デンマーク	10	1
フィンランド	5	1
フランス	15	1
ドイツ	8	2
ギリシャ	2	1
ハンガリー	2	2
イタリア	11	1
オランダ	4	1
ノルウェー	6	1
ポーランド	1	1
ポルトガル	5	0
ルーマニア	1	1
ロシア	2	2
スペイン	8	2
スウェーデン	5	1
トルコ	2	2
イギリス	12	4
中南米		
アルゼンチン	9	4
ボリビア	3	3
ブラジル	11	3
チリ	7	2
コロンビア	2	2
コスタリカ	2	2
ドミニカ共和国	2	2
エクアドル	2	2

表 10.5 銀行危機の地域比較（1800 〜 2008 年）

地域またはグループ	銀行危機中の期間が独立年（または 1800 年）〜 2008 年に占める比率（%）	銀行危機の一国当たり平均発生件数
アフリカ	12.5	1.7
アジア	11.2	3.6
ヨーロッパ	6.3	5.9
中南米	4.4	3.6
アルゼンチン＋ブラジル＋メキシコ	9.2	9.0
北米	11.2	10.5
大洋州	4.8	2.0
先進国グループ	7.2	7.2
新興国グループ	8.3	2.8

（資料）表 10・1 〜 10・4 に同じ。
（注記）先進国グループには、日本、北米、大洋州および下記以外の欧州各国を含む。新興国グループには、アフリカ、日本を除くアジア、中南米および欧州新興国（ハンガリー、ポーランド、ルーマニア、ロシア、トルコ）を含む。

表10・3と10・4では、銀行危機がいかに多くの国で発生しているかを別の視点から示した。中列は独立年または一八〇〇年のいずれか遅い方からの発生件数（危機の年数ではないので注意されたい）を、右列は第二次世界大戦後のみの件数を示す。ここでとくに注目すべき点の一つは、先進国では全期間にわたって、銀行危機がひんぱんに発生していることである。世界の金融センターとして機能したイギリス、アメリカ、フランスはとくに甚だしく、一八〇〇年以降にそれぞれ一二回、一三回、一五回の銀行危機を数える。銀行危機の発生頻度は、第二次世界大戦後になると、先進国でも主な新興市場国でも、共に目立って低下する。それでもポルトガルを除くすべての国で、今回の危機の前に少なくとも一度は戦後

表 10.6　銀行危機の地域比較（1945 〜 2008 年）

地域またはグループ	銀行危機中の期間が 1945 年（または独立年）〜 2008 年に占める比率（%）	銀行危機の一国当たり平均発生件数
アフリカ	12.3	1.3
アジア	12.4	1.8
ヨーロッパ	7.1	1.4
中南米	9.7	2.0
アルゼンチン＋ブラジル＋メキシコ	13.5	3.0
北米	8.6	1.5
大洋州	7.0	1.5
先進国グループ	7.0	1.4
新興国グループ	10.8	1.7

（資料）表 10・1 〜 10・4 に同じ。
（注記）先進国グループには、日本、北米、大洋州および下記以外の欧州各国を含む。新興国グループには、アフリカ、日本を除くアジア、中南米および欧州新興国（ハンガリー、ポーランド、ルーマニア、ロシア、トルコ）を含む。

に銀行危機が発生した。そして今回の危機を勘定に入れるなら、戦後になって頻度が下がったとも言えなくなる。以上のように、現在の先進国は公的債務のひんぱんなデフォルトや年率二〇%以上の高インフレからは卒業したが、銀行危機から卒業したとは言い難い。後の章で取り上げるが、このことは通貨暴落にも当てはまる。表10・1〜10・4が示すように、近年のソブリン・デフォルトの成績は先進国と新興市場国とで大幅に異なるにもかかわらず、こと銀行危機に関する限り、両者の間で発生頻度にさしたるちがいは見受けられない。また小さな国や貧しい国でも、金融市場が発達するにつれ銀行危機の発生率が高まる点に注意が必要である。[*12]

表10・5と10・6は、銀行危機の件

数および、危機の期間（年数）が独立年または一八〇〇年のいずれか遅い方からの期間に占める比率を地域別にまとめたもので、表10・5は一八〇〇年以降（この表では独立後に発生した銀行危機のみをカウントしているため、新興市場国の累計発生件数は少ない）を、表10・6は一九四五年以降を示す。

一八〇〇年以降（表10・5）、一九四五年以降（表10・6）いずれも、平均的には銀行危機の期間比率と発生件数に先進国と新興市場国との顕著なちがいは見られず、銀行危機には両者が同じように悩まされてきたことがわかる。むしろ第二次世界大戦前には、金融システムがより発達した先進国で、貧しい小さな国よりも銀行危機がひんぱんに発生する傾向があった。[*13] ただし小さな国は外国の債権者を自国の銀行代わりに活用していたのだから、もし金融部門がもっと発達していれば、彼らの一連の対外債務デフォルトは国内の銀行危機だっただろう、とも考えられる。

銀行危機、資本移動、金融自由化

図10・1に示すように、より自由な資本移動と銀行危機の発生率の間には、驚くべき相関性が認められる。これも、危機に関する現代の理論とよく一致する。図に示したのは世界全体の動きだが、地域あるいは国レベルの詳細を見れば、グラフが発するメッセージは一段と明確になる。それは、こうだ。資本が国境を越えて自由に移動する時代には、国際的な銀行危機が繰り

図 10.1　資本移動と銀行危機（全標本国、1800 ～ 2008 年）

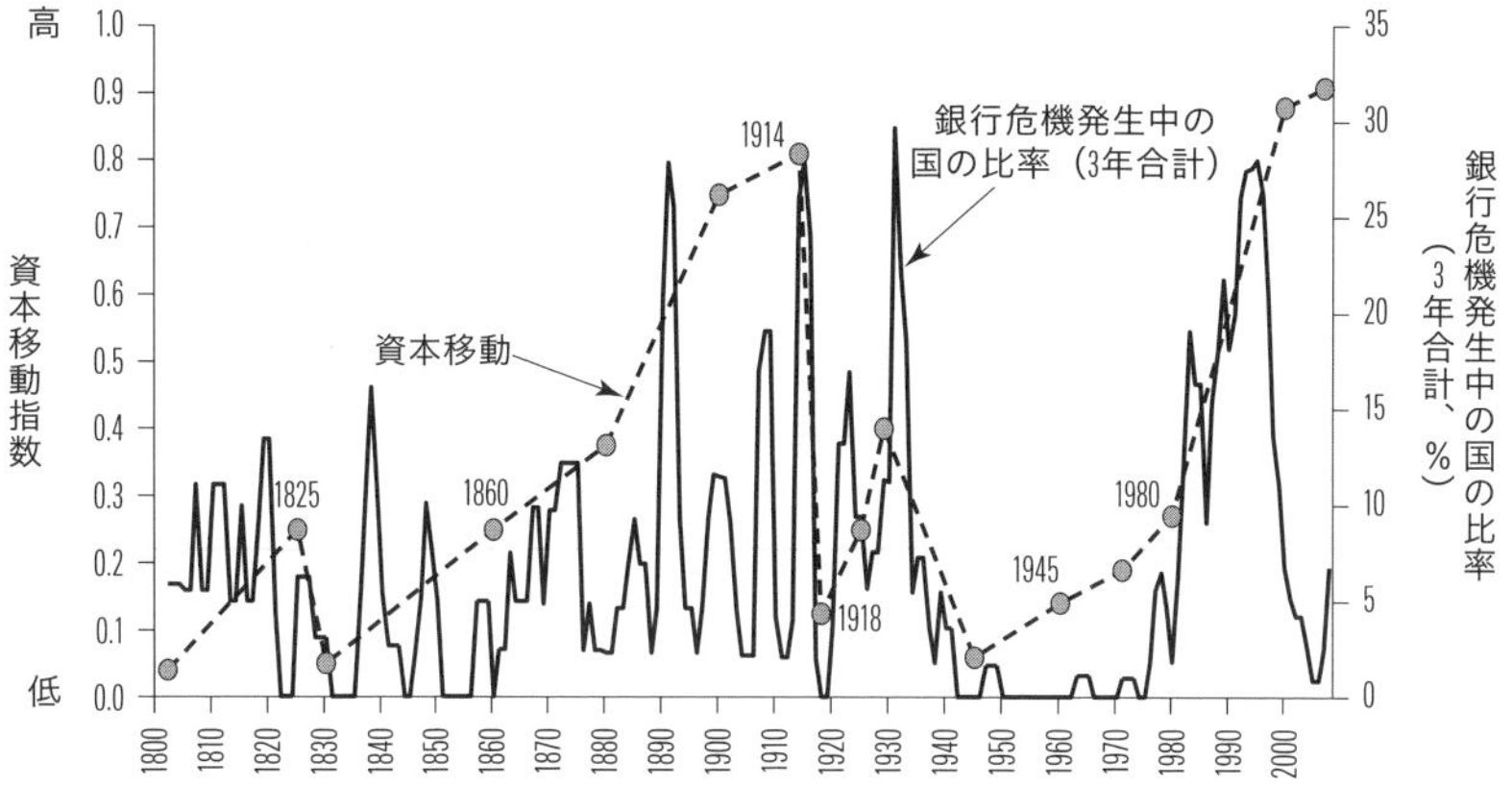

（資料） Kaminsky and Reinhart (1999), Bordo et al. (2001), Obstfeld and Taylor (2004), Caprio et al. (2005) および筆者の計算。

（注記） 全標本国が対象（基本標本 66 カ国以外の国も含む）。銀行危機の一覧は、巻末資料Ａ・３、Ａ・４を参照されたい。左軸に示した資本移動指数は、オブストフェルド＝テイラー指数を 1800 ～ 1859 年まで同じ手法で計算した。やや裁量的ながら、複雑な要因を簡便に把握することができる。

返し起きている。このことは、銀行危機の多発で悪名高い一九九〇年代だけでなく、どの時代についても言える。グラフでは、銀行危機発生中の国の比率（三年間の移動平均）は実線で示し（目盛りは右軸）、国際的な資本移動は指数化して点線で示した（目盛りは左軸）。指数化にはオブストフェルド＝テイラーの方式を踏襲し、本書の標本期間全体をカバーするため、現代へ延長すると同時に過去にも遡って計算した。[*14] オブストフェルド＝テイラー指数にはいくらか欠点もあるが、現実の資本フローに基づく事実上の資本移動に着目し、複雑な要因を簡便に要約したものと言える。

　一九七〇年以降については、カミンスキーとラインハートの研究に、危機と金融自由化の関係性を示す公式データが提示されている。[*15] この研究が取り上げた二六件の銀行危機のうち一八件は、金融部門の自由化から五年以内（多くはもっと短い期間内）で発生した。一九八〇年代、九〇年代には、深刻度の差はあるものの、金融自由化の大半が危機を伴っている。金融部門の自由化が混乱なく進んだのは、カナダなど一握りの国だけだった。カミンスキーとラインハートの研究は、金融自由化という条件下での銀行危機の発生確率が無条件での発生確率より高いとの証拠を示した点が、とくに注目に値する。またデミルギュス・クントとデトラギーシュは、一九八〇〜九五年の期間について五三カ国の標本を用い、多変数ロジット・モデルによって、金融自由化が銀行部門の安定性に独立のマイナス効果をもたらすこと、この結果がさまざまな状況で確実に成り立つことを示した。[*16]

カプリオとクリングベールは、規制緩和と銀行危機がこれほど密接に関連づけられるのはなぜか、説明を試みた。この研究が提示した定型化されたデータは、自由化の際の不適切な規則や監視体制の不備が重要な要因となりうることを示唆している。[*17] これもまた、先進国、新興市場国のいずれにも共通する。たとえば「今回はちがう」シンドロームにすっかり染まっていた二〇〇〇年代のアメリカも、例外ではない。というのも金融イノベーションは、金融自由化の一変種と考えられるからである。

資本流入ラッシュ、信用サイクル、資産価格

本節では、国、地域、時代を超えて銀行危機に共通する特徴のうち、いくつかを検証する。中でも注目したいのは、国際的な資本フロー、信用、資産価格（とくに住宅価格と株価）のサイクルにみられる規則性である。

資本流入の急増と銀行危機

銀行危機の前段階に共通する特徴の一つに、資本流入がかなりの期間にわたって急増することが挙げられる。C・ラインハートとV・ラインハートはこれを「資本流入ラッシュ（capital flow bonanza）」と名づけ、それを定義する基準（おおざっぱに言うと、複数年にわたりGDPの数パーセント相当が流入）を解説している。そして、一九六〇〜二〇〇六年の流入ラッシュを国別に列挙し、銀行危機との関連性を調べた。[18] ラインハートらの研究が対象にした危機は巻末資料A・3に掲げた。[19]

銀行危機と資本流入ラッシュの時期から、二種類の銀行危機の発生確率を国ごとに計算することができる。一つは期間を限定しない確率、もう一つはラッシュ前後三年間の確率である。前者を無条件の発生確率、後者を条件付きの発生確率と呼ぶことにする。資本流入の急増が危機の呼び水になるのだとしたら、条件付き発生確率は無条件の発生確率より高くなるはずだ。

表10・7に、ラインハートらの研究で提出された結果のうち、銀行危機に関する部分を示す。[20] この表は、三グループ（高・中・低所得国）六六カ国を対象に、条件付きおよび無条件の

表 10.7　資本流入ラッシュと銀行危機発生率（標本 66 カ国）（1960 ～ 2007 年）

指標	銀行危機発生中の国の比率（%）
銀行危機発生率	
条件付き（流入ラッシュ前後 3 年間）発生率	18.4
無条件の発生率	13.2
両者の差	5.2 *
条件付き＞無条件となった国の比率	60.9

（資料）Reinhart and Reinhart (2009, tables 2 and 4) と筆者の計算。
（注記）条件付き発生率は、資本流入ラッシュの前後 3 年以内に銀行危機が発生した率を意味する（前掲資料の table2 参照）。＊印は、有意水準 1％で統計的に有意であることを示す。

危機発生確率をまとめたものである。この表から、ラッシュ前後三年間の条件付きの銀行危機発生確率は、無条件の発生確率より高いことが読み取れる。表10・7の一番下の行には、流入ラッシュがあった国では危機が起きやすいことを示すもう一つの数字として、条件付き発生確率が無条件の発生確率より高かった国の比率を記載した。半数を優に上回る約六一％の国で、ラッシュ前後三年以内に銀行危機の発生確率が高まっている。二〇〇七年以降のデータを加えれば、この比率はさらに高まるはずだ（きわめて深刻な銀行危機に見舞われた多くの国が、危機の直前には巨額の経常赤字を抱えていた。ここには、アイスランド、アイルランド、スペイン、イギリス、アメリカなどの先進国も含まれる）。

　資本流入ラッシュに関する以上の考察は、信用サイクルに関してつきとめられた実証的な他の規則性とも一致する。メンドーサとテロネスは先進国と新興市場国における信用サイクルを調べ、ラインハートらとはまったくちがう手法を使って、新興市場国の信用ブームの前には資本流入が急増したケースが多いことを突き止めた。メンドーサらは、信用ブームが必ず金融危機につながるわけではないが、新興市場国で発生した危機の大半は、その前に信用ブームが起きていると述べ、これを資産価格の上昇と関連づけている。[*21] この点は、次節で論じることにしたい。

株価・住宅価格サイクルと銀行危機

ここでは資産価格バブルと銀行危機に関する先行研究を概観し、さらに新興市場国の住宅価格に関する新しいデータおよび先進国で進行中の危機に関するデータを加味して検討する。

いまや悪名高いアメリカの不動産バブルは二〇〇五年末にしぼみ始め、このたびのグローバル金融危機の元凶としてスポットライトを浴びている。だがこの点に関する限り、第二次大収縮がとりたてて特殊な現象というわけではない。私たちは以前に行った研究で、第二次世界大戦後の先進国で発生したすべての銀行危機を対象に、その前後の実質住宅価格の推移を調べている。その調査では、とくに「五大危機」（一九七七年のスペイン、八七年のノルウェー、九一年のフィンランドとスウェーデン、九二年の日本）に注目した。[*22] これらのケースでは、危機前に実質住宅価格が急上昇し、危機発生年およびその後の数年間は下落するというパターンが明らかに認められた。一九七〇～二〇〇一年の先進国について調べたボルドーとジーンも、銀行危機は実質住宅価格上昇のピーク時または急落直後のいずれかに発生する傾向があると指摘している。[23] またゲルトループは、一八九〇年代から一九九三年にかけてノルウェーで発生した三件の銀行危機を取り上げ、これらの危機と住宅価格の急騰・急落との関連性について、説得力のある議論を提示している。[24]

表10・8は、歴史的に銀行危機を伴うことの多かった住宅価格下落の下落幅と期間を、先進国・新興市場国の両方について示したものである。先進国における銀行危機と住宅価格のサイクルは私たち自身も以前に調査したことがあり、ほかにも多数の研究で取り上げられているが（その多くはケーススタディである）、新興市場国における大規模な銀行危機前後の住宅価格動向を体系的に示すのは、これが初めてである。ここで取り上げた過去の事例には、一九九七〜九八年にアジアで起きた「六大危機」（インドネシア、韓国、マレーシア、フィリピン、タイ、香港）が含まれている（香港はやや軽微だった）。

新興市場国での危機の事例には、このほかに二〇〇一〜〇二年のアルゼンチンの大規模な危機、一九九八年のコロンビア危機も含まれている。これらの危機は、国民所得統計が作成されるようになった一九二〇年代前半以後では最悪のリセッションをもたらした。また今回の危機に関しては、住宅バブルが発生した事例として、先進国（アイスランド、アイルランド、スペイン、イギリス、アメリカ）のほかにハンガリーを含めた。[25]

表10・8の数字を見ると、二つの特徴に気づく。第一は、先進国でも新興市場でも実質住宅価格の下落期間が長く、おおむね四〜六年におよぶことである。[26] 第二は、銀行危機前後に見られる実質住宅価格の最高値から底値までの下落幅は、新興市場国と先進国とでさほど変わら

表 10.8　実質住宅価格のサイクルと銀行危機

国名	銀行危機発生年	ピーク	底	下落期間（年数）	下落幅（％）
先進国（五大危機の発生国）					
フィンランド	1991	1989:Q2	1995:Q4	6年	−50.4
日本	1992	1991:Q1	進行中	進行中	−40.2
ノルウェー	1987	1987:Q2	1993:Q1	5年	−41.5
スペイン	1977	1978	1982	4年	−33.3
スウェーデン	1991	1990:Q2	1994:Q4	4年	−31.7
アジア金融危機（六大危機の発生国）					
香港	1997	1997:Q2	2003:Q2	6年	−58.9
インドネシア	1997	1994:Q1	1999:Q1	5年	−49.9
マレーシア	1997	1996	1999	3年	−19.0
フィリピン	1997	1997:Q1	2004:Q3	7年	−53.0
韓国*	1997	2001:Q2		4年	
タイ	1997	1995:Q3	1999:Q4	4年	−19.9
その他の新興市場国					
アルゼンチン	2001	1999	2003	4年	−25.5
コロンビア	1998	1997:Q1	2003:Q2	6年	−51.2
第二次世界大戦前					
ノルウェー	1898	1899	1905	6年	−25.5
アメリカ	1929	1925	1932	7年	−12.6
進行中の第二次大収縮					
ハンガリー	2008	2006	進行中	進行中	−11.3
アイスランド	2007	2007/11	進行中	進行中	−9.2
アイルランド	2007	2006/10	進行中	進行中	−18.9
スペイン	2007	2007:Q1	進行中	進行中	−3.1
イギリス	2007	2007/10	進行中	進行中	−12.1
アメリカ	2007	2005/12	進行中	進行中	−16.6

（資料）Bank for International Settlements、国別の出典は巻末資料Ａ・１とＡ・２に記載。
＊印は期間が短くピークがなかった。

図 10.2　実質株価と銀行危機（標本数：新興市場国の危機 40 件）（1920 ～ 2007 年）

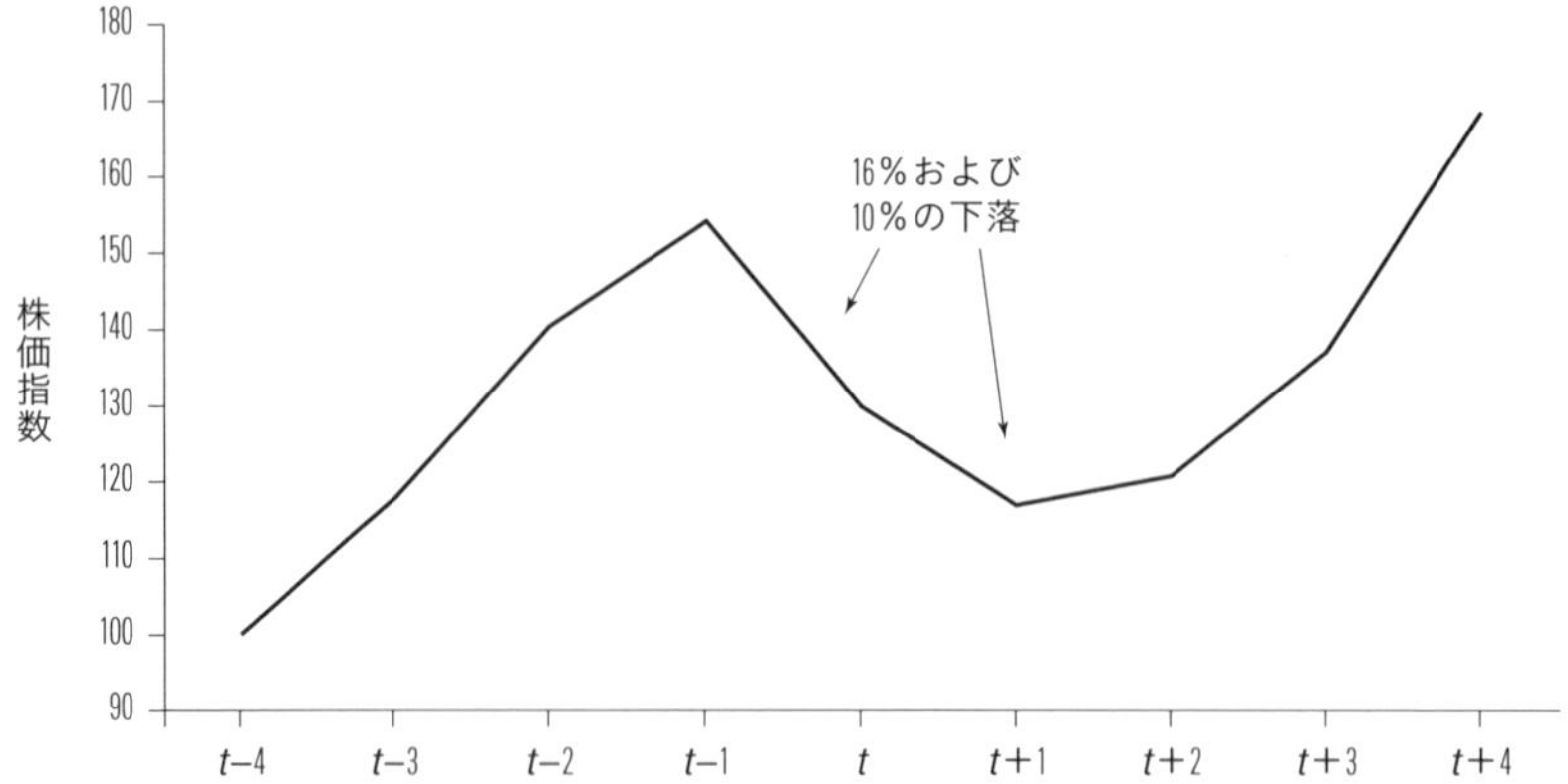

（資料）Global Financial Data (n.d.) および筆者の計算。
（注記）40 件中 4 件は第二次世界大戦前（1921 ～ 29 年）。発生年＝ *t*。指数の基準年＝ *t*-4。

ないことである。他のマクロ経済指標の変動性は新興市場国の方がはるかに大きいことを考えると、この類似はきわめて意外であり、一層の注意を払うに値しよう。*27 私たちは銀行危機が国を選ばない脅威であると主張してきたが、銀行危機前後の住宅価格の急騰・急落を国際的に比較して得られたこの最初の結果は、その主張を強力に裏付けるものと言ってよい。

金融危機後に住宅価格の下落が長引くのは、実質株価の動きと好対照をなしている。株価の推移を図10・2に示したが、株価は、よりV字に近い反発を見せている（このグラフが表すのは新興市場国のみだが、第五部でくわしく分析するとおり、先進国の株価も同じようなV字回復を遂げている）。

図10・2に示したのは、危機の四年前から四年後にかけての実質株価の推移である。グラフは、株価が一般に銀行危機の前年に天井を打

ち、危機に近づくにつれて下落し、それが二〜三年にわたって続くことをはっきりと示している。そして新興市場国の場合には、下落は危機の翌年まで続く。危機の四年後には実質株価は平均して危機前のピークを上回っており、この意味で回復は完了したと言える。ただし危機後の日本は、株価がこのパターンとまったく一致せず、暗い反例となっている。同国では、株価は危機前の水準よりはるかに低いピークにかろうじて達しただけで、その後も低空飛行が続いている。

　大規模な銀行危機が長引くのは、不動産市場の長いサイクルが関わっていることが一因ではないかと推測される。この点が、たとえば一九八七年一〇月の「暗黒の月曜日《ブラックマンデー》」や二〇〇一年のＩＴバブルの崩壊など「株式市場のみの暴落」とは異なっている。*28

金融業界の供給過剰

フィリッポンはアメリカにおける金融サービス部門（保険を含む）の拡大を研究し、一九七六〜八五年にはＧＤＰに占める比率は四・九％だったのが、一九九六〜二〇〇五年には七・五％に拡大したと指摘した。*29 そして、これほど大幅の拡大は持続不能であり、ＧＤＰ比で少なくとも一％の縮小は必至だと主張している。サブプライム危機を受けて金融部門は二〇〇八〜〇九年に縮小したが、これはフィリッポンの指摘よりかなり大幅だった。もっとも銀行危機前に金融部門が急拡大し危機後に崩壊するのは、けっして目新しい現象ではなく、またアメリカに限

図 10.3　アメリカの銀行数（1900 〜 45 年）

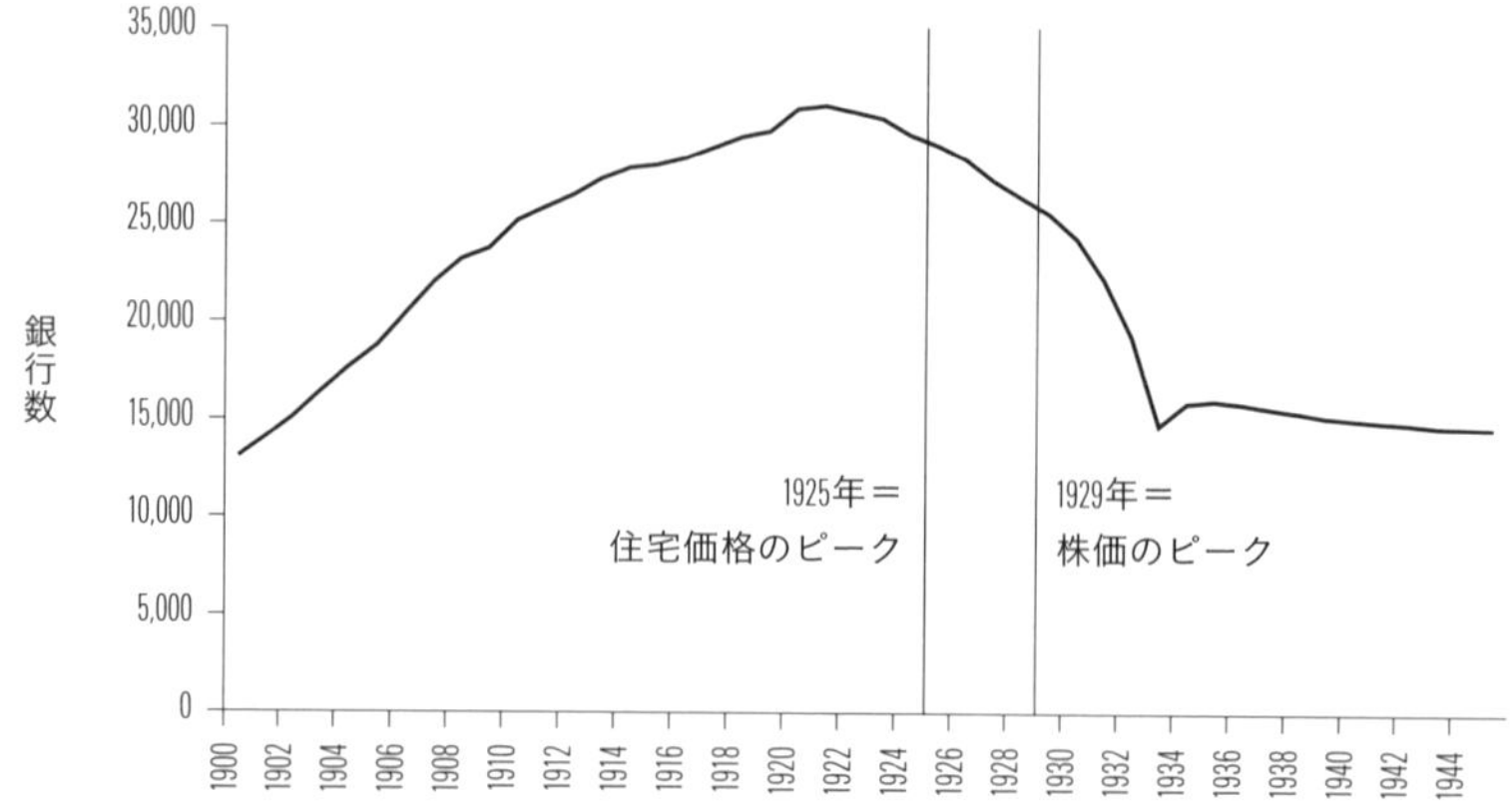

（資料）Carter et al. (2006).

った話でもない。

図10・3に、大恐慌前後のアメリカにおける銀行の数を示した。おそらくは株式と住宅価格のバブルが金融機関の数にも波及効果をもたらしたのだと考えられる。金融機関のこうした危機前の増加と危機後の急減は、他の銀行危機の際にも明らかに認められる。とくに危機前に金融自由化が実施された場合には、この現象が顕著になる。

金融危機が財政に残す重荷

銀行危機が財政と経済成長におよぼす影響を見ると、ここでも、先進国と新興市場国が意外にも似通っていることに気づく。とくに財政への影響分析では、従来の研究とはっきり異なる結果が出た。従来の研究の多くは、政府が負担する「救済コスト」を主に論じているが、以下で指摘するように、救済コストの計測はきわめてむずかしい。そこで私たちが着目したのは、中央政府の財政コストである。とくに銀行危機後の政府債務の急増に注目した。本書の研究のために、年度別の国内債務の広範なデータセットを多数の国について作成しておいたことが、政府債務の調査に役立った（これらのデータがすでにこれまでの章でも活用されていることは、改めて言うまでもない）。データセットから、危機の直後には債務が目立って急増することが確かめられた。

救済コストの推定値

先ほど指摘したとおり、銀行危機に関する従来の研究の多くは、最終的な救済コストの推定に重点が置かれている（たとえばフライドルのすぐれた研究、ノルウェー中央銀行が公刊した多数の研究論文などを参照されたい）。[*30] しかし使用する手法によって救済コストの推定値が研究ごとに大きく異なるうえ、危機が財政におよぼした影響を計算する際に期間をどうとるかによって、このばらつきはさらに大きくなる。この点は、フライドルが強調しているとおりである。[*31]

表10・9では、ほぼすべての地域から先進国および新興市場国のよく知られている銀行危機を抽出し、救済コストの推定値の最大値と最小値を示した。表からわかるように推定値のばらつきは大きく、ときに目を疑うような差が出ている。第二次世界大戦以降に先進国で発生した「五大危機」から、たとえば日本とスペインの推定救済コストの差を取り上げてみよう。前者はＧＤＰ比で一六％、後者は一一％もの差がある。しかもベイルの研究が示唆するように、

表 10.9 銀行危機に伴う推定救済コスト

国名（カッコ内は危機発生年）	推定救済コスト（GDP 比）（%）		
	最大値	最小値	差
アルゼンチン（1981）	55.3	4.0	51.3
チリ（1981）	41.2	29.0	12.2
ガーナ（1982）	6.0	3.0	3.0
日本（1992）	24.0	8.0	16.0
ノルウェー（1987）＊	4.0	2.0	2.0
フィリピン（1984）	13.2	3.0	10.2
スペイン（1977）	16.8	5.6	11.2
スウェーデン（1991）	6.4	3.6	2.8
アメリカ（S & L 危機）（1984）	3.2	2.4	0.8

（資料）Frydl (1999) and sources cited therein.
（注記）＊ Norges Bank（2004）はノルウェー政府が最終的に利益を上げげたと指摘している。

危機後の期間を長くとって計算した場合、最大値との差はさらに拡がる。ベイルは、ノルウェー政府が銀行危機の救済策から最終的に少々の利益を手にしたことを示した。これは、国有化した銀行の株式を後に売却したためである。＊32

次に述べる理由から、多くの研究で行われている救済コストの不可解な計算は正しい理解を妨げ、かつ不完全である。まず、推定値の計算方法に関する広く認められた指針が存在しない点で、正しい理解を妨げる。さらに、銀行危機が財政に与える影響は目先の救済コストよりもはるかに広い範囲におよぶ点で、不完全である。こうした結果が起きる主な原因は、危機が起きればほぼすべてのケースで政府の収入が大幅に減ること、また場合によっては危機への政策対応として大規模な財政出動が行われることにある。

図 10.4　銀行危機前後の実質 GDP 成長率（購買力平価ベース）（先進国のみ）

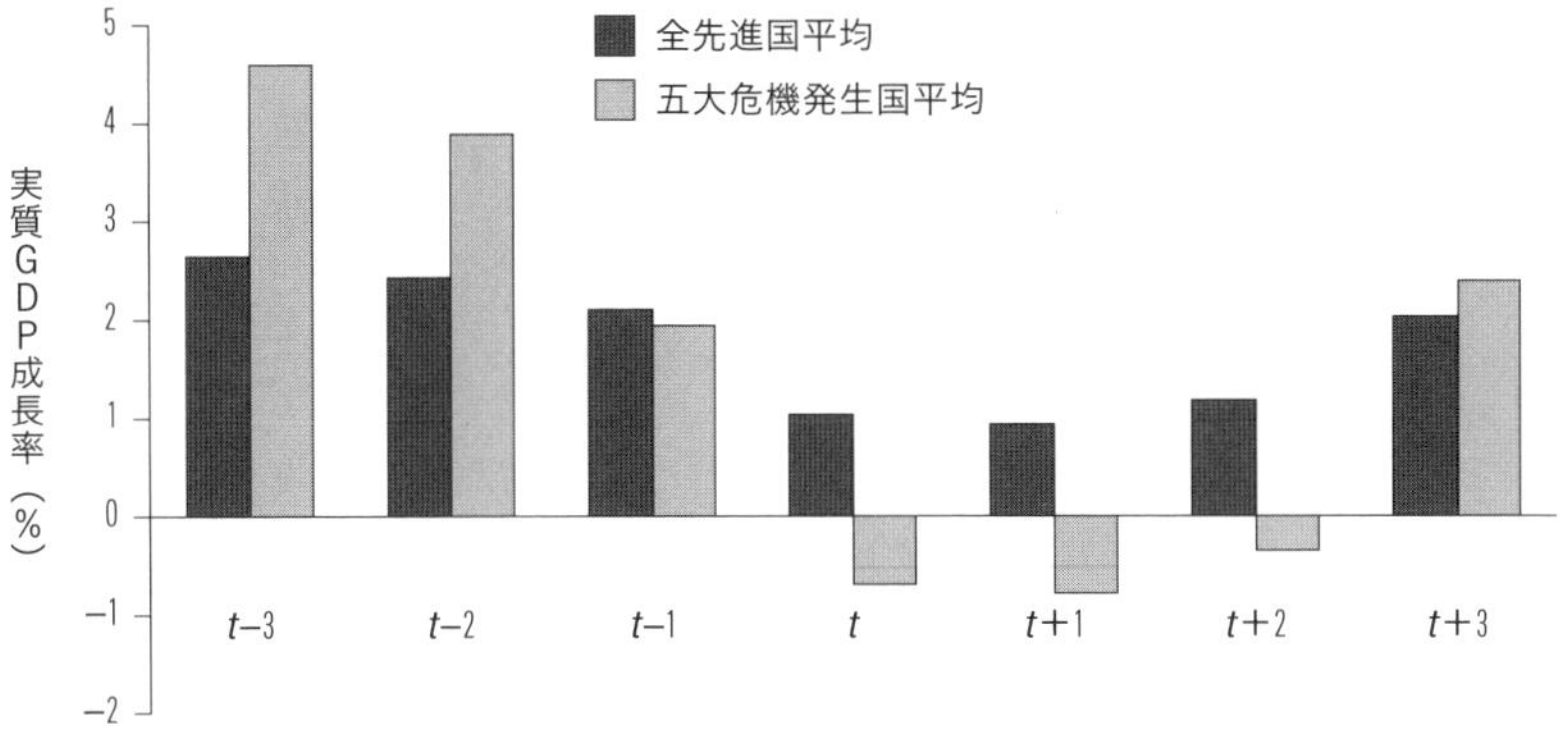

（資料）Maddison (2004); International Monetary Fund (various years), *World Economic Outlook*; Total Economy Database (2008), and the authors' calculations.

（注記）銀行危機の詳細は巻末資料Ａ・３を参照されたい。危機発生年＝*t*。

図 10.5　銀行危機前後の実質 GDP 成長率（購買力平価ベース）（新興市場国のみ）

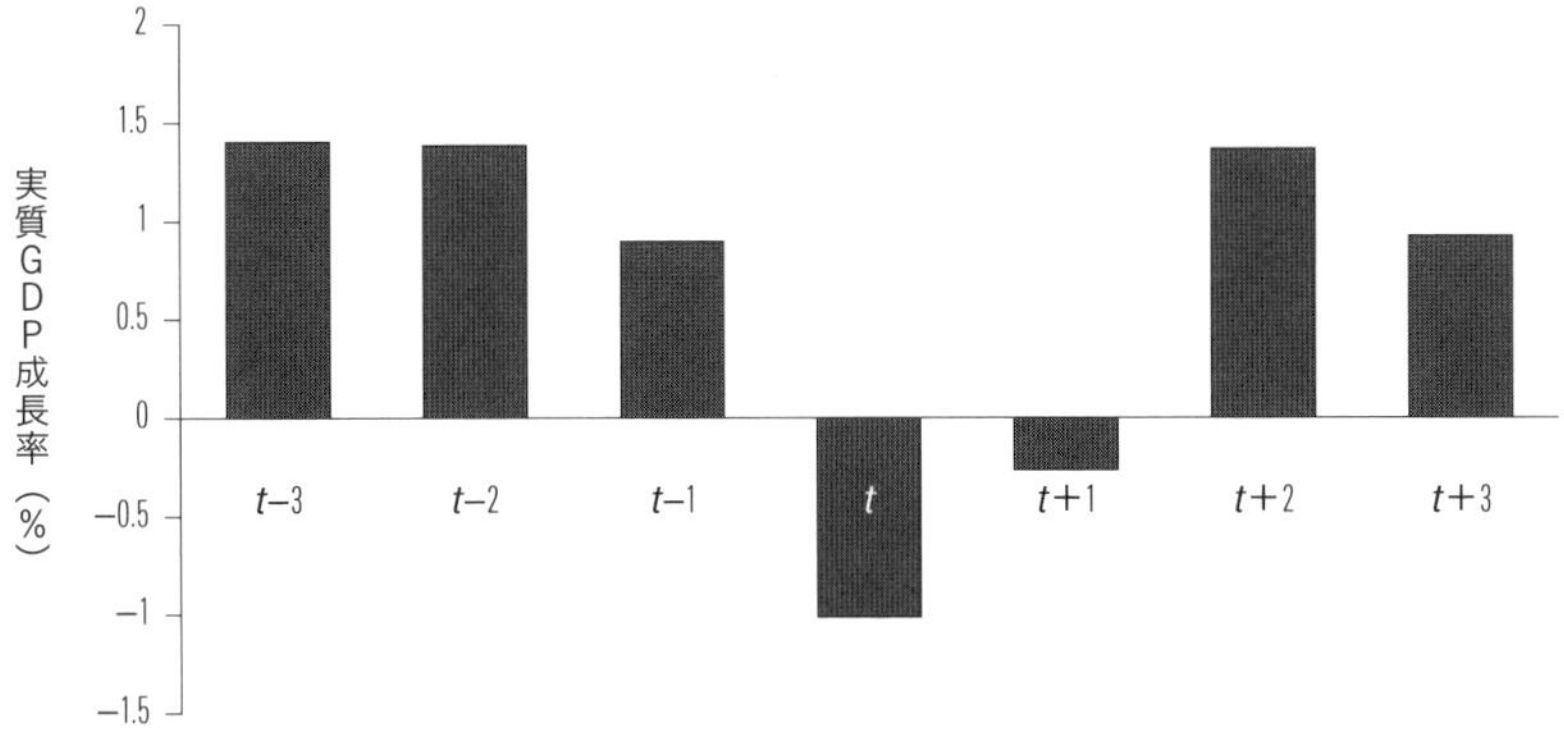

（資料）Maddison (2004); International Monetary Fund (various years), *World Economic Outlook*; Total Economy Database; and the authors' calculations.

（注記）銀行危機の詳細は巻末資料Ａ・３およびＡ・４を参照されたい。危機発生年＝*t*。

危機後の経済成長

ほとんどの銀行危機、とりわけシステミックな危機が景気低迷を伴うことは、実証研究で十分に確かめられている。しかし、住宅供給や政府債務、さらに広く財政一般といった主要経済指標への影響については、これまで十分に研究されてこなかった。*33 図10・4に、先進国における銀行危機前後の実質GDP成長率を示した。このグラフでは、先進国グループと「五大危機」当事国（日本、北欧三カ国、スペイン）グループを対比させてある。また図10・5には、新興市場国で第二次世界大戦後に発生した銀行危機について、同様の分析を行った結果を示した。前のグラフと同じく、tは危機発生年を表す。両方のグラフを見比べると、新興市場国の方が落ち込みは顕著だが、立ち直りがいくらか早いのは興味深い。銀行危機が経済成長におよぼす長期的影響を検証するのは、本書の手に余る（銀行危機の終了時点を正確に特定するのがまずむずかしいうえ、経済成長というものは、ここで取り上げるにはあまりに複雑である）。それでも、危機後のこのパターンが注目に値することは言っておきたい。なぜなら、成長（言うまでもなく、それ自体としても重要である）は、財政収支、政府債務、さらに金融危機のより広範なコストや深刻度に少なからぬ波及効果をもたらすからである。

危機が税収と債務におよぼす影響

第二次世界大戦以降、システミックな銀行危機に対する最も一般的な政策対応は、新興市場国でも先進国でも、銀行部門の救済だった（それがうまくいくかどうかはまた別の話である）。救済は、不良資産の買い取り、経営不振に陥った銀行と比較的健全な銀行との強制的な合併、直接的な政府管理、あるいはこれらの組み合わせなどにより行われる。こうした措置をとれば、多くの場合財政面にも多大な影響があり、とりわけ危機の初期段階での影響が大きい。しかし先ほどから繰り返し強調しているように、銀行危機は長引きやすく、資産市場、とりわけ不動産価格や実体経済への影響はいつまでも尾を引く。したがって当然ながら、危機によって歳入は重大な悪影響を被る。

すでに紹介したように、銀行危機が経済活動に与える悪影響は多くの研究で検証されてきた。だがこれらの研究では、リセッションが政府財政、とくに税収に与える直接的な影響が論じられていない。図10・6に、一八〇〇～一九四四年に発生した銀行危機のうち完全な歳入データを入手できた八六件について、危機三年前から三年後までの実質税収年間伸び率の平均パターンを示した。*34

図10・7は、第二次世界大戦後に発生した銀行危機一三八件についての同様のグラフである。標本のパターンは戦前と戦後でまったく同じではないが、しかし驚くほど似ている。銀行危機が発生するまでは歳入は順調に伸びているが、危機発生年には激減し、その直後も減少が

図 10.6　銀行危機前後の実質税収（1800 ～ 1944 年）

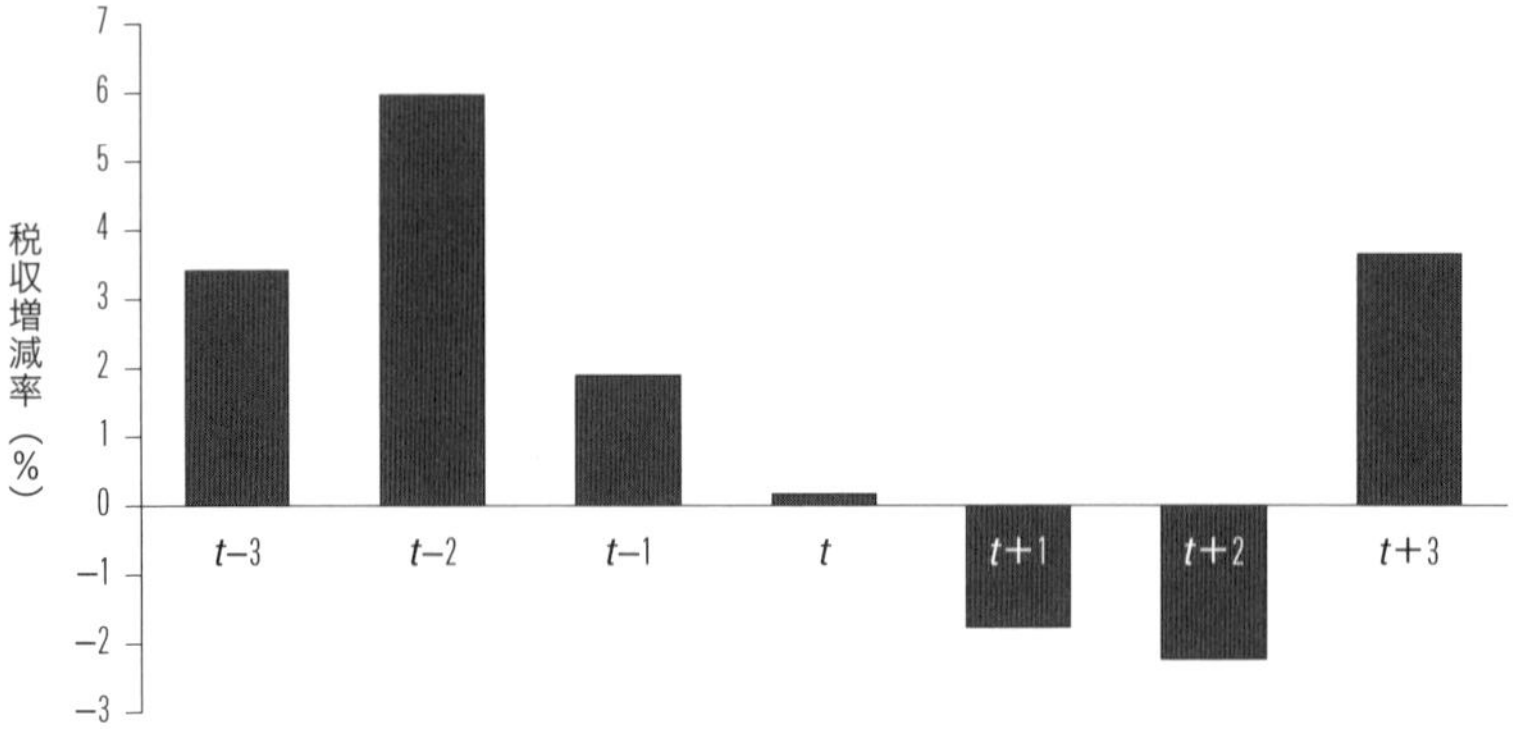

（資料）税収については Mitchell (2003a, 2003b)。各国資料については Reinhart and Rogoff (2008a)。

（注記）グラフから、危機後の税収減が目新しい現象ではないことがわかる。税収は、消費者物価指数で実質化した。標本は、税収データがそろっている第二次世界大戦前の銀行危機 86 件。危機発生年＝ t。

図 10.7　銀行危機前後の実質税収（1945 ～ 2007 年）

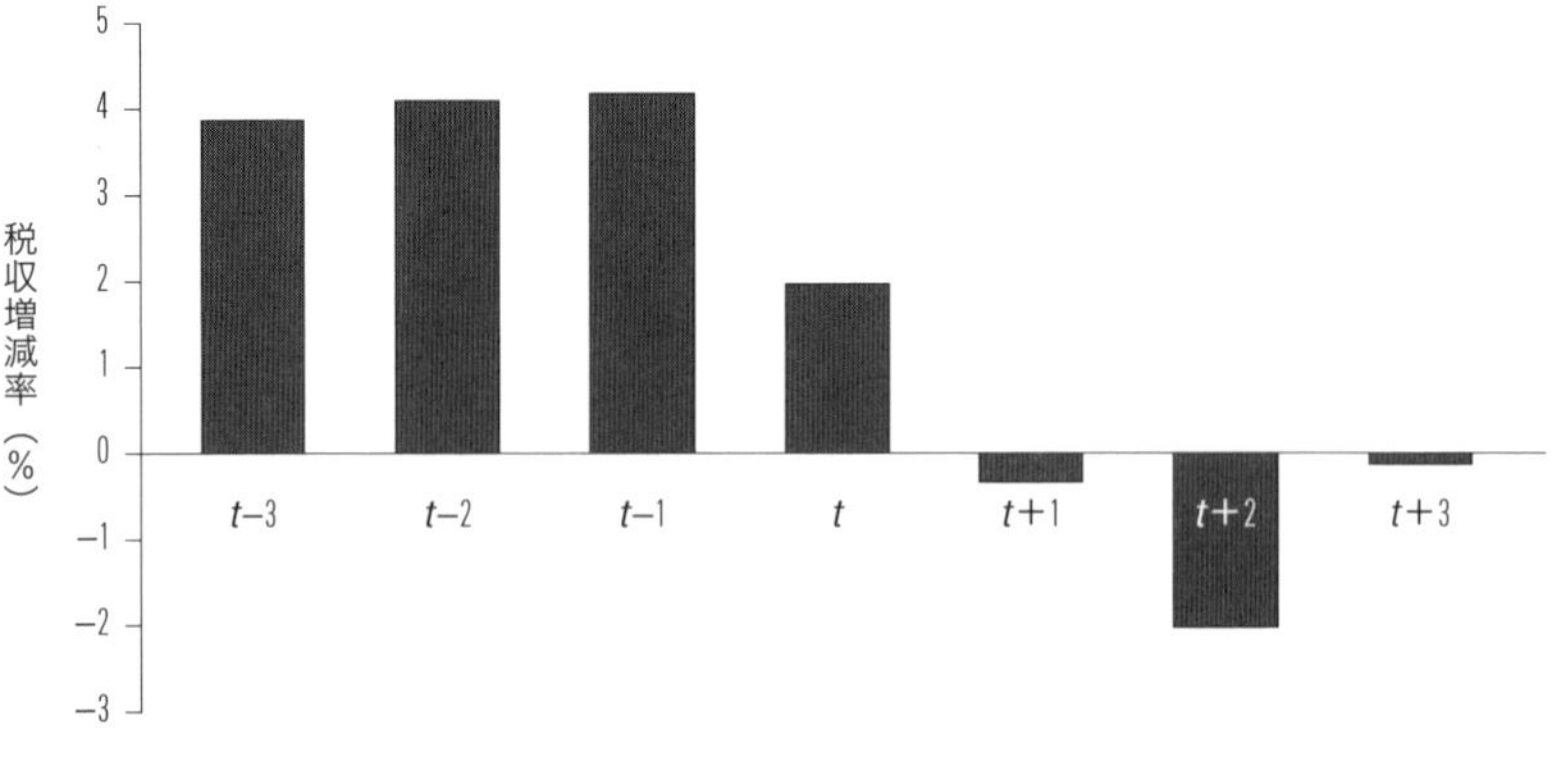

（資料）税収については Mitchell (2003a, 2003b)。各国資料については、Reinhart and Rogoff (2008a)。

（注記）グラフから、救済コストは危機後の公的債務のごく一部に過ぎないことがわかる。税収は、消費者物価指数で実質化した。標本は、税収データがそろっている第二次世界大戦後の銀行危機 138 件。危機発生年＝ t。

続く。戦前の危機では、減少は平均して二年にとどまっているが、戦後になると三年目に入っても減少がみられる。

新興国と先進国の税収パターンの類似性

危機前後の税収パターンは、またしても先進国と新興市場国とで驚くほどよく似ている。図10・8には、先進国の全標本について、銀行危機前後の税収の推移を示した。戦後の「五大危機」も併記してある。全体としてみると、税収の伸びが（低い水準から）プラスに転じるのは、危機後三年目からである。先進国の場合、経済活動への衝撃を和らげるために、景気刺激策に頼る傾向が強い。一九九〇年代の日本で積極的な公共投資が行われたのは、その代表例である。これに対して新興市場国は、債務に対する耐性が先進国より弱いうえ、気まぐれな国際資本市場への依存度が高いため、景気対策を講じられるような状況ではない。にもかかわらず、銀行危機が税収におよぼす影響は、新興市場国でも先進国でもさして変わらなかった。図10・9には、新興市場国の全標本について、銀行危機前後の税収の推移を示した。税収の平均的な落込みは、「五大危機」のパターンときわめてよく似ている。ただし回復は、先に取り上げたGDP成長率の場合と同じく、新興市場国の方が早い。

図 10.8　銀行危機前後の実質税収（先進国のみ、1815 ～ 2007 年）

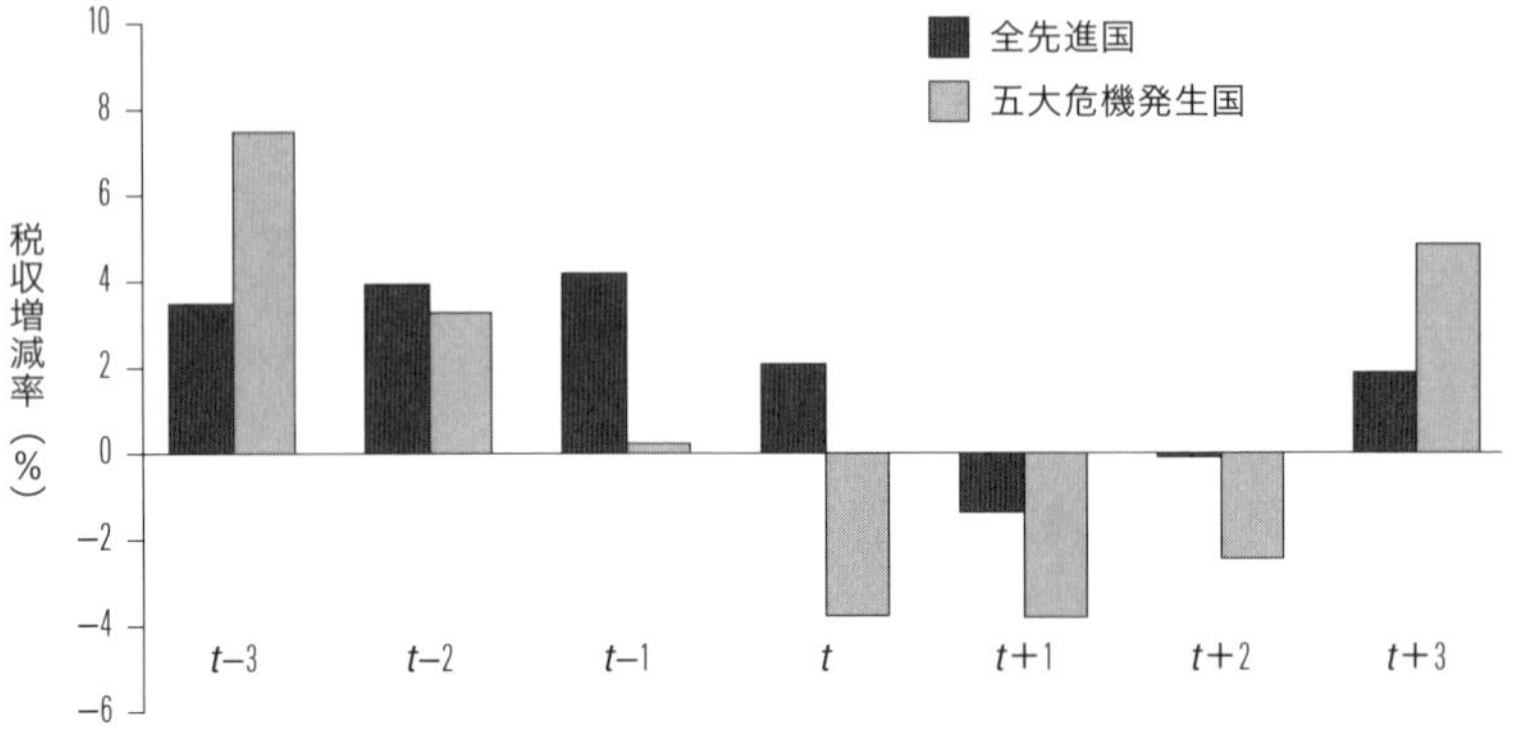

（資料）税収については Mitchell (2003a, 2003b)。各国資料については、Reinhart and Rogoff (2008a)。
（注記）税収は、消費者物価指数で実質化した。危機発生年＝ *t*。

図 10.9　銀行危機前後の実質税収（新興市場国のみ、1873 ～ 2007 年）

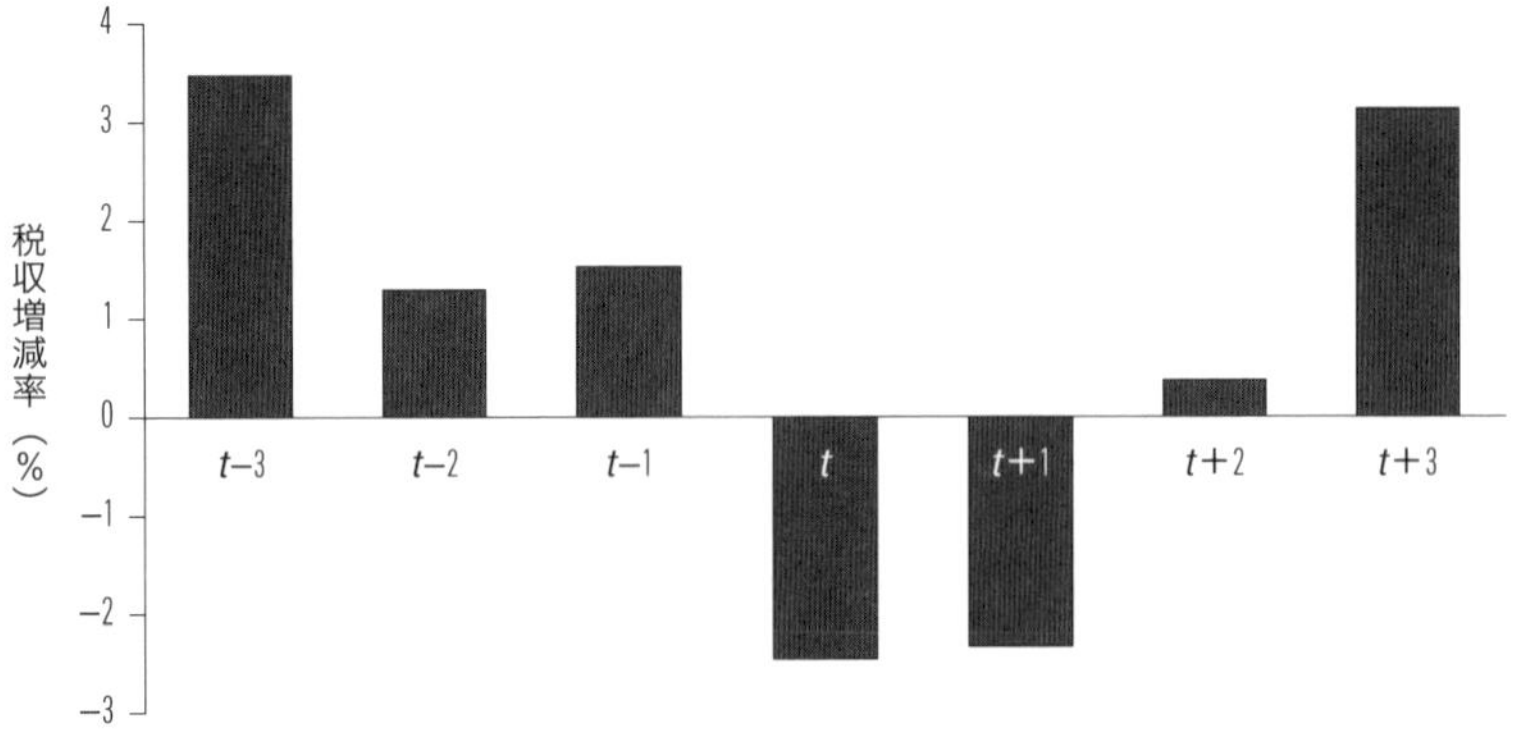

（資料）税収については Mitchell (2003a, 2003b)。各国資料は巻末資料Ａ・Ⅰ。
（注記）グラフから、税収減が債務を増大させていることがうかがわれる。危機発生年＝ *t*。

図 10.10　銀行危機後３年間における公的債務増加分の累計（新興市場国、先進国から抽出）

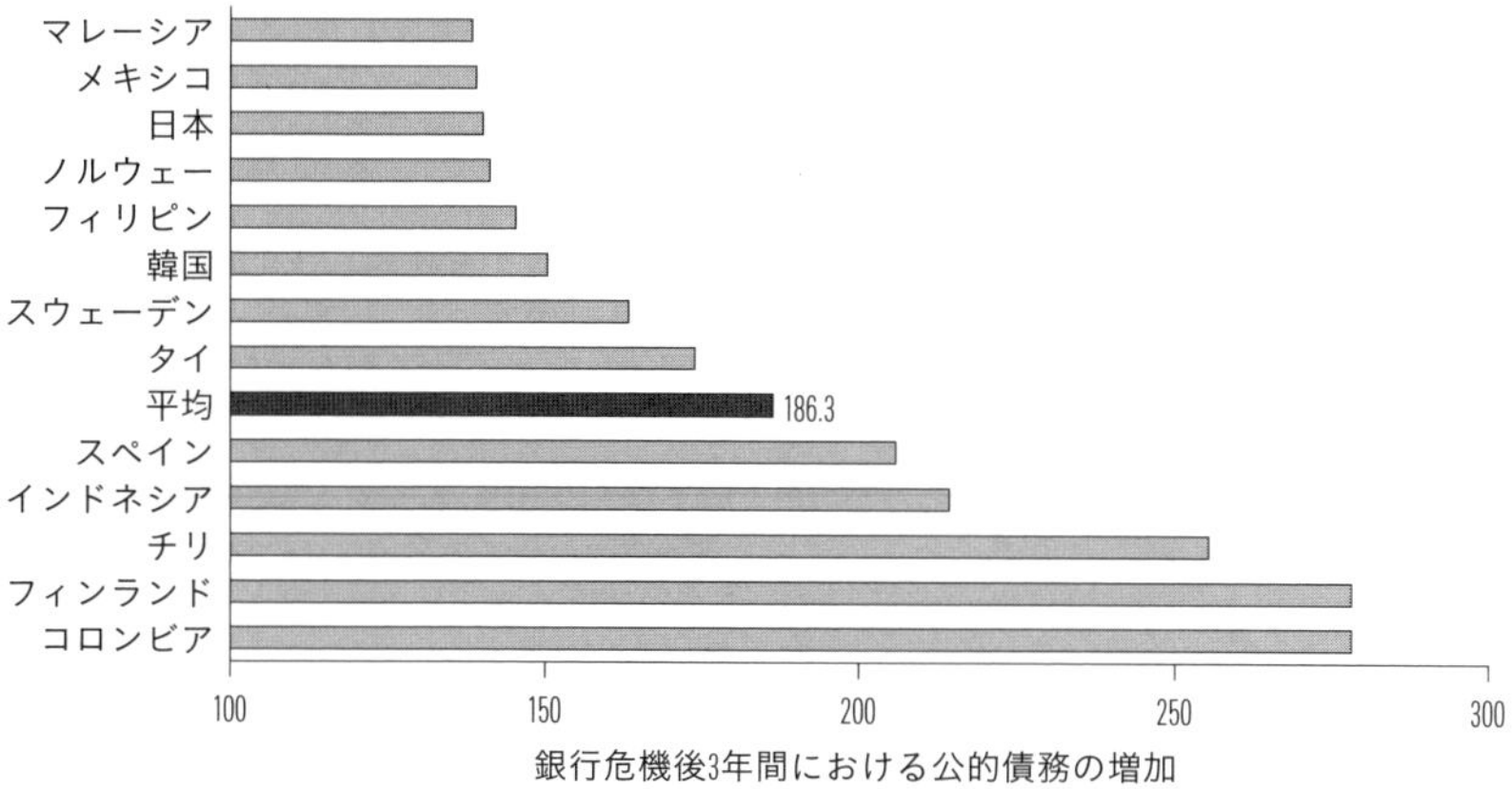

（資料）Reinhart and Rogoff (2008c).
（注記）債務残高は、危機発生年を 100 として指数化した。公的債務は中央政府の債務のみ。

銀行危機後の公的債務

危機が政府財政に与えたおおよその影響を知るために、先ほどの場合と同じく、中央政府の債務に関する過去のデータ（巻末資料A・2）を用いた。なお、これらのデータが示すのは全体像ではない点に注意されたい。危機の影響を受けるのは州や地方自治体も含めた国全体であって、中央政府だけでないからである。また、危機の間は政府保証債務が大幅に増えるが、この傾向は中央政府の統計には表れない。

図10・10に、戦後の大規模な危機後の政府債務を、先進国と新興市場国の両方について示した。このグラフを見る際には、先ほどの点に留意されたい。

銀行部門の救済、税収の落ち込み、一

部の危機に伴って行われる財政出動を総合すれば、財政赤字が拡大し、すでに抱えていた政府債務が一段と膨らむのは、とくに驚くことではない。だがその劇的な増え方には、おそらく誰もが驚くだろう。危機発生年の債務残高を一〇〇として指数化すると、危機後三年間で実質債務残高は一八六に達する。すなわち、実質債務残高はほぼ二倍になるのである。[*35] 政府債務のこうした増大は新興市場国でも先進国でも見受けられ、しかもどちらも増え方がきわめて大きい。銀行危機がもたらす最大の負の遺産は、まずもって公的債務の拡大だと言ってよかろう。それは、大規模な銀行救済策に要する直接コストをはるかに上回る[*36]（すでに述べたように、公的債務がどの程度増えるかは、政策対応の効果や、危機に直結する現実の経済的ショックの深刻さなど、さまざまな政治的・経済的要因に左右される。それにもかかわらずどの国でも債務が大幅に増えているのは、衝撃的である）。

つねにそこにある危険

公的対外債務のデフォルトやきわめて高率のインフレを頻発する症状から「卒業」することは（すくなくとも超長期にわたって再発を防ぐことは）、あるいは可能かもしれない。実際にも、オーストリア、フランス、スペインなど多くの国が卒業したように見受けられる。だが歴史を見る限り、銀行危機や金融危機の頻発からは、いまだ卒業したとは言えないようだ。しかも二〇〇七年の金融危機を除外しても、この事実は確かめられる。本書の標本国六六カ国のうち、一九四五〜二〇〇七年に銀行危機を免れたのは、オーストリア、ベルギー、ポルトガル、オランダの四カ国だけである。しかし二〇〇八年になると、四カ国中三カ国までが大規模な銀行救済を実施する羽目に陥っている。

二〇〇七年にサブプライム問題を発端にアメリカから世界を襲った金融危機の大波は、学者や市場関係者や政策担当者の思い込みを完璧に打ち砕いた。すなわち、金融危機は過去のものだとか、金融危機は「不安定な」新興市場にしか起きない、といった思い込みである。こうした「今回はちがう」シンドロームは、アメリカでも活発に増殖中だった。このシンドロームが最初にアメリカで発生したときは、「ITのおかげで生産性が劇的に向上しているのだから、株価収益率が過去の水準を大幅に上回ってもおかしくない」と大勢の人が信じ込む症状で表れた。[*37] この幻想は二〇〇一年のITバブルの崩壊で消え失せたが、すぐにまた立ち現れ、別の市場で別の形をとって出現した。サブプライム・ローンが証券化され、ドイツや日本、さらには中国など多くの国がそうした金融商品に旺盛な需要を示したため、「住宅は恒久的に値上がりする」という新たな幻想が生まれたのである。新しい市場で、新しい商品で、新しい借り手なのだから、「今回はちがう」というわけだった。金融工学なら投資家の選好に応じてエクスポージャーを微調整し、うまくリスクを抑えられるだろうと期待され、その一方でデリバティブ契約がありとあらゆる種類のヘッジの機会を提供した。大勢が抱いたこの新しい幻想がどのように崩れ去っていったかは、もう誰もが知っている。この第二次大収縮については、第13〜16章でくわしく取り上げる。

富裕国は「特別」な存在であるかのように声高に主張する向きもあるが、資本流入への対処に関しても、また銀行危機に関しても、何も特別でないことは歴史がすでに証明している。本書が立脚する広範なデータセットには、ほとんどの国についてのほぼ一世紀にわたる歳入と国内債務のデータ（一世紀以上にわたる国も少なくない）とともに、一部の主要新興市場国についての住宅価格のデータが含まれている。これらのデータから、銀行危機の発生頻度も期間も先進国と中所得国であまり変わらないだけでなく、危機前後のさまざまな数値指標も両者は似通っているという、意外な事実が判明した。とくに目を引くのは、先進国、中所得国いずれも金融危機後の実質住宅価格の低迷期が長く、四年以上にわたる例が多いこと、下落幅もほぼ同程度だったことである。もう一つ衝撃的な発見は、金融危機直後に多くの国で債務が急増することである。中央政府の債務は、危機後三年間で、実質ベースで平均して約八六％増大した。

本章では、システミックな銀行危機に伴うリセッションが莫大なコストを強いることを強調してきた。しかしもっと強調しておかねばならないのは、本章の冒頭で簡単に取り上げたように、銀行危機に関する理論では銀行危機はリセッションの増幅メカニズムと見なされ、必ずしもリセッションの原因となる外生的メカニズムとは考えられていないことである。ある国が何らかの負のショック（たとえば生産性の急激な落ち込み、あるいは戦争、政治や社会の混乱）に見舞われると、当然ながら銀行も苦境に陥る。債務不履行率は上昇し、銀行は信頼の喪失や預金の引き出しに対して脆弱になり、破綻する銀行も増える。たくさんの銀行が破綻すれば、信用創造は収縮する。健全な銀行が、破綻した銀行の融資ポートフォリオをそっくり肩代わりするのはむずかしい。なぜなら貸出業務には、それが中小企業相手であればなおのこと、特別な知識や人間関係が絡んでいるからだ。したがって銀行が破綻すれば、貸し出しは縮小し、それによってリセッションは一層深刻化する。そうなれば債務不履行は一段と増え、さらに銀行は倒産するという具合に、悪循環がいつまでも続く。

現代の経済は高度な金融システムに依存しており、銀行部門が機能不全に陥ると、経済成長にただちに影響がおよび、ひどいときには経済活動は麻痺してしまう。大規模な銀行破綻が経済にとって重大な問題となるのは、このためだ。また銀行危機に陥った国が金融システムの修復に失敗すると（たとえば一九九〇年代の日本のように）、リセッションから抜け出したかと思うとまた落ち込むことを繰り返し、潜在成長率を下回る状況が何年も続くのも、このためである。

銀行部門の破綻がリセッションを増幅する点で重大な問題であることは、多くのすぐれた理論で説明されている。しかし今回私たちが提出した実証的証拠は、それだけでは、銀行が唯一の問題であることを決定的に示したとは言えない。ここで取り上げたような銀行危機前後の不動産価格や株価の急落が起きれば、たとえ銀行の破綻がなくとも、経済に多大な悪影響を与えるだろう。しかも銀行危機の場合、他のさまざまな危機（インフレ危機、通貨危機、債務危機など）が同時に発生する例が多く、とくに大規模な銀行危機のときはそうなりやすい（くわしくは第16章で論じる）。したがっていまここで確実に言えるのは、大規模な銀行危機は長く深刻なリセッションを伴う、ということだけである。その因果関係を解明し、さらに政策対応の指針を示すのは、今後の研究に待たねばならない。ただ、銀行危機後に起きるリセッションが例外なく深刻であり、かつ共通する特徴が多いという事実は、この困難なテーマに挑む将来の研究者にとって有効な出発点となろう。

第11章

通貨の品位低下によるデフォルト

——「旧世界」のお気に入り

インフレがごくありふれた現象となり、かつ慢性的な問題と化したのは、紙幣すなわち紙に印刷された通貨が広まった一九〇〇年代になってからに過ぎない。だが金属通貨の歴史をひもとけば、現代のインフレよりはるか前から、統治者が流通貨幣から通貨発行益（シニョリッジ）を掠め取っていたことがわかる。貨幣の品位すなわち金属含有率を低下させるのが彼らの常套手段で、安い金属を混ぜるか、一旦貨幣を回収したうえで表示単位は変えずに小型化して再発行する、といった方法がとられた。現代の紙幣印刷機は、同じ目的をより先進的かつ効率的に達成する手段にほかならない。*1

国王や皇帝など一国の統治者は、記録に残されている歴史のあらゆる場面で、債務を返済せずに済ます独創的な方法を開発してきた。ウィンクラーのじつに愉快な古代デフォルト研究によると、人類最初のデフォルトは、紀元前四世紀の古代ギリシャでシラクサ王ディオニシウスがやってのけたものだという。*2 ディオニシウスは約束手形を振り出して臣民から金を借りた後、現在流通している貨幣はすべて返却せよとの命令を発する。命令に従わない者は、死刑である。こうして国中の貨幣を集めたディオニシウスは、一ドラクマ硬貨すべてに「二ドラクマ」と刻印し、しかるのちに借金を返済したのだそうだ。当時のデータがないので何とも言えないが、標準的な価格理論に従えば、ディオニシウスのペテン行為によって物価水準が急騰した可能性はきわめて高い。それどころか古典派の貨幣理論によれば、産出高など他の条件が改鋳前と後でまったく同じなら、通貨供給量が倍になれば物価水準も倍になる。つまりインフレ率一〇〇%である。シラクサの金融事情は混乱して先行き不透明感が強まり、通貨供給量が倍になると同時に産出高は減少したと考えられるので、実際にはインフレ率はもっと高かっただろう。

シラクサ王のこの「イノベーション」に先行する事例があるかどうかは定かではない。だがディオニシウスのやり口には、どの時代の例にも見られる特徴がすでにはっきり現れている。第一は、昔からインフレは、政府が国内債務（可能であれば対外債務も）の返済を回避するための強力な武器だったこと。第二は、デフォルトを企むことにかけて、政府は天才的な創造性を発揮すること。第三は、統治者は臣民に対して強権を発動できるので、国内債務のデフォルトを「スムーズに」進行させられること（対外債務だとそうはいかない）。現代でも多くの国が資本取引や為替の規制を行っており、違反は厳罰に処せられる。第四は、政府が通貨供給量を増やすのは、一つには（流通貨幣の価値を下げ需要に応じて増発すれば）実質貨幣残高に対するシニョリッジという税金を手にできるからだということである。だがこのほかに、公的債務残高の実質価値を目減りさせ、あわよくばゼロにしようという魂胆もある。第8章で指摘したように、国内債務に関する限りこの点は明らかだが、データが容易に入手できなかったために、多くのケースでこれまで無視されてきた。

経済学者のみるところ、イングランドのヘンリー八世は、何人もの妃の頭を切り落としたのと同じぐらい、貨幣価値を切り下げたことでも有名になるべき人物である。父ヘンリー七世から莫大な富を相続したうえ教会の財産を没収したにもかかわらず、ヘンリー八世はつねに資金不足に悩まされ、むやみに改鋳（悪鋳）を行った。改鋳は一五四二年に始まり、治世の終わる一五四七年までたびたび実施されたうえ、後継者のエドワード六世もこの習慣を引き継いでいる。その結果ポンドの銀含有量は、この期間だけで累計で八三%も減ってしまった[*3]（通貨の「品位低下」は金や銀の含有率を引き下げることを意味するが、これに対してインフレは貨幣の購買力の低下を表す点に注意されたい。拡大基調にある経済では、取引コストの増大に伴い貨幣需要が増えるため、政府は貨幣の購買力を低下させることなく徐々に品位を引き下げるこ

表 11.1 19 世紀前のヨーロッパにおける通貨の品位低下（1258 ～ 1799 年）

国名（カッコ内は通貨）	対象期間	銀含有率の低下累計(%)	最大の低下率(%)とその実施年		期間中に品位低下が実施された年の比率（%）	
					すべての品位低下	15%以上の低下
オーストリア、ウィーン（クロイツァー）	1371–1499	–69.7	–11.1	1463	25.8	0.0
	1500–1799	–59.7	–12.5	1694	11.7	0.0
ベルギー（フート）	1349–1499	–83.8	–34.7	1498	7.3	3.3
	1500–1799	–56.3	–15.0	1561	4.3	0.0
フランス（トゥールポンド）	1258–1499	–74.1	–56.8	1303	6.2	0.4
	1500–1789	–78.4	–36.2	1718	14.8	1.4
ドイツ						
バイエルン＝アウグスブルグ（ペニヒ）	1417–1499	–32.2	–21.5	1424	3.7	1.2
	1500–1799	–70.9	–26.0	1685	3.7	1.0
フランクフルト（ペニヒ）	1350–1499	–14.4	–10.5	1404	2.0	0.0
	1500–1798	–12.8	–16.4	1500	2.0	0.3
イタリア（フィレンツェ・リラ）	1280–1499	–72.4	–21.0	1320	5.0	0.0
	1500–1799	–35.6	–10.0	1550	2.7	0.0
オランダ（フランドル・グロート）	1366–1499	–44.4	–26.0	1488	13.4	5.2
	1500–1575	–12.3	–7.7	1526	5.3	0.0
（ギルダー）	1450–1499	–42.0	–34.7	1496	14.3	6.1
	1500–1799	–48.9	15.0	1560	4.0	0.0
ポルトガル（レアル）	1750–1799	25.6	–3.7	1766	34.7	0.0
ロシア（ルーブル）	1761–1799	–42.3	–14.3	1798	44.7	0.0
スペイン						
ニュー・カスティーリャ（マラベディ）	1501–1799	–62.5	–25.3	1642	19.8	1.3
ヴァレンシア（ディナール）	1351–1499	–7.7	–2.9	1408	2.0	0.0
	1500–1650	–20.4	–17.0	1501	13.2	0.7
スウェーデン（マルク・オルトゥグ）	1523–1573	–91.0	–41.4	1572	20.0	12.0
トルコ（アクシェ）	1527–1799	–59.3	–43.9	1586	10.5	3.1
イギリス（ペンス）	1260–1499	–46.8	–20.0	1464	0.8	0.8
	1500–1799	–35.5	–50.0	1551	2.3	1.3

（資料）Primarily Allen and Unger (2004) および他の出典は巻末資料 A・1 に掲載。

表 11.2 19世紀ヨーロッパにおける通貨の品位低下（1800～1899年）

国名	対象期間	銀含有率の低下累計(%)	最大の低下率（%）とその実施年		期間中に品位低下が実施された年の比率（%）すべての品位低下	15%以上の低下
オーストリア	1800–1860	−58.3	−55.0	1812	37.7	11.5
ドイツ	1800–1830	−2.2	−2.2	1816	3.2	0.0
ポルトガル	1800–1855	−12.8	−18.4	1800	57.1	1.8
ロシア	1800–1899	−56.6	−41.3	1810	50.0	7.0
トルコ	1800–1899	−83.1	−51.2	1829	7.0	7.0
イギリス	1800–1899	−6.1	−6.1	1816	1.0	0.0

（資料）Primarily Allen and Unger (2004) および他の出典は巻末資料A・1に掲載。

とが可能かもしれない）。

表11・1と11・2は、ヨーロッパ各国で広く行われた改鋳の時期と銀含有率の下げ幅の詳細をまとめたものである。表11・1は紙幣登場前の一二五八～一七九九年、表11・2は紙幣への移行期に当たる一八〇〇年代を示す。二つの表から、統治者が通貨の品位低下によるインフレ的な金融政策をいかに巧みに講じてきたかがわかるだろう。イギリスは一五五一年に銀の含有率を五〇％引き下げた。スウェーデンは一五七二年に四一％、トルコは一五八六年に四四％。ロシアは一七九八年に、戦費調達のためルーブルの品位を一四％引き下げている。どちらの表も左から三番目の列に長期的な品位低下の累計を記載したが、これを見ると、五〇％を上回る例がめずらしくないことがわかる。また一九世紀ヨーロッパの事例をまとめた表11・2では、ロシアが一八一〇年に四一％、オーストリアが一八一二年に五五％引き下げているのが目を引く。どちらもナポレオン戦争に伴う景気低迷と関係がある。トルコも一八二九年に銀の含有率を五一％引き

下げることに成功した。

図11・1は、ナポレオン戦争期のロシア・ルーブルとオーストリア・クロイツァーについて、銀含有率の推移を示す。

図11・2には、初期の標本におけるヨーロッパ通貨にロシア、トルコを加えた一〇種類の通貨について、単純平均した銀含有量の変化をプロットした。品位低下が驚くほど長期にわたって続けられてきたことがおわかりいただけよう。私たちはこのプロセスを「不換紙幣へのマーチ」と呼んでいるのだが、これを見ると現代のインフレは、一部で言われるほどには昔の品位低下とちがわないと感じられる（不換紙幣の場合、それ自体には価値がないこと、そうした紙幣に対する需要が生じるのは、取引における他の通貨の使用を政府が禁じたためだということを思い出してほしい）。

とは言え、金融危機がかなり前から桁外れに重大で常軌を逸した現象になっていることを考えると、通貨の品位低下にここで多くのページを割くのは適切とは言えまい。それでも品位低下の事例は、多くの重要な点を示している。第一は、インフレとデフォルトはすこしも目新しい現象ではなく、単に道具立てが変わっただけだということである。第二に、より重要なのは、金属通貨から紙幣への移行は、技術革新の持つ意味を示す重要な事例だということである。すなわち技術革新は必ずしも新種の金融危機を引き起こすわけではないが、その影響を一段と深刻化させる。この点は、歴史を通じて技術が戦争を一段と破壊的にしてきたこととよく似ている。そして第三は、今日では先進国と呼ばれる国も、現在の多くの新興市場国を悩ます厄介

図 11.1 ナポレオン戦争中のオーストリアおよびロシア通貨の銀含有率(1765～1815年)

（資料）Primarily Allen and Unger (2004) および他の出典は巻末資料A・1・3に掲載。
（注記）ナポレオン戦争は1799～1815年。1812年にはオーストリアが銀含有率を55%引き下げた。

図 11.2 ヨーロッパ10通貨の平均銀含有率の推移（1400～1850年）

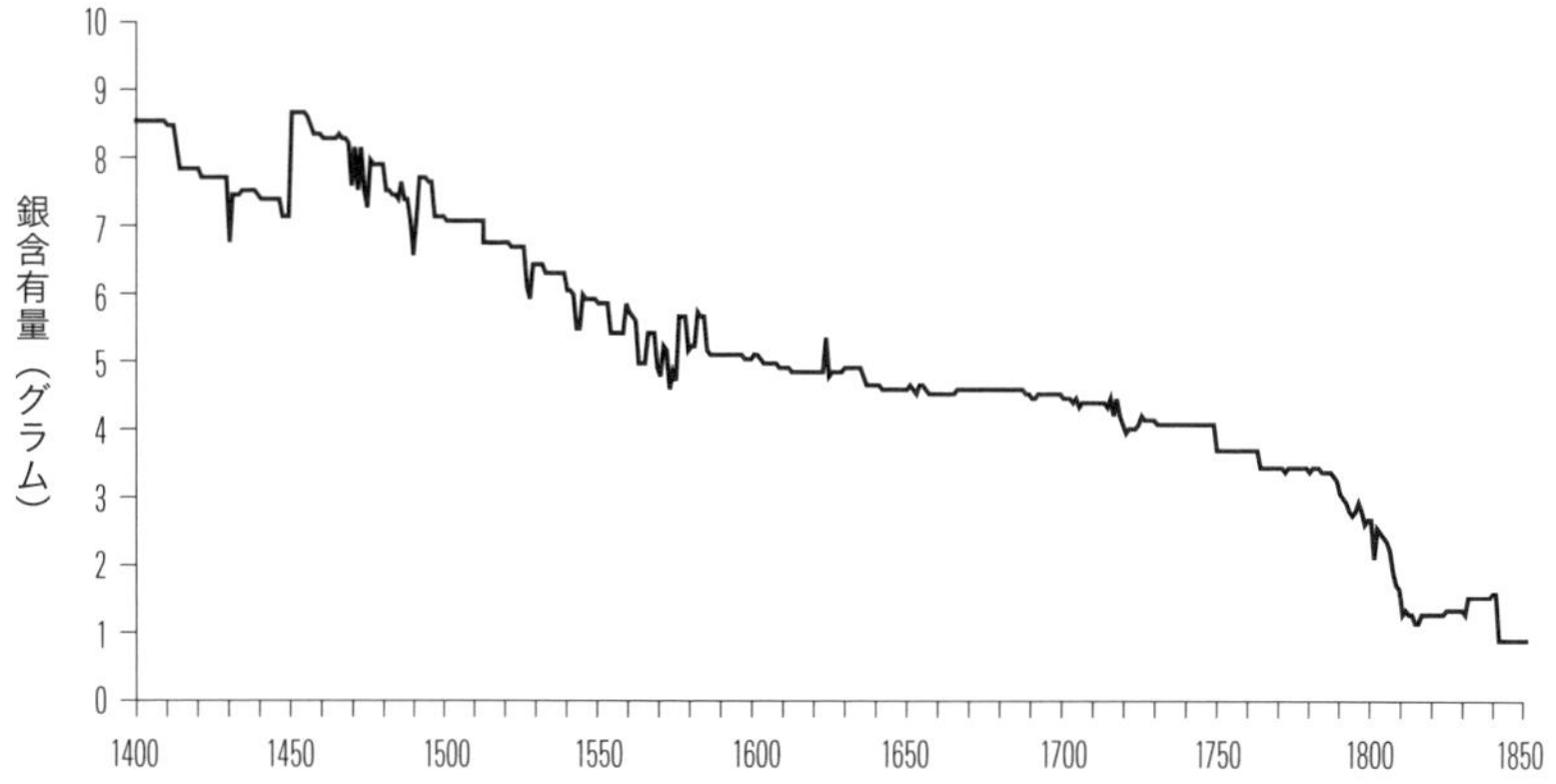

（資料）Primarily Allen and Unger (2004) および他の出典は巻末資料A・1・3に掲載。
（注記）一国の中で複数の通貨が流通している場合には、単純平均をとった（たとえばスペインでは、ニュー・カスティーリャでマラベディ、ヴァレンシアでディナールが流通していた）。

ごとと無縁ではなかったことである。これらの国も、かつてはデフォルトもインフレも通貨の改鋳も経験してきたのである。

第12章 インフレと現代の通貨暴落

経済発展の途上にあり新興市場国と呼ばれる国ではひんぱんなデフォルトはめずらしくないが、高率・超高率のインフレを繰り返す状況に陥る傾向も、驚いたことに共通する現象だった。[*1] 歴史上、高インフレの頻発を免れた新興市場国は存在しない。アメリカも、たとえば一七七九年に二〇〇%のインフレを経験している。

対外債務のデフォルト、国内債務のデフォルト、インフレの問題が密接に関連していることは、改めて言うまでもあるまい。債務をデフォルトすることを選んだ政府は、自国通貨の価値が維持できないことを覚悟しなければならない。貨幣創造と債務の金利コストはともに、政府の予算制約にかかわってくる。そして資金調達に窮した政府は、多くの場合、ありとあらゆる手段に訴えようとする。

本章では始めに、今回収集したインフレに関するデータセット全体を、言わばヘリコプターに乗った気分で俯瞰する。このデータセットは、私たちの知る限りでは、既存のどのデータベースをも大幅に上回る高インフレの事例と広範な国をカバーしている。次に、高インフレとの相関性がきわめて高い、為替レートの暴落に注目する。高インフレと為替レート暴落の発生は、多くの場合、政府の独占と称される通貨発行権の濫用に原因がある。そして本章の最後の節では、高インフレ後の現象を取り上げる。高インフレ後には、他の強い代替通貨が導入されたり、そうした通貨での表示が普及したりして（いわゆるドル化）、通貨（ときには、より広い決済システム）に関する政府の独占権は浸食される。銀行危機と同じく、高インフレが経済におよぼす悪影響も長期にわたる。

インフレと為替レートの歴史を俯瞰すると、高率かつ不安定なインフレを免れるのがいかにむずかしいかがよくわかる。高インフレからの脱却の経緯と多発性デフォルトからの脱却の経緯の間には強い類似性があり、両者は多くの場合、密接に関連し合っている。

図 12.1　インフレ率の中央値（5 年移動平均、全標本国）（1500 〜 2007 年）

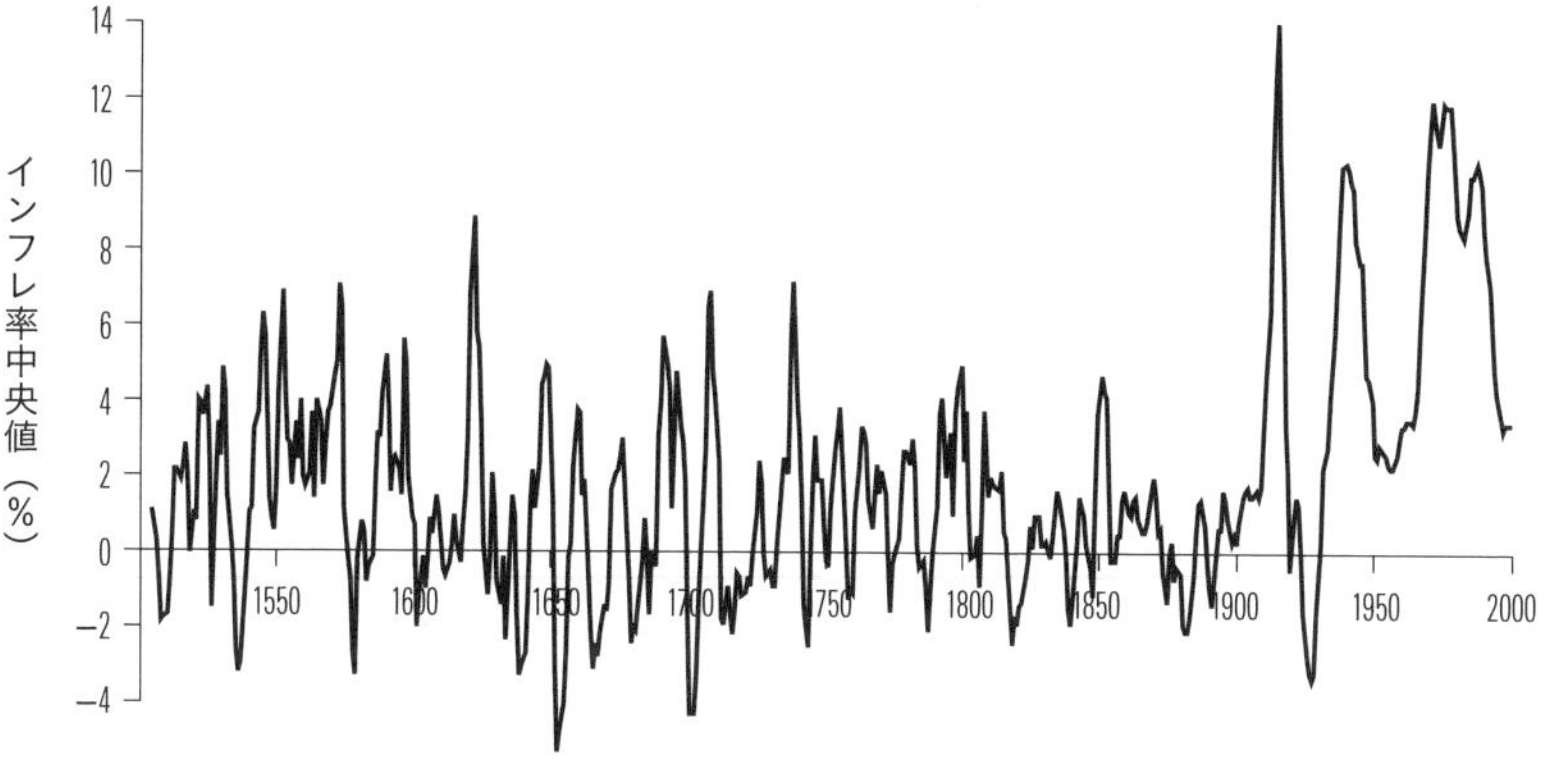

（資料）対象期間と国が多岐にわたるため、消費者物価指数（または生活費指数）はさまざまな情報源から抽出した。国別、時代別の情報源を巻末資料Ａ・Ｉにまとめたので、参照されたい。

19世紀以前のインフレ危機

前章の表11・1と11・2に示したように、通貨の品位低下の中にはかなり大々的なものもあったが、インフレが前代未聞の水準に達したのが紙幣印刷機の登場以降であることは、疑う余地がない。図12・1には、本書の標本に含まれるすべての国について、一五〇〇～二〇〇七年のインフレ率の中央値を示した（周期変動と測定誤差を取り除くため、五年間の移動平均を使用している）。グラフを見ると、景気循環や農産物の不作などによるデフレ期はもちろんあるものの、全体が明らかにインフレに偏っていることがわかる。そして二〇世紀に入ると、インフレ率は急激に上昇する（なお、フランスやイングランドなど一部の国については一三〇〇年代まで遡ってデータを収集できたが、できるだけ多くの国を同一条件で比較するため、

表 12.1 19 世紀前のインフレによる「デフォルト」(アジア、ヨーロッパ、中南米、北米)(1500 〜 1799 年)

国名	対象期間	高インフレ期間の比率(%)		ハイパーインフレ発生件数*	最高インフレ率(年率)	最高インフレ率を記録した年
		20%以上	40%以上			
アジア						
中国	1639–1799	14.3	6.2	0	116.7	1651
日本	1601–1650	34.0	14.0	0	98.9	1602
韓国	1743–1799	43.9	29.8	0	143.9	1787
ヨーロッパ						
オーストリア	1501–1799	8.4	6.0	0	99.1	1623
ベルギー	1501–1799	25.1	11.0	0	185.1	1708
デンマーク	1749–1799	18.8	10.4	0	77.4	1772
フランス	1501–1799	12.4	2.0	0	121.3	1622
ドイツ	1501–1799	10.4	3.4	0	140.6	1622
イタリア	1501–1799	19.1	7.0	0	173.1	1527
オランダ	1501–1799	4.0	0.3	0	40.0	1709
ノルウェー	1666–1799	6.0	0.8	0	44.2	1709
ポーランド	1704–1799	43.8	31.9	0	92.1	1762
ポルトガル	1729–1799	19.7	2.8	0	83.1	1757
スペイン	1501–1799	4.7	0.7	0	40.5	1521
スウェーデン	1540–1799	15.5	4.1	0	65.8	1572
トルコ	1586–1799	19.2	11.2	0	53.4	1621
イギリス	1501–1799	5.0	1.7	0	39.5	1587
北中南米						
アルゼンチン	1777–1799	4.2	0.0	0	30.8	1780
ブラジル	1764–1799	25.0	4.0	0	33.0	1792
チリ	1751–1799	4.1	0.0	0	36.6	1763
メキシコ	1742–1799	22.4	7.0	0	80.0	1770
ペルー	1751–1799	10.2	0.0	0	31.6	1765
アメリカ	1721–1799	7.6	4.0	0	192.5	1779

(資料) 対象期間と国が多岐にわたるため、消費者物価指数(または生活費指数)はさまざまな情報源から抽出した。国別、時代別の情報源を巻末資料A・Iにまとめたので、参照されたい。

(注記) 表中のハイパーインフレは、年間インフレ率 500%以上(これは、ケーガンの定義とは異なる)。

ここでは一五〇〇年以降のみを取り上げた）。

本章の三つの表に、数世紀にまたがる国別のインフレ関連データをまとめた。表12・1は、一六世紀から一八世紀末までの幅広い国を対象とする。この表で目を奪われるのは、アジアとヨーロッパの国は一つ残らず、二〇％以上の高インフレをかなりの年数にわたって経験していることだ。しかも大半の国が、四〇％以上のインフレに何年も苦しめられている。たとえば韓国を見てみよう。データのある一七四三年から一七九九年までの期間のおよそ半分が二〇％以上のインフレで、しかも四〇％以上のインフレが三分の一の期間を占めている。ポーランドのデータは一七〇四年からそろっているが、この国のインフレ事情も韓国と似たり寄ったりである。イギリスでさえ、二〇％以上のインフレが一五〇一～一七九九年の期間の五％で発生している。また「新世界」と呼ばれた中南米の植民地は、スペインと独立戦争を始めるかなり前から、高インフレの頻発に見舞われていた。

現代のインフレ危機

表12・2には、一八〇〇～二〇〇八年について、アフリカ一三カ国とアジア一二カ国のデータを示した。この期間に高インフレを阻止できた点で成績優良なのは、南アフリカ、香港、マレーシアである。ただし南アフリカの記録は一八九六年からだが、香港とマレーシアはそれぞれ一九四八年、四九年からに過ぎない。*2

表 12.2 19 世紀以降のインフレによる「デフォルト」(アフリカおよびアジア) (1800 〜2008年)

国名	対象期間開始年	高インフレ期間の比率 (%) 20%以上	高インフレ期間の比率 (%) 40%以上	ハイパーインフレ発生件数*	最高インフレ率 (年率)	最高インフレ率を記録した年
アフリカ						
アルジェリア	1879	24.1	12.0	0	69.2	1947
アンゴラ	1915	53.3	44.6	4	4,416.0	1996
中央アフリカ共和国	1957	4.0	0.0	0	27.7	1971
コートジボワール	1952	7.3	0.0	0	26.0	1994
エジプト	1860	7.5	0.7	0	40.8	1941
ケニア	1949	8.3	3.3	0	46.0	1993
モーリシャス	1947	10.0	0.0	0	33.0	1980
モロッコ	1940	14.9	4.5	0	57.5	1947
ナイジェリア	1940	22.6	9.4	0	72.9	1995
南アフリカ	1896	0.9	0.0	0	35.2	1919
チュニジア	1940	11.9	6.0	0	72.1	1943
ザンビア	1943	29.7	15.6	0	183.3	1993
ジンバブエ	1920	23.3	14.0	進行中	66,000.0	2008
アジア						
中国	1800	19.3	14.0	3	1,579.3	1947
香港	1948	1.7	0.0	0	21.7	1949
インド	1801	7.3	1.5	0	53.8	1943
インドネシア	1819	18.6	9.6	1	939.8	1966
日本	1819	12.2	4.8	1	568.0	1945
韓国	1800	35.3	24.6	0	210.4	1951
マレーシア	1949	1.7	0.0	0	22.0	1950
ミャンマー	1872	22.2	6.7	0	58.1	2002
フィリピン	1938	11.6	7.2	0	141.7	1943
シンガポール	1949	3.4	0.0	0	23.5	1973
台湾	1898	14.7	11.0	0	29.6	1973
タイ	1821	14.0	7.5	0	78.5	1919

(資料) 対象期間と国が多岐にわたるため、消費者物価指数 (または生活費指数) はさまざまな情報源から抽出した。国別、時代別の情報源を巻末資料A・Iにまとめたので、参照されたい。

(注記) 表中のハイパーインフレは、年間インフレ率500%以上 (これは、ケーガンの定義とは異なる)。

しかしこの三カ国を除くアフリカとアジアの大方の国は、高インフレや超のつく高インフレに度々見舞われている。アジアは中南米流の高インフレとは無縁だという見方は、アジアは一九九〇年代後半の金融危機までデフォルトとは無縁だったという見方と同じくらい、無知に過ぎると言えよう。中国は一九四七年に一五〇〇%を上回るインフレに、[*3] インドネシアは一九六六年に九〇〇%超のインフレに襲われた。「アジアの虎」の一員であるシンガポールと台湾も、一九七〇年代前半に二〇%をゆうに上回るインフレを経験している。

予想通りと言うべきか、アフリカの状況はもっと悪い。アンゴラの一九九六年のインフレは四〇〇〇%以上である。ジンバブエにいたっては、すでに二〇〇七年までの時点で六万六〇〇〇%を上回っており、コンゴ共和国が一九七〇年以降に経験した三回のインフレを超えてしまった（なおコンゴ共和国は国際民間資本市場から見放された世界最貧国の一つであり、本書の標本には含まれていない）。[*4] 二〇〇八年には、ジンバブエのインフレ率はさらに恐るべき数字になるだろう。

表12・3は、同じく一八〇〇〜二〇〇八年について、ヨーロッパ、中南米、北米、大洋州のデータを示す。ヨーロッパの事例には、ケーガンが研究した戦後の大規模なハイパーインフレが含まれている。[*5] だがハイパーインフレを除いても、ポーランド、ロシア、トルコは、期間中かなりの年数にわたって高インフレに苦しんだ。北欧がインフレ問題を抱えていると思う人は今日では一人もいないだろうが、すこし前の時代に遡ると、やはり高インフレを経験している。たとえばノルウェーは一八一二年に一五二%、デンマークは一八〇〇年に四八%、スウェ

国名	対象期間開始年	高インフレ期間の比率（%）		ハイパーインフレ発生件数*	最高インフレ率（年率）	最高インフレ率を記録した年
		20%以上	40%以上			
ホンジュラス	1937	8.6	0.0	0	34.0	1991
メキシコ	1800	42.5	35.7	0	131.8	1987
ニカラグア	1938	30.4	17.4	6	13,109.5	1987
パナマ	1949	0.0	0.0	0	16.3	1974
パラグアイ	1949	32.8	4.5	0	139.1	1952
ペルー	1800	15.5	10.7	3	7,481.7	1990
ウルグアイ	1871	26.5	19.1	0	112.5	1990
ベネズエラ	1832	10.3	3.4	0	99.9	1996
北米						
カナダ	1868	0.7	0.0	0	23.8	1917
アメリカ	1800	1.0	0.0	0	24.0	1864
大洋州						
オーストラリア	1819	4.8	1.1	0	57.4	1854
ニュージーランド	1858	0.0	0.0	0	17.2	1980

（資料）対象期間と国が多岐にわたるため、消費者物価指数（または生活費指数）はさまざまな情報源から抽出した。国別、時代別の情報源を巻末資料A・Iにまとめたので、参照されたい。

（注記）表中のハイパーインフレは、年間インフレ率500%以上（これは、ケーガンの定義とは異なる）。

表 12.3 19 世紀以降のインフレによる「デフォルト」（ヨーロッパ、中南米、北米、大洋州）（1800 ～ 2008 年）

国名	対象期間開始年	高インフレ期間の比率（%）		ハイパーインフレ発生件数*	最高インフレ率（年率）	最高インフレ率を記録した年
		20%以上	40%以上			
ヨーロッパ						
オーストリア	1800	20.8	12.1	2	1,733.0	1922
ベルギー	1800	10.1	6.8	0	50.6	1812
デンマーク	1800	2.1	0.5	0	48.3	1800
フィンランド	1861	5.5	2.7	0	242.0	1918
フランス	1800	5.8	1.9	0	74.0	1946
ドイツ	1800	9.7	4.3	2	2.22E＋10	1923
ギリシャ	1834	13.3	5.2	4	3.02E＋10	1944
ハンガリー	1924	15.7	3.6	2	9.63E＋26	1946
イタリア	1800	11.1	5.8	0	491.4	1944
オランダ	1800	1.0	0.0	0	21.0	1918
ノルウェー	1800	5.3	1.9	0	152.0	1812
ポーランド	1800	28.0	17.4	2	51,699.4	1923
ポルトガル	1800	9.7	4.3	0	84.2	1808
ロシア	1854	35.7	26.4	8	13,534.7	1923
スペイン	1800	3.9	1.0	0	102.1	1808
スウェーデン	1800	1.9	0.0	0	35.8	1918
トルコ	1800	20.5	11.7	0	115.9	1942
イギリス	1800	2.4	0.0	0	34.4	1800
中南米						
アルゼンチン	1800	24.6	15.5	4	3,079.5	1989
ボリビア	1937	38.6	20.0	2	11,749.6	1985
ブラジル	1800	28.0	17.9	6	2,947.7	1990
チリ	1800	19.8	5.8	0	469.9	1973
コロンビア	1864	23.8	1.4	0	53.6	1882
コスタリカ	1937	12.9	1.4	0	90.1	1982
ドミニカ共和国	1943	17.2	9.4	0	51.5	2004
エクアドル	1939	36.8	14.7	0	96.1	2000
エルサルバドル	1938	8.7	0.0	0	31.9	1986
グアテマラ	1938	8.7	1.4	0	41.0	1990

ーデンは一九一八年に三六％の高インフレにそれぞれ見舞われた。だが何と言っても甚だしいのは、第二次世界大戦後の中南米のインフレ歴である。表を見ると、一九八〇年代、九〇年代の平時にハイパーインフレが頻々と発生していることが目に付く。とは言え長い歴史を遡り、また世界の国々を見渡せば、中南米の嘆かわしい記録もさほど特別ではないことがわかる。

カナダとアメリカでさえ、二〇％以上のインフレと無縁ではなかった。アメリカは、一八世紀以降には三桁台のインフレは再発していないが、南北戦争中の一八六四年にはインフレ率が二四％に達した（ただし南北戦争中に南部連合国の通貨は三桁台のインフレに呑み込まれ、最終的にはそれが分離州の敗戦につながった）。またカナダのインフレ率も、一九一七年に二三・八％に達している。二〇％以上のインフレ期を一切経験していないのは、表12・3の中ではニュージーランドとパナマだけである。そのニュージーランドも一九八〇年という比較的最近にインフレ率が一七％に達したし、パナマも一九七四年に一六％のインフレを経験した。

債務デフォルトの場合と同様、二〇〇一年の世界的な景気後退に続く数年間は、一部の国（アルゼンチン、ベネズエラ、そしてもちろんジンバブエなど）が問題を抱えてはいたものの、インフレに関しても比較的穏やかな時期だった。[*6] 多くの評論家は、対外債務のときと同じ理屈で「今回はちがう」と結論づけ、インフレの再発はもうないと断言したものである。なるほど、中央銀行のあり方や金融政策に関する知識は大いに進歩した。とりわけ、独立した中央銀行が物価の安定に重きを置くことが重要であるとの認識が浸透している。だが債務デフォルトの場合と同じく、穏やかな時期がいつまでも続きはしないことを歴史は教えてくれる。

図 12.2 インフレ率が20％以上に達した国の比率（全標本国）（1800 ～ 2007 年）

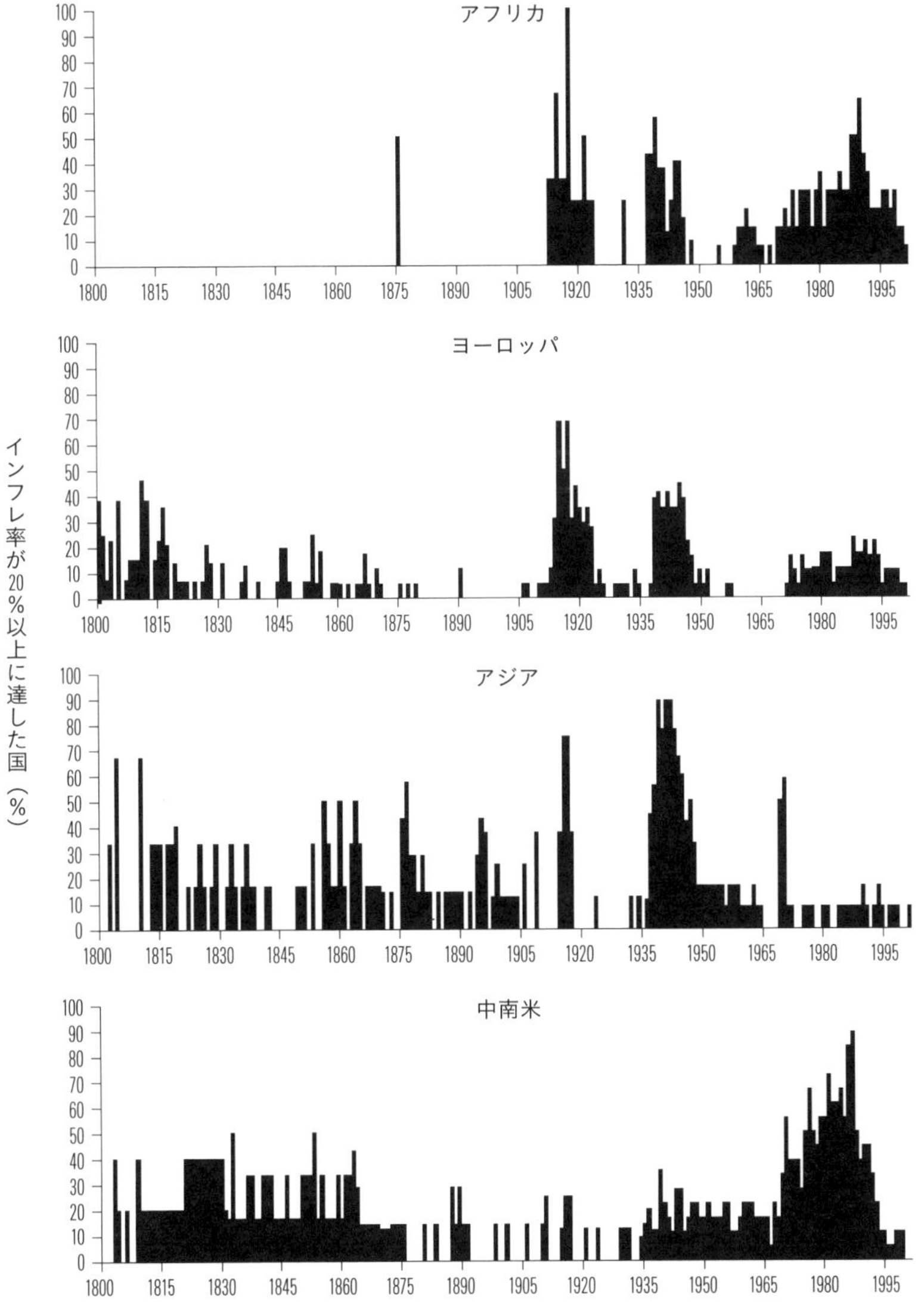

（資料）対象期間と国が多岐にわたるため、消費者物価指数（または生活費指数）はさまざまな情報源から抽出した。国別、時代別の情報源を巻末資料A・Ｉにまとめたので、参照されたい。

図12・2に、一八〇〇～二〇〇七年にインフレ危機（年間インフレ率二〇％以上）を経験した国の比率を、アフリカ・アジア・ヨーロッパ・中南米の地域別にプロットした。過去にインフレの苦難を知らない地域が一つもないことは、一目瞭然である。第二次世界大戦後にはアフリカと中南米で高インフレ発生率が高くなり、この傾向は一九八〇年代、九〇年代に一段と顕著になった。現時点では世界的なインフレの退潮というめったにない時期がまだ続いている。だが二〇〇〇年代後半の金融危機後には、政府債務残高の急増や財政出動の余地の縮小、さらには新興市場国でのソブリン・デフォルトの急増などが主な原因となって、インフレが再燃するのだろうか。世界はもうすぐ答えを知ることになるだろう。

通貨危機

通貨の品位低下とインフレ危機はすでに取り上げたので、ここで為替レートの暴落について長々と述べるのはいささか冗長に過ぎよう。為替レートに関する本書のデータベースは物価のデータベースに匹敵するほど充実しており、銀本位制時代の為替レートまで収録されている（くわしくは巻末資料を参照されたい）。ここでは細部には立ち入らないが、データセットをより体系的に分析すれば、おおむね次のことがわかる。すなわちインフレ危機と通貨危機は、時代や国を問わずきわめて多くのケースで、歩調をそろえて発生している（慢性的インフレが続く国では、とくに両者は密な関係にある。こうした国では、為替レートの変化は物価に顕著に転嫁される）。

図 12.3　通貨下落幅が 15％以上に達した国の比率（全標本国）（1800 ～ 2007 年）

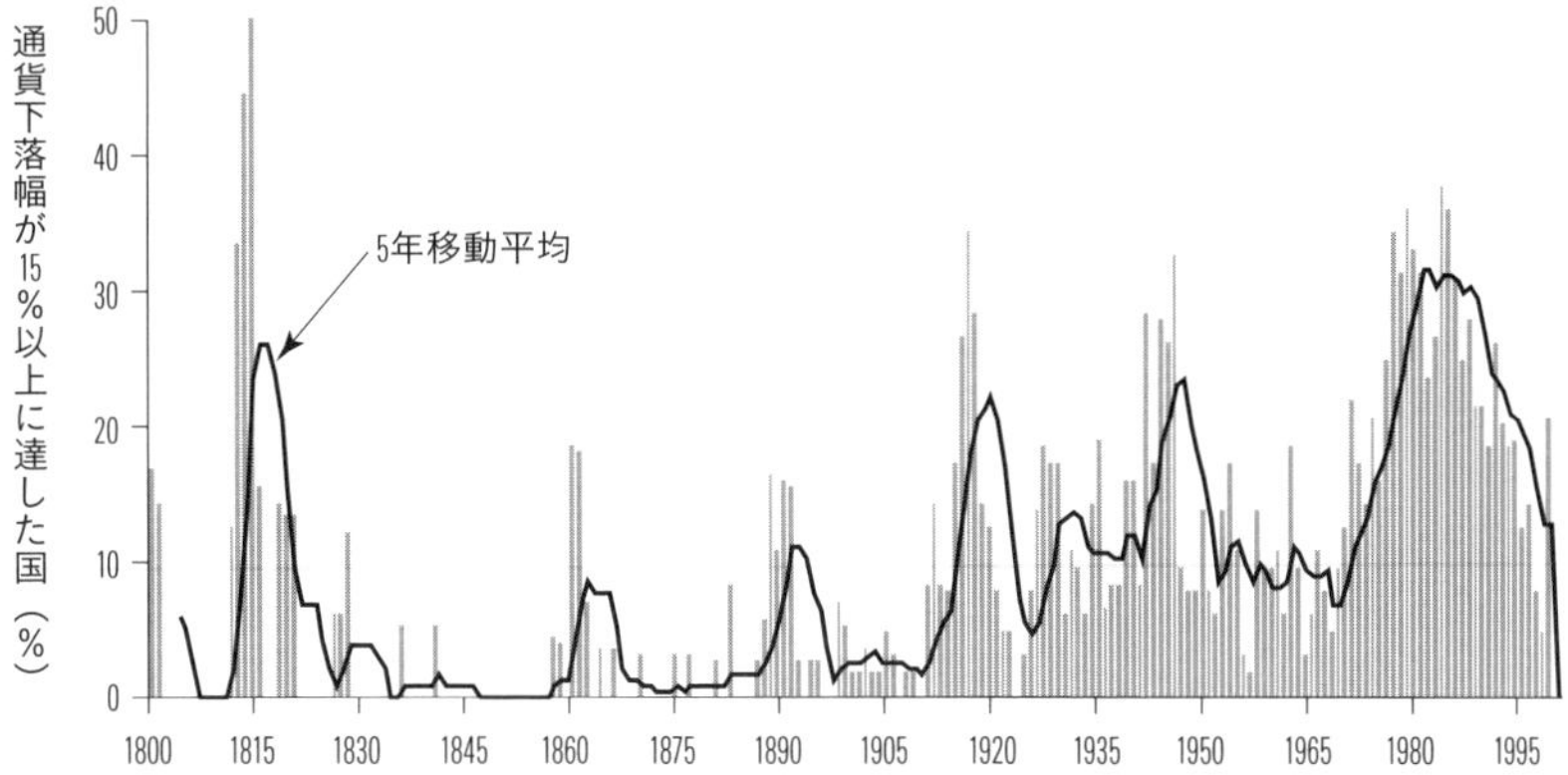

（資料）主要な出典は Global Financial Data (n.d.) and Reinhart and Rogoff (2008a), その他は巻末資料 A・1 に掲載。

（注記）グラフ左側のピークは、ナポレオン戦争期（1799 ～ 1815 年）と一致する。

図 12.4　通貨下落幅の中央値（5 年移動平均）（全標本国）（1800 ～ 2007 年）

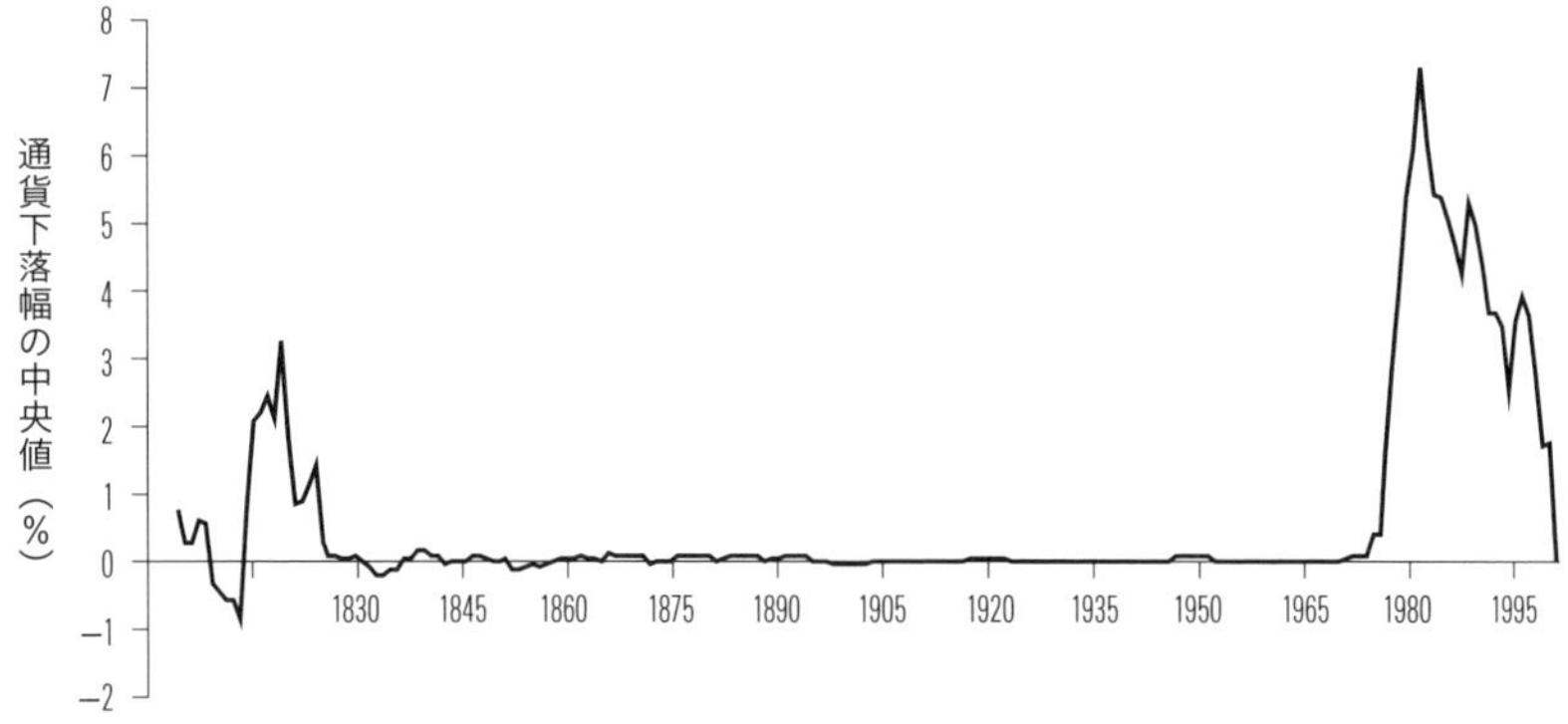

（資料）主要な出典は Global Financial Data (n.d.) and Reinhart and Rogoff (2008a), その他は巻末資料 A・1 に掲載。

（注記）グラフ左側のピークは、ナポレオン戦争期（1799 ～ 1815 年）と一致する。

為替レートの動向を見たときに最も驚かされるのは、ナポレオン戦争期（一七九九～一八一五年）である。この時期には、為替レートの不安定性がかつてない水準に達した。これほどの不安定性は、その後ほぼ一〇〇年が過ぎても現れていない。この点を、図12・3と12・4にわかりやすく示した。前者には大幅な通貨減価の発生率を、後者には減価率の中央値をプロットした。二つのグラフからは、第二次世界大戦後になると明らかに通貨暴落の発生率が高まり、減価率の中央値が大きくなっていることがわかる。有名な例だけでも、メキシコ（一九九四年）、アジア（一九九七年）、ロシア（一九九八年）、ブラジル（一九九九年）、アルゼンチン（二〇〇一年）という具合に次々に通貨危機が発生したのだから、それも当然と言えよう。

高インフレと通貨崩壊の後遺症

高インフレが続いた国では、いわゆるドル化現象が起きることがよくある。ドル化とは、取引手段、価値の表示手段、価値の保存手段を大幅に外国通貨に切り替えることを意味する。実際には、外国の強い通貨を取引に使うか、さらに広く、銀行預金、債券その他の金融資産もその通貨建てで表示することを意味する（サヴァスターノとの共同研究では、後者を「負債のドル化」と呼んだ）[*7]。たいていの場合、ドル化への継続的な移行は高インフレに伴うさまざまな長期コストの一つであり、政府が食い止めようと躍起になっても、長引くことが多い。通貨発行や決済システムの独占権をしきりに濫用してきた政府は、インフレ後にはそれが困難になることに気づく。このため高インフレ後のディスインフレ政策では、多くの場合、ドル化を抑制し金融政策の主導権を取り戻すことが主目的の一つとなる。しかし、脱ドル化を実現するのはきわめてむずかしい。ここでは、少々本筋からは外れるが、この興味深い貨幣現象について検討しておくことにする。

インフレ抑制には成功しても、ドル化の進行をほとんど阻止できないケースはめずらしくない。図12・5の上のグラフを見ると、半分以上のケースで、ディスインフレ政策終了時（インフレ率一〇%以下）のドル化の度合いは、インフレピーク時と同じか、むしろ進行していることがわかる。しかも残りのケースの多くでも、ドル化が抑制された度合いはおおむね小さい。一国内のドル化現象を対象に調査した研究では「履歴効果（ヒステリシス）」の存在が認められており、ドル化が長引く現象は、これとよく一致する。ここで言う履歴効果とは、一旦ドル化が始まった国では、当初の原因（多くの場合は自国通貨の過度のインフレ）が取り除かれても、長期にわたって続く傾向を意味する。

ドル化が長引く現象は、その国のインフレ履歴と関連づけられるという規則性を持つ。過去数十年にわたって高インフレが繰り返し発生した国では、そうでない国に比べ、一九九〇年代後半に進行したドル化の度合いが一般に大きかった（図12・5の下のグラフ参照）。図12・5で用いた（条件なしの）高インフレ発生確率を金融政策の信頼性を表すおおまかな指標と解釈すれば、インフレ率を引き下げるだけではドル化の度合いを大幅に圧縮できないのはなぜかについて、ヒントが得られる。すなわち、過去のインフレの履歴がお粗末な国は、長期にわた

図 12.5　長引くドル化現象

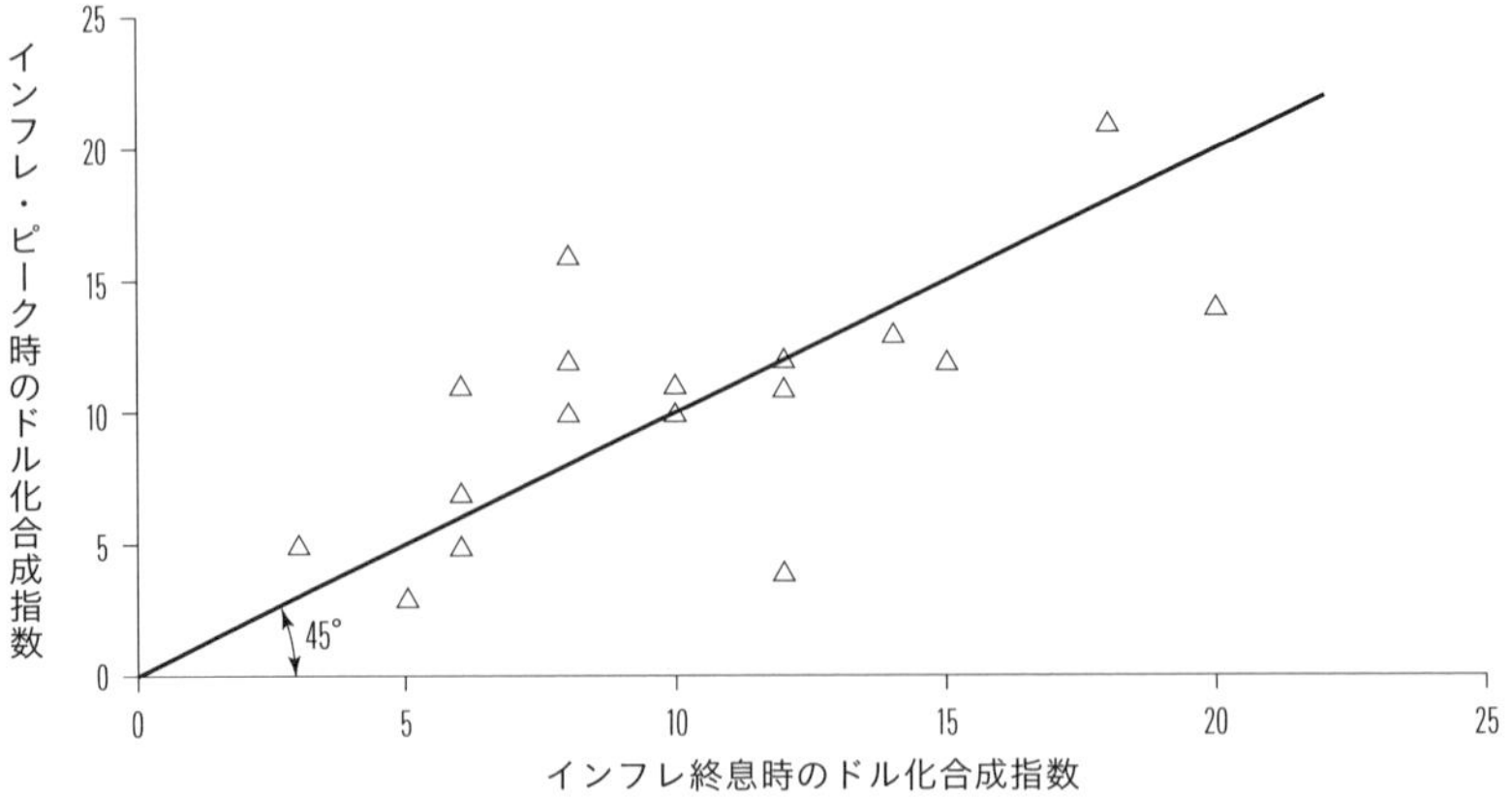

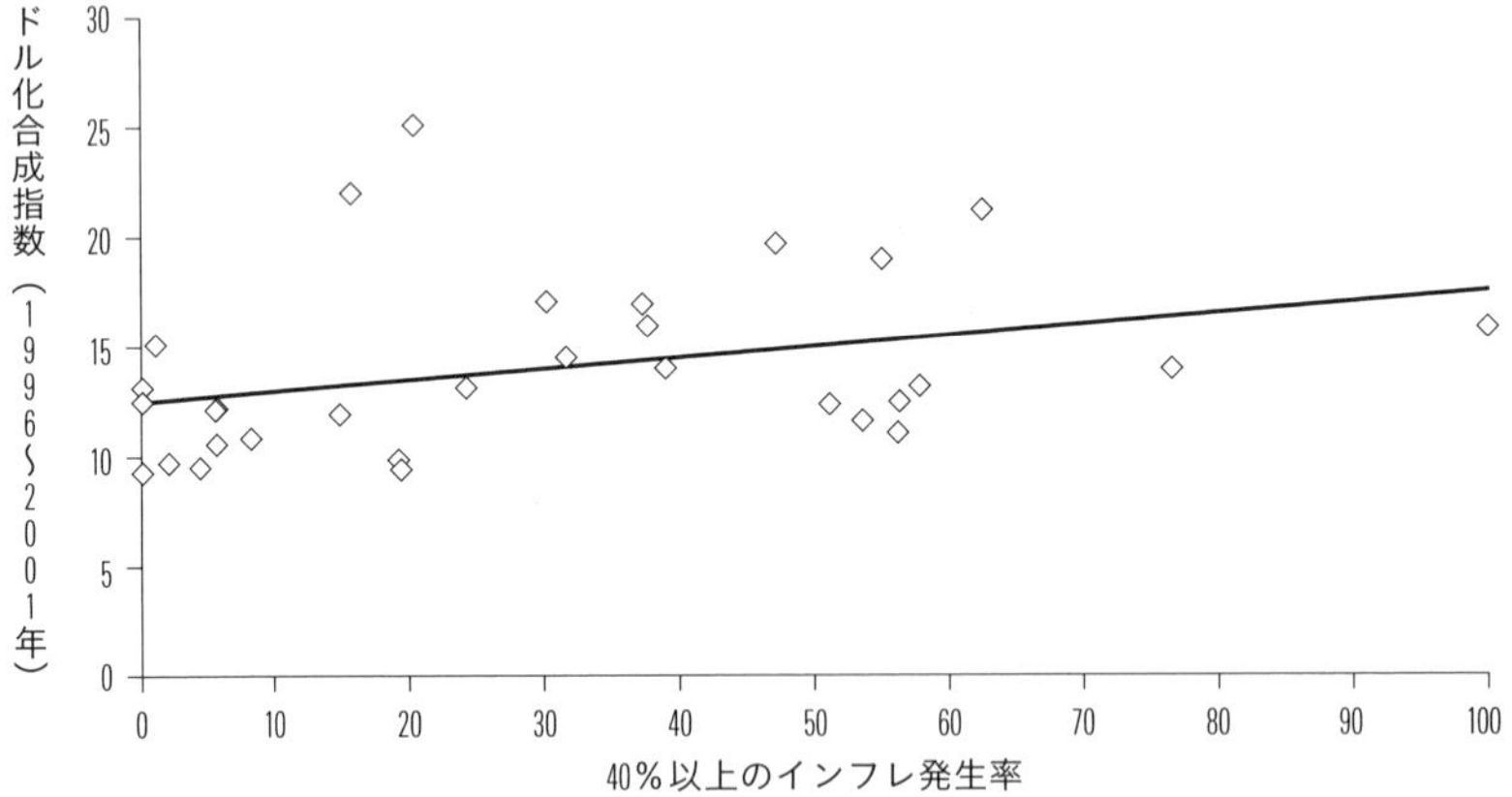

（資料）Reinhart, Rogoff, and Savastano (2003b).

（注記）上のグラフから、インフレ終息はドル化にさほど影響をおよぼさないことがわかる。インフレ終息は、インフレ率が10％を下回ったときとした。下のグラフは、ドル化の度合いと高インフレとの関係性を示す。高インフレ発生率は、1958〜2001年の月次物価統計に基づき計算した。

ってインフレを低水準に維持しない限り、次のインフレの発生確率を十分に引き下げることはできない。[*8] この点は、国が債務不耐性から卒業するむずかしさとよく似ている。

また、ある時点でのドル化の度合いは、その国の過去の為替レートと関係があるとも言える。高インフレを起こした国では、(公定レートと市場の実勢レートが乖離している)二重為替レートや広範な為替管理が例外なく見られる。逆に言えば、厳格なペッグ制や単一為替レートをとっている国で、高インフレを起こしたケースはほとんどない。[*9] したがって、ある時点のドル化の度合いと過去の為替管理や複数レート慣行への依存度との間には、何らかの関連性があると推測される。

ドル化問題の解決策

前段で、インフレ率を下げるだけではドル化対策としては不十分であることを、少なくとも一九九六~二〇〇一年の五年間について示した。しかし中には自国のドル化を阻止し、逆転させることに成功した国もある。どんな国が成功したかを突き止めるためには、国内で行われた外貨建て債務の減少に起因するドル化抑制と、広義の通貨供給量に占める外貨預金の比率の低下に起因するドル化抑制とを区別するとよい。

外貨建て債務を減らしてドル化を食い止めた国は、本書の標本中では数少ないが、これらの国はだいたい同じような戦略をとっている。債務残高を当初の条件通り返済したうえで、外貨建て証券の発行を打ち止めにするか、債務の表示通貨を変更するのである。後者は市場実勢レートに基づいて行われることが多いが、いつもそうだというわけではない。第一の戦略をとった国の例として、メキシコが挙げられる。同国は一九九四年一二月危機の時点で、ドル連動国債テソボノスの発行残高を（IMFとアメリカからの融資を利用して）すべてドルで償還する決定を下した。以後、外貨建ての国内債券は発行していない。第二の戦略をとった最近の例としては、アルゼンチンがある。同国は二〇〇一年末に、当初は（自国法の下で）ドル建てで発行された国債を自国通貨建てに転換すると決定した。本書の標本国では、広義の通貨供給量に占める外貨預金の比率を押し下げてドル化を抑制した例の方が多くみられる。預金ドル化の逆転が大規模かつ持続的な例だけを選別するため、広義の通貨供給量に占める外貨預金の比率が低下したケースのうち、次の三条件を満たすものだけを抽出した。第一に、減少幅が二〇ポイント以上だったこと。第二に、減少に転じてから、ただちに二〇%を下回る水準に安定させられたこと。第三に、標本期間の終了時点まで二〇%未満の水準を維持したことである。

一九八〇〜二〇〇二年の期間に上記三条件を満たした国は、外貨預金データがそろっている八五カ国のうち四カ国しかなかった。イスラエル、メキシコ、ポーランド、パキスタンである（図12・6参照）。同期間中、一時的に減少幅が二〇ポイント以上に達した国はこのほかに一六カ国あるが、そのうち一部の国（ブルガリア、レバノンなど）では、減少後も外貨預金比率が二〇%を大幅に上回る水準で定着してしまった。そして大半の国（一六カ国中一二カ国）では、一時的に二〇%以下まで下がったものの、後にぶり返して二〇%を超えている。[*10] ある種

図 12.6 銀行預金ドル化抑制の成功例（1980 ～ 2002 年）

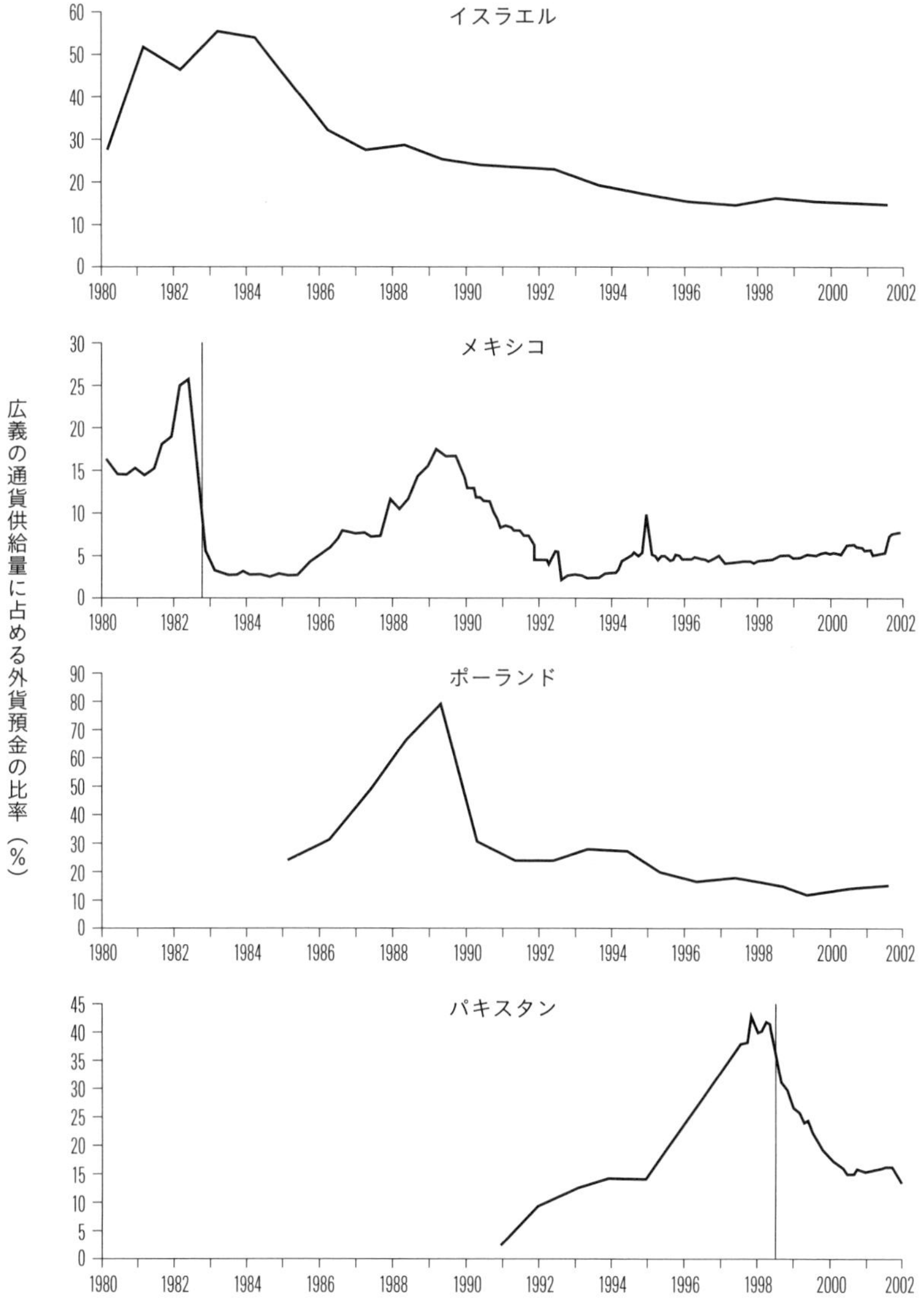

（資料）巻末資料 A・I

（注記）メキシコとパキスタンのグラフに引かれた垂直線は、外貨預金の強制転換が実施された時点を示す。

のドル化は、根絶が一段とむずかしい。たとえばポーランドは脱ドル化に成功した数少ない国の一つであるが、それでも現時点で住宅ローンの半分から三分の二が外貨建て（主にスイスフラン建て）となっている。

大規模かつ持続的な預金ドル化の逆転に関する先ほどの三条件を満たした四例のうち、三例までが、当局がドル建て預金の交換を制限した直後にドル化進行の逆転が始まっている。イスラエルでは、当局が一九八五年末に外貨建て預金をすべて一年間は引き出し禁止としたため、外貨預金はインデックス債など他の金融商品に比べ、すっかり魅力が薄れることになった。[*11] 一方メキシコは一九八二年に、パキスタンは一九九八年に、一般的な市場実勢を大幅に下回るレート（すなわち自国通貨に有利なレート）でドル預金を強制的に国内通貨に交換させた。

ドル預金の提供を厳重に制限していた国が、必ずしも預金のドル化を継続的に抑制できていない点は、興味深い。ボリビアとペルーは、メキシコやパキスタンとよく似た手段を一九八〇年代前半に講じた。しかしマクロ経済情勢が極端に不安定化してハイパーインフレ寸前という時期が数年間続いた後、両国とも最終的には外貨預金を再び容認している。その後両国のインフレはみごとに抑制されたにもかかわらず、ドル化の度合いは相変わらず高い。

ドル預金の制限によって預金ドル化の継続的な抑制にこれまでのところ成功している国でも、その代償は小さくなかった。たとえばメキシコでは資本逃避が二倍近くに増え、年間約六五億ドルに達している。またドル預金の強制転換から二年間で民間部門への銀行貸出はほぼ半分に減り、しかも数年にわたってインフレが続き、経済成長は停滞した。[*12] パキスタンに関しては、一九九八年の強制脱ドル化が恒久的なものなのか、それともボリビアやペルーのように、あるいは二〇〇一～〇二年に強制「ペソ化」を実施したアルゼンチンのように、結局は元の木阿弥になるのか、現時点では時期尚早で判断できない。

本章では世界のインフレと通貨暴落の興味深い歴史を振り返り、さまざまな角度から論じてきた。ほぼ例外なくどの国も、とくに新興国と呼ばれた時期にはインフレの発作に悩まされており、しかもインフレは長期化や頻発がめずらしくない。どの国もときおり再発するインフレの苦しみをさんざん味わってきたのであって、それなしにマクロ経済運営の失敗から恒久的に卒業するのはきわめてむずかしい。インフレの歴史は、そのことを雄弁に物語っている。高インフレが起きると、国民は長期にわたって、マクロ経済の悪影響をできるだけ被るまいとする。このために国内の紙幣貨需要が落ち込むと、政府がインフレ税収入を確保するベースが縮小し、低インフレに戻すのは（財政的に）ますます苦しくなる。すると当然の帰結として為替レートの動きは不安定化する。甚だしい場合には国民が外国通貨を使用して、通貨に対する政府の独占から逃れようとするかもしれない。あるいは政府自身が決済システムを立て直すために、銀行預金やその他の負債に外国通貨との連動性を保証せざるを得なくなるかもしれない。こうして政府の通貨独占が弱まると、その状態を脱するまでにやはり長い時間を要することがある。

第五部 サブプライム問題と第二次大収縮

PART V THE U.S. SUBPRIME MELTDOWN AND THE SECOND GREAT CONTRACTION

現代のグローバル金融危機の経過を評価する際に、過去との比較対照はどのような意味を持つだろうか。第五部では本書のデータセットを利用して、危機前および危機後に起こりうる変化の両方について、その深刻度を測定するための基準を作成する。ほんの数年前までは、金融工学が発達し金融政策の運営も向上したのだから、景気循環はうまく制御でき、金融に波及するリスクも抑えられる、と多くの人が考えていた。だが第二次大収縮によって、こうした見方はまちがいだったことが判明している。

この金融危機は当初は「サブプライム危機」と呼ばれ、二〇〇七年夏に始まった。この頃の金融専門誌に目を通した人は、世界経済が未知の暗黒の海に突き進んでいくのだと感じたことだろう。おまけに二〇〇八年初秋を境に事態が決定的に悪化すると、論者の多くが、世界の終わりが近づいたとでも言うような終末論的な口調になった。だがこのとき政策当局が金融危機の最近の歴史を振り返っていたら、危機の展開をどう判断すべきかについて、定性・定量両面で多くを学べたはずだ。

第五部の四つの章では、まさにそれをするつもりである。過去の事例との類似性を抽出し、データセットを駆使して危機の定量的な基準を定めることを試みる。直近の危機についてまず知りたいという読者が多いであろうと考え、第五部だけを独立して読んでも理解に支障を来さないよう配慮した。このため必要に応じて、これまでに取り上げたテーマを再び論じていることをお断りしておく。

最初の第13章では、読者が現在の危機の全体像を捉えられるよう、始めに銀行危機の歴史を概観する。さらにこの章では、危機前にみられた世界の経常収支の大幅な不均衡を巡る議論に注目する。このような不均衡が危機のきっかけの一つになった、と考える人もすくなくないだろう。たしかに危機前のアメリカは、他国から巨額の借金をしていた（貿易収支も経常収支も赤字が続き、天文学的な数字に達した）。だがこの章で示すように、危機の到来を警告する予兆はこれだけではなかった。危機の震源地となったアメリカ経済には、深刻な金融危機が差し迫っていることを示す前兆がほかにも数多くあった。不動産を始めとする資産価格インフレ、家計の負債比率の上昇、生産高の伸びの鈍化など、金融危機の標準的な先行指標がすべて懸念すべき事態を暗示していたのである。じつのところ数字だけを見ても、金融危機発生直前のアメリカは、何かきっかけが起きるのを待つだけという状況だった。言うまでもなく、金融危機の典型的な前兆がみられたのは、アメリカだけではない。多くの国、とくにイギリス、スペイン、アイルランドは、アメリカと同じ症状を数多く示していた。

続く第14章では、深刻な金融危機後の経過に注目して、過去の危機と今回の危機との比較を行う。使用するデータセットの範囲を拡げ、新興市場国のよく知られた事例も取り上げる。銀行危機を論じた第10章で指摘したように、新興市場国と先進国では危機後の経過が（多くの主要部分に関しては）驚くほど似通っていることを考えると、新興市場国との比較には十分に意味があると言えよう。この章で主に比較の対象とするのは戦後の危機だが、最後の節では大恐慌との比較も行う。大恐慌の初期段階でとられたマクロ経済政策は、消極的に過ぎたとされている。たしかに、税収が減っているのに財政均衡を維持しようとしたのは経済にとって逆効果だったし、金本位制の放棄をためらったことは多くの国でデフレを招いた。とは言え、大恐慌以後には本質的にグローバルと言えるような金融危機が発生していないことを考えると、やはり大恐慌との比較には大きな意義がある。

次の第15章では、危機が多くの国に伝播する経路の問題を取り上げる。危機は金融取引や貿易のほか、技術や地政学的ショックなどの共通の要因を通じても拡がる。

ここでは、危機が（株式市場などを通じ）国境を越えてあっという間に拡がる「激烈な」高速要因と、じわじわと拡がる「緩慢な」低速要因を区別する。

第五部の最後の第16章では、グローバルな視点から今回の危機を考察する。この章は、先立つ全章の総括と位置づけられ、世界のほぼ全地域を網羅する本書の広範なデータセットを生かし、グローバルな金融危機とはどういうものか、実際に使える定義付けを行う。また本書を通じて行ってきた危機の分析に基づき、新しい危機指数の開発も試みる。この指数は基本的に、世界各国が直面している多種類の危機を合計したものである。このように第16章は、本書で論じてきた多種多様な危機を総括するきわめて重要な章である。今回の危機は一九三〇年代の大恐慌ほど深刻にはならないように見えるかもしれないが、第五部の比較を読むと、きっと暗澹たる気持ちになることだろう。

第13章
サブプライム危機の国際比較と歴史的比較

本章は、二〇世紀を通じて世界で起きた銀行危機の全体像を、本書の広範なデータを生かしておおまかに描き出すところから始める。その目的は、二〇〇〇年代後半の国際的難局、すなわち第二次大収縮を広範な歴史的文脈で捉えることにある。[*1] 続いて本章および次章を費やして、サブプライム危機と過去の金融危機との比較について論じる。おおざっぱに言えば、アメリカは危機前・危機後（すなわち本書を執筆している現在）のいずれについても、定量的にみて、深刻な金融危機の典型的な経過をたどっている。

本章では定量的な比較に加え、メルトダウン前に現れる「今回はちがう」シンドロームの再発についても論じる。いくつかの要因が組み合わさったことを理由に「昔の投資ルールはもう無効で役に立たない」と頑固に言い張るのがこの症状であるが、これを探すのはさしてむずかしくない。危機前のさまざまな発言や文書には、学者のものであれ、政策当局や市場関係者のものであれ、この症状の徴候がふんだんに見受けられるからだ。また、危機前のアメリカで他国からの借り入れが巨額に達したことは、果たして重大な前兆と見なすべきかどうかを巡る議論にも注意を払う。

歴史的視点から見たサブプライム危機

二〇〇七年から始まった第二次大収縮に話を進める前に、歴史をもう少し広く視野に収めて銀行危機を俯瞰しておくのがよいだろう（これは、第10章で先に行っている）。データをくわしく見てみると、先進国で最も古い銀行危機は、本書の標本中では一八〇二年のフランスである。新興市場国での初期の危機は、一八六三年のインド、一八六〇〜七〇年代の中国、一八七三年のペルーといったところだ。しかし本章では幅広い国にまたがって比較を行うという立場から、データが豊富にあって系統的な実証分析が可能な一九〇〇年以降に、主に的を絞ることにする。[*2]

図13・1に、標本国のうち銀行危機発生中の国の比率をプロットした（本書の標本は、購買力平価でみた世界の所得の九〇％を占めていることを思い出してほしい）。このグラフは図

図 13.1 銀行危機発生中の国の比率（GDP 加重）（1900 〜 2008 年）

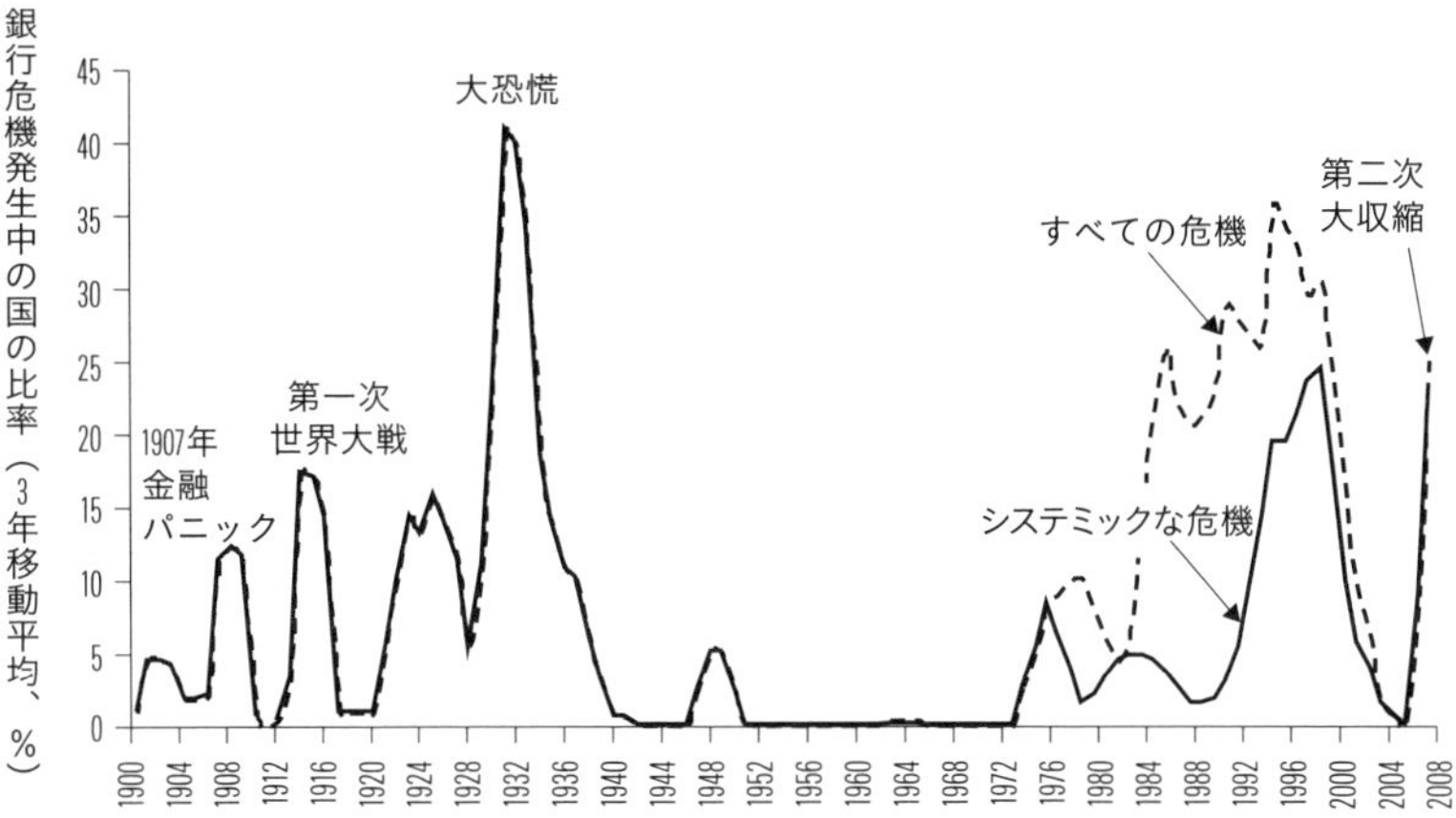

（資料） Kaminsky and Reinhart (1999), Bordo et al. (2001), Maddison (2004), Caprio et al. (2005), Jáome (2008), 追加的な出典は銀行危機のデータを示す巻末資料 A・3 に掲載。

（注記） 表 3.1 に記載の標本国 66 カ国のうち、該当年に独立国だったすべての国を対象とした。加重は、1913 年の GDP（1800 〜 1913 年に適用）、1990 年の GDP（1914 〜 1990 年に適用）、2003 年の GDP（1991 〜 2008 年に適用）の 3 通りを使用した。図中の点線はすべての危機を、実線はシステミックな危機のみを表す（たとえば 1980 年代、90 年代の危機は北欧で始まり、日本、アジアへと飛び火した）。2007 〜 08 年の数字には、オーストリア、ベルギー、ドイツ、ハンガリー、日本、オランダ、スペイン、イギリス、アメリカの危機が含まれている。比率は 3 年間の移動平均。

10・1と同じデータに基づき（資本移動を除く）、一九〇〇〜二〇〇八年に銀行危機が発生したすべての独立国が標本国中に占める比率を三年間の移動平均で示した。図10・1や本書に掲載した他の類似のグラフと同じく、経済規模の大きな国で発生した危機がグラフの形状により大きな影響を与えるよう、世界GDPに占める比率で加重している。このように加重して集計すれば、個々の銀行危機がおよぼす「グローバルな」影響を表すことができる。具体的には、アメリカやドイツで発生した危機には、アンゴラやホンジュラスの危機よりはるかに大きな重みをつけてある。これらの国はすべて本書の標本六六カ国に含まれる。なお図13・1のグラフは、ある年に世界で銀行危機が起きた比率は適切に示すと考えられるが、銀行危機の深刻度はそれぞれ異なるため、あくまでおおまかな目安に過ぎない点に留意されたい。

第10章で指摘したように、この一〇九年の期間のうちで銀行危機が最もひんぱんに起きたのは、一九三〇年代の大恐慌の時期である。それより前には、大恐慌ほどの規模ではないものの、ニューヨーク発の一九〇七年恐慌や第一次世界大戦の勃発につながった危機など、グローバルな信用逼迫の「波」があった。図13・1を見ると、一九四〇年代後半から七〇年代前半にかけては比較的落ち着いていたことがわかる。これは、世界が急成長中だったことも一因であるが、各国の国内金融市場が程度の差こそあれ抑圧されていたこと、また第二次世界大戦後に相当期間にわたって資本移動が厳重に統制されていたことの方が、大きな原因であろう（そうした抑圧や統制が、必ずしも金融危機の発生リスクを抑える正しいアプローチだというわけではない）。

こちらも第10章で指摘したことであるが、一九七〇年代前半から金融や国際資本移動の自由化が始まり、国内外の投資障壁の撤廃や大幅緩和が世界各国に拡がっていった。それと共に、世界各国で銀行危機が起きるようになる。[*3] 一九四〇年代後半からの長い中断期間の後、銀行部門に問題を抱える国の比率が一九七〇年代に初めて上昇に転じた。固定相場制を維持していたブレトンウッズ体制の崩壊とときを同じくして原油価格が急騰し、長期にわたる世界的な景気後退を招いたことが、多くの先進国で金融部門の混乱につながっている。続く一九八〇年代前半には、国際商品相場が急落したうえにアメリカでは金利が高い水準で大幅に変動し、新興市場での銀行危機と公的債務危機の多発に拍車をかける結果となった。とくに甚だしかったのは中南米、続いてはアフリカである。債務の多くは世界の市場金利に連動した変動金利となっており、金利が上昇すれば巨額の債務の返済コストは膨らむ。しかもほとんどの新興市場国にとって輸出の主力である一次産品の価格が下落したため、債務の返済はいよいよ苦しくなった。

アメリカも、銀行危機に見舞われた。貯蓄貸付組合（S&L）に端を発する危機で、一九八四年に始まっている（一九三〇年代や二〇〇〇年代の危機に比べれば、比較的おだやかではあったが）。また一九八〇年代後半から九〇年代前半にかけては、北欧各国で資本の大量流入（外国からの借り入れ）と不動産価格の急騰に続いて銀行危機が発生した。これらは、第二次世界大戦以降に富裕国で起きた銀行危機としては最悪の部類に属するものである。一九九二年には日本で資産価格バブルが崩壊し、一〇年におよぶ銀行危機の前触れとなった。相前後してソビエト圏が崩壊し、旧共産圏の東欧各国もまた銀行危機に直面する。一九九〇年代後半にさ

図 13.2 アメリカにおける実質住宅価格の推移（1891 ～ 2008 年）

（資料）Shiller (2005), Standard and Poor's, and U.S. Commerce Department.
（注記）住宅価格は GNP デフレーターで実質化した。基準年＝ 2000 年（＝ 100）。

しかかる頃には、新興市場で新たに一連の銀行危機が発生した。まずメキシコとアルゼンチンが口火を切り（一九九四～九五年）、続いてアジア（一九九七～九八年）、さらにロシアとコロンビア……という具合である。[*4] 銀行危機サイクルのこの急増期は、二〇〇〇～二〇〇一年のアルゼンチン、二〇〇二年のウルグアイを以て終結した。束の間の平和は、アメリカでサブプライム危機が本格化した二〇〇七年夏にはやくも破られる。この危機は、あっという間にグローバル金融危機に発展した。[*5]

二〇〇七年にアメリカで始まった金融危機が不動産市場のバブルと密接な関係があることは、よく知られているとおりである。住宅価格の大幅上昇が長期にわたって続いたこと、貿易収支と経常収支の記録的な赤字の結果として外国資本が大量に流入したこと、寛容になる一方の規制政策の下でこうした要因の相乗効果が促進されたこと

（後段で定量的に分析する）が、バブルの形成を助長した。住宅価格バブルを歴史的な視点から捉えるために、図13・2ではいまや有名になったケース＝シラー住宅価格指数をプロットした。GNPデフレーターで実質化している（消費者物価指数を使っても基本的に同じ結果になる）[*6]。データが始まる一八九一年以降、規模の点でも期間の点でも、サブプライム・ローン騒動が頂点に達した二〇〇七年に匹敵する住宅ブームは見当たらない。一九九六年から住宅価格がピークを打った二〇〇六年までの間に、実質価格の累積上昇率は九二%に達した。これは、一八九〇〜一九九六年の累積上昇率二七%のじつに三倍以上である。バブルが絶頂期に達した二〇〇五年には、実質住宅価格は一年間で一二%以上値上がりしたが、これは同じ年の一人当たり実質GDPの伸び率のおよそ六倍である。人口と所得の急増で住宅価格が押し上げられた第二次世界大戦後の数十年におよぶ大好況期でさえ、この二〇〇七年直前の値上がりぶりと比べれば影が薄い[*7]。だが二〇〇七年半ばには、アメリカで低所得層向け住宅ローンの債務不履行率が急上昇し、ついに深刻なグローバル金融恐慌の幕が切って落とされた。

サブプライム危機直前の「今回はちがう」シンドローム

二〇〇〇年代後半のグローバル金融危機は、深刻度や規模でみても、その後に起きたリセッションの（今後見込まれる）持続期間でみても、あるいは資産市場に与えた影響の大きさでみても、大恐慌以来最も深刻なグローバル金融危機と位置づけられる。この危機は世界の経済史において一つの転換点となっており、最終的な解決までに、政治も経済もすくなくとも一世代にわたって変貌を遂げることになろう。

この危機は、驚天動地の出来事として起きてよかったのだろうか。とりわけ、アメリカに与えた深刻な影響は、予想し得ないものだったと言ってよいのだろうか。大勢の著名な学者や投資家や政策担当者の発言を聞いた人は、今回の危機は青天の霹靂であり、一〇〇万分の一かニの確率でしか起きないような印象を受けるだろう。連邦準備理事会（ＦＲＢ）のアラン・グリーンスパン議長（当時）は、証券化やオプション・プライシングといった金融イノベーションによりリスク分散を図る高度な新しい手段が生み出され、住宅のように従来は非流動的だった資産の流動性が高まった、と折に触れて発言していた。したがってリスク資産の価格がどんどん値上がりするのは正常なのだ、と。

このあたりで議論を打ち切り、アメリカが「特別」だから多くの人が「今回はちがう」と信じたのだと言い切ってしまうことは可能かもしれない。だがアメリカに端を発し世界を巻き込んだこの金融危機の歴史的意義を踏まえると、あれほど多くの人が勘違いした理由を理解するためには、もうすこし背景を知っておくべきだと感じる。

アメリカの経常赤字と住宅価格を巡る危機前の論議

グリーンスパン議長は膨らむ一方のアメリカの経常赤字にしきりに懸念を表明し、心配性のレッテルを貼られた一人である。[8] そのグリーンスパンが、二〇〇六年の時点でGDP比六・五％超（総額で八〇〇〇億ドル以上）に達した巨額の経常赤字を指して、その大半はグローバル金融の深化という大きな潮流を反映したものだと述べ、どの国もこれまでよりはるかに大規模な経常赤字または黒字を維持できるようになったのだと主張した。二〇〇七年に出版された著書『波乱の時代』（邦訳日本経済新聞社刊）でも、アメリカの長期にわたる経常赤字を重要なリスク要因とはみなさず副次的な要因と位置づけ、政策担当者が過度に懸念すべきでない事項（そこには住宅価格の高騰や家計の負債の大幅な膨張なども含まれていた）の一つだと片付けている――それも、二〇〇七年に始まった危機の直前の時期に。[9]

アメリカの借り入れにかなり寛容だったのは、けっしてグリーンスパンだけではない。ポール・オニール財務長官（当時）にも、各国がアメリカに貸したがるのはごく自然な成り行きだという有名な発言がある。その理由としてオニールはアメリカの生産性が大幅に伸びていることを挙げ、経常収支は「意味のない概念」だと断じた。[10]

グリーンスパンの後継者であるベン・バーナンキは、二〇〇五年に行った講演で、アメリカの巨額の借り入れは「世界的な貯蓄過剰」の結果だと指摘して注目を集めた。世界が貯蓄過剰になったのはさまざまな要因が重なったからで、その多くはアメリカの政策当局のあずかり知らぬことだという。[11] そうした要因の一つが、経済危機の再発に備えて保険をかけておきたいという、多くの新興市場国が抱いていた強い願望である。一九九〇年代から二〇〇〇年代前半に中南米とアジアで次々に危機が発生した結果、これらの国はそうした願望を抱くようになっていた。また中東諸国はオイルマネーの使い途を探していたし、中国など金融システムが未熟な国は、安全な資産への投資の分散化を望んでいた。さらに日本やドイツなど人口高齢化に直面した一部の先進国では貯蓄率が高かったが、これは自然な現象だとバーナンキは指摘する。こうした要因が重なって巨額の純貯蓄が積み上がり、安全で活気のある投資先を求めていた。つまりそれが、アメリカだったのである。安上がりに資金調達できるのだから、もちろんアメリカにとっても悪い話ではない。このとき政策当局は、「話がうますぎるのではないか」と立ち止まって考えるべきだった。だが巨額の資本流入ラッシュに沸く新興市場国で政策当局の発言にたびたび現れる「今回はちがう」という主張とまったく同じ論法が、アメリカにも現れた。「他国のリターンは低い。だから我が国への投資は飛び抜けて魅力的なのだ」というわけである。

アメリカに潤沢に資金が流れ込むと共に、ゴールドマン・サックス、メリルリンチ（二〇〇八年に半ば強制的にバンク・オブ・アメリカに吸収合併させられた）、いまは亡きリーマン・ブラザーズといった巨大投資銀行でも、シティバンクを始めとするリテール中心の大手総合銀行でも、アメリカの金融機関の利益は軒並みうなぎ登りに増えた。アメリカの金融部門（保険会社を含む）の規模は二倍以上に拡大し、一九七〇年代半ばにはGDPのおよそ四％だったのが、二〇〇七年にはほぼ八％に達する。[*12] 二〇〇七年に五大投資銀行の幹部が手にしたボーナスは、総額三六〇億ドルを上回った。金融業界の大物たちは、この業界の高い収益率を金融イノベーションと正真正銘の高付加価値商品の賜物だとみなし、自分たちの会社がとっている潜在リスクをひどく過小評価する傾向があった（読者は、「今回はちがう」シンドロームを現実的に定義するなら、その重要な要素が「昔のルールはもう当てはまらない」と信じ込む傾向であることを思い出してほしい）。金融イノベーションという重要な基盤があるからこそ、アメリカは容易に外国から巨額の借り入れができるのだ――彼らはそう信じていたのである。たとえば証券化というイノベーションのおかげで、アメリカの消費者にとって従来は流動性の乏しかった住宅という資産が「現金払出機」と化す。その結果、万一の事態に備えた貯金は減少した。*13

学界や政権内部の経済学者は、アメリカの経常赤字の危険性についてどう考えていたのだろうか。意見は大きく分かれており、一方ではオブストフェルドとロゴフが、アメリカの桁外れの経常赤字は持続不能であろうとの寄稿を数回にわたって行った。*14 寄稿では、次の点が指摘されている。世界の純貯蓄国（貯蓄が投資を上回る国。中国、日本、ドイツ、サウジアラビア、ロシアなどが該当する）の超過貯蓄額を合計すると、二〇〇四～〇六年には貯蓄総額の三分の二以上をアメリカがすでに吸い上げた計算になる。したがってアメリカはいずれ借金パーティーを打ち止めにせざるを得ない。そうなればおそらくあっという間に資産価格に大幅変動が起き、グローバルに拡がる複雑怪奇なデリバティブの仕組みは深刻な打撃を被りかねない、というものである。*15

ほかにも多くの専門家が同様の懸念を示している。たとえば二〇〇四年にはヌリエル・ルービニとブラッド・セッツアーが、アメリカの経常赤字は将来一段と悪化してGDP比一〇%

に達し、維持不能になるだろうと指摘した。[*16] ポール・クルーグマン（二〇〇八年にノーベル経済学賞受賞）は、アメリカの経常赤字が持続不能であることが誰の目にも明らかになったとき、「ワイリー・コヨーテの瞬間」（うまくいきそうな企てが最後の最後に失敗する瞬間）が訪れ、ドルは暴落するだろうと主張した。[*17] こうしたリスクを指摘した学術論文は、ほかにも多数発表されている。[*18]

その一方で、尊敬を集める多くの学者や政策担当者、金融市場の専門家が、はるかに楽観的な見方を示してきた。たとえばマイケル・ドゥーリー、デービッド・フォルカーツ・ランドー、ピーター・ガーバーのいわゆるドイツ銀行トリオは、一連の論文の中で、新興市場国が輸出主導型成長をめざし、かつ安全な資産への分散化を必要とするのだから、アメリカが大幅な経常赤字を抱えるのは当然の結果に過ぎないと主張した。これらの論文は強い影響力を持つ。[*19] ドゥーリーらは、アメリカの赤字を増幅させるこの仕組みに「ブレトンウッズⅡ」という示唆に富んだ名前を付けた。アジア各国は自国通貨を事実上ドル・ペッグしており、これは四〇年前にヨーロッパがやっていたことの再現だというわけである。

ハーバード大学の経済学教授リチャード・クーパーは、アメリカの経常赤字には論理的根拠があり、必ずしも明らかな危険が存在することを意味しない、と巧みな議論を展開した。[*20] クーパーはその根拠として、世界の金融システムと安全保障システムにおいてアメリカが主導的地位を占めていること、アメリカの金融市場および住宅市場には並外れた流動性が備わっていることの二点を挙げている。じつのところ世界の貯蓄過剰に関するバーナンキの講演は、学問的研究や政策研究ですでに展開されていたこれらの興味深い主張をいろいろな意味で総合したものと言えよう。

このほかに、一段と風変りな主張もあった。たとえばハーバード大学ケネディ行政大学院のリカルド・ハウスマンとフェデリコ・スターゼネッガーは、アメリカの海外資産は過小評価されており、公式推定よりももっと多いと主張した。[*21] 両名によれば、際限なく続くように見えるアメリカの経常収支と貿易収支の赤字をアメリカがどうやってファイナンスできているかは、この過小評価分すなわち「暗黒物質」を考慮すれば説明できるという。そしてミネソタ大学のエレン・マクグラッタンとアリゾナ州立大学のエドワード・プレスコット（やはりノーベル賞を受賞した）は暗黒物質を効率的に測定するモデルを開発し、それによっておそらくアメリカの経常赤字の約半分は説明できると述べた。[*22]

経済学者の間では、アメリカの海外からの借り入れ以外に危機に関連する問題として、先に述べたように、全米でみられた住宅の爆発的な値上がりは金融政策当局が考慮すべき問題か、ということも議論の的になった。この点について、中心的な政策担当者はまたしても、新たな金融市場の登場で住宅による借り入れが容易になったこと、マクロ経済リスクの低下によってリスク資産の価値が上昇したことを根拠に、住宅価格の上昇は正当化しうると述べた。グリーンスパンもバーナンキも、FRBの主要任務である成長と物価安定を脅かしかねない水準に達した場合を除き、住宅価格の動向に過大な注意を払うべきではない、と強く主張した。バーナンキはFRB理事になる前の二〇〇一年にすでに、ニューヨーク大学のマーク・ガートラーと共同執筆した論文の中で、同じことを公式に堂々と述べている。[*23]

住宅価格を無視してよいというFRBの論理は、一方から見れば、民間部門は少なくとも政府官僚ができる程度には住宅価格（あるいは株価）の均衡水準を判断できる、というきわめて思慮深い判断に基づいている。しかし他方から見れば、資産価格の上昇を牽引しているのが増え続ける家計の負債であることに、FRBはもっと注意を払うべきだったと言えよう。家計部門の貯蓄率が過去最低水準まで落ち込む中、同部門の負債がGDPに占める比率は増え続けていた。負債比率は、一九九三年までは個人所得の八〇％前後でほぼ安定していたが、二〇〇三年には一二〇％に、二〇〇六年半ばには一三〇％に近づいている。ボルドーとジーンが国際決済銀行（BIS）と行った実証研究は、住宅ブームに伴って負債が急増すると、危機発生リスクが大幅に高まることを示した。[*24]この研究は必ずしも決定的なものとは言えないが、傍観していてよいというFRBの政策に疑義を呈したことはまちがいない。その一方で、住宅ブームが多くの国で発生したことを考えると（ドイツや日本など大幅黒字国では、住宅価格の上昇はあったとしても小幅にとどまっていたが）、問題の根本的原因は何なのか、また国内の金融政策や規制政策だけで効果的な対策になりうるのか、という疑問も湧いてくる。

バーナンキはまだFRB理事だった二〇〇四年に、不適切な融資基準に起因する住宅バブルには規制政策で対応すべきであって、金融政策の範疇ではないと述べている。[*25]となれば当然ながら、政治的な理由などにより規制政策がうまくバブルに対処できなかった場合にはどうするのか、という問題が出てくる。そもそも資産価格インフレを加速させたのは外国からの大量の資本流入にほかならず、規制当局と格付け会社がついにリスクに気づかなかったのは低い金利スプレッドが原因だという主張も、十分に成り立つ。

ともあれ、最大かつ喫緊の問題を引き起こしたのが、サブプライム層つまりは低所得層向け住宅ローン市場であったことはまちがいない。証券化という「進化した手法」と永遠に続くように見えた住宅価格の上昇のおかげで、それまでは家を買うことなど思いも寄らなかった人々にまで、住宅が手に届くようになった。だが不幸にも、こうした人々のために用意されたローンの多くは変動金利方式で、最初の数年のみ「ティーザー金利」と呼ばれる優遇金利が設定されていた。優遇期間が終わってローンを借り換えようとすると、金利が上がるうえに景気は悪化しており、多くの人にとって債務の履行が困難になる。こうしてサブプライム・ローンの破綻が始まった。

アメリカの金融システムや規制システムは、どれほど大量の資本が流入し続けてもまったく問題なく耐えられる、と当局は自信満々だった。二〇〇〇年代後半のグローバル金融危機の下地を作ったのは、このうぬぼれだったと言えよう。「今回はちがう」（このときは、アメリカのシステムはすぐれているというのが理由だった）と考えるのはまちがいだということが、またしても立証されたのである。途方もない水準に達した金融市場のリターンは、実際には資本流入によって膨らんでいたのであり、新興市場国でよくあるケースとどこも変わらなかった。後講釈を承知で言えば、サブプライム・ローン市場の規制を緩和したこと、証券取引委員会（SEC）が二〇〇四年に投資銀行のレバレッジ・レシオ（自己資本に対するリスクの大きさを測る比率と言える）の上限を三倍に緩和したことは、当時は好ましい措置にみえたけれども、やはり規制政策の大きな失敗だったと言わざるを得ない。資本の流入によって借り入れが拡大し資産価格が上昇する一方で、あらゆる種類のリスク資産のスプレッドが縮小した。こうした中、国際通貨基金（ＩＭＦ）は二〇〇七年四月に「世界経済見通し」（年二回発表）の中で、グローバル経済を脅かすリスクはきわめて小さくなり、当面は何も懸念すべき材料はないと述べる。世界の金融のお目付役である国際機関が何も心配はいらないと請け合ったのだから、「今回はちがう」ことのこれほど確かな表明はなかった。

二〇〇七年に始まった危機にも、新興市場危機前のブーム期と共通する点がたくさんあったということである。大方の政府はこうしたブーム期に、膨張した金融システムから圧力を逃がす予防策をとっていない。資本流入ラッシュが永遠に続くと期待するからである。だが多くの場合、ブームを少しでも長続きさせようとしたことが、自国経済のリスクをより高める結果を招いている。

サブプライム金融危機前にみられた「今回はちがう」というメンタリティに関する議論を、以上簡単にまとめた。要するに多くの人は、次の理由から「今回はちがう」と考えるようになったのである。

●アメリカには、世界で最も信頼できる金融規制、革新的な金融システム、盤石の政治制度、世界最大の規模と流動性を誇る資本市場が整備されている。だから、アメリカは特別である。

どれほど大量の資本が流入しても耐えられるから、何も心配はいらない。
●急成長中の開発途上国は、分散投資を行うため、安全な投資先を求めている。
●世界の金融は統合化の方向にあり、国際資本市場は深化し、どの国も債務を増やせるようになった。
●アメリカにはさまざまな強みがあり、それに加えて、すぐれた金融政策を立案する人材と実行する組織を持っている。
●新しい金融商品の登場で、たくさんの新たな借り手が住宅ローン市場に参入できるようになった。
●いま起きていることはすべて、イノベーションによって金融のグローバリゼーションが一段と深化するプロセスに過ぎず、むやみに懸念するにはおよばない。

銀行が主役となった戦後の金融危機

学者や経営者や政策当局が「今回はちがう」理由を次々に挙げるにつれ、アメリカ経済の様相は過去の事例における危機前の状況といよいよ似てきた。

二〇〇七年のサブプライム危機（のちに第二次大収縮に発展した）の先例を調べるに当たり、私たちはまず、第二次世界大戦後に発生した一八件の銀行中心の危機を取り上げ、データを検討した。*26 なお当面は、工業先進国に話を限ることにする。これは、アメリカと新興市場国

表 13.1 第二次世界大戦後に先進国で起きた銀行・金融危機

国名	危機発生年
五大危機（深刻な大型危機）	
スペイン	1977
ノルウェー	1987
フィンランド	1991
スウェーデン	1991
日本	1992
五大危機よりゆるやかな危機	
イギリス	1974
ドイツ	1977
カナダ	1983
アメリカ（S & L）	1984
アイスランド	1985
デンマーク	1987
ニュージーランド	1987
オーストラリア	1989
イタリア	1990
ギリシャ	1991
イギリス	1991
フランス	1994
イギリス	1995

（資料）Caprio and Klingebiel (1996, 2003), Kaminsky and Reinhart (1999), and Caprio et al. (2005).

とを比較すると、誇張が混じっているとの印象を与えかねないのを避けるためである。とは言え第10章で指摘したとおり、金融危機は先進国と新興市場国とでさほど大きなちがいはない。次の第14章では、改めて比較対象を拡げて検討する。

本章で比較に使った事例を表13・1にまとめた。

第二次世界大戦後に先進国で起きた一八件の銀行危機のうち「五大危機」は、例外なく産出高の大幅減少を伴っている。減少基調は長引き、二年以上続くことが多い。二〇〇七年までの戦後危機で最悪なのは一九九二年に日本で発生したもので、

「失われた一〇年」を引き起こすきっかけとなった。しかし日本より前に起きた五大危機も、苦痛に満ちた出来事だったことに変わりはない。

残る一三件はやや規模が小さく、経済実績は通常より大幅に落ち込んだものの、災厄と言うほどではなかった。たとえばアメリカで一九八四年に始まった貯蓄貸付組合（S&L）危機は、これに該当する。[*27] 一三件の中には影響が比較的軽微なものもあるが、ここでは比較対照のために含めておく。二〇〇〇年代後半にアメリカで始まった金融危機の前段階は、ゆるやかな危機の前段階とはまったく似ていないとすぐに判明するのだが、当時は大方の政策担当者もジャーナリストも、それに気づいていなかったようである。

サブプライム危機と先進国における過去の危機との比較

アメリカにおける危機発生リスクを測定する指標を選ぶに当たっては、先進国・新興市場国の金融危機予測に関する研究を参考にした。[*28] これらの研究では、金融危機の主な前兆として、資産価格の顕著な上昇、実質経済活動の停滞、巨額の経常赤字、債務（官民を問わない）の継続的拡大を挙げている。また資本流入ラッシュのことも忘れてはならない。少なくとも金融自由化が進んだ一九七〇年以降については、継続的な資本流入が金融危機のきわめて明確な徴候であったことは、第10章で示したとおりである。また歴史を振り返ると、金融の規制緩和や金融イノベーションも繰り返し金融危機の予兆となってきたことがわかる。こちらも第10章で指摘

図 13.3 第二次世界大戦後の実質住宅価格と銀行危機（先進国）

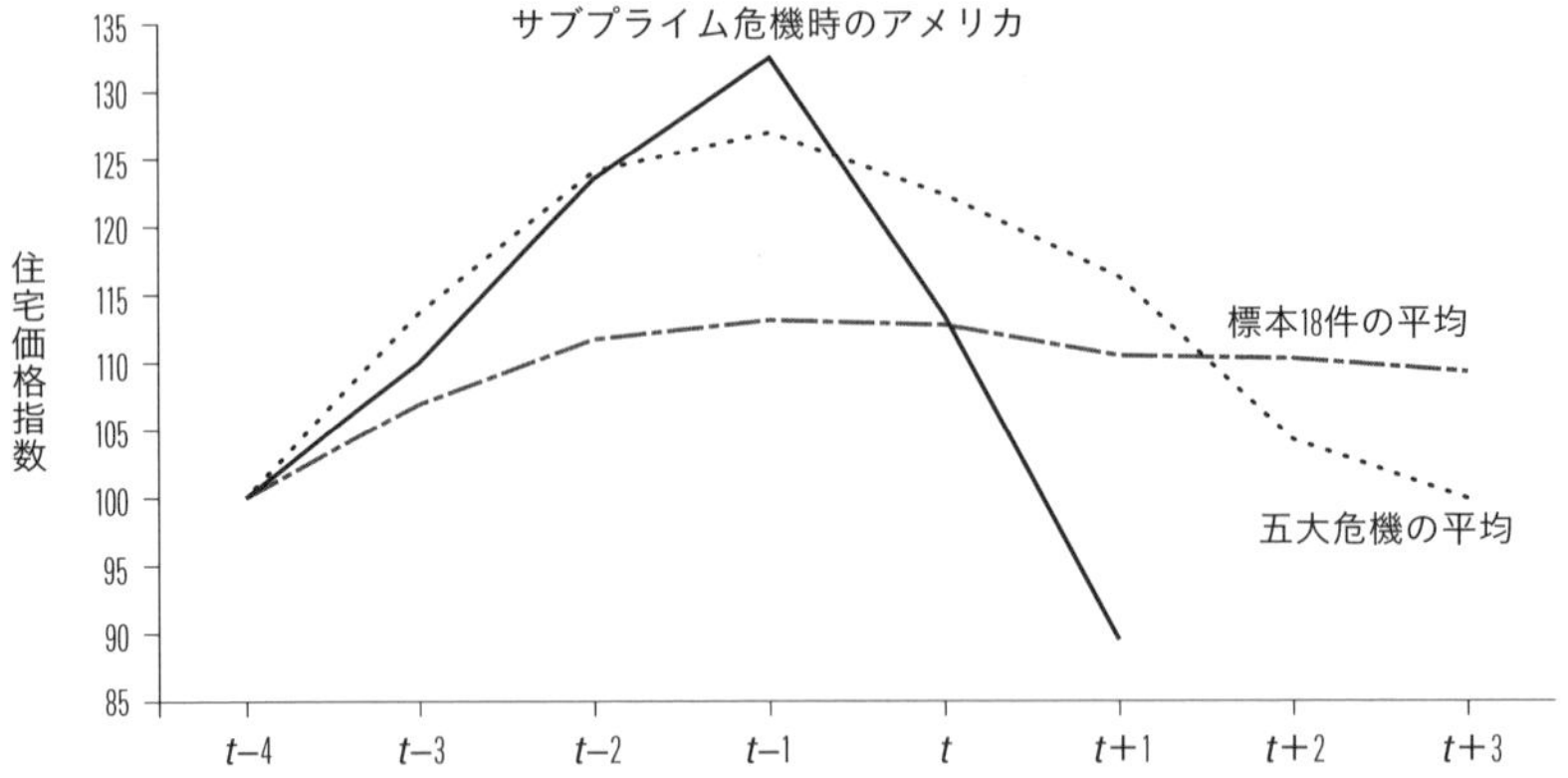

（資料）Bank for International Settlements (2005); Shiller (2005); Standard and Poor's; International Monetary Fund (various years), International Financial Statistics; および筆者の計算。

（注記）名目住宅価格指数を消費者物価指数で実質化した。t＝危機発生年（第二次大収縮の場合は 2007 年）。$t-4$＝指数の基準年（＝ 100）（第二次大収縮の場合は 2003 年）。

した。

ではまず図13・3に示した住宅価格の急騰から比較を始めることにしよう。図中のtは危機発生年を表し、したがって$t-4$は危機四年前を意味する。比較対照グループのグラフは危機三年後まで描かれているが、今回の金融危機では当然ながら一年後までとなっている。本書を執筆中の現時点ではその行方はわからず、今後しばらくは運命の手に委ねられることになろう。*29 このグラフは、金融危機前には一般に住宅価格が大幅に上昇するというケーススタディの結果を裏付けている。ただしグラフを見る限りでは、アメリカの住宅価格の上昇ぶりは五大危機の平均をやや上回っており、かつ危機発生後（$t+1$。ここでは二〇〇八年）の落ち込みがはるかに急激のようだ。この点は、すこぶる気になるところである。

図 13.4　第二次世界大戦後の実質株価と銀行危機（先進国）

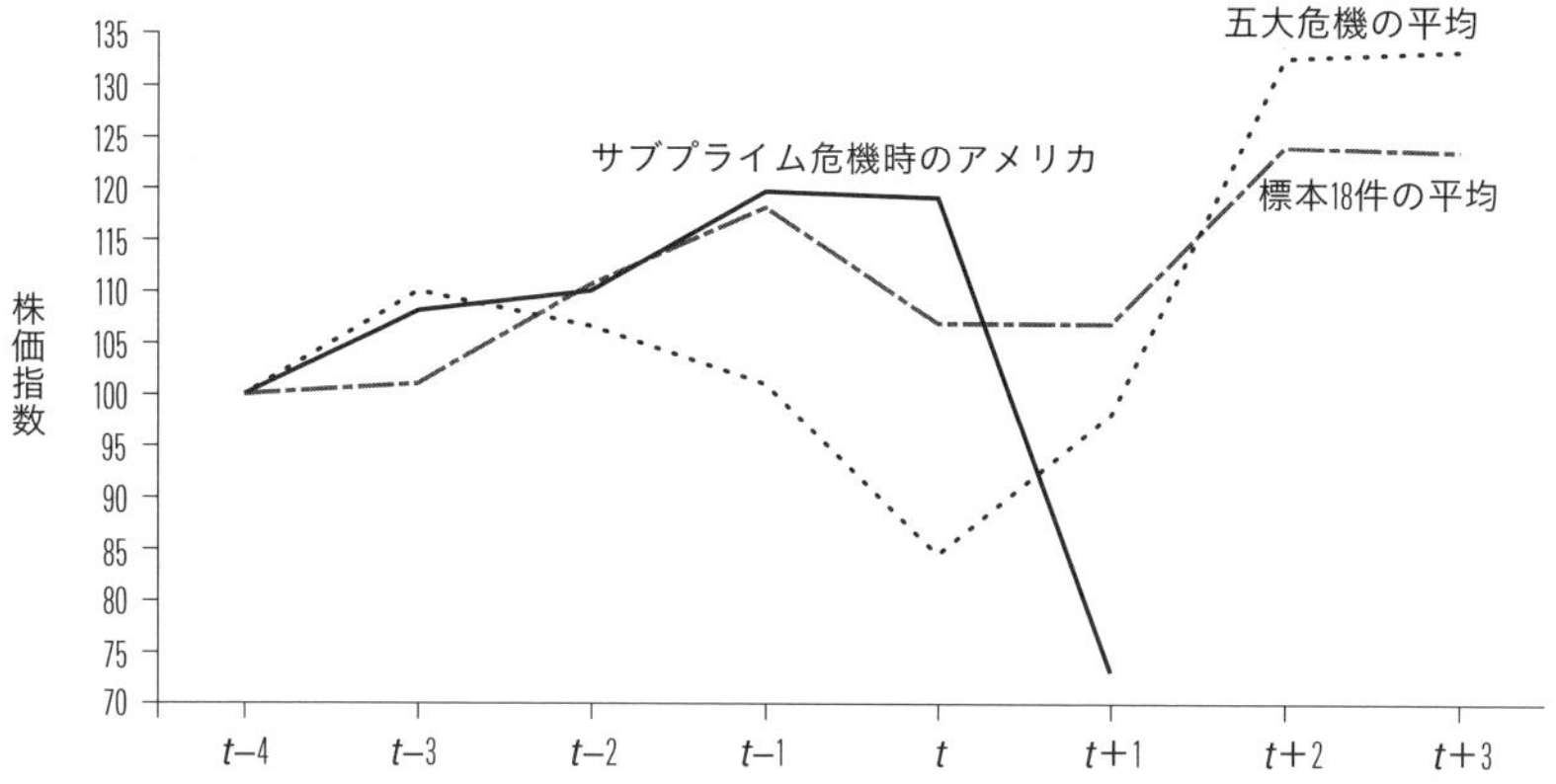

（資料）Global Financial Data (n.d.); International Monetary Fund (various years), International Financial Statistics および筆者の計算。

（注記）名目株価指数を消費者物価指数で実質化した。t＝危機発生年（第二次大収縮の場合は 2007 年）。$t-4$＝指数の基準年（＝ 100）（第二次大収縮の場合は 2003 年）。

次の図13・4には、株価指数の実質上昇率を示す。[30] このグラフを見ると、危機に向かう段階で、アメリカの株価は比較対照グループよりよく持ちこたえていることがわかる。おそらくその原因には、一つにはFRBが二〇〇一年のリセッションに対して積極的に景気対策を講じたこと、もう一つにはサブプライム危機の深刻さが多分に「サプライズ要因」だったことが挙げられよう。しかし危機発生から一年後（t＋1）には、五大危機の場合と同じく株価は急落した。

図13・5には、経常収支の推移を示した。棒グラフが二〇〇三〜〇七年のアメリカの経常赤字（GDP比）、点線が標本一八件の平均である。サブプライム危機当時のアメリカの経常赤字は、他の危機当事国と比べ、はるかに巨額になっている。[31] アジ

図 13.5　第二次世界大戦後の経常赤字と銀行危機（先進国）

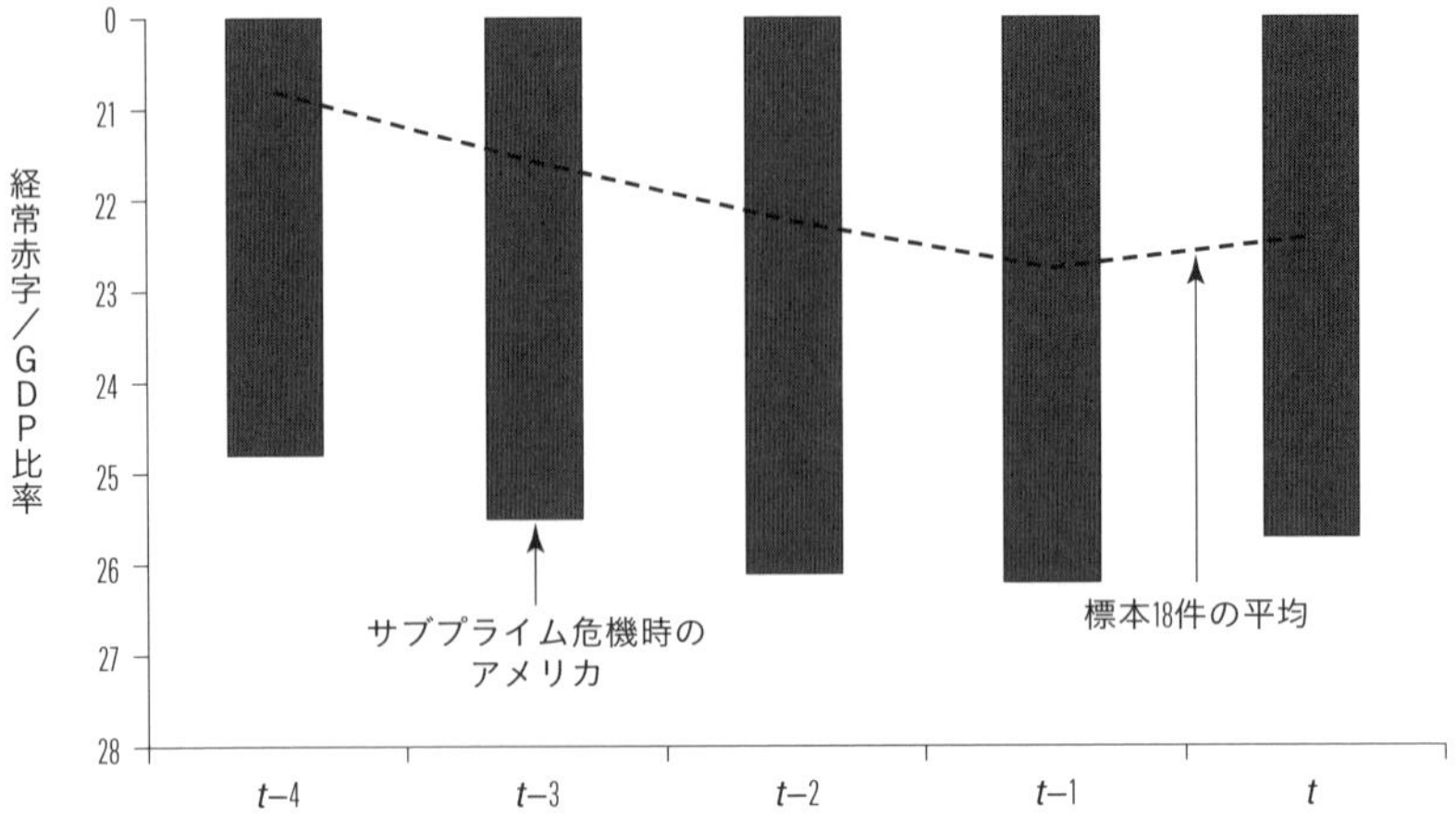

（資料）International Monetary Fund (various years), *World Economic Outlook* および筆者の計算。

アを中心に多くの国の中央銀行が過去最高水準の外貨準備を積み上げていた時期を通じて、ドルは世界の準備通貨だった。このため、アメリカの記録的な経常赤字をファイナンスする外国資本が増えたことは確実である。

金融危機というものは、理由もなく起きることはまずない。だいたいは、何らかの実体的なショックで経済活動のペースが鈍化してから始まる。このように、危機は引き金ではなく、増幅メカニズムとして作用する。図13・6に、銀行危機前の一人当たりGDPの伸び率をプロットした。二〇〇七年に始まったアメリカの危機も、先行事例を特徴付ける逆V字型をたどっている。ただし株価もそうだったが、GDPの反応もいくらか遅い。二〇〇七年になっても、アメリカの成長率は鈍化してはいるものの、

図 13.6　戦後の実質 GDP 成長率と銀行危機（先進国）

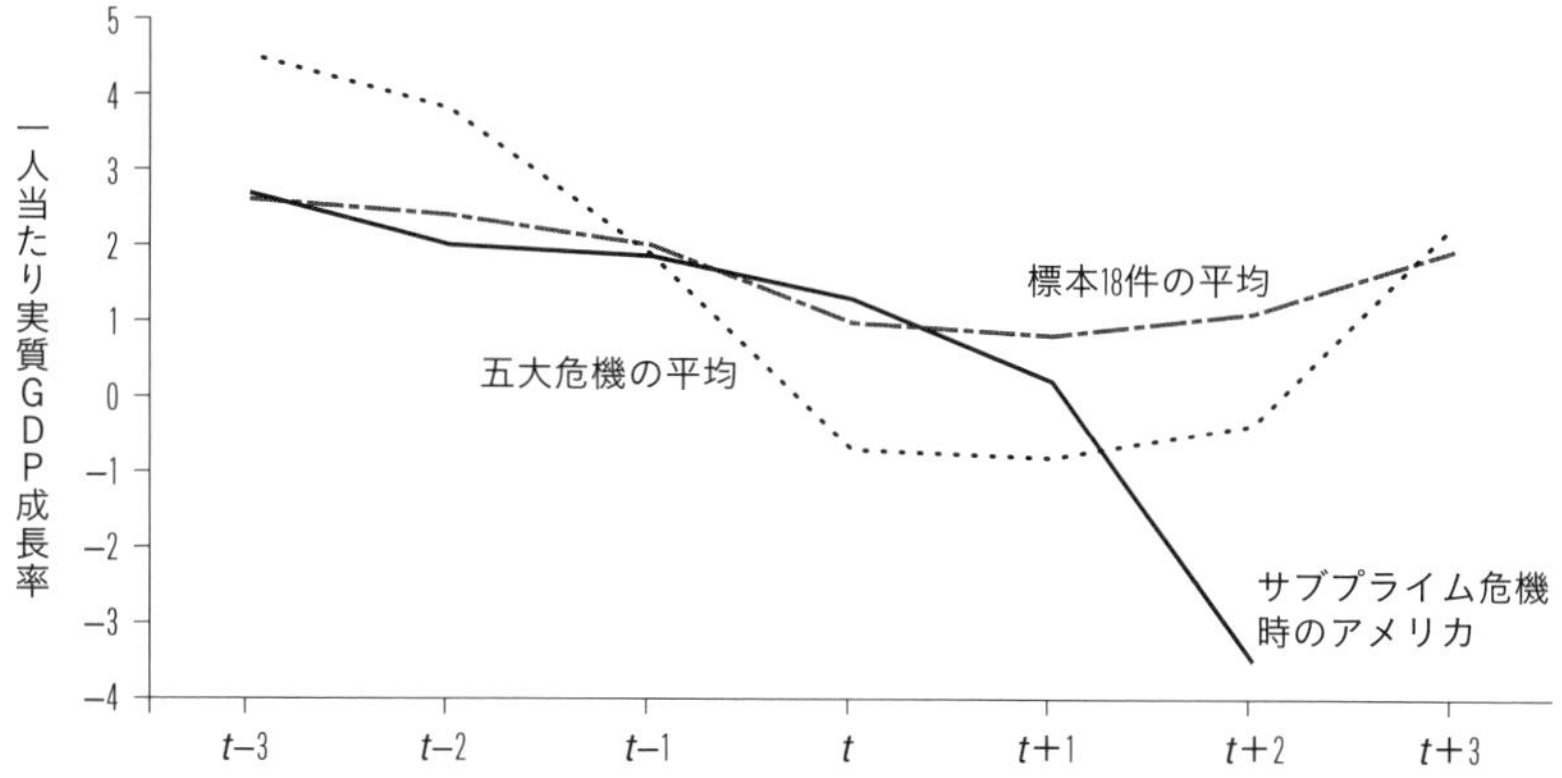

（資料）International Monetary Fund (various years), *World Economic Outlook*, and *Wall Street Journal*.
（注記）第二次大収縮時のアメリカについては、2009 年のコンセンサス予想（▲ 3.5%）を（$t+2$）に記入した。t ＝危機発生年（第二次大収縮の場合は 2007 年）。

図 13.7　第二次世界大戦後の実質公的債務と銀行危機（先進国）

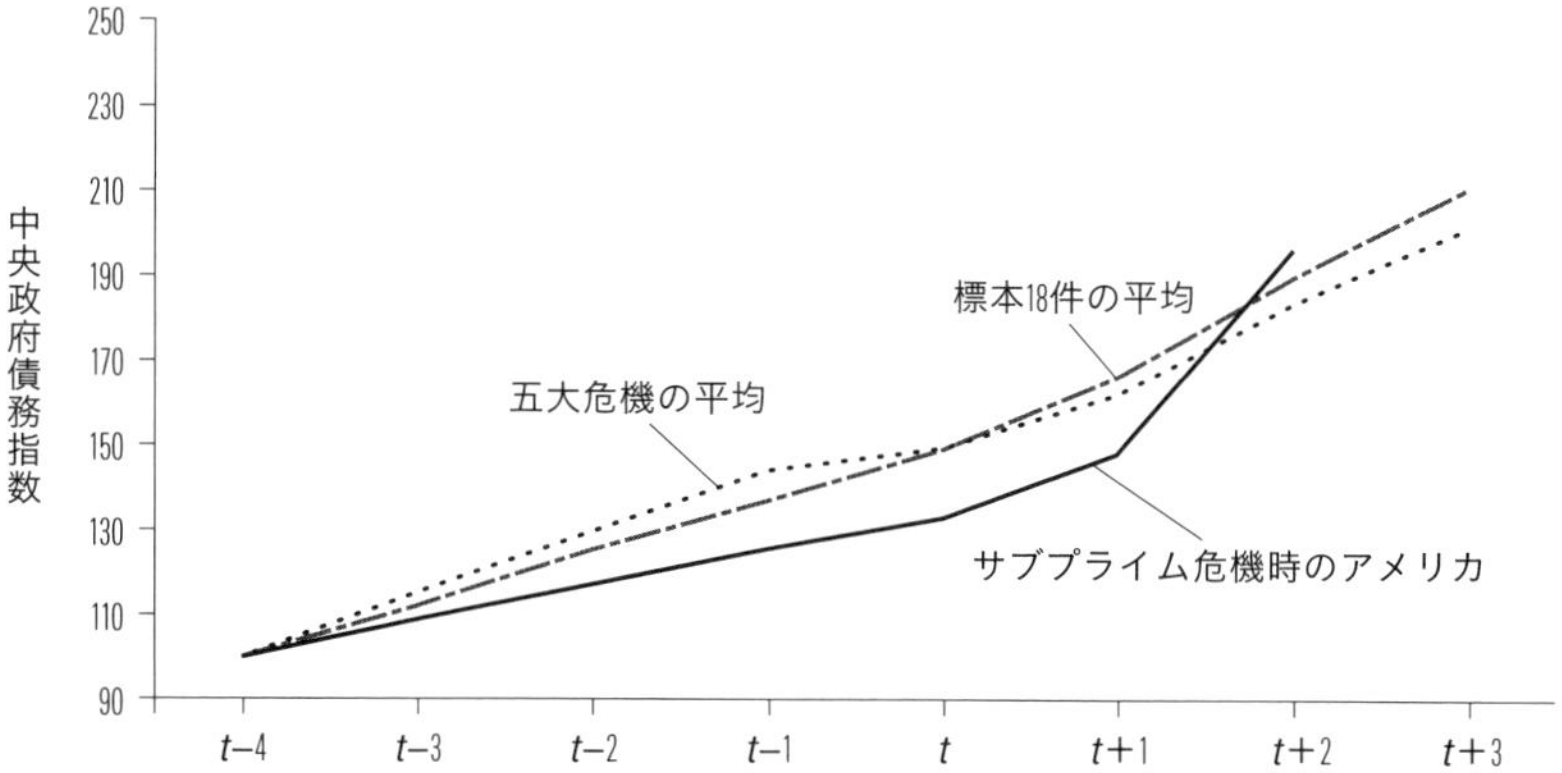

（資料）U.S. Treasury Department; International Monetary Fund (various years), *International Financial Statistics*、巻末資料 A・1 と A・2 に掲載および筆者の計算。
（注記）名目債務を消費者物価指数で実質化した。t ＝危機発生年（第二次大収縮の場合は 2007 年）。
$t-4$ ＝指数の基準年（＝ 100）（第二次大収縮の場合は 2003 年）。

すべての危機の平均にみられるゆるやかなリセッションのパターンの方に近かった。

ところが二〇〇八年になって事態は悪化し、成長率は急激に落ち込む。翌二〇〇九年初めの時点でのコンセンサス予想（ウォールストリート・ジャーナル紙に掲載された景気予測に基づく）は、「今回のリセッションは五大危機の平均より深刻化する」というものになった。ちなみに五大危機の場合には、成長率がピーク時から底打ちまで五％以上落ち込み、その後ほぼ三年にわたって低水準にとどまっている。

本章の最後の図13・7には、実質ベースの公的債務（消費者物価指数で実質化）の推移を示した。[*32] 他の戦後危機でもほぼ例外なく、危機前に公的債務が増えるという前兆がみられる。しかし第14章で示すように、危機前よりも、危機が始まってからの方が増え方ははるかに大きい。これは、成長率が鈍化して税収が落ち込むことが原因である。二〇〇七年以前に積み上がったアメリカの公的債務は、五大危機の平均より少なかった。民間債務も比較できるとよいのだが、アメリカについてはある程度把握しているものの、他の国について比較可能なデータを収集するのは、残念ながらかなりむずかしい。アメリカの場合、家計部門の負債／所得比率は、一〇年足らずで三〇％も急上昇している。しかしリセッションが長引けば、消費者はよりリスクの小さいポジションをとろうとするので、この比率は大幅に下がるはずだ。

二〇〇七年にいたる時期のアメリカでは、深刻な金融危機の発生リスクが高いことを多くの指標が示していた、という私たちの主張には、一つ弱点がある。二〇〇七年以前のアメリカは、インフレに関する限り、金融危機が発生した他の国より好ましい状況だったことである。

まとめ

二〇〇七年の金融危機が近づいていたとき、あれほど多くの人が気づかなかったのはなぜだろうか。金融危機の標準的な指標を見れば、かなり前から多くの赤信号が点滅していたことがわかる。もっとも、たとえ政策当局が事前に気づいたとしても、容易に防げたなどと言うつもりはない。私たちはマクロ経済的な現象に着目したが、実際には多くの問題点が金融市場の入り組んだ仕組みの中に隠されており、そのことは危機が始まってから苦痛と共に明らかになった。こうした問題点の中には、解決までに長い年月を要するものもある。それにしても、五年間で一〇〇%以上という住宅価格の途方もない上昇が、それも全国的に起きたことは、警告と受け止めるべきだった。住宅ブームが負債の増大に支えられていたのだから、なおのことである。二〇〇八年初めの時点で、アメリカでは住宅ローンの合計がGDP比約九〇%に達していた。このような状況では、政策当局は危機の数年前には、意図的に圧力をいくらか逃がす対策を講じるべきだったと考えられる。だが残念ながら当局は、成長を維持し株価の急落をなんとか避けようとし、その結果、圧力鍋の安全弁は機能しなくなった。とは言えアメリカは、この金融危機で主役を演じてしまったにもかかわらず、現時点（二〇〇九年半ば）でまだデフォルトは起こしていない。もしアメリカが新興市場国だったら、通貨価値は急落し、金利は急上昇していただろう。そして国際資本市場へのアクセスは、ドーンブッシュとカルボの言うような急停止（サドン・ストップ）をしていたかもしれない。だが実際に危機（二〇〇七年）の一年後に起きたのは、正反対のことだった。ドルは上がり、金利は下がったのである。世界中の投資家が、他の国はアメリカよりもっと危険だと判断し、大量に米国債を買い込んだからだった。[*33] だが買った人たちは気をつけた方がいい。長い目で見れば、ドルの価値と金利は必ずあるべき水準に戻るだろう。財政の長期的持続可能性を確保するために、しっかりした土台を再構築する政策がとられない限り、まず確実にそうなるはずだ。

第14章

金融危機後の比較

前章では、二〇〇七年のサブプライム危機と戦後の先進国で起きた銀行危機の比較分析を、危機前の経過について行った。アメリカの標準的な指標を見ると、資産価格インフレ、負債比率の上昇、巨額な経常赤字の蓄積、経済成長の鈍化といった具合に、深刻な金融危機が差し迫った国にみられるほぼすべての徴候が現れていたことがわかる。続く本章では、同様の比較分析をシステミックな銀行危機の後について行う。もちろん事態が進行すれば、サブプライム危機後の経過がここで比較対象とした先例よりましなのか、もっと悪いのかは自ずと明らかになるはずだ。それでも、この比較分析それ自体に価値があると信じる。というのも、統計的にみて「正常な」経済成長の期間を基準にした標準的なマクロ経済モデルは、本書を執筆中もアメリカと世界に影響をおよぼしている強烈なショックを分析するのには、ほとんど役に立たないと考えられるからだ。

前章では、誇張が混じっているとの印象を与えかねないのを避けるため、新興市場国での事例は意図的に比較対象から外した。何と言ってもアメリカは高度に洗練された世界の金融センターである。銀行危機に関して、先進国と新興市場国との間に果たして共通点があり得るだろうか。実際には第10章で論じたとおり、銀行危機の前も後も、富裕国と新興市場国との共通点は驚くほど多い。住宅価格、株価、失業率、政府税収、債務には同じようなパターンが認められる。さらに危機の発生頻度すなわち発生率も、第二次世界大戦後に限ったとしても（現在進行中のグローバル金融危機を含めるならば）、さほど変わらない。そこで本章では、深刻な金融危機後の経過を検証するに当たって、新興市場国の危機もいくつか含め、比較の対象を拡げることにする[*1]。

おおざっぱに言って、金融危機というものは長引く性質を持つ。そして深刻な金融危機の後には、次の三つの特徴がみられることが多い。

第一に、資産市場が大幅に落ち込み、なかなか回復しない。実質住宅価格は六年にわたって平均三五％、株価は約三年半にわたって平均五六％落ち込む。

第二に、銀行危機後には、生産と雇用が大幅に落ち込む。失業率は景気循環の後退局面で平均七％上昇し、この水準が平均四年以上続く。産出高はピークから底まで平均的に九％以上落ち込むが、低迷が続くのは平均して二年程度である。このように、生産の低迷は雇用に比べるとずっと短い。*2

第三に、前章で指摘したように、政府債務の実質価値が急増する。第二次世界大戦後の主な危機では、政府債務は平均八六％拡大した（実質ベース、危機前の水準との比較）。第10章ですでに論じたとおり、債務がこれほど増えるのは、よく言われるような銀行システムの救済コストと資本増強のためではない。救済コストは測定がむずかしいことが認められており、同種の研究で推定値にかなりのばらつきがある。しかし最も多めの推定値を採用するとしても、実際に計測された政府債務の増加と比べればはるかに小さい。債務が膨らむ最大の原因は、税収の激減にある。生産の大幅な落ち込みが長引けば、税収が大幅に減るのは避けられない。また多くの国が、金利の上昇に伴う債務の金利負担増にも苦しむ。国によっては、景気刺激を意図した財政政策をとったために政府債務が積み上がることもある。その代表例が、一九九〇年代の日本である（なお、このような財政政策の規模のちがいを測定するのはむずかしい。北欧のように限界税率が高くて失業補償が手厚い国では財政の自動安定化装置がよく機能するが、アメリカや日本などではその効果がはるかに小さいからである）。

章の最後では、一九三〇年代の大恐慌時の状況を定量的な基準として比較を試みる。大恐慌は今回の危機前に起きた最後のグローバル金融危機であり、経済活動の低迷の度合いと期間の長さは、戦後に起きたあらゆる深刻な危機をはるかに上回る。各国の一人当たりＧＤＰが一九二九年の水準に戻るまで、平均一〇年を要した。また大恐慌が始まってから最初の三年間で、比較対象とした主要一五カ国の失業率は平均一六・八ポイント上昇した。

比較対象に採用した過去の事例

前章では、戦後の先進国で起きた主な銀行危機一八件を比較検討の材料とし、とくに五大危機（一九七七年のスペイン、一九八七年のノルウェー、一九九一年のフィンランド、同年のスウェーデン、一九九二年の日本）に注目した。前章の比較結果と、二〇〇七年にアメリカで始まった危機の経過からみても、二〇〇〇年代後半に始まった危機は、明らかに五大危機クラスの深刻なものと考えるべきである。そこで本章では、深刻かつシステミックな金融危機だけを比較対象とし、先進国の五大危機のほか、新興市場国で発生したいくつかのよく知られた危機も取り上げる。具体的には、一九九七〜九八年のアジア金融危機（香港、インドネシア、韓国、マレーシア、フィリピン、タイ）、一九九八年のコロンビア、二〇〇一年のアルゼンチンの危機である。これらの事例については、主要指標（株価、住宅価格、失業率、成長率など）に関して意味のある定量的比較ができるだけの関連データがほぼ全部そろっている。とくに重要なのは過去の住宅価格データで、これは入手困難だが、最近の危機との比較を行ううえでは欠かせない。[*3] このほかに第二次世界大戦前ではあるが、住宅価格のデータがそろっている一八九九年のノルウェーと一九二九年のアメリカの危機も比較対象に加えた。

危機後の指標の悪化

図14・1には、表10・8と同じデータに先ほど挙げた危機を加えたデータセットを使い、銀行危機に伴う住宅価格の下落幅とその期間を示す。二〇〇七年以降に危機に直面した国も含めている。今回の危機は濃いグレー、過去の危機は薄いグレーで示してある。過去の危機では、住宅価格のピークから底までの下落幅累計は平均三五・五%に達した。[*4] 最も大幅な下落に見舞われたのはフィンランド、コロンビア、フィリピン、香港で、ピーク時から五〇~六〇%も落ち込んでいる。今回の危機では、アメリカの実質住宅価格はこれまでにほぼ二八%下落しており(二〇〇八年後半時点のケース＝シラー住宅価格指数による)、大恐慌中の下落幅のすでに倍以上に達した。とくに注意してほしいのは、住宅価格の低迷がきわめて長く続くことである。平均すると約六年になり、一七年連続で下落が続いた日本の異常事態を除外しても、五年を上回る。

次の図14・2には、14・1と同じ比較対象について、銀行危機に伴う株価の下落幅とその期間を示す。下落幅は住宅よりはるかに大きいが、下落期間はずっと短い。株価は不動産価格に比べ慣性効果が目立って乏しいので、期間が短いのは当然と言えよう。株価の平均下落幅は五五・九%で、下落基調が続いた期間は三・四年だった。二〇〇八年末時点で、アイスランドとオーストリアがすでに比較対象グループの平均を大幅に上回る落ち込み(ピークから底ま

図 14.1　危機後の実質住宅価格の下落幅と下落期間

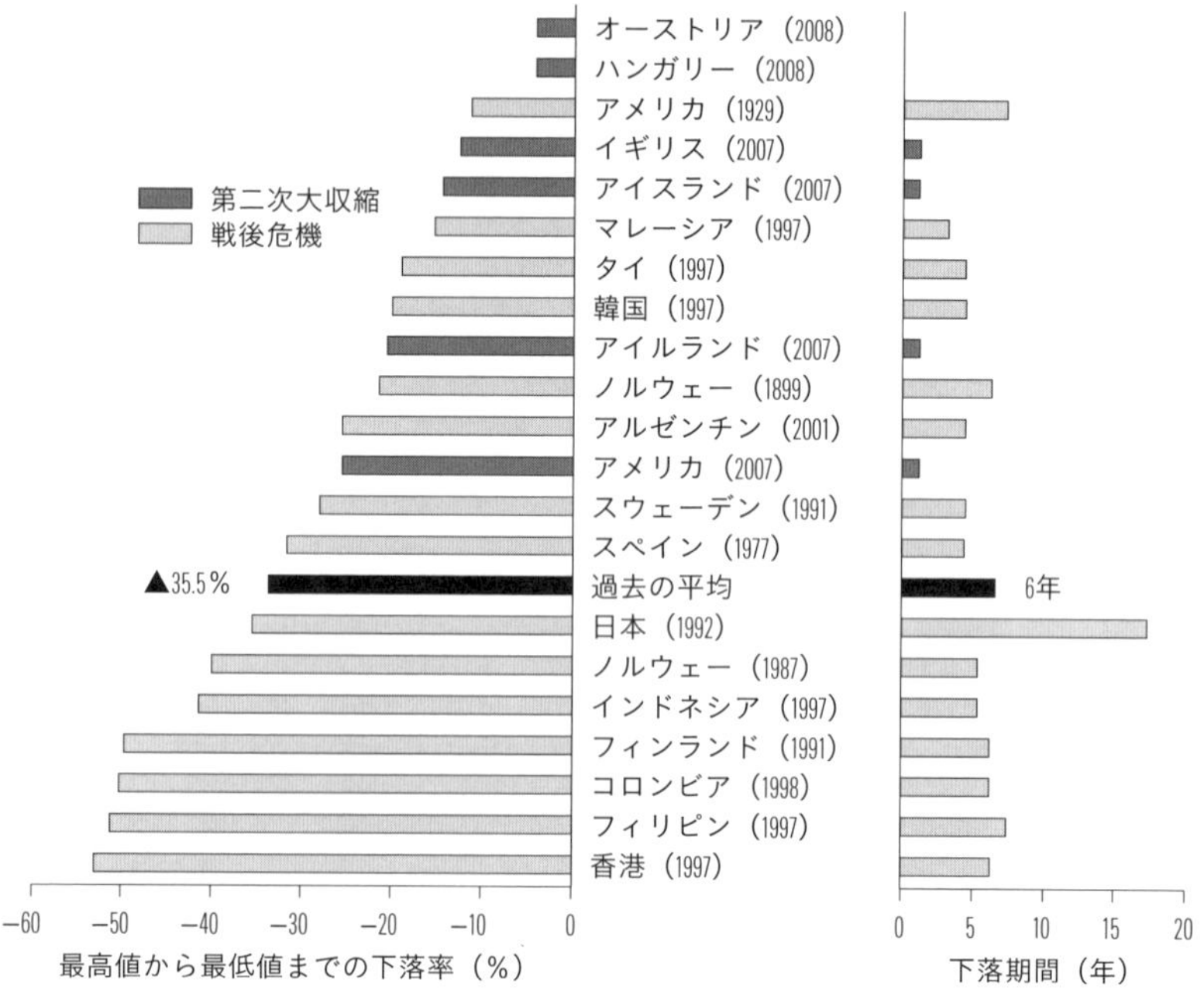

（資料）巻末資料Ａ・１とＡ・２。

（注記）各危機は国ごとに発生年で表記した。取り上げたのは、データがそろっている大規模な銀行危機のみ。過去の平均（黒で表示）には進行中の第二次大収縮は含まない。第二次大収縮については、アイスランドとアイルランドは2008年10月までの月間指標、ハンガリーは2007年までの年間指標、それ以外の国は2008年７～９月期までの四半期指標に基づいて計算した。住宅価格は、名目価格を消費者物価指数で実質化した。

図 14.2 危機後の実質株価の下落幅と下落期間

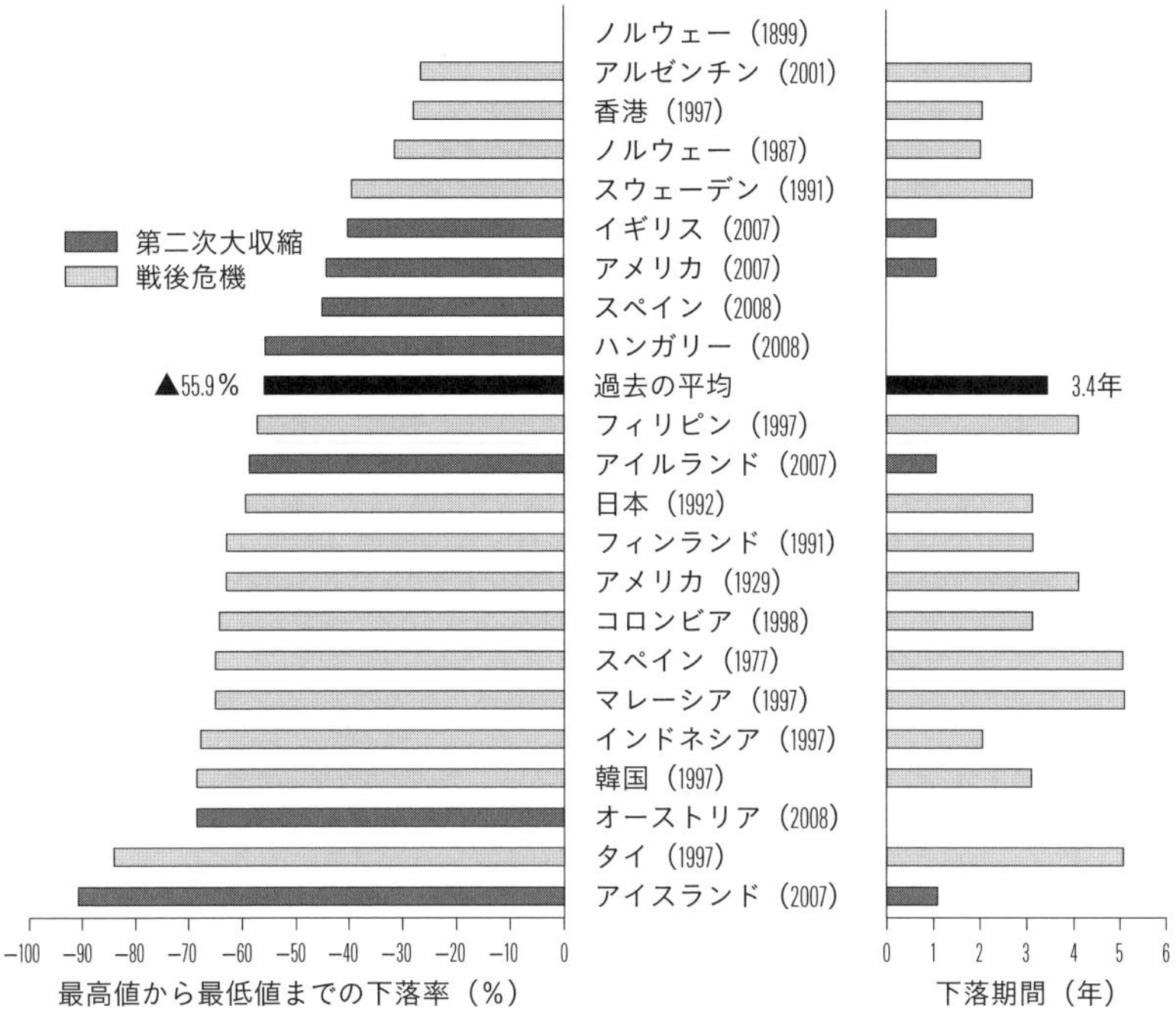

（資料）巻末資料Ａ・１およびＡ・２。

（注記）各危機は国ごとに発生年で表記した。取り上げたのは、データがそろっている大規模な銀行危機のみ。過去の平均（黒で表示）には進行中の第二次大収縮は含まない。第二次大収縮については、2008 年 12 月期までのデータに基づいて計算した。株価は、名目株価を消費者物価指数で実質化した。

図 14.3　危機後の失業率の上昇幅と上昇期間

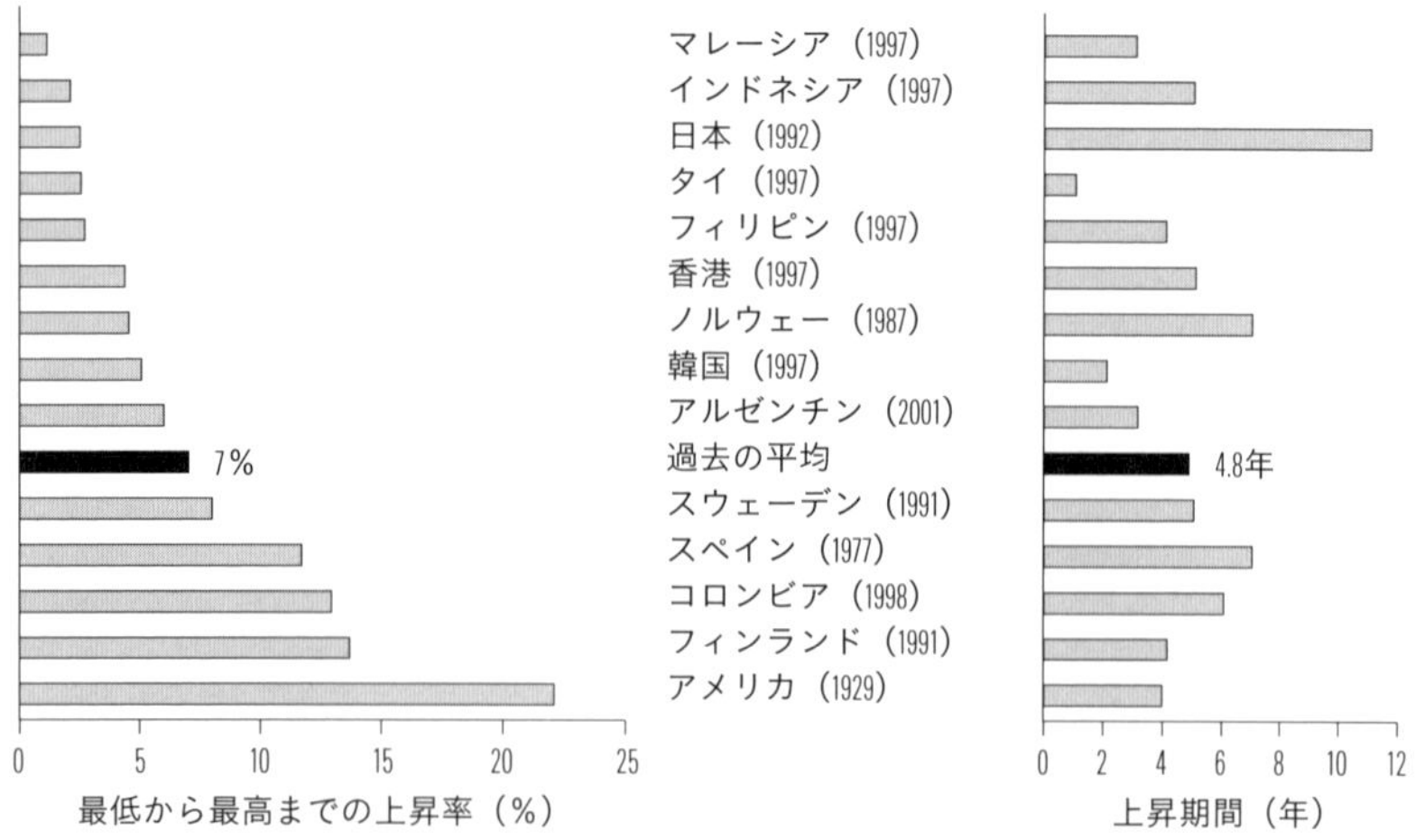

（資料）Organisation for Economic Co-operation and Development; International Monetary Fund (various years), *International Financial Statistics*; Carter et al. (2006); 各国ごとの出典および筆者の計算。

（注記）各危機は国ごとに発生年で表記した。取り上げたのは、データがそろっている大規模な銀行危機のみ。過去の平均（黒で表示）には進行中の第二次大収縮は含まない。

で）を記録している。

図14・3には、過去の比較対象グループについて、失業率の上昇とその期間を示した（失業率は遅行指標なので、今回の危機の分は含めていない。ちなみにアメリカの失業率は、約四％の最低水準から、すでに五ポイント上昇している）。平均すると失業率の上昇幅は約七ポイントで、上昇が続いた期間はほぼ五年だった。大恐慌中のアメリカでは失業率が二〇％を超えて上昇したが（表16・2参照）、これに匹敵するような現象は、どの危機でも発生していない。それでも多くの国で、金融危機に伴う失業増加の影響はきわめて大きかった。新興市場国の公式統計では、失業率が実際より低めに出やすい点にも注意が必要である。

図 14.4　危機後の 1 人当たり実質 GDP の下落幅と下落期間

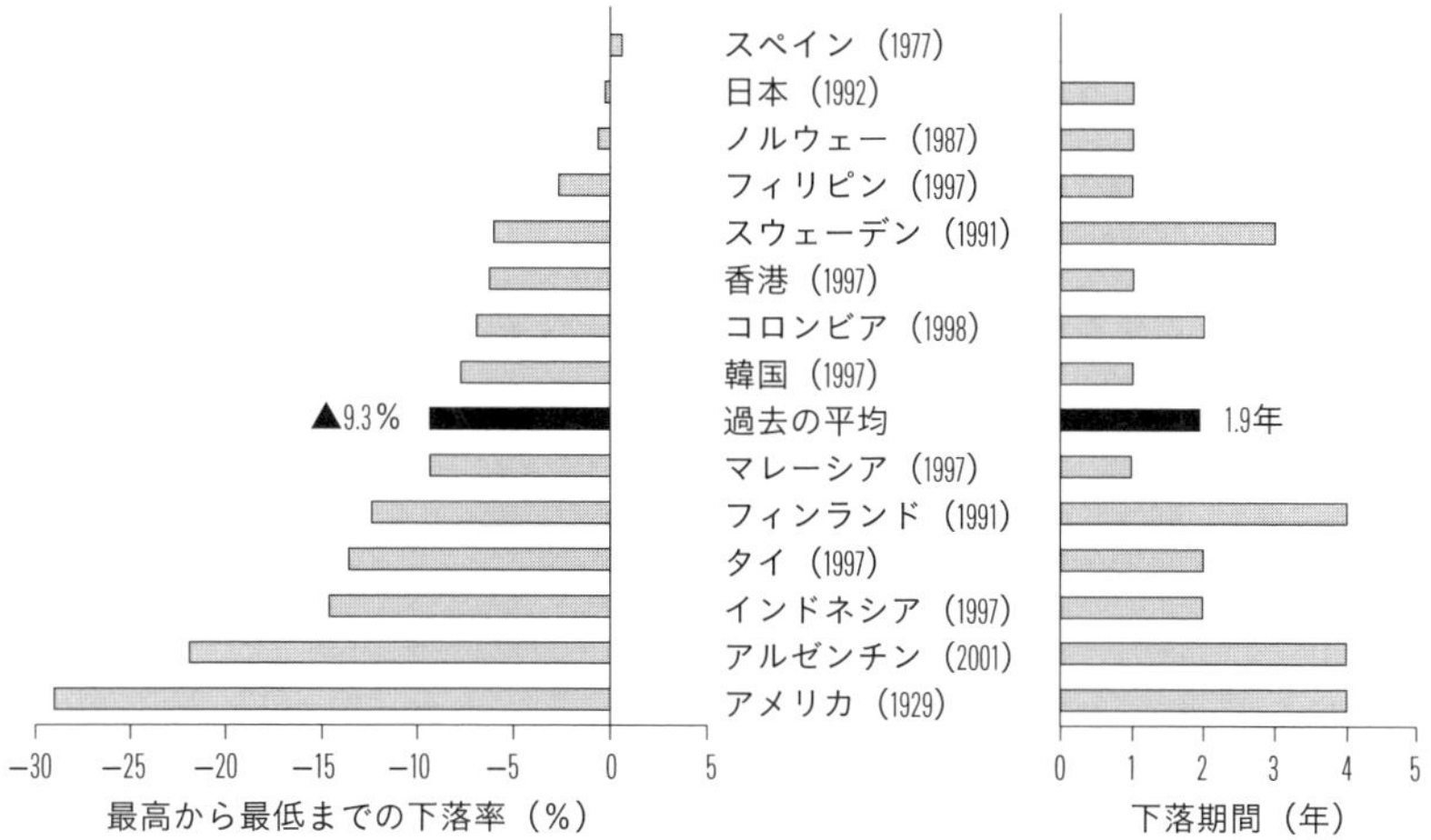

（資料）Total Economy Database (TED), Carter et al. (2006), および筆者の計算。

（注記）各危機は国ごとに発生年で表記した。取り上げたのは、データがそろっている大規模な銀行危機のみ。過去の平均（黒で表示）には進行中の第二次大収縮は含まない。GDP は購買力平価に基づく 1990 年基準のドル（ゲアリー・ケイミス・ドル）で総額を計算した後、年央の人口を使って 1 人当たりを計算した。

図14・3で興味深いのは、銀行危機に際しても、こと失業率に関する限り、新興市場国とりわけアジアの方が先進国より成績がいいことである（ただし、一九九八年のコロンビアで発生した深刻なリセッションのケースは例外である）。よく知られているように定義のちがいなどの問題があって、失業率のデータは単純には国際比較ができない。[*5] それにしても先進国の成績が相対的にお粗末なのは、新興市場国では賃金の「下方への伸縮性」が大きく、これが深刻な景気低迷期に雇用面で緩衝材の役割を果たしているからと考えられる。また先進国に比べ新興市場国では社会的なセーフティネットが未整備であるため、労働者が懸命に

失業を避けようとするとも言えそうである。

図14・4には、深刻な銀行危機に伴う一人当たり実質GDPの下落幅とその期間を示した。平均下落幅が九・三％という数字は、衝撃的である。すでに指摘したとおり、第二次世界大戦後の危機では、実質GDPの下落幅は明らかに先進国の方が新興市場国より小さい。新興市場国で景気収縮が深刻なのは、外国からの信用供給が急激に止まってしまうことが原因だろう。ドーンブッシュとカルボのあの有名な表現を借りるなら、資本流入が「サドン・ストップ」すると、経済活動は急激に落ち込む。*6

失業率に比べるとGDPがピークから底まで落ち込む期間ははるかに短く、約二年で済んでいる。これはおそらく、潜在成長率がプラスであること、測定しているのが実際の産出高の絶対的変化だけで、潜在産出高とのギャップではないことなどが原因だろう。それでも、通常のリセッションがおおむね一年足らずで終わることを考えると、金融危機に伴うリセッションは、やはり長いと言える。*7 そもそも複数年におよぶリセッションは、大々的な再建を必要とするような経済にしか発生しないものである。たとえば一九七〇年代（マーガレット・サッチャーが首相になる前）のイギリス、一九九〇年代のスイス、そして一九九二年の日本などである（なお日本の場合は、単に金融の崩壊だけではなく、中国の台頭を考慮して経済を方向転換する必要があったことも原因である）。また改めて指摘するまでもなく、銀行危機は多くの場合、金融システムの再構築という苦痛に満ちた過程を伴う。銀行危機が、「複数年におよぶリセッションは、大々的な再建を必要とするような経済にしか発生しない」という先ほどの原則の顕

表 14.1 中央政府の財政赤字／GDP 比率（%）

国名（カッコ内は危機発生年）	危機１年前	ピーク時の赤字（カッコ内はピーク年）	財政赤字の増減率（マイナスは減少）
アルゼンチン（2001）	−2.4	−11.9（2002）	9.5
チリ（1980）	4.8	−3.2（1985）	8.0
コロンビア（1998）	−3.6	−7.4（1999）	3.8
フィンランド（1991）	1.0	−10.8（1994）	11.8
インドネシア（1997）	2.1	−3.7（2001）	5.8
日本（1992）	−0.7	−8.7（1999）	9.4
韓国（1997）	0.0	−4.8（1998）	4.8
マレーシア（1997）	0.7	−5.8（2000）	6.5
メキシコ（1994）	0.3	−2.3（1998）	2.6
ノルウェー（1987）	5.7	−2.5（1992）	7.9
スペイン（1977）*	−3.9	−3.1（1977）	−0.8
スウェーデン（1991）	3.8	−11.6（1993）	15.4
タイ（1997）	2.3	−3.5（1999）	5.8

（資料）International Monetary Fund (various years), *Government Financial Statistics* and *World Economic Outlook*, および筆者の計算。
（注記）＊図 14・4 に示したように、スペインだけは危機後に 1 人当たり GDP が伸びた。

著な事例となるのは、このためである。

財政への負の遺産

危機後は歳入が減るうえ、銀行の救済コストに加えて移転支出や債務返済コストが嵩んで支出が増えるため、政府の財政収支は急速かつ大幅に悪化する。この点でフィンランドとスウェーデンの例はすさまじい。たとえばスウェーデンの場合、危機前はGDP比三・八％の黒字だったのが、危機後にはなんと同一一％以上の赤字に転落し、下落幅は一五ポイントを上回っている。表14・1を参照されたい。

図 14.5　危機後３年間における実質公的債務増加分の累計

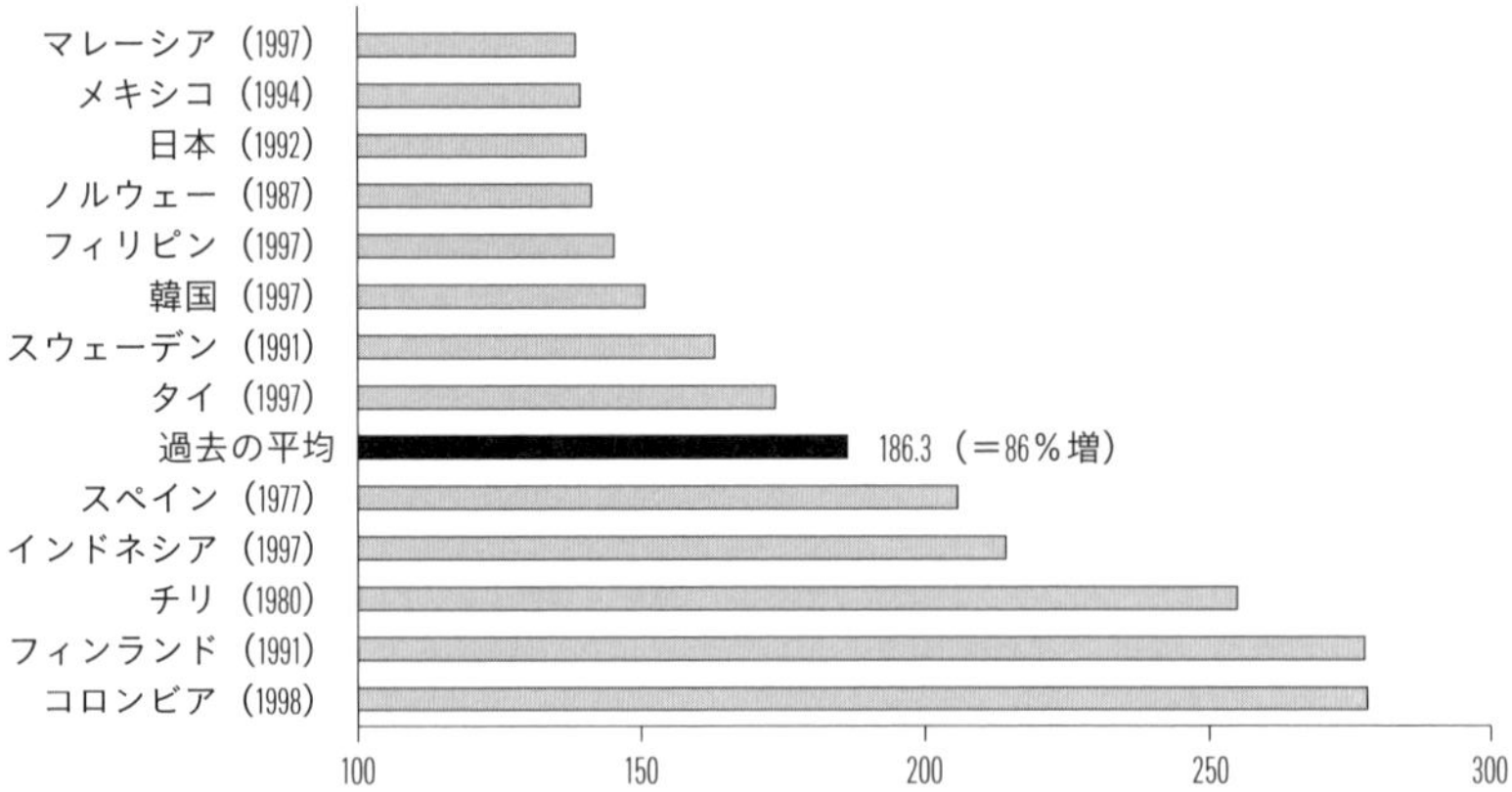

（資料）巻末資料Ａ・ⅠおよびＡ・２

（注記）各危機は国ごとに発生年で表記した。取り上げたのは、データがそろっている大規模な銀行危機のみ。過去の平均（黒で表示）には現在進行中のグローバル金融危機は含まない。2007 年から始まり、危機後３年間のデータがとれていないためである。公的債務は、危機発生年＝ 100 として指数化した。

図14・5に、銀行危機後三年間の実質公的債務の推移を示した。政府財政の悪化は甚だしく、平均すると債務は八六％以上増えている。この計算は過去数十年間という比較的最近のデータに基づいているが、銀行危機後に政府債務が急増するのは、一世紀も前から見られる決定的な特徴である。この点は、今回新たに発掘した国内債務に関する時系列データを活用して、第10章で示した。なおここでは、債務の対ＧＤＰ比率ではなく債務そのものの増加率を取り上げている。産出高の急減があると、対ＧＤＰ債務比率の意味を単純には解釈できないからである。最後に、政府債務の衝撃的な急増は、深刻な金融危機に伴うリセッションによって税収が急激に落ち込むことが主因である、ということを改めて強調して

図 14.6　危機後のインスティテューショナル・インベスター誌ソブリン格付け（IIR）の下落率と下落期間

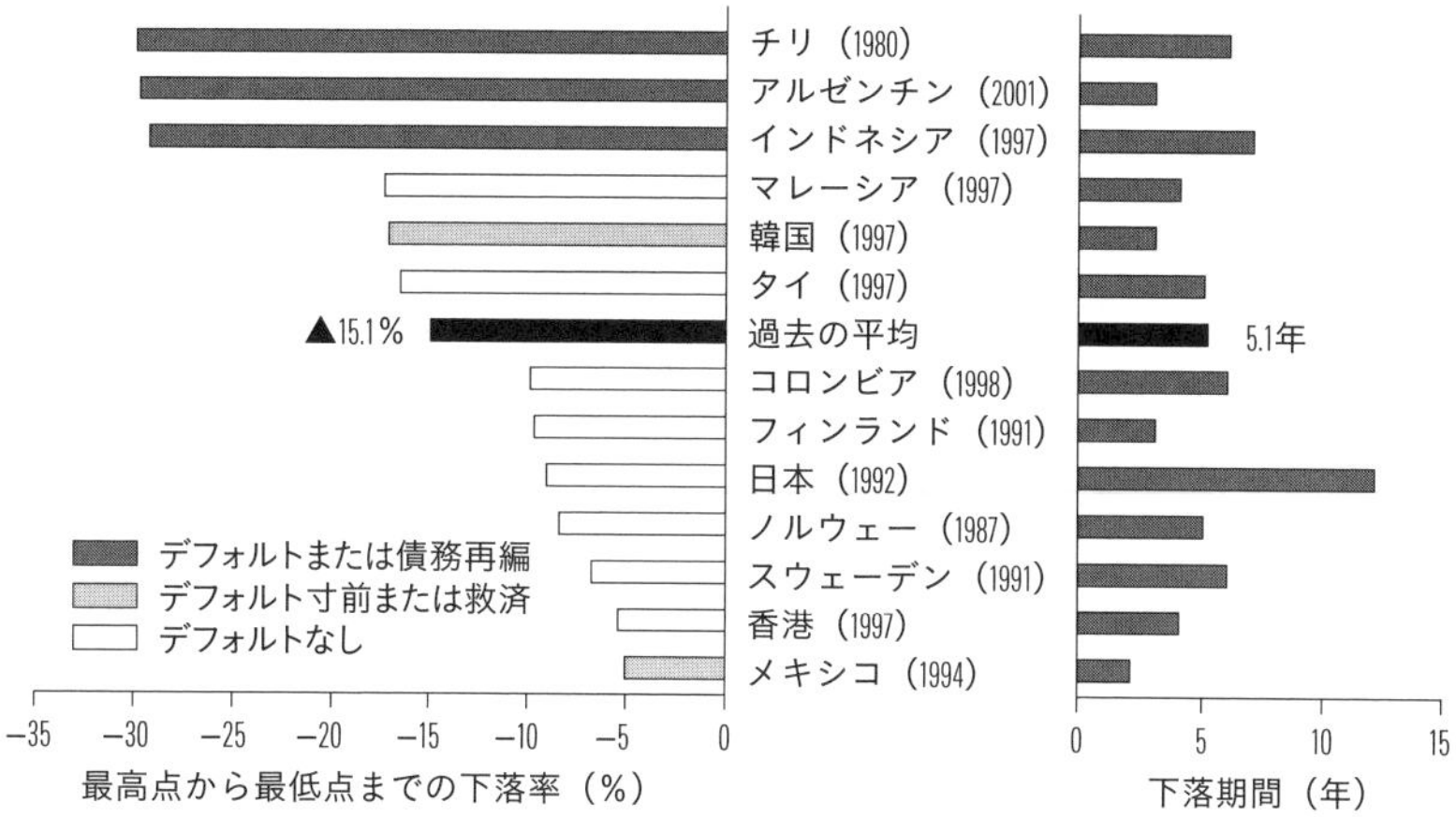

（資料）*Institutional Investor* (various years) および筆者の計算。
（注記）ソブリン格付けは 0 〜 100 点で、最高が 100 点となる。

おきたい。銀行の救済コストが原因だというようなことがさかんに言われるが、そうではない。多くの場合、危機後の債務負担の増加分に占める救済コストの占める割合は、ごく小さい。

ソブリン・リスク

図14・6に示すように、多くの新興市場国では、金融危機の一部としてソブリン・デフォルト、債務再編あるいはデフォルト寸前の事態（国際的な救済措置によりなんとかデフォルトを免れる事態）が起きている。したがって一国の信用格付けが危機の間に下がるのも驚くには当たらない。とは言え、先進国も無傷ではいられない点は、注意を要する。インスティテューショナル・インベスター誌によるソブリン格付け（II

R）を見ると、たとえばフィンランドのスコアは危機後三年間で七九点から六九点に下がり、なんと新興市場国並みになった。日本も、有力格付け会社から何度か格付けを引き下げられている。

一九三〇年代の「第一次大収縮」との比較

本章ではこれまでのところ、今回の危機の比較の対象を戦後の金融危機に限定してきた。そして、少なくとも危機の前段階と危機開始直後の経過には、両者の間に定量的にみて驚くべき類似性が認められることがわかった。しかし今回の危機（第二次大収縮）は、比較対象の危機よりはるかに深刻である。これは、第二次大収縮がグローバル規模であるのに対し、比較の対象にした戦後の危機はいずれも一国内にとどまるか、拡がっても地域規模にとどまったためである。第17章でくわしく検討するが、一九三〇年代の大恐慌（第一次大収縮）の場合には、政策当局の対応が後手に回ったせいで危機が深刻化・長期化した面がある。それでも、第二次大収縮の行方が予断を許さないことを考えると、一九三〇年代の大恐慌、すなわち第一次大収縮と比較しておくことには意味があると考えられる。

図14・7では、戦後の深刻な金融危機と大恐慌の継続期間を、一人当たりGDPがピークから底を打つまでの期間（年数）で比較した。上のグラフは戦後危機で、コロンビア、アルゼンチン、タイ、インドネシア、スウェーデン、ノルウェー、メキシコ、フィリピン、マレーシ

図 14.7 1人当たり GDP がピークから底を打つまでの期間の比較（度数分布）

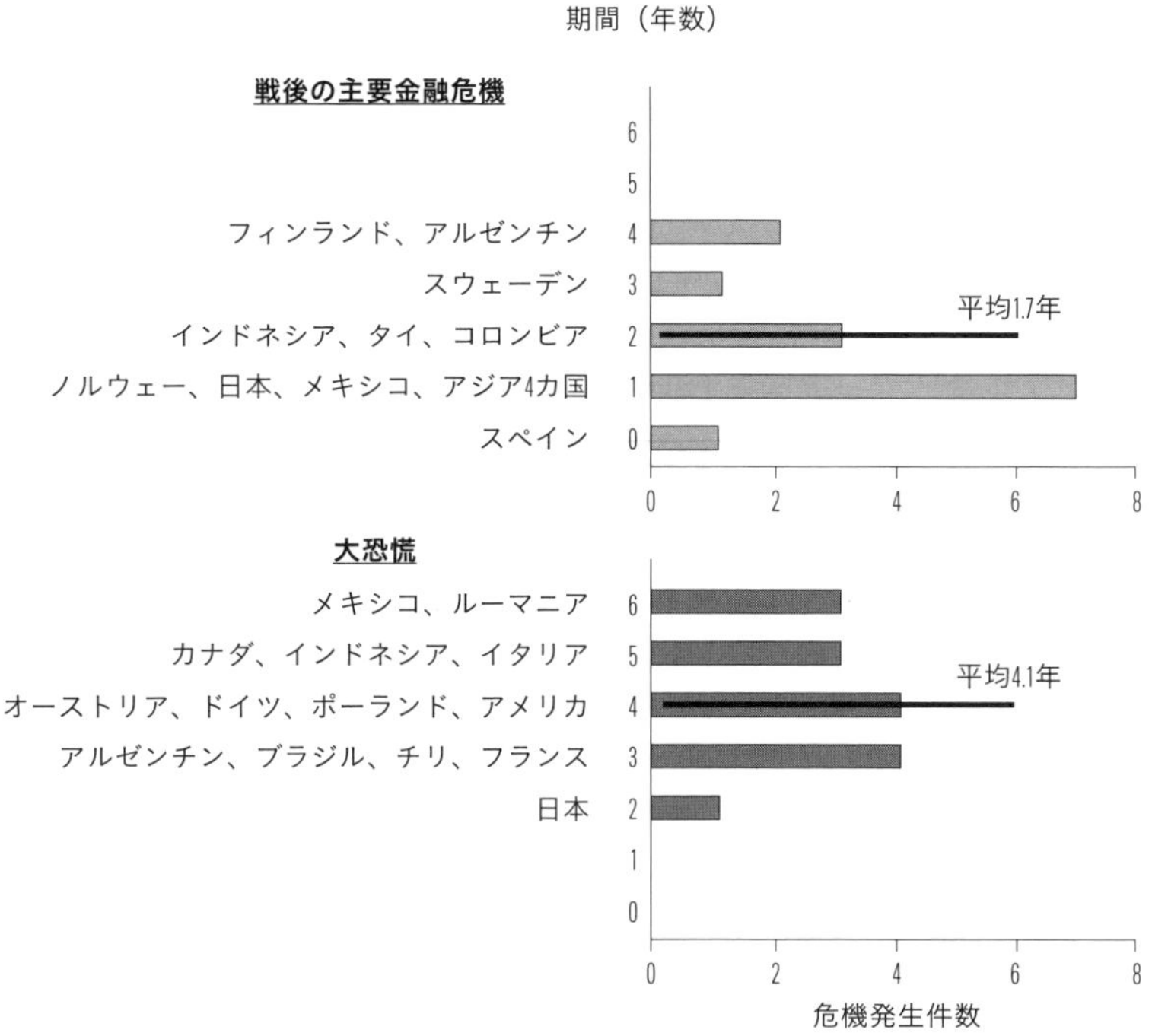

（資料）巻末資料A・3、筆者の計算

（注記）戦後危機は、スペイン（1977）、ノルウェー（1987）、フィンランド（1991）、スウェーデン（1991）、日本（1992）、メキシコ（1994）、インドネシア、タイ、アジア4カ国（香港、韓国、マレーシア、フィリピン）（すべて1997）、コロンビア（1998）、アルゼンチン（2001）の14件。大恐慌は、銀行危機11件に深刻な景気収縮3件を加えた。銀行危機は、日本（1927）、アルゼンチン、ブラジル、メキシコ、アメリカ（すべて1929）、フランス、イタリア（1930）、オーストリア、ドイツ、ポーランド、ルーマニア（1931）。景気収縮はカナダ、チリ、インドネシア（1930年代）。

ア、日本、フィンランド、スペイン、香港、韓国の一四件。下のグラフは大恐慌で、アルゼンチン、チリ、メキシコ、カナダ、オーストリア、フランス、アメリカ、インドネシア、ポーランド、ブラジル、ドイツ、ルーマニア、イタリア、日本の同じく一四件である。

どちらも度数分布を表しており、縦軸に下落年数、横軸に国の数をとってある。このグラフを見てすぐに気づくのは、大恐慌に伴うリセッションが、戦後危機よりはるかに長引いていることだ。戦後危機では、一人当たりGDPがピークから底を打つまでの期間は平均一・七年。最も長かったのはアルゼンチンとフィンランドで、四年である。一方、大恐慌のときにはアメリカやカナダなどで四年以上落ち込みが続き、最長のメキシコとルーマニアでは六年に達した。平均は四・一年である。*8

リセッションの深刻度や期間に関する標準的な指標は、深刻な金融危機に伴う産出高の大幅減少を把握するには必ずしも適していないことを、ここで認識しておかねばならない。危機を特徴付ける点は二つある。第一は、落ち込みがきわめて大きいこと、第二は、銀行システムの修復を要するため、危機後の回復ペースがきわめてのろいことである。標準的な指標に代わるものとして、図14・8に一人当たりGDPが危機前の水準に戻るまでに要した期間（年数）を掲げた。言うまでもなく、産出高が大幅に落ち込めば、元の水準に戻るまでの期間はそれだけ長くなる。上のグラフも下のグラフも衝撃的だ。戦後危機でも危機前に戻るだけで四・四年かかっている。日本と韓国は二年と比較的早く回復したが、コロンビアとアルゼンチンは八年を要した。だが大恐慌になると事態ははるかに悲惨で、平均が一〇年である。その一因は、世

図 14.8 I 人当たり GDP が危機前の水準に戻るまでの期間の比較（度数分布）

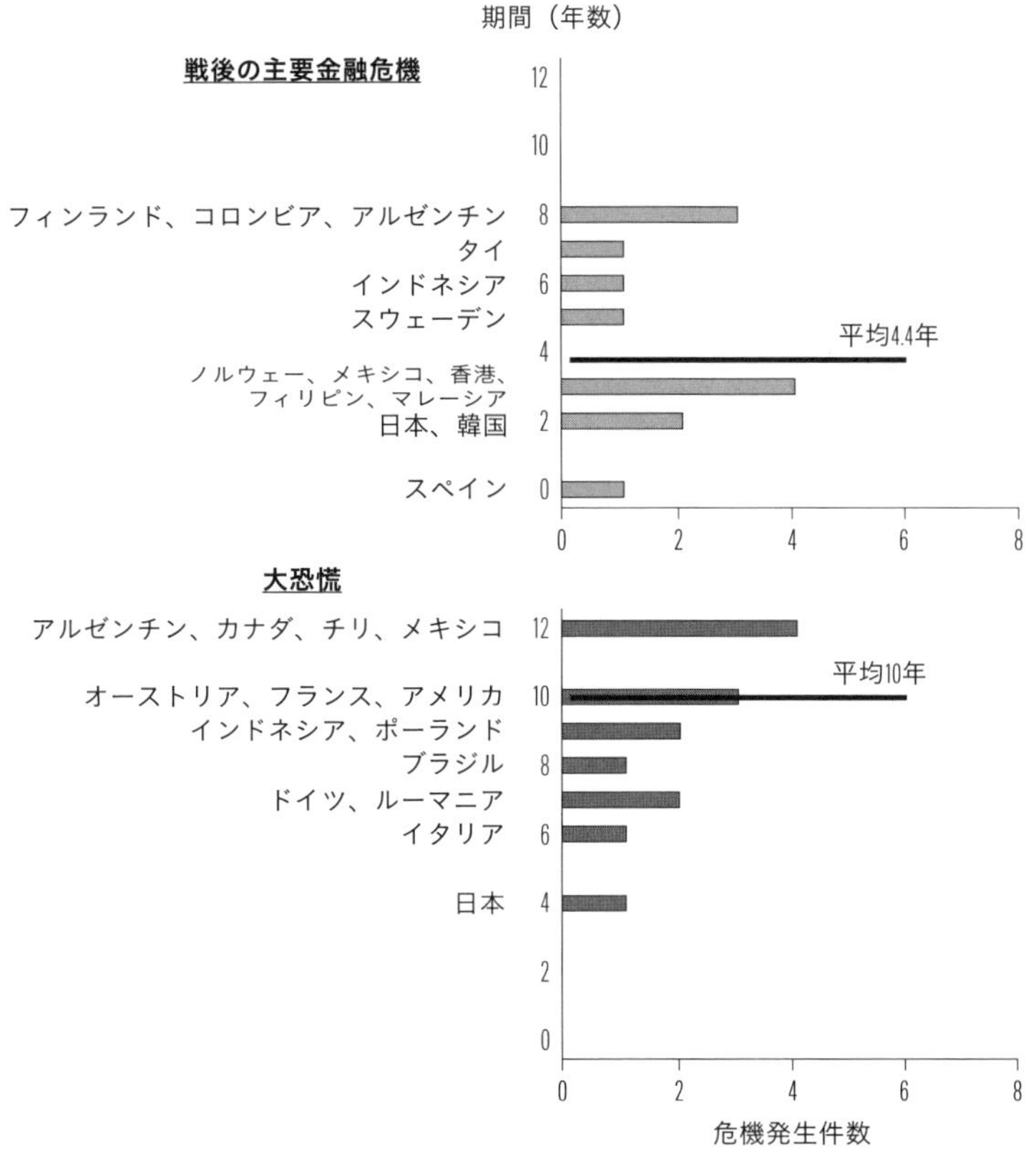

（資料）巻末資料A・3、筆者の計算

（注記）戦後危機は、スペイン（1977）、ノルウェー（1987）、フィンランド（1991）、スウェーデン（1991）、日本（1992）、メキシコ（1994）、インドネシア、タイ、アジア4カ国（香港、韓国、マレーシア、フィリピン）（すべて1997）、コロンビア（1998）、アルゼンチン（2001）の14件。大恐慌は、銀行危機11件に深刻な景気収縮3件を加えた。銀行危機は、日本（1927）、アルゼンチン、ブラジル、メキシコ、アメリカ（すべて1929）、フランス、イタリア（1930）、オーストリア、ドイツ、ポーランド、ルーマニア（1931）。景気収縮はカナダ、チリ、インドネシア（1930年代）。危機前の水準とは、1929年の水準を意味する。

図 14.9 大恐慌後３年間と６年間における実質公的債務の増加

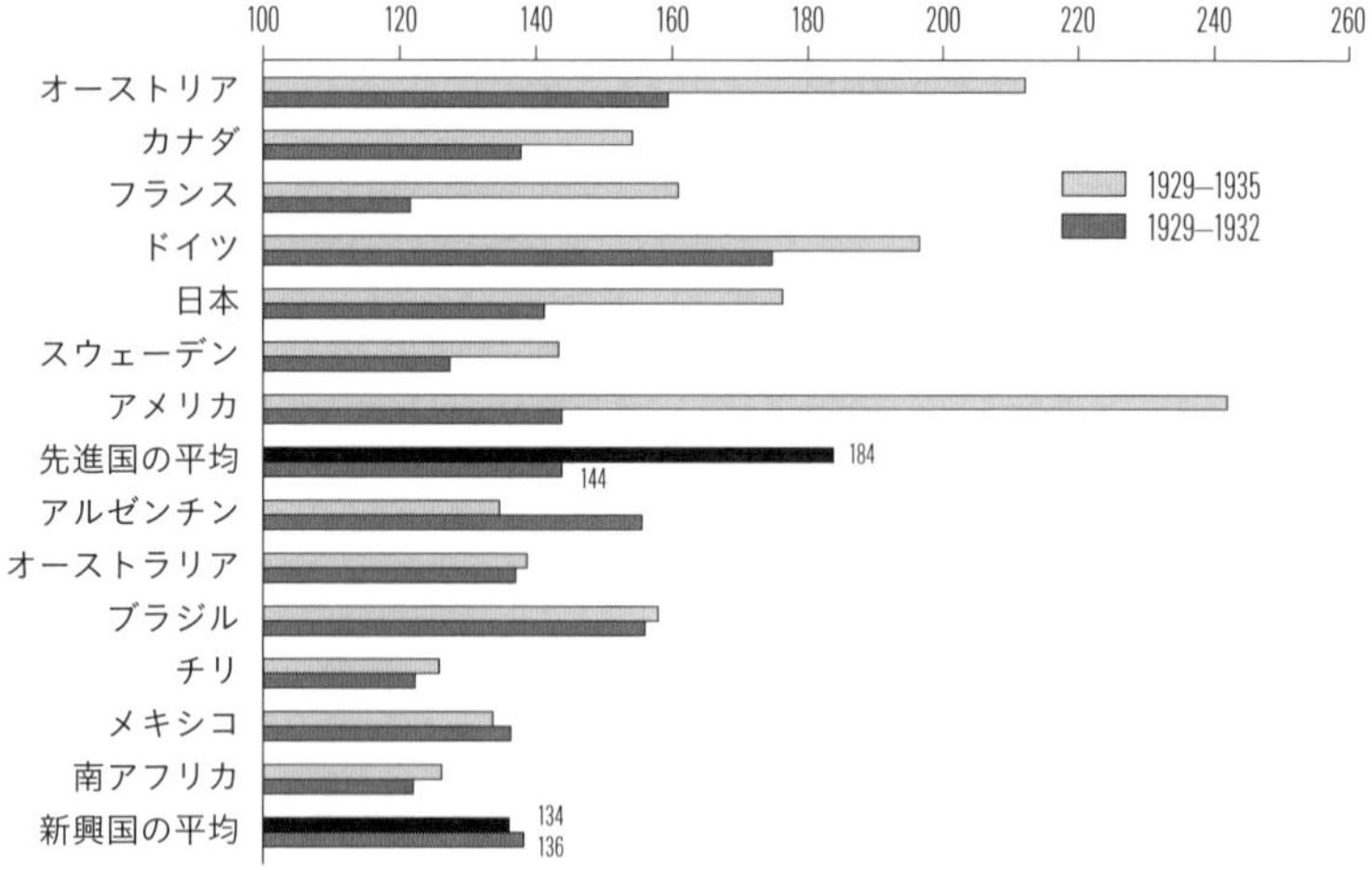

（資料）Reinhart and Rogoff (2008b)。
（注記）銀行危機の開始年は国によって異なり、1929〜1931 年である。オーストラリアとカナダでは大規模な銀行危機は発生していないが、比較のために含めた。両国共に深刻かつ長期の景気収縮は発生している。世界の算出高は 1929 年にピークを打ったため、この年を大恐慌の発生年とする。

界中の需要が壊滅的打撃を受けていたため、「輸出主導の回復」という手段がとれなかったことにある。グラフからは、たとえばアメリカ、フランス、オーストリアが回復に一〇年、カナダ、メキシコ、チリ、アルゼンチンは一二年を要したことが読み取れる。したがって二〇〇〇年代後半の金融危機の行方を占ううえで、この数字は戦後のどの金融危機よりも不吉だと言わねばならない。

第16章で改めて取り上げるが、大恐慌のときの失業率の上昇は、戦後の深刻な危機のどれよりも大幅だった。失業率の平均上昇幅は一六・八ポイントに達し、アメリカでは三・二％から二四・九％に上昇している（表16・2参照）。

最後に図14・9に、大恐慌期の実質公的債務の推移を示した。興味深いのは、大恐慌後の債務の増え方が、戦後の深刻な危機の平均よりもゆるやかだったことである。大恐慌の場合は公的債務が八四％増えるのに六年かかったが、戦後危機ではほぼ三年だった。このちがいの一因として、大恐慌の際には政策対応がきわめて鈍かったことが挙げられよう。また危機の後期（発生後三〜六年）には、新興市場国ではもはや債務が増えなくなったことも特筆に値する。一部の国はすでに国内債務・対外債務共にデフォルトを起こしていたし、他の国でも、債務不耐性と関連づけて論じたように国外市場へのアクセスが閉ざされ、財政赤字をファイナンスする方策がほとんど尽きていたと考えられる。

まとめ

戦後の深刻な金融危機を調べてみると、資産価格、産出高、雇用に長く深刻な後遺症を残していることがわかる。失業率の上昇は五年、住宅価格の下落は六年も続き、実質公的債務は危機後三年間で平均八六％も増えた。

二〇〇〇年代後半のグローバル金融危機、すなわち第二次大収縮のような危機の今後を評価するうえで、こうした過去の事例との比較はどのような意味を持つだろうか。一方で、金融政策のフレームワークは、柔軟性に富むようになったと考えられる。これは、国際通貨体制が以前ほど硬直的でなくなったことが大きい。また一部の中央銀行は、積極的な対策を早めに打つようになった。これは、一九三〇年代の大恐慌や日本の「失われた一〇年」に欠けていたものである。しかしその一方で、私たちは先人より賢くなったとあまりうぬぼれるべきではないだろう。なにせほんの数年前まで、金融工学が発達したおかげで景気循環は制御でき、金融危機が伝染するリスクも抑えられる、と多くの人が主張していたのである。本章の最後で検討したように、大恐慌は戦後のどの金融危機よりもはるかに重大な後遺症をもたらし、一人当たり実質GDPが危機前の水準に戻るまでに平均一〇年を要した。とは言え比較対象にした戦後危機でも、ほぼ四年半かかっている（成長率が上向きに転じたのはもっと早かったが、元の水準に戻るまでにはだいぶ時間がかかった）。いまや私たちは、今回の危機が二〇〇七年に始まってから、資産価格を始めとする危機の標準的な指標がアメリカを始め多くの国で大幅に悪化したこと、それも、深刻な過去の危機と同じ軌跡をたどってきたことを知っている。たしかに株価はいくらか戻してきたが、大局的にみれば、これも過去の例から大きく外れるわけではない。すでに第10章でみたように、株価のV字回復は、住宅価格や雇用のV字回復に比べればはるかにありふれた現象である。全体としてみれば、戦後危機の失業率、産出高、政府債務の推移を分析した本章の結果は、深刻な金融危機の展開について、冷酷な数字を浮かび上がらせたと言えよう。しかも本章で比較検討した戦後危機は、深刻ではあるけれども、おおむね国内あるいは地域的なものである。今回の危機のようにグローバルな危機の場合には、各国が貿易拡大によって、あるいは外国からの借り入れを通じた消費拡大によって経済を成長軌道に乗せるのは、はるかにむずかしく、また争いを招きやすい。二〇〇二年からソブリン・デフォルトの「小休止状態」が続いていることを第10章で指摘したが、このことは歴史的観点から見れば、突如として終わりが来るリスクを暗示する。国際通貨基金（ＩＭＦ）の資金を四倍に拡大すると共に融資条件を緩和する計画があるが、これが実行に移されれば、次のデフォルトの展開を緩慢にする効果はあるかもしれない。それでも、ＩＭＦ自身が多くの国と返済の問題を抱えるようになれば、最終的にはより大規模な破綻を招くことになるだろう。またそうした計画が実行されないのであれば、本書で繰り返し述べてきたように、多くの国で同時並行的に銀行危機が発生した際に、新興市場国でデフォルトが急増することになるはずだ。

第15章 国境を越えて拡がる危機

第13章と第14章では、今回の危機（第二次大収縮）とそれ以前との危機の類似性を取り上げ、とくに震源地となったアメリカを中心に比較検討を行った。だが言うまでもなく今回の危機は、いくつかの重要な点で第二次世界大戦後の他の危機と異なっている。とくに顕著なのは、リセッションが二〇〇八年一〇〜一二月期からすさまじい勢いで全世界に拡がったことである。融資が世界中で「サドン・ストップ」して、世界中の中小企業を直撃した。大企業でさえ、以前より厳しい条件を呑まないと資金を調達できなくなったし、企業だけでなく新興市場国の政府も苦境に立たされた。ただ前章でも言及したように、国際通貨基金（ＩＭＦ）を通じた富裕国による支援の効果もあり、二〇〇九年半ばの時点では、信用スプレッドは大幅に縮まっている。[*1]

一国あるいは一地域の危機がグローバル危機に変貌するときには、どのような過程をたどるのだろうか。伝播のメカニズムは、同質のショックに起因するもの（二〇〇一年のハイテク・バブルの崩壊、二〇〇七年の住宅価格の急落など）と、危機の震源地からの国境を越えた直接的な伝染に起因するものとに分けることができ、本章では両者のちがいを論じる。

以下では国境を越えて急速に拡大した危機の例を取り上げ、国内で始まった危機の国際的な拡大を加速させた要因を理解するための理論的根拠を提出する。次にこれらの事例を参照点として、二〇〇〇年代後半の危機の際に、銀行危機が各国で次々に発生した衝撃的な事態について論じる。このときは、同質のショックと国境を越えた直接の結びつきの両方を介して拡がったことは明らかである。続く第16章では、危機の深刻度を示す指数を作成する。このような指数があれば、地域的な危機とグローバル危機のどちらについても、評価基準を設定することが可能になる。

伝染という概念

危機の伝染を定義するにあたって、二つのタイプを区別する。一つは緩慢なスピルオーバーである。いま一つは国境を越えて急速に伝播するようなタイプで、カミンスキー、ラインハート、ヴェーグは「激烈」と形容し、次のように説明した。

「伝染とは、何かが起きてから多くの国で直ちに重大な影響が出ることを意味する。すなわち激烈な勢いで、数時間、数日のうちに事態が進展する。こうした激越な反応とは対照的に、当初は他国が反応しないケースもある。ただし後者の場合でも、あとから徐々に効果が現れ、ついには経済的に重大な事態に立ち至る可能性は否定できない。このように徐々に現れる現象はスピルオーバー（波及）と呼んで区別する。金利や原油価格の変動といった共通の外的ショックは、機械的にわれわれの伝染の定義に含まれるわけではない[*2]」

なお、共通のショックは必ずしも国外から来るものばかりではないことを、この説明に付け加えておきたい。この点は、今回の危機ではとくに重要である。というのも、住宅バブル、資本流入ラッシュ、公的部門・家計部門の負債比率上昇など「国内」のマクロ経済にかかわるファンダメンタルズの動きに、多くの国で共通性がみられたからである。

比較対象に採用した過去の事例

ボルドーとムルシッド、ニールとワイデンマイエルは、金本位制の下で国際的な資本移動が比較的活発だった一八八〇～一九一三年にも、銀行危機に国境を越えた相関性が広く見られたと

発生時期	影響を被った国	摘要
1994–1995	中南米：アルゼンチン、ボリビア、ブラジル、エクアドル、メキシコ、パラグアイ その他：アゼルバイジャン、カメルーン、クロアチア、リトアニア、スワジランド	メキシコで「テキーラ危機」が発生し、1990年代前半から続いていた新興市場国への資本流入が初めて停滞した。
1997–1999	アジア：香港、インドネシア、マレーシア、フィリピン、台湾、タイ、ベトナム その他：ブラジル、コロンビア、エクアドル、エルサルバドル、モーリシャス、ロシア、トルコ、ウクライナ	新興市場国への資本流入が再び打撃を被った。
2007〜現在	ドイツ、ハンガリー、アイスランド、アイルランド、日本、スペイン、イギリス、アメリカなど	アメリカのサブプライム・ローンによる不動産バブルと他の先進国での不動産バブルが崩壊。

（資料）本書第1〜10章

表 15.1　銀行危機の伝染（1890 ～ 2008 年）

発生時期	影響を被った国	摘要
1890–1891	アルゼンチン、ブラジル、チリ、ポルトガル、イギリス、アメリカ	アルゼンチンがデフォルトを起こし、国内のすべての銀行で取り付け騒ぎが発生（della Paolera and Taylor 2001 参照）。イギリスのベアリングス商会も破綻に直面した。
1907–1908	チリ、デンマーク、フランス、イタリア、日本、メキシコ、スウェーデン、アメリカ	銅相場の下落で、ニューヨークの信託会社（銀行に準ずる役割を果たしていた）に取り付け騒ぎが発生。
1914	アルゼンチン、ベルギー、ブラジル、フランス、インド、イタリア、日本、オランダ、ノルウェー、イギリス、アメリカ	第一次世界大戦が勃発。
1929–1931	先進国：ベルギー、フィンランド、フランス、ドイツ、ギリシャ、イタリア、ポルトガル、スペイン、スウェーデン、アメリカ 新興国：アルゼンチン、ブラジル、中国、インド、メキシコ	実質商品価格が 1928 ～ 31 年に 51％下落。アメリカでは実質金利が 13％に達した。
1981–1982	新興国：アルゼンチン、チリ、コロンビア、コンゴ、エクアドル、エジプト、ガーナ、メキシコ、フィリピン、トルコ、ウルグアイ	1979 ～ 82 年に実質商品価格が約 40％下落。アメリカの実質金利は、1933 年以来最高の 6％に達した。新興市場国で 10 年におよぶ債務危機が発生。
1987–1988	低所得国が数多く巻き込まれ、サハラ以南のアフリカ諸国はとくに打撃を受けた。	10 年におよぶ新興市場債務危機の終息期。
1991–1992	先進国：チェコ、フィンランド、ギリシャ、日本、スウェーデン その他：アルジェリア、ブラジル、エジプト、グルジア、ハンガリー、ポーランド、ルーマニア、スロバキア	不動産バブルと株価バブルが北欧と日本で崩壊。市場経済への移行期にある国が市場開放と安定化に取り組む。

指摘している。[*3] 表15・1に、銀行危機が集中的に発生した時期を二〇世紀まで含めて示した。国別のくわしい発生年は、巻末資料A・3を参照されたい。[*4] 一八九〇年の有名なベアリング恐慌(アルゼンチンとイギリスを巻き込んだ後に各国に飛び火した)は、銀行危機が国際的に拡がった最初の例と考えられる。これに続くのが一九〇七年の金融恐慌で、こちらはアメリカで発生し、先進国(デンマーク、フランス、イタリア、日本、スウェーデンなど)に急速に拡がった。これらの事例は、現代の金融危機の伝染を考察する際の適切な参照例となろう。[*5]

言うまでもなく、第二次世界大戦後の銀行危機の伝染は、どれも大恐慌に比べればささやかなものである。しかも大恐慌の際には、対外・国内債務共に大量のデフォルトが世界各国でほぼ同時に発生した。

共通のファンダメンタルズの悪化と第二次大収縮

今回の危機に関連するさまざまな要素からは、二つの伝染経路(国境を越えた直接の結びつきと同質のショック)をはっきりと読み取ることができる。二〇〇七年にアメリカで始まった危機が、直接の結びつきを通じて他国に波及したことはまちがいない。たとえばドイツや日本(さらにはカザフスタンなど)の金融機関は、高いリターンを求めてアメリカのサブプライム市場を物色していた。おそらく、自国の不動産市場で利益を上げる余地がほとんど(あるいはまったく)ないためだろう。あとになってわかったことだが、少なからぬ外国の金融機関が、サブプライム市場で相当額のエクスポージャーを抱えていた。[*6] こうした直接の結びつきは、一国の危機が国境を越えて拡がる伝播や伝染経路として、昔から存在していたものである。しかし今回の危機の場合には、伝染やスピルオーバーは危機拡大の一経路でしかなかった。

アメリカと同時期に他国が景気低迷に陥ったのは、アメリカでサブプライム危機前にみられたさまざまな現象の多くが他の先進国でも同じように出現していたことも、大きな原因として挙げられる。とくに目立つ要因は二つあり、第一にヨーロッパを始めさまざまな国で、たとえばアイスランドでもニュージーランドでも、国内で不動産バブルが形成されていた（図15・1参照）。第二に、第10章で指摘したように、アメリカ以外の国でも経常赤字が膨らみ、資本流入ラッシュが続いていた。とくに多額の資本が国外から流れ込んだのは、ブルガリア、アイスランド、アイルランド、ラトビア、ニュージーランド、スペイン、イギリスである。その結果、信用ブームと資産価格インフレに拍車がかかった。[*7] こうした傾向それ自体のために、これらの国は、資産価格の急落や資本流入の逆転（すなわちドーンブッシュとカルボの言う「サドン・ストップ」）がもたらす不快な結果に対して、脆弱になっていった。アメリカに何が起きるかは、もはや関係がなくなっていたのである。

アメリカのサブプライム市場へのエクスポージャーを介した直接的なスピルオーバーと、いま挙げた各国共通のファンダメンタルズの悪化に加え、こうした危機によく見られる「標準的な」伝播経路も事態の悪化を助長した。具体的には、多数の借り手が同じ貸し手から借りたことである。たとえばオーストリアの銀行は、ハンガリー（当時深刻な経済的混乱に直面して

図 15.1 実質住宅価格の変動率（％）（2003 ～ 08 年）

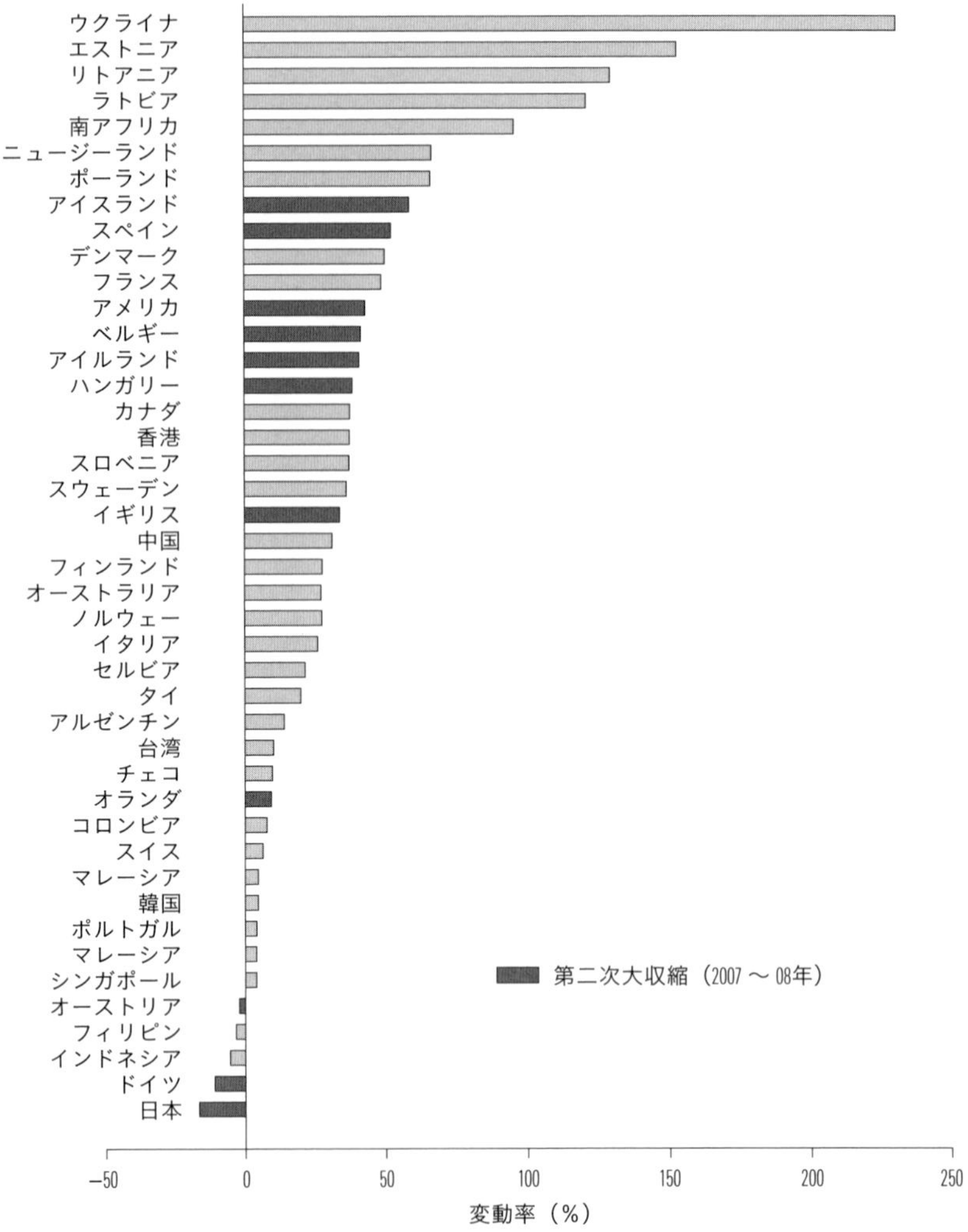

（資料）Bank for International Settlements および他の出典は巻末資料 A・1 に掲載。
（注記）中国のデータは 2003 ～ 06 年。

いた）に融資していたが、ほかにたくさんの東欧諸国にも貸していた。すると、ハンガリー発の「ショック」は共通の貸し手であるオーストリアの銀行を通じて他国に拡がることになる。一九九七〜九八年のアジア危機の際には、日本の銀行が共通の貸し手として他国への伝播の媒介役を務めた。一九八〇年代前半の中南米債務危機のときは、アメリカの銀行だった。

今後のスピルオーバーの可能性

先ほど述べたように、スピルオーバーは、金融市場での予想外の混乱や「サドン・ストップ」と同じような急激なペースで起きるわけではない。したがって突如としてバランスシートの悪化を引き起こすといったことはないだろう。だが徐々に拡がっていったときの累積効果が激烈な伝染より小さいとは言えない。

比較的市場開放が進み、かつこれまで高度成長を遂げてきたアジア経済は、当初はかなりうまく切り抜けていた。しかし結局は、二〇〇〇年代後半に先進国で発生したリセッションによって深刻な打撃を受けることになった。アジア経済は他地域に比べ輸出主導であることに加え、輸出に占める工業製品の割合が大きく、一次産品に比べて需要の所得弾力性が高いことが大きな原因である。

東欧諸国はアジアほど輸出主導型ではないが、それでも欧米の富裕な貿易相手国がリセッションに陥ったために大打撃を受けた。メキシコや中南米各国についても、ほぼ同じことが言える。というのもこれらの国の経済はアメリカで働く出稼ぎ労働者からの本国送金と切っても切り離せず、本国送金への依存度がきわめて高いからである。また一次産品への依存度がより高いアフリカや中南米（および産油国）も、商品相場が二〇〇八年秋から大幅下落したことを受け、商品市場を通じて世界的な需要低下の影響を被っている。

こうしたスピルオーバー効果が新興市場国にもたらすダメージの度合いは、先進国の回復ペース次第ということになろう。（二〇〇七年以前の資本流入ラッシュで蓄えた）外貨準備という緩衝材が失われ、財政事情が悪化するにつれ、公的債務か民間債務かを問わず、返済の負担は重くのしかかってくる。先に指摘したとおり、深刻な金融危機には長引く性質がある。グローバル金融危機と世界的な商品価格急落の直後にはソブリン・デフォルトが増える傾向があることを考え合わせると、第二次大収縮の後遺症として、デフォルトやリスケジューリング、あるいはＩＭＦによる大規模な救済が増える可能性は高い。

第16章 金融危機の総合指数

本書では、場合によって危機が国境を越えて拡がり、また異なるタイプの危機と同時発生するなど、集中的に発生する傾向があることを強調してきた。通貨危機に直面した国は、ほどなく銀行危機やインフレ危機に見舞われることがあり、ときには国内債務あるいは対外債務のデフォルトに追い込まれることもある。危機はまた、前章で論じたとおり、伝染や共通の要因を通じて他国に拡がる。

だが本書ではこれまでのところ、危機を地域規模あるいはグローバル規模で合成し定量的な指数で表す試みはしてこなかった。本章では、個別の危機を描き出すために使ってきた定量的なアプローチに沿って、金融の深刻度を表すさまざまなタイプの指数を提案したい。これらの指数は、グローバル規模、地域規模、国内規模それぞれの危機の深刻度を評価するのに役立つ。

指数をみると、いくつか驚くべき点が浮かび上がってきた。まず、私たちが「第二次大収縮」と名付けた最近の危機は、明らかに第二次世界大戦後に発生した唯一のグローバル規模の危機だということである。たとえ第二次大収縮が第二の大恐慌には発展しないとしても、ブレトンウッズ体制の崩壊、第一次石油ショック、一九八〇年代の開発途上国債務危機、一九九七～九八年のアジア通貨危機といった他の大混乱ははるかに凌駕している。第二次大収縮はすでに、グローバル規模の深刻な銀行危機と世界各国の為替レートの顕著な不安定化という特徴を示している。住宅価格の急落と雇用の大幅縮小が同時に発生したことも、大恐慌以来の現象である。章の後半では、大恐慌に関してこれまであまり使われてこなかったデータを提出して、この比較を裏付ける。

本章で示す指数は、地域的な危機の深刻度を調べるためにも利用できる。ここでは、異なる大陸で発生した危機の比較を行う。その結果、アジアは金融危機と無縁だという一般的な見方が誤りであることが判明した。

また本章では、危機のグローバルな関連づけだけでなく、一国の中で異なるタイプの危機と結びつく問題も扱う。カミンスキーとラインハートの研究に基づき、銀行危機（表沙汰にならないケースもある）が通貨暴落、公然のソブリン・デフォルト、インフレとどのように結びつくかを論じる。[*1]

本章の最後では、結論として、グローバル規模の危機を脱するのは、数カ国を巻き込む地域規模の危機（たとえば一九九七～九八年のアジア通貨危機）を脱するよりも本来的にむずかしいことを指摘する。世界中の国が低成長に陥るため、内需の低迷を外需で埋め合わせる可能性は途絶えてしまう。したがって今回開発した指数のような数値指標は、適切な政策対応を設計するうえでも有用と考えられる。

危機の総合指数（BCDI指数）

危機の深刻度を表す指数は、次のように開発した。第1章では、五種類の危機、すなわち公的対外債務危機、公的国内債務危機、銀行危機、通貨暴落、インフレ急騰を定義した。[*2]これに基づき、国別の危機総合指数は、ある年にある国で発生した危機の種類を単純に合計して計算する。具体的には、五種類の危機がいずれも発生していなかったら、その年のその国の指数は「0」である。しかし二〇〇二年のアルゼンチンのように五種類がすべて発生した最悪のケースでは、指数は「5」ということになる。この計算を一つひとつの国について年ごとに行った。この指数は、銀行・通貨・債務（国内・対外）・インフレの頭文字をとって、BCDI指数と呼ぶことにする。

ＢＣＤＩ指数は単発の危機か複合的な危機かを表すことはできるが、深刻度の指標としては不十分であることは認めざるを得ない。[*3]インフレ率が二五％に達したら、インフレ危機の定義（年二〇％以上）に該当するため、指数にカウントされる。しかし二五％のインフレも、明らかにずっと深刻な二五〇％のインフレも、カウントは「１」で、重みは同じである。[*4]デフォルトについても同じで、こうした二者択一的な扱いは、格付け会社スタンダード・アンド・プアーズ（Ｓ＆Ｐ）のやり方と似ている。Ｓ＆Ｐの指数も私たちの指数も、デフォルトの「ある・なし」を変数として扱う。たとえば二〇〇三年にウルグアイは「市場にやさしい」機敏な債務再編を行ったが、これも、二〇〇一〜〇二年に隣国アルゼンチンがやった大々的なデフォルトおよび債権者に強引に押しつけた大幅な債務削減と同じ扱いになる。だが個々の事情がこのように異なる傾向があるからこそ、Ｓ＆Ｐ指数のような指標は長期的に見るときわめて有効であることが知られている。また、本書の定義に照らして多種類の危機が発生している国では、まずまちがいなく経済・金融の混乱が深刻化しているはずである。

なおデータがとれる場合には、五種類の危機に「キンドルバーガー流」の株価暴落も加えたＢＣＤＩ＋（プラス）指数も別途表示した。[*5]この場合には、指数は０〜６の数値をとることになる。[*6]キンドルバーガー自身は株価暴落の定量的な定義はしていないが、バローとウルサが資産価格暴落の適切な基準を設定しているので、ここではそれを採用した。すなわち株価暴落とは、実質株価が累積で二五％以上下落することを意味する。[*7]この定義を本書の標本国六六カ国に適用し、株価の基準日は、データを入手できた年に応じて設定した。くわしくは国別の巻末資料を参照されたい。標本中の最後の株価暴落は、言うまでもなく二〇〇八年に多数の国で起きた大暴落である。成長率が落ち込むときもそうだが、株価が大幅に下落するときも、大半とは言わないまでも多くは、本書で定義した危機のいずれかを伴う。ただし全部の暴落がそうだというわけではなく、たとえば一九八七年一〇月のブラックマンデーの暴落は、他のタイプの危機を一切伴わなかった。このように、株式市場が早とちりの警告を発するのはいまに始まったことではない。「最近五回のリセッションのうち、株式市場は九回を予想した」と、サミュエルソンが茶化したのは有名である。*8 世界の株価は二〇〇九年初め（本書の主要データセットの期間後）まで下落し続けた後、四〜六月期に大幅に戻した。ただし危機前の水準には回復していない。

なおデフォルトに関しては、ソブリン・デフォルトのほかに重要なデフォルトが二種類ある。一つは家計のデフォルト、もう一つは企業のデフォルトであるが、どちらも今回の金融危機指数には直接には組み込まれていない。家計のデフォルトは、たとえば住宅ローンの焦げ付きの形で、アメリカにおけるサブプライム危機拡大の主役を演じた。家計のデフォルトは先進国でも時系列データがそろっていないため、今回は独立した分析対象にはしなかった。しかし、銀行危機に関する本書のデータから、その実態を推し量ることができる。というのも銀行は家計向け融資の主な担い手であり、大規模な家計のデフォルトが発生すれば、それに応じて銀行のバランスシートは悪化するからである。

企業のデフォルトは家計のデフォルトより問題の多い現象で、本来は別の種類の危機とし

図 16.1 大規模な銀行危機が発生した国の比率（GDP 加重）とアメリカ企業投機格付け社債のデフォルト率（1919 ～ 2007 年）

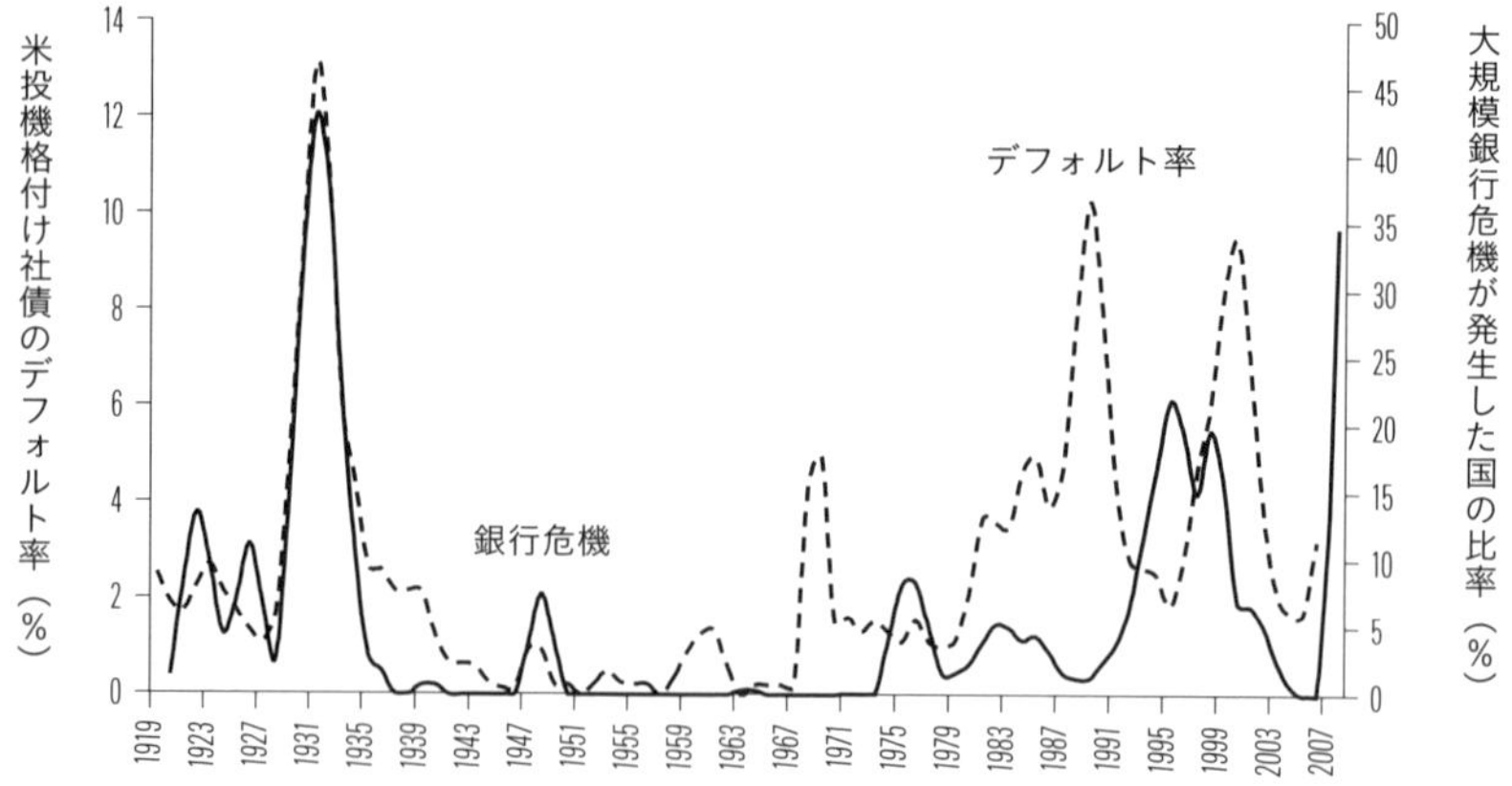

（資料）Kaminsky and Reinhart (1999), Bordo et al. (2001), Maddison (2004), Caprio et al. (2005), Jáome (2008), *Moody's Magazine* (various issues), 追加的な出典は、銀行危機のデータの巻末資料 A・3 に掲載。

（注記）標本国 66 カ国のうち、該当年に独立国だったすべてを対象とした。加重は、1913 年 GDP（1800 ～ 1913 年に適用）、1990 年 GDP（1914 ～ 1990 年に適用）、2003 年 GDP（1991 ～ 2008 年に適用）の 3 通りを使用した。第二次大収縮は、オーストリア、ベルギー、ドイツ、ハンガリー、日本、オランダ、スペイン、イギリス、アメリカを対象とした。2 年間の移動平均。

て扱うべきものと言える。企業の銀行依存度が高い国の場合には、家計のデフォルトで述べたのと同じ理由が企業債務にも当てはまるため、さほど問題にはならない。しかし資本市場が発達した国の場合には、広範囲に拡がった企業のデフォルトは、独立した危機の種類として扱うに値しよう。図16・1に示すように、大恐慌の際には、公的債務のデフォルト（一九三三年の金約款の一方的破棄）が始まるよりだいぶ前に、企業のデフォルトが急増し始めている。しかし企業のデフォルトと銀行危機はきわめて相関性が強いので、BCDI指数には企業のデフォルトが間接的に反映されていると言ってよいだろう。また民間部門の債務は政府が肩代わりするケースが多いため、企業のデフォルトは政府のデフォルトやリスケジューリングの予兆にもなる。

国レベルのBCDI指数

二〇〇一~〇二年のアルゼンチン危機は、二つ以上の危機がどのように重なり合い深刻度を増すかを浮き彫りにした。政府は対外・国内を問わずありとあらゆる債務をデフォルトし、銀行預金は無期限に凍結され、銀行は臨時休業を命じられて機能停止状態になった。アルゼンチン・ペソの対ドル・レートは、ほとんど一夜のうちに一ドル＝一ペソから一ドル＝三ペソを割り込む水準まで急落。それまで年率一％前後のデフレだった国内物価は、ごく控えめな公式統計での数字でも、約三〇％のインフレになった。さらにこの危機は、バローとウルサの定義に基づく成長率の急低下（一人当たりＧＤＰが二〇~二五％減少）とも認定できよう。加えて実質株価は三〇％以上急落し、キンドルバーガー流の大暴落の様相を呈した。

ＢＣＤＩ指数の世界合計とグローバル危機

国レベルの指数から世界または先進国の合計を算出するに当たっては、ウェイトを付けた。ウエイトには、これまでの章と同じく世界ＧＤＰ合計に占める比率を使っている。なお、単純平均を使って国グループの危機の平均を計算することも可能であり、後段の地域合計ではそちらを示す。

時系列の比較

一九〇〇〜二〇〇八年のＢＣＤＩ指数の世界合計を図16・2に、先進国のみの合計を図16・3に時系列で示した。先進国合計は標本国中の高所得国一八カ国で構成し、世界合計は、この一八カ国にアフリカ、アジア、ヨーロッパ、中南米から新興市場国四八カ国を加えて構成する。世界合計と先進国合計は、いずれもウェイトを付けた。ウェイトには、債務危機、銀行危機の場合と同じく、各国が世界ＧＤＰ合計に占める比率を使っている。[*9] 国レベルの指数は、株価暴落を含まない指数（ＢＣＤＩ指数）は独立年または一八〇〇年のいずれか遅い方から計算し、株価暴落を含む指数（ＢＣＤＩ＋指数）はデータが入手できた年から計算した。

インフレ危機と銀行危機は多くの国で独立前にも発生しているが、公的債務危機は、国内債務であれ対外債務であれ、その定義からして植民地ではあり得ない。また植民地時代には独自の通貨を持たなかったケースも多い。ＢＣＤＩ指数に株価暴落も加えた場合には、ＢＣＤＩ＋指数として別途表示した。

図16・2と16・3は、多種類の危機に関する発生状況の推移を示すものだが、ある程度は深刻度の目安にもなる。二つのグラフをざっと見るだけでも、第二次世界大戦前と後とではパ

図 16.2　危機指数の世界合計（1900 ～ 2008 年）

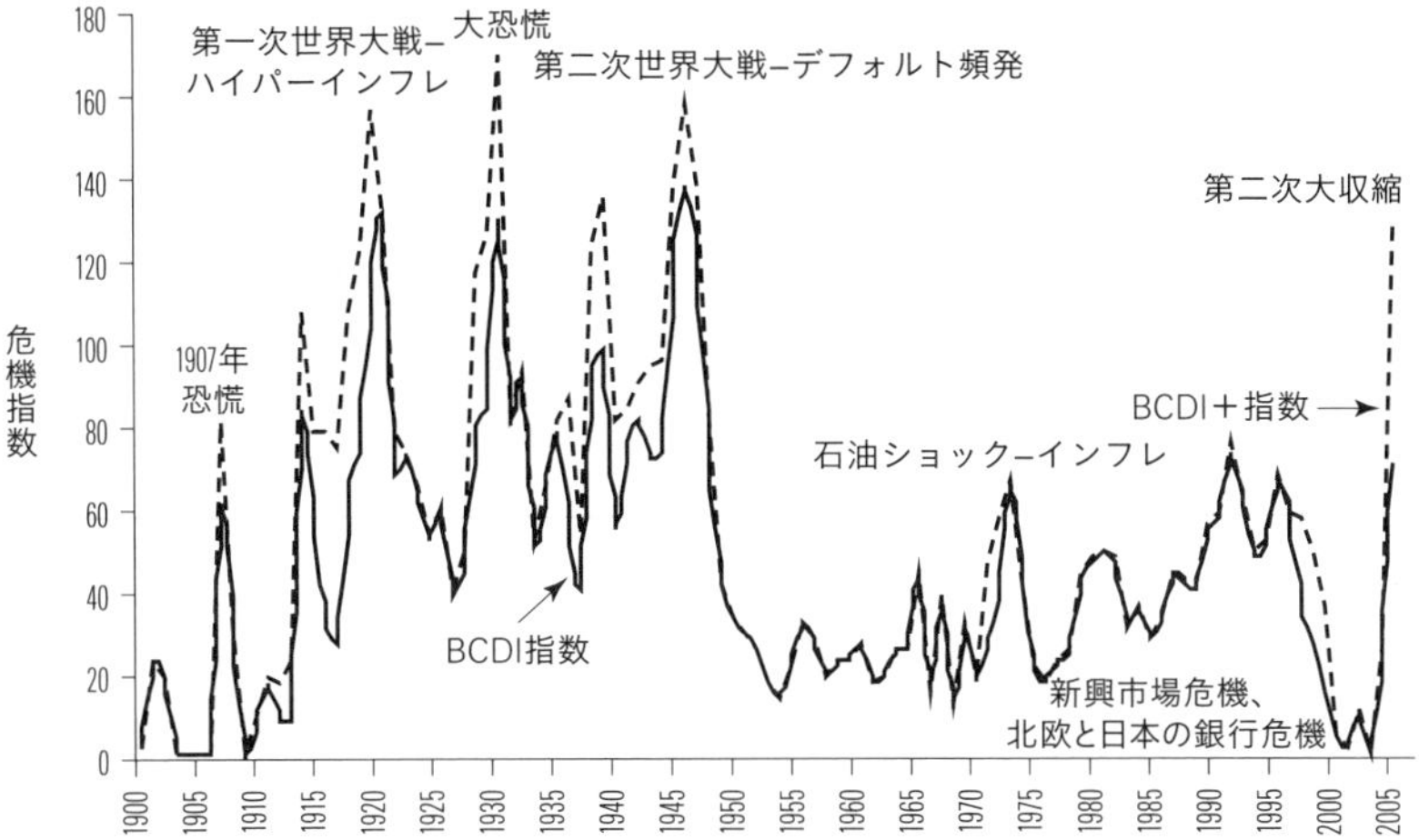

（資料）筆者の計算。

（注記）グラフの実線は BCDI 指数、点線は株価暴落を加えた BCDI ＋指数。単純合計ではなく、世界 GDP に占める比率で加重してある。BCDI 指数はある年ある国に発生した異種の危機の合計で、0 ～ 5 の数値をとる。たとえば 1998 年のロシアでは、通貨暴落、銀行危機、インフレ危機、国内債務・対外債務両方のソブリン・デフォルトが発生していたため、指数は 5 となる。これに GDP で加重した。このようにして、標本国 66 カ国について 1800 ～ 2008 年の指数を年ごとに合計した（グラフに示したのは 1900 年以降のみ）。さらに Barro and Ursúa（2009）の定義に従い株価暴落を加えた BCDI ＋指数を、標本国 25 カ国（スイスを除くサブセット）について計算した。こちらの期間は 1864 ～ 2006 年だが、その後 2008 年 12 月まで更新した。たとえば 2008 年のアメリカの指数は 2（銀行危機＋株価暴落）、オーストラリアとメキシコも 2（通貨暴落＋株価暴落）である。

図 16.3　危機指数の先進国合計（1900 〜 2008 年）

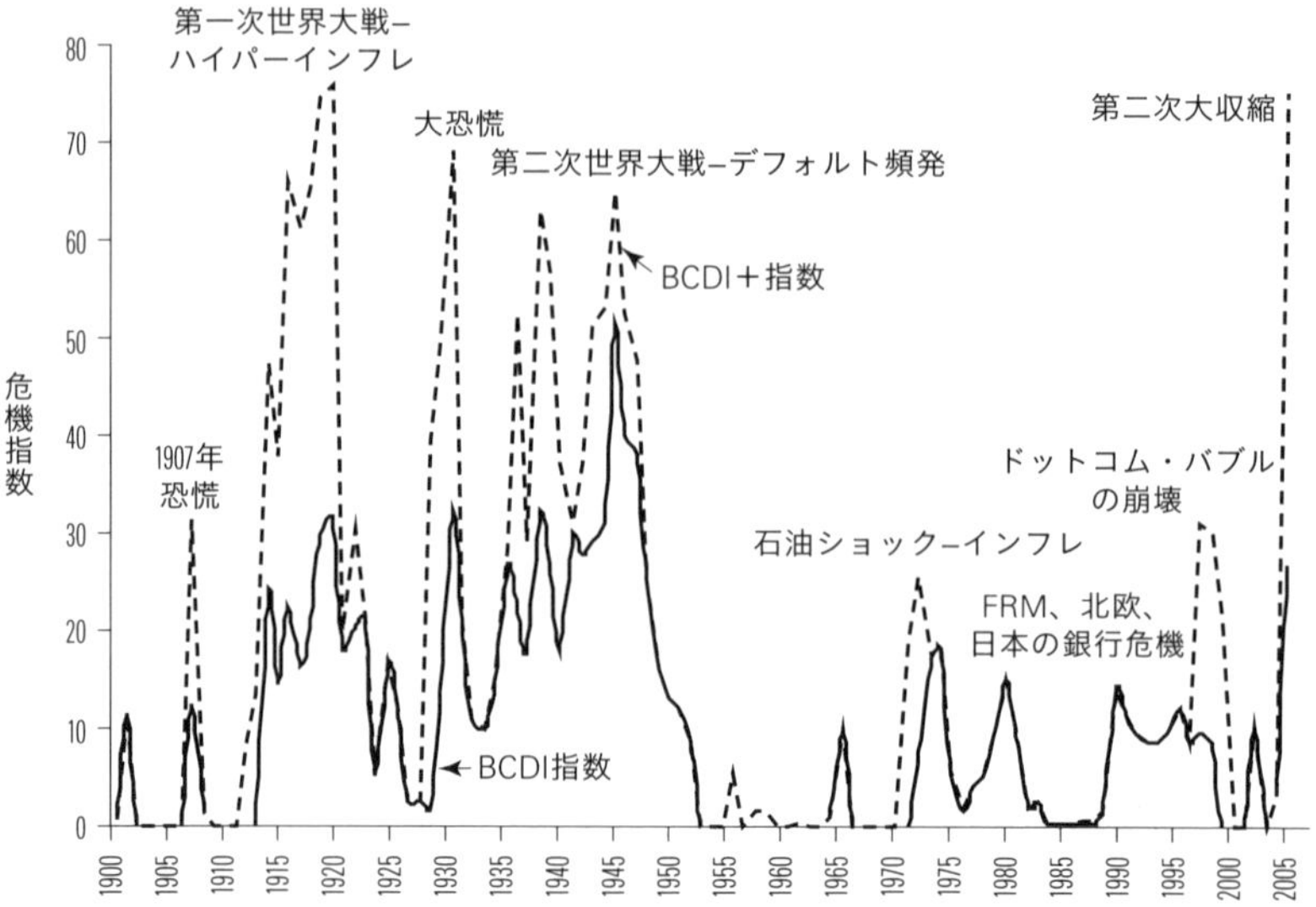

（資料）筆者の計算。

（注記）グラフの実線は BCDI 指数、点線は株価暴落を加えた BCDI ＋指数。単純合計ではなく、世界 GDP に占める比率で加重してある。BCDI 指数はある年ある国に発生した異種の危機の合計で、0 〜 5 の数値をとる。たとえば 1947 年の日本では、通貨暴落、インフレ危機、国内債務・対外債務両方のソブリン・デフォルトが発生していたため、指数は 4 となる。これに GDP で加重した。このようにして、標本国 18 カ国（Reinhart-Rogoff 標本国のうちオーストリアを含みスイスを含まない）について 1800 〜 2008 年の各年の指数を計算した（グラフに示したのは 1900 年以降のみ）。さらに Barro and Ursúa（2009）の定義に従い株価暴落を加えた BCDI ＋指数を、標本国 18 カ国（スイスを含みオーストリアを含まない）について計算した。こちらの期間は 1864 〜 2006 年だが、その後 2008 年 12 月まで更新した。たとえば 2008 年のアメリカの指数は 2（銀行危機＋株価暴落）、オーストラリアとノルウェーも 2（通貨暴落＋株価暴落）である。図中のＥＲＭは欧州為替相場メカニズム。

ターンが大きくちがうことに気づく。このちがいは、先進国のみを示した図16・3では一段と鮮明になる。戦前は、一九〇七年の銀行危機に端を発する世界恐慌から、第二次世界大戦につながり戦後にまでおよんだ債務危機・インフレ危機にいたるまで、深刻な危機が頻発していたことが特徴である。[*10]

戦後にも何度か混乱が発生している。一九七〇年代半ばの物価高騰と石油ショック、一九八〇年代前半のインフレ鎮静化を伴うリセッション、一九九〇年代前半の北欧と日本で起きた深刻な銀行危機、二〇〇〇年代初めのドットコム・バブルの崩壊といった具合である。だが戦前の危機や、二〇〇八年のグローバル収縮と比べれば、どれも小粒と言える。後者は六〇年以上におよぶ戦後期において飛び抜けて大型の危機であり（図16・3参照）、戦前の危機同様きわめて深刻であると同時に、危機に陥った国の比率からもわかるとおり、グローバル規模でもある。ほぼ全世界で株価暴落が起き、資産価格バブルが崩壊。レバレッジの大きさが露見すると、銀行危機も発生した。先進国で起きた対ドルでの通貨暴落は、下落幅でもボラティリティ（変動性）の大きさでも、新興市場国での通貨危機に匹敵する。

マコーネルとペレス、ブランチャードとサイモンの論文を始めとする多くの学術的研究は、一九八〇年代半ば以降にマクロ経済のボラティリティが多くの面で低下したことを指摘し、おそらくはそれが世界的な低インフレ環境から生じたことを示している。この時期は、「グレート・モデレーション（大平穏期）」と呼ばれるようになった。[*11] だがシステミックな危機になれば、マクロ経済のボラティリティは必ず増大する。二〇〇七年に始まった第二次大収縮では、不動産、株式、通貨など幅広い資産市場でボラティリティの急激な上昇が明らかに認められ、また生産、貿易、雇用といったマクロ経済統計からもそれを読み取ることができた。経済学者がグレート・モデレーションとその発生原因をどのように評価するかは、この危機の鎮静化後まで待たねばならない。

新興市場国の多くにとって、グレート・モデレーションは束の間の出来事だった。結局のところ一九八〇年代の債務危機は、規模の点でも深刻さの度合いでも一九三〇年代の危機に匹敵するものだった（図16・3参照）。この債務危機は程度の差こそあれアフリカ、アジア、中南米を巻き込み、多くはソブリン・デフォルト、慢性的インフレ、長期にわたる銀行危機を伴った。この債務危機がようやく収まると、次には一九九〇年代前半に東欧と旧ソ連圏で債務危機が発生している。さらに一九九四～九五年のメキシコ危機は中南米各国に飛び火し、一九九七年夏には大規模なアジア危機が始まり、一九九八年には広範なロシア危機と続き、新興市場は息をつく暇もないほどだった。一連の危機はアルゼンチンでクライマックスを迎え、二〇〇一～〇二年に記録的なデフォルトと経済崩壊が起きている。[*12]

その後二〇〇七年夏にアメリカでサブプライム危機が発生し、それが一年後にグローバル規模に発展するまでの期間、すなわち二〇〇三～〇七年は新興市場国にとっては平穏な時期であり、繁栄を謳歌することさえできた。世界経済は成長軌道に乗り、商品価格は上昇し、金利は世界的に低水準で、資金調達コストは低かった。だが五年では「グレート・モデレーション」と呼ぶには短すぎるだろう。実際にも今回の危機で、ボラティリティはほぼすべての国で

図 16.4 アフリカの一国当たり平均 BCDI 指数（1900～2008 年）

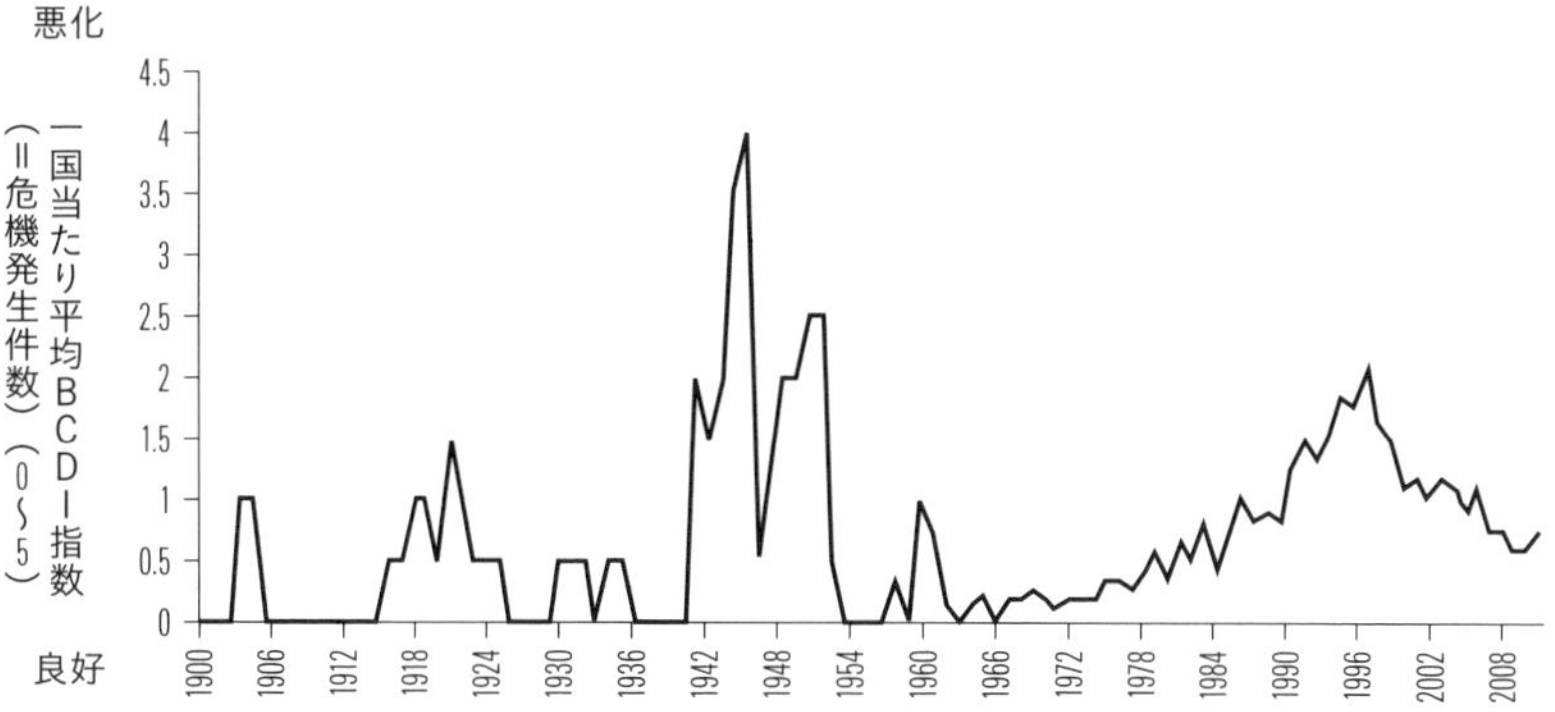

（資料）巻末資料Ａ・１～Ａ・３に基づく筆者の計算

すでに再び増大している。

ＢＣＤＩ指数の地域別比較

次に、危機の地域別の推移を見ていこう。図16・2と16・3では世界ＧＤＰに占める比率で加重したが、地域別（アフリカ、アジア、中南米）の分析では、地域の様相が一つの国に大きく左右されることがないよう、加重を行わない単純平均を採用した。図16・4にアフリカ、16・5にアジア、16・6に中南米の一国当たり平均ＢＣＤＩ指数（すなわち一国で起きた危機の平均発生件数）の推移を示す。期間は、アジアと中南米は一八〇〇～二〇〇八年、アフリカは一九〇〇～二〇〇八年とした。

アフリカでは、一九五〇年代以前からの独立国は南アフリカ共和国（一九一〇年独立）だけなので、指数の開始年は、本来は早くて一九五〇年以降となる（図16・4）。しかし第一次世界大戦以降については物

図 16.5 アジアの一国当たり平均 BCDI 指数（1800 ～ 2008 年）

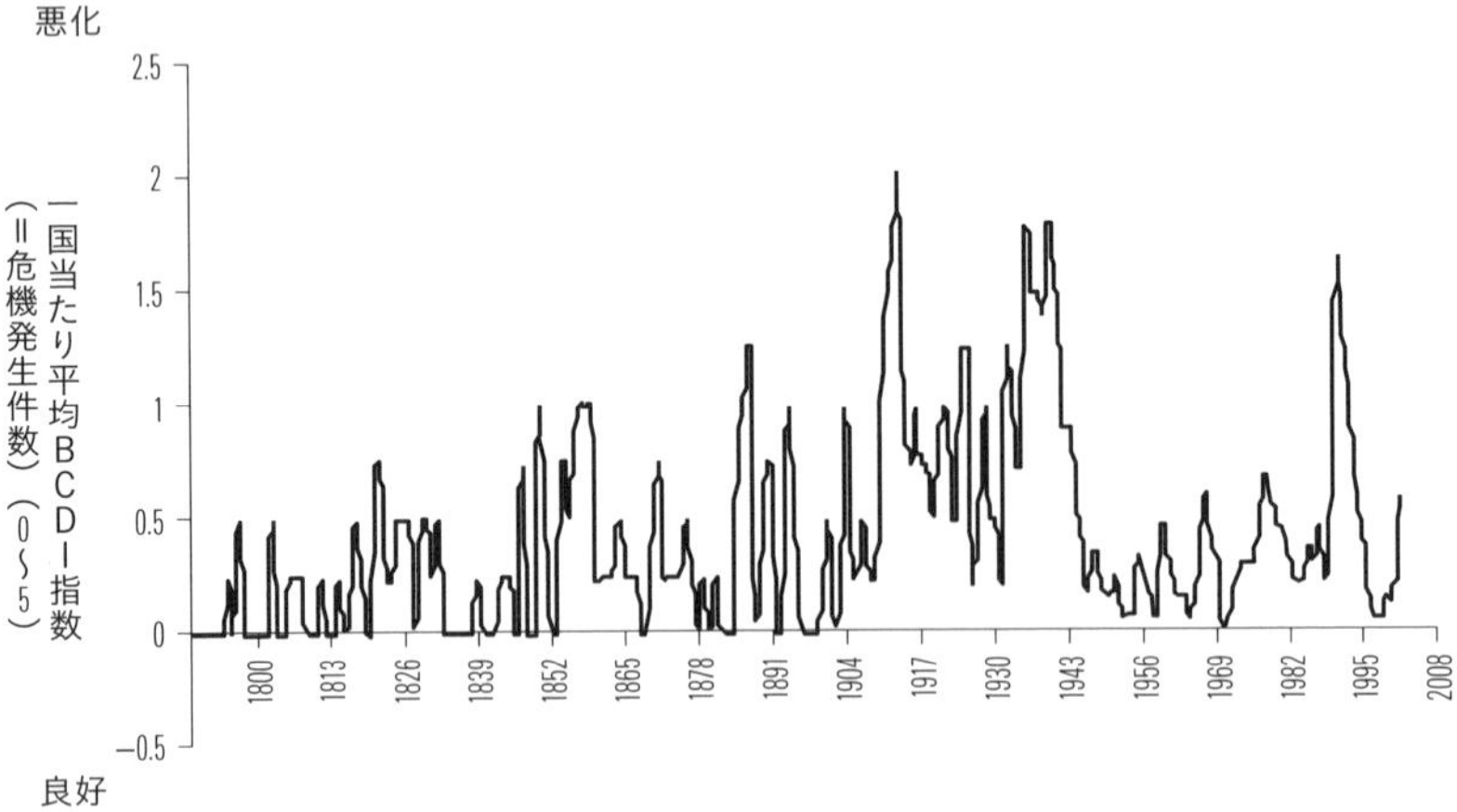

（資料）巻末資料 A・1 ～ A・3 に基づく筆者の計算。

図 16.6 中南米の一国当たり平均 BCDI 指数（1800 ～ 2008 年）

（資料）巻末資料 A・Ⅰ～ A・3 に基づく筆者の計算

（注記）1980 年代後半から 1990 年代前半にかけて指数が急激に上昇しているのは、アルゼンチン、ボリビア、ブラジル、ニカラグア、ペルーでハイパーインフレが発生し、これらの国で指数が最高の 5 に達したためである。

価と為替レートのデータが十分にそろっており、独立以前の危機（南アフリカの数回におよぶ深刻な銀行危機も含む）も時期を特定できたため、植民地時代もグラフに示しておく。標本国は一三カ国である。一九五〇年代にほぼ0だった平均指数は、一九八〇年代から一貫して上昇し、一九九〇年代のピーク時には、平均して年二種類の危機が同時発生していた。公的債務の不履行も再編もしたことのないモーリシャスを除き、二種類の危機の組み合わせは、国によってありとあらゆるバリエーションがみられた。一九九〇年代後半になって危機の平均指数が減少に転じたのは、インフレ危機が減ったことと、一九八〇年代の一〇年におよぶ債務危機がようやく終息したことが主な原因と考えられる。

アジアの地域総合指数の期間は、中国、日本、タイが古来の独立国のため、一八〇〇〜二〇〇八年である。他の標本国は第二次世界大戦のほぼ直後に独立を果たしており、その時点から地域平均に加えた。アジアの推移を見ると、本書で度々指摘した点がまたしても顕著に浮かび上がる。アジア金融危機（一九九七〜九八年）前の三〇年間にわたり、「アジアの虎」や「アジアの奇跡」がさかんに喧伝されてきたが、この地域の歴史に関する無知から来たものと言わざるを得ない。今日の国際的な基準からすれば、アジア経済は不安定な時期が長引くことを繰り返してきたと言える。最も深刻な危機が起きたのは、第一次世界大戦と第二次世界大戦に挟まれた戦間期である。この時期に中国はハイパーインフレ、数回におよぶデフォルトと銀行危機に見舞われ、数え切れないほどの新通貨導入や通貨転換を行った。日本でも何度も銀行危機、インフレ、通貨危機が発生し、ついには第二次世界大戦中の対外債務デフォルト、そして終戦（一九四五年）直後の銀行預金の凍結、ハイパーインフレに近いインフレ（インフレ率は六〇〇％近かった）へと続いていく。

経済の安定性という点で言えば、大西洋の向こうから紙幣印刷機というものが渡来さえしなかったら、中南米はなかなか成績がよかったかもしれない（図16・6）。一九七〇年代に一転して景気低迷と慢性的な高インフレ、ハイパーインフレに長く苦しめられるようになるまでは、中南米の平均指数は世界平均にごく近い。ときにデフォルト、通貨暴落、銀行危機に直面することはあっても、年間平均指数が1を上回ることはなく、かなりの長期にわたって他地域に優る成績を収めていた。つまり絶対評価でも相対評価でも好成績だったわけである。だがインフレ率の急上昇（中南米の「失われた一〇年」と呼ばれる一九八〇年代の債務危機より先に始まった）でそれも終わり、この地域の成績低迷は一九九〇年代後半まで続いた。一九八〇年代後半の最悪の時期、すなわち不良化した公的債務が一九八七年にブレイディ・プラン（コラム5・3参照）によって再編される前で、かつアルゼンチン、ブラジル、ペルーがハイパーインフレに襲われていた時期には、指数が示すように、この地域の国は年間ほぼ三種類の危機に見舞われていた。[*13]

グローバル金融危機の定義

私たちが開発した金融危機の総合指数は、世界で発生している金融危機の深刻度を評価するうえでは、なかなか役に立つ。しかし真にグローバルな危機だけを体系的に選別し、たとえば世界合計への影響は大きくとも実際には一地域に限定された危機を排除するためには、幅広い変数にわたる定量的な基準が必要になる。そこで、グローバル金融危機の実際的な定義をコラム16・1で提案する。

コラム16・1　グローバル金融危機の実際的な定義

おおざっぱに言って、グローバル危機と、地域的な危機や伝染力の低い多国間危機とを分ける要素は四種類ある。

Ｉ・世界の金融センターとして機能する国のうち少なくとも一カ国がシステミックまたは深刻な危機（種類を問わない）に陥っている。この条件からして、世界ＧＤＰに占める比率が、圧倒的とまではいかなくともかなり大きい国が少なくとも一カ国は、重大な事態に陥っていることになる。また金融センター国の危機は、資金の流れを通じて直接間接に他国に波及する。金融センター国とは、たとえば他国への主な貸し手となる国で、新興市場国への貸し手だった一八二〇年代のイギリス、中南米諸国への貸し手だった一九八〇年代のアメリカなどが該当する。

●表

事例と発生時期	危機のタイプ	最も影響を被った金融センター	影響を被った地域	地域内で影響を被った国
1825〜26年　危機	グローバル	イギリス	欧州、中南米	ギリシャ、ポルトガルおよび中南米の新規独立国がデフォルト。
1907年恐慌	グローバル	アメリカ	欧州、アジア、中南米	フランス、イタリア、日本、メキシコ、チリなどで銀行危機が発生。
1929〜38年　大恐慌	グローバル	アメリカ、フランス	全地域	インフレ以外のすべての危機が発生。
1980年代債務危機	多国間（先進国＋新興市場国）	アメリカ（ただし、システミックな危機ではなかった）	アフリカ、中南米、アジアの開発途上国（アジアでの影響は軽微）	多くの国でソブリン・デフォルト、通貨暴落、高インフレが発生。
1997〜98年　アジア危機	多国間（1998年にアジア域外へ拡大）	日本（ただし危機の５年前から、国内でシステミックな銀行危機が発生していた）	アジア、欧州、中南米	最初に東南アジア各国が巻き込まれ、後にロシア、ウクライナ、コロンビア、ブラジルへ飛び火した。
2008年第二次大収縮	グローバル	アメリカ、イギリス	全地域	欧州で銀行危機、全地域で株価と通貨（対ドル）の暴落が発生。

（資料）本書

2・危機が二つ以上の地域にまたがっている。

3・地域内で危機に陥った国が三カ国以上ある。（危機の影響を被った地域GDPの比率ではなく）危機に陥った国の数を単純にカウントすることで、経済規模が大きく世界GDPに占める比率の高い国（中南米におけるブラジル、アジアにおける中国や日本）のみが陥った危機を「グローバル危機」と取り違える恐れがなくなる。
4・BCDI指数（GDP加重）が、通常の水準をI標準偏差分以上、上回っている。

グローバル金融危機の経済的影響

次に、グローバル金融危機に伴う二つの大きな影響について説明する（いずれも、今回のグローバル金融危機に認められる）。一つは、危機が経済活動の水準とボラティリティにおよぼす影響である。これは、株価、実質GDP、貿易の世界合計によって測定し、表示することができる。もう一つは、複数の国でほぼ同時に発生する傾向である。こちらは、資産市場のほか、貿易・雇用動向、さらには住宅価格などの経済統計の推移に顕著に表れる。ここでは、グローバル危機の中でデータが最もよくそろっている最後の二つ、すなわち一九三〇年代の大恐慌（第一次大収縮）と今回の第二次大収縮を取り上げる。いま挙げた幅広いマクロ経済データに注目すれば、危機の全貌がこまかいところまで浮かび上がってくるはずだ。

図 16.7 グローバル危機中の株価動向：実質株価合成指数の推移

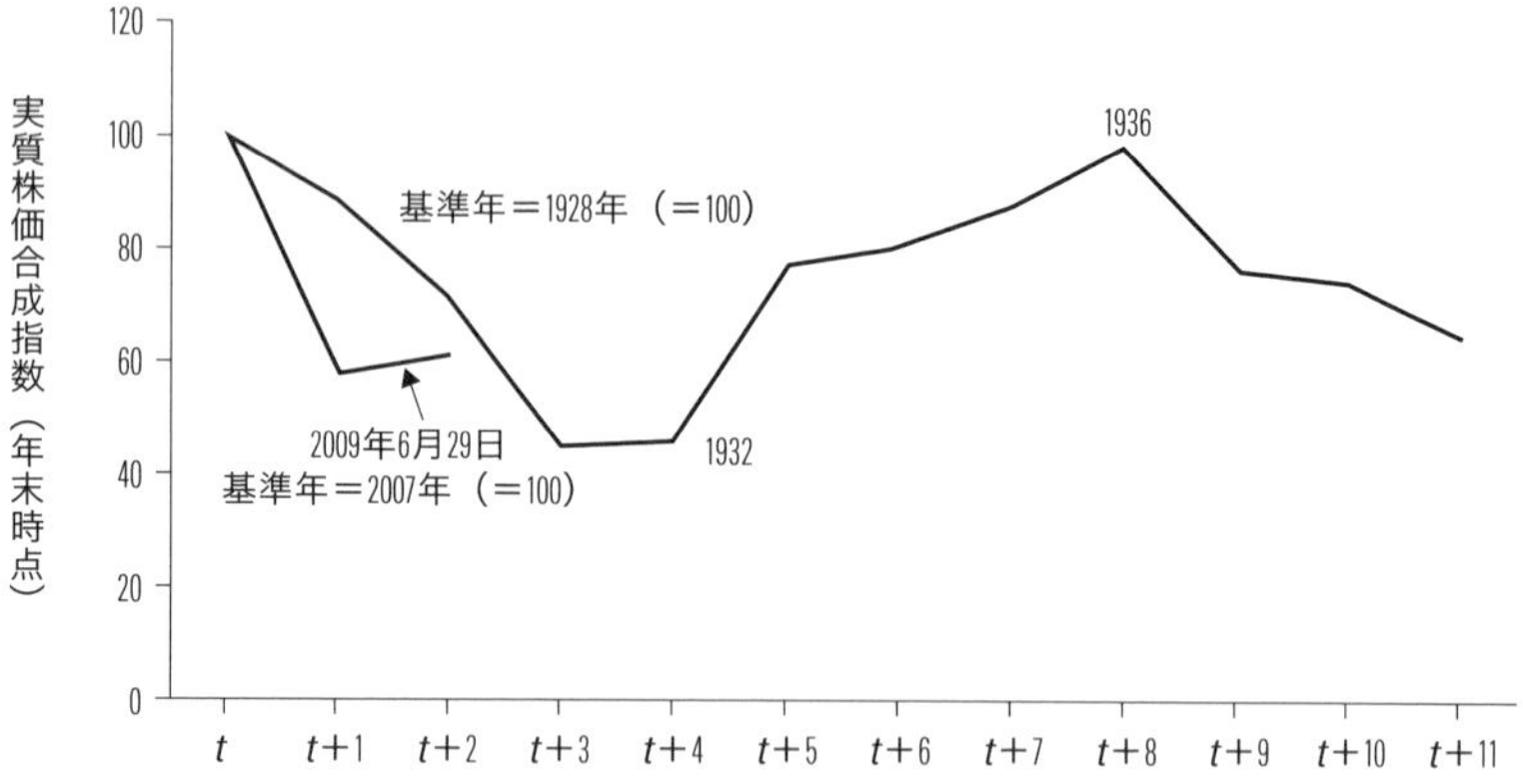

（資料）Global Financial Data（GFD）、S&P、ＩＭＦ世界経済見通し、筆者の計算（くわしくは巻末資料Ａ・Ｉ）

（注記）株価の世界合成指数は、1928 〜 1939 年は GFD から、2007 〜 2009 年は S&P から採用した。S&P グローバル 1200 指数は 7 地域 29 カ国、時価総額世界合計の 70%をカバーする。株価は消費者物価で実質化し、1928 〜 1939 年は標本国 66 カ国のインフレ率中央値、2007 〜 2009 年は世界経済見通しの期間末時点のインフレ率中央値を使用した。大恐慌の株価指数ピークは 1928 年、第二次大収縮は 2007 年である。t = 危機発生年。

世界合計の推移

株価と将来の経済活動との間に関連性があることは、改めて言うまでもあるまい。景気循環の転換点に関する先行研究、たとえばバーンズとミッチェルの古典的研究は、先行指標としての株価の特性をくわしく分析している。[*14] 実際にも、多くの国でほぼ同時に起きた大暴落は大恐慌の口火を切る出来事だったし、今回のグローバル金融危機の場合にも、いくらか遅れたものの、やはりそうだった。図16・7に、一九二八〜三九年と二〇〇七〜〇九年（執筆時点まで）の世界の株価指数をプロットした。後者は世界の時価総額合計の約七〇%、七地域二九カ国をカバーし

図 16.8 グローバル危機中の１人当たり実質 GDP の推移（人口加重）

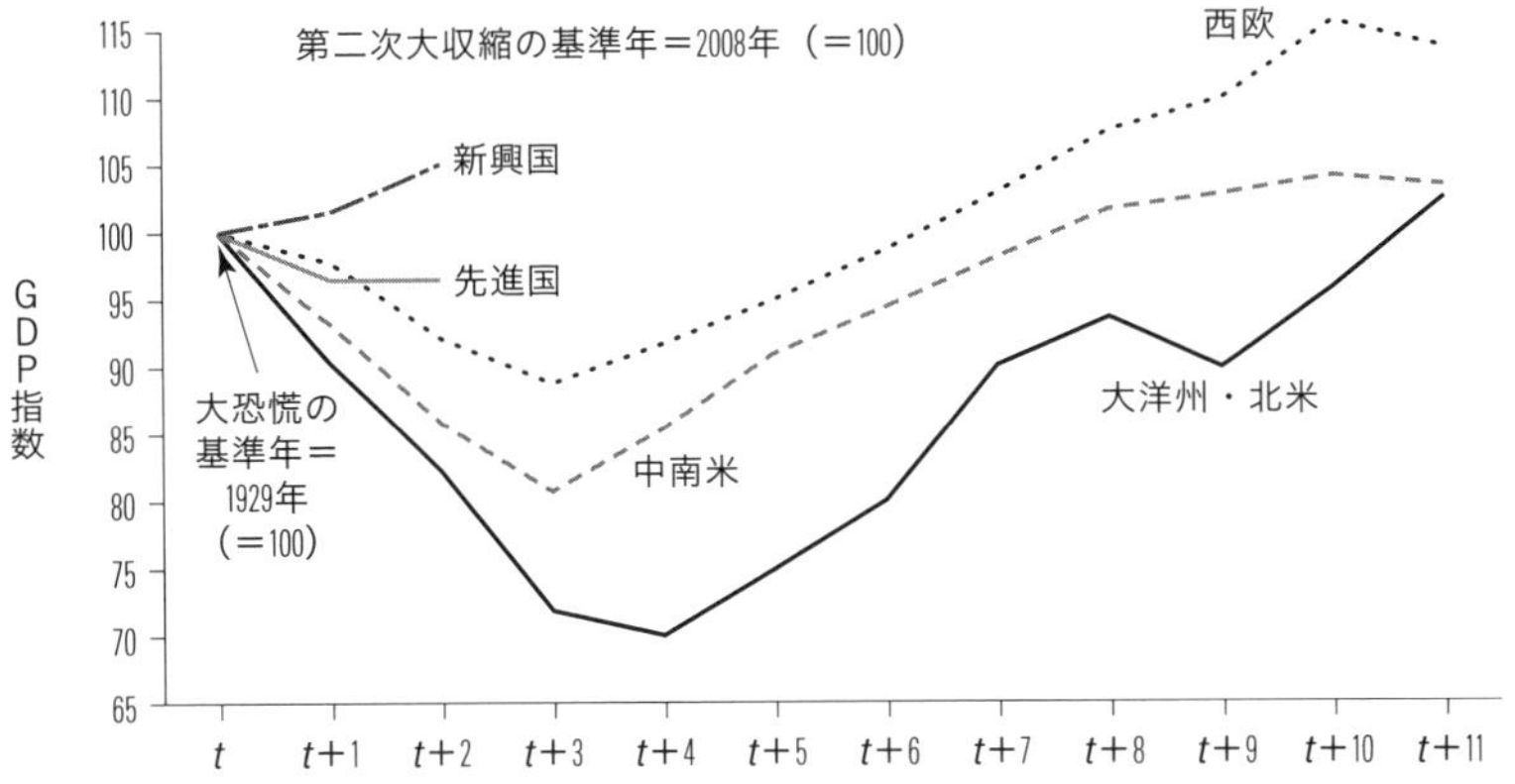

（資料）Maddison (2004); International Monetary Fund (various years), *World Economic Outlook*; および筆者（詳細は巻末資料Ａ・1）。

（注記）西欧はマディソンの標本国 12 カ国、中南米は域内主要 8 カ国。１人当たり GDP がピークに達したのは、大恐慌は 1929 年、第二次大収縮は 2008 年である。*t* ＝危機発生年。図中のＷＥＯはIMF 世界経済見通し。

ている。株価は世界の消費者物価で実質化しており、一九二八～三九年のデータには標本国六六カ国のインフレ率中央値を、二〇〇七～〇九年のデータにはＩＭＦ世界経済見通しで公表された各年末時点のインフレ率中央値を使った。*15 両指数がサイクル中にピークを記録したのは、それぞれ一九二八年と二〇〇七年である。

二〇〇八年以降の株価下落は、下落幅でも他国への波及の点でも、一九二九年の大暴落に匹敵する。一九三〇年代の大恐慌当時は、株を持っている人の数が、二一世紀と比べてはるかに少なかった点に留意しなければならない。年金基金と退職年金プランの発展、そして都市人口の増加といった要因が、家計の富と株式市場との結びつきを強める役割を果たした。

図16・8には、図16・7と同じ方式で、

図 16.9 世界貿易の月次動向（1929 年 1 月～ 1933 年 6 月）

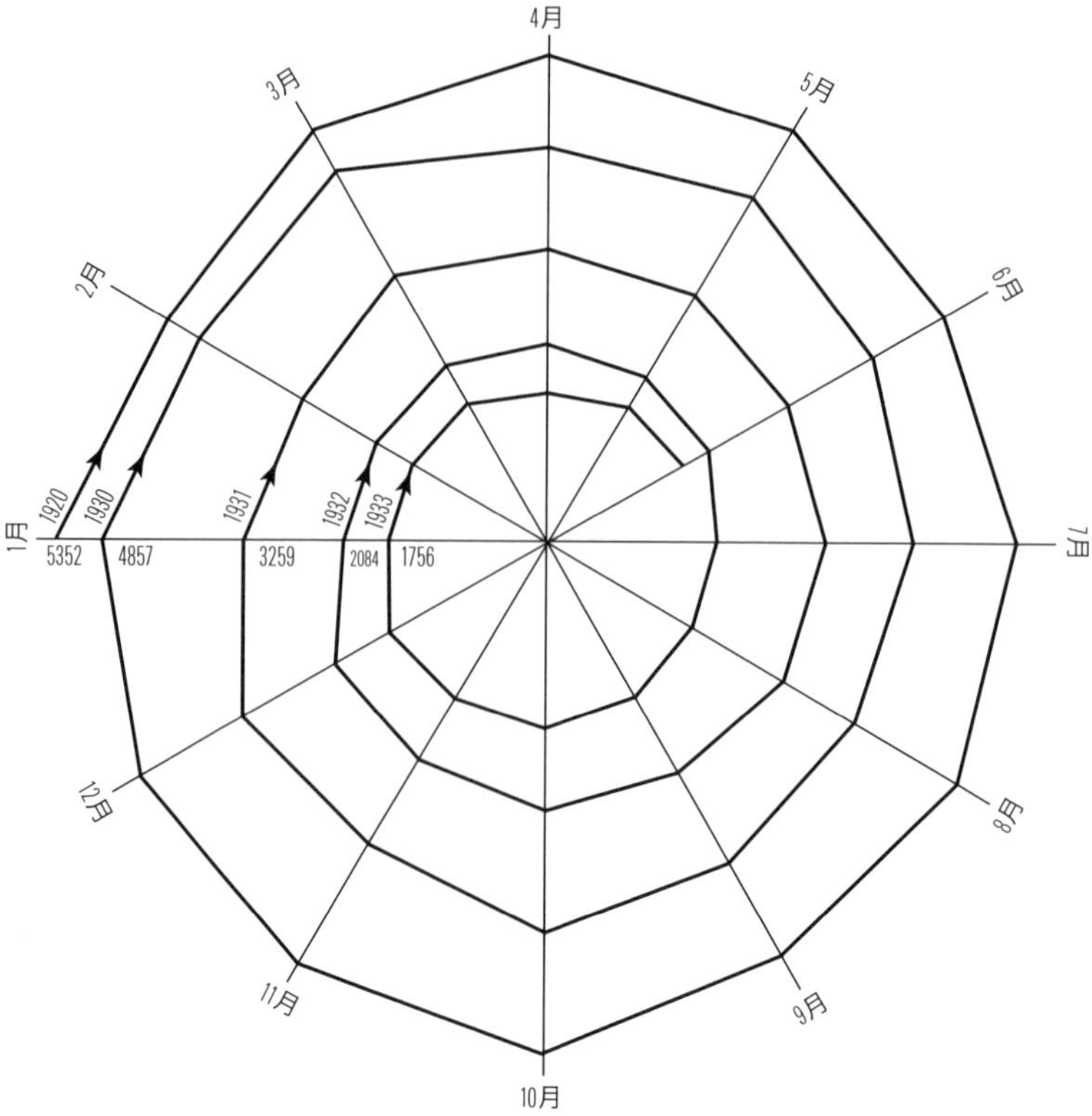

（資料）*Monatsberichte des Öterreichischen Institutes fürKonjunkturforschung* 4 (1933): 63.

図 16.10　世界の商品輸出の推移（1928 ～ 2009 年）

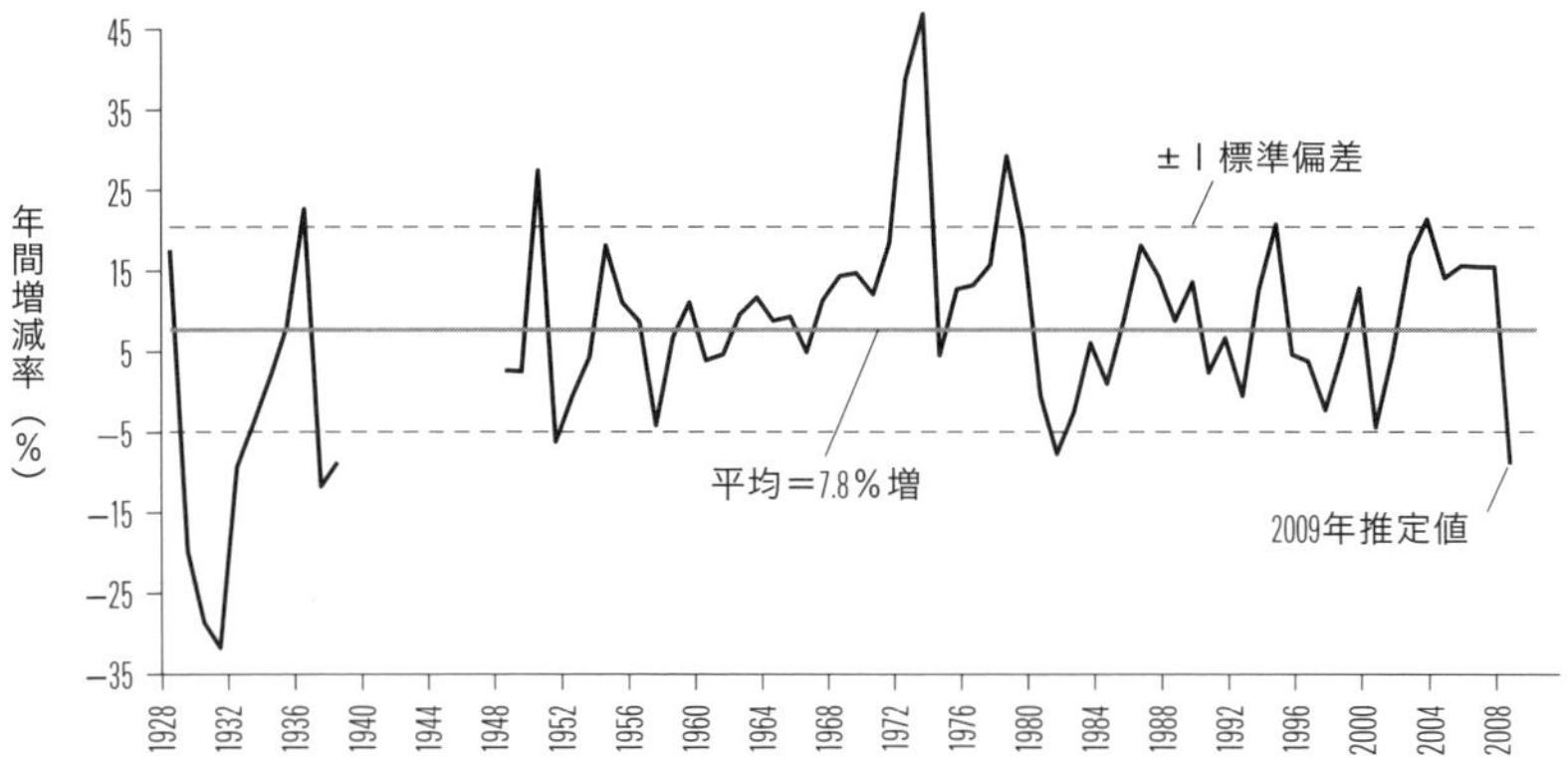

（資料）Global Financial Data (GFD) (n.d.); League of Nations (various years), *World Economic Survey*; International Monetary Fund (various years), *World Economic Outlook*; そして筆者（原注参照）。

（注記）第二次世界大戦中の世界合計データはなし。2009 年推定値は、2008 年末時点の実績を 2009 年の平均とした。

二つのグローバル危機後の一人当たりGDP（人口比で加重）を地域グループ別にプロットした。[16] 大恐慌についての西欧グループは、マディソンによる一二カ国の人口加重合計を用いた。[17] 中南米グループの指数は主要国八カ国で構成した。これに北米・大洋州グループを加えた三グループいずれも、一人当たりGDPは一九二九年に最高を記録している。最近のデータは、IMF世界経済見通しに拠った。すべての情報を合わせると、実質GDPの今後の動向、とくに新興市場国の動向が、二〇〇八～〇九年前半の株価動向に一致すると考えるのはむずかしい。

　二つのグローバル危機における世界貿易の推移を、図16・9と図16・10に示した。図16・9は「世界貿易の縮小スパイラル（一九二九年一月～三三年六月月次データ）」と題された昔の資料の再録である。このスパイラル図は国際連盟の一九三二〜三三年版世界経済調査に出ていたものだが、それ自体が同時期の別の資料からの転載である。[*18] このグラフは、大恐慌が進むにつれて世界の貿易額が六七％も縮小したことを如実に示している。当時の文献を含む多くの研究で指摘されているとおり、経済活動全般が急激に縮小したとは言っても西欧で一〇％、北米と大洋州で三〇％程度であり、これは国際貿易落ち込みの一因に過ぎない。[*19] このほかの破壊的な要因として、貿易障壁や競争的な通貨切り下げの形で、世界的に保護貿易主義が拡がったことが挙げられる。

図16・10には、一九二八〜二〇〇九年における世界の商品輸出額の増減率をプロットした。二〇〇九年の推定値は、二〇〇八年年末時点の実績を二〇〇九年の平均として採用したものである。これによると二〇〇九年は前年比九％減ということになり、一年間の落ち込みとしては戦後最悪の数字となる。[*20] このほかに第二次世界大戦後で輸出が大幅に減少したのは、朝鮮戦争中の一九五二年と、アメリカがリセッションに陥り新興市場国全般が一九三〇年代級の債務危機に襲われた一九八二〜八三年である。もうすこし小幅の落ち込みには、アメリカがリセッションのどん底にあった一九五八年、アジア通貨危機中の一九九八年、9・11（同時テロ）後の二〇〇一年がある。

図 16.11 大恐慌時の輸出縮小（1929 〜 32 年）

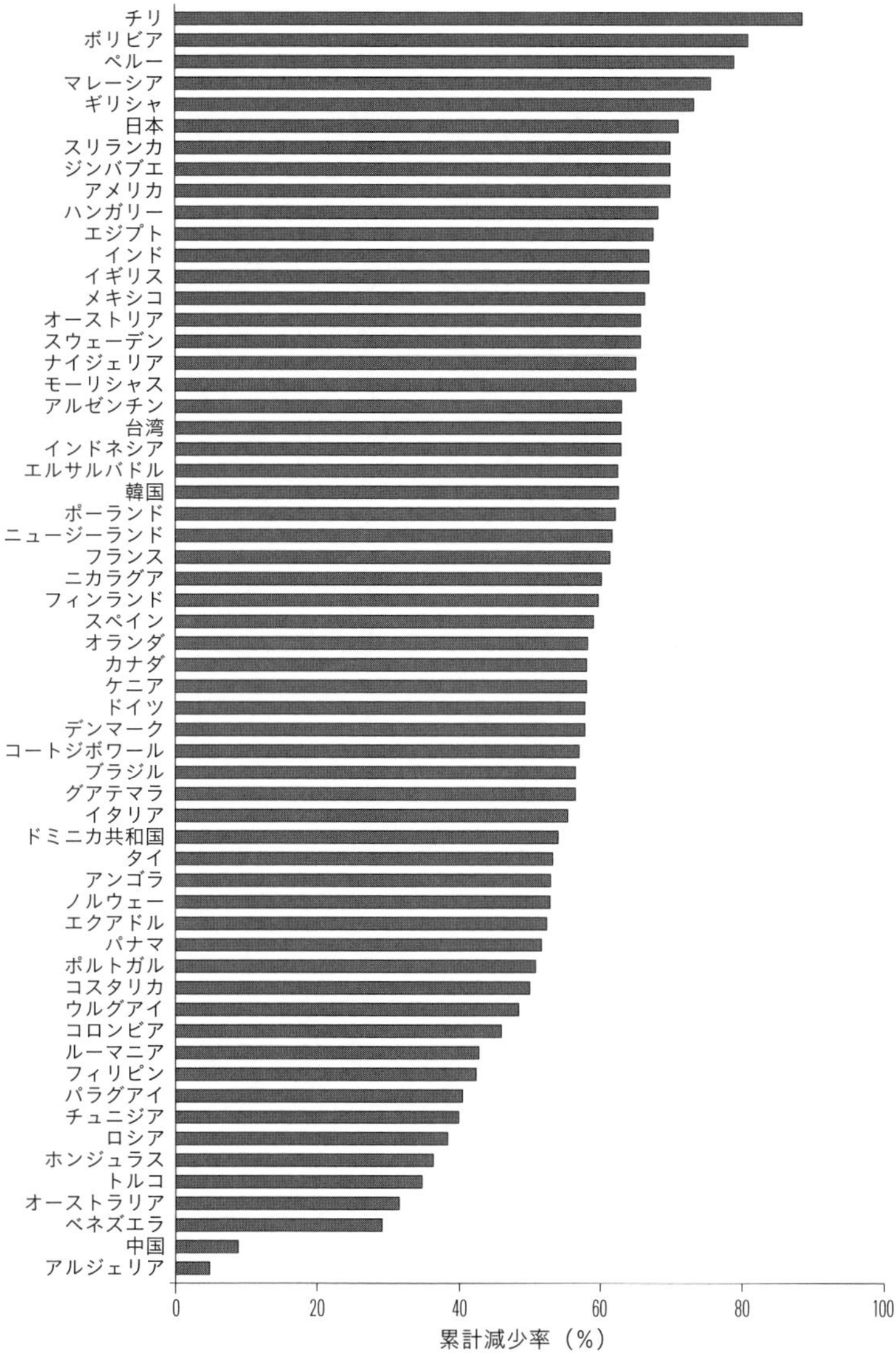

（資料）国別の出典は巻末資料 A・1。筆者の計算も。

グローバル危機の同時性

世界合計の実績をみると、世界人口に占める割合でみても、国の数の比率でみても、グローバル危機がきわめて広い範囲に影響をおよぼしたことがよくわかる。ただし単一の世界指数に集約しているため、グローバル危機が持つ同時性という性質を完全には捉え切れない。この点を補うため、ここでは前回のグローバル危機（大恐慌）中のさまざまな経済指標の推移を追跡し、同時性を実証したい。具体的には、一九二九～三二年の失業率、住宅着工件数、輸出、通貨に関する指標の変化に注目する。

大恐慌の最悪期に世界の貿易が大幅縮小したことは、世界合計を表す二つのグラフですでに指摘したとおりだが、さらに図16・11に、各国の貿易減少率を示した。このグラフからも、地域を問わず、また高・中・低所得国の別もなく、あらゆる国で貿易が打撃を被ったことがわかる。言い換えれば、世界合計は個々の国の事情をよく代表していたのであり、ウェイトの大きい一部の主要国の動向だけを反映したものではなかった。世界の多くの国を直接間接に巻き込んだ戦争（ナポレオン戦争を含む）以外では、データにこれほど広範囲の同時性が見出されることはない。

このような国境を越えた同時性は、貿易や為替レートのように国にまたがって同じ動きが予想される変数以外にもおよんでいる。たとえばアメリカに端を発し他国に波及したサブプライム危機では、建設業が大打撃を被ったが、通常はこの産業は「非貿易部門」の代表格とされる。じつは一九二九〜三二年にも、多くの国で貿易と同じように、住宅建設の落ち込みが同時に発生した。これを示す数字を表16・1にまとめた。

このように貿易部門、非貿易部門が共に多くの国で歩調をそろえて大幅に落ち込んだとなれば、失業率が上昇するのも当然と言えよう。この点は、表16・2に示すとおりである。これをみると、ほぼすべての国で（日本とドイツについては一九二九年の比較可能なデータが入手

表 16.1　住宅建設の推移（1929 年＝ 100）

国名	採用した指標	1932 年
アルゼンチン	住宅着工許可（面積）	42
オーストラリア	住宅着工許可（金額）	23
ベルギー	住宅着工許可（件数）	93
カナダ	住宅着工許可（金額）	17
チリ	住宅着工許可（面積）	56
コロンビア	住宅建設（面積）	84
チェコスロバキア	住宅建設（件数）	88
フィンランド	住宅建設（容積）	38
フランス	住宅着工許可（件数）	81
ドイツ	住宅建設（部屋数）	36
ハンガリー	住宅建設（件数）	97
オランダ	住宅建設（戸数）	87
ニュージーランド	住宅建設（金額）	22
南アフリカ	住宅建設（金額）	100
スウェーデン	住宅建設（部屋数）	119
イギリス	住宅着工許可（金額）	91
アメリカ	住宅着工許可（金額）	18
平均		64
参考：2005 年 9 月のピーク＝ 100 としたときの 2009 年 2 月までの推移		
アメリカ	住宅着工許可（件数）	25

（資料）League of Nations, *World Economic Survey* (various issues), Carter et al. (2006).
（注記）国によって指標が異なる点に注意されたい。

できなかった）、失業率は平均一七ポイント近く上昇したことがわかる。なお前章で危機後の経過を論じた際に指摘したように、失業統計は国により定義や集計方法にちがいがあるため、国同士の比較、とくに水準の比較はあくまで参考にとどまる。

表 16.2 失業率の推移（1929 ～ 32 年）

国名	1929 年	1932 年	上昇率
オーストラリア	11.1	29.0	17.9
オーストリア	12.3	26.1	13.8
ベルギー	4.3	39.7	35.4
カナダ	5.7	22.0	16.3
チェコスロバキア	2.2	13.5	11.3
デンマーク	15.5	31.7	16.2
ドイツ	n.a.	31.7	n.a.
日本	n.a.	6.8	n.a.
オランダ	7.1	29.5	22.4
ノルウェー	15.4	30.8	15.4
ポーランド	4.9	11.8	6.9
スウェーデン	10.7	22.8	12.1
スイス	3.5	21.3	17.8
イギリス	10.4	22.1	11.7
アメリカ	3.2	24.9	21.7
平均	8.2	25.0	16.8

（資料）League of Nations (various issues), *World Economic Survey*; Carter et al. (2006).

（注記）失業統計の定義と集計方法が国により異なる点に注意されたい。アメリカのデータは年間平均。表中の n.a. はデータ入手不能。

ここで一休みして、グローバル金融危機が一国の危機や地域的な危機に比べてなぜこれほど危険なのかを考えてみたい。根本的な原因として、危機が真にグローバル規模であれば、もはや輸出主導の成長は期待できないことが挙げられる。グローバル金融危機が起きると、生産、貿易、株価を始めとする指標は、定量的にはともかく、通常は定性的にみて世界合計と個々の国とがほぼ同じ方向に動く。また資本フローの急停止は、一般に一つの国や地域だけでなく世界の大半の国に、それも公的部門、民間部門を問わずなにがしかの影響をおよぼす。

すこし考えてみるだけでも、他国が軒並み苦境に陥っている場合には、輸出に活路を求められる場合より、危機後の落ち込みからの脱出がむずかしいことは明らかだろう。とは言えこの点を過去の事例で実証するのはむずかしい。というのも本書の標本には数百件の危機が含まれているが、グローバル危機というものは滅多にないからである。しかも、過去のグローバル危機には戦争と関連するものが少なくないため、比較は一層困難になる。

さらに決定的なのは、危機（タイプを問わない）に伴うリセッションが、第二次世界大戦後の標準的な景気循環の先例に比べると、期間も程度もはるかに深刻なことである。この点は、先進国でも新興市場国でも変わらない。加えてグローバル規模に拡大した危機では、景気低迷の期間はともかく、落ち込みの幅と変動性が一段と重大化する可能性もある。今回の金融危機が発生するまで、戦後にはグローバル規模の金融危機はなかった。したがって比較対象は戦前の危機にならざるを得ないが、第二次大収縮はすでにさまざまな点で戦後最悪の記録を打ち立てている。金融工学のマジックで景気循環を制御できなかったことは明白である。

危機の進行過程

金融危機の過去の事例をみると、資産価格、経済活動、国際指標などに共通するマクロ経済的な動きが認められるだけでなく、危機の進行過程（時間的な順序）にも共通するパターンが見受けられる。もちろん、すべての危機がソブリン・デフォルトという破局に帰結するわけではない。しかし先進国であっても通貨の暴落や高インフレや深刻な銀行危機からは逃れられないし、かつてはソブリン・デフォルトとも無縁ではなかった。

危機の進行過程では何が最初に起きるのだろうか。銀行危機か通貨危機のどちらなのか――これが「双子の危機」に関するカミンスキーとラインハートの研究の中心的なテーマだった。この研究では、銀行危機の前には金融自由化が行われた例が多いとも結論付けられており、金融自由化は危機の予測に役立つという。[*21] 異なる手法とより多くの標本を用いたデミルグ・クントとデトラギーシュの研究も、同じ結論に達している。[*22] さらに通貨暴落と対外債務デフォルトの関係を論じたラインハートの研究[*23]があり、また本書では国内債務危機と対外債務危機、インフレ危機とデフォルト（国内または対外債務）、銀行危機と対外債務デフォルトの関連性について調べてきた。[*24] 以上を踏まえ、図16・12に典型的な危機の進行過程を簡単に示した。

ディアツ・アルジャンドロが、一九七〇年代後半〜八〇年代前半のチリの危機を取り上げた古典的な論文の中で「金融抑圧をやめると金融危機がやって来る」と述べたように、金融自

図 16.12 危機の進行過程

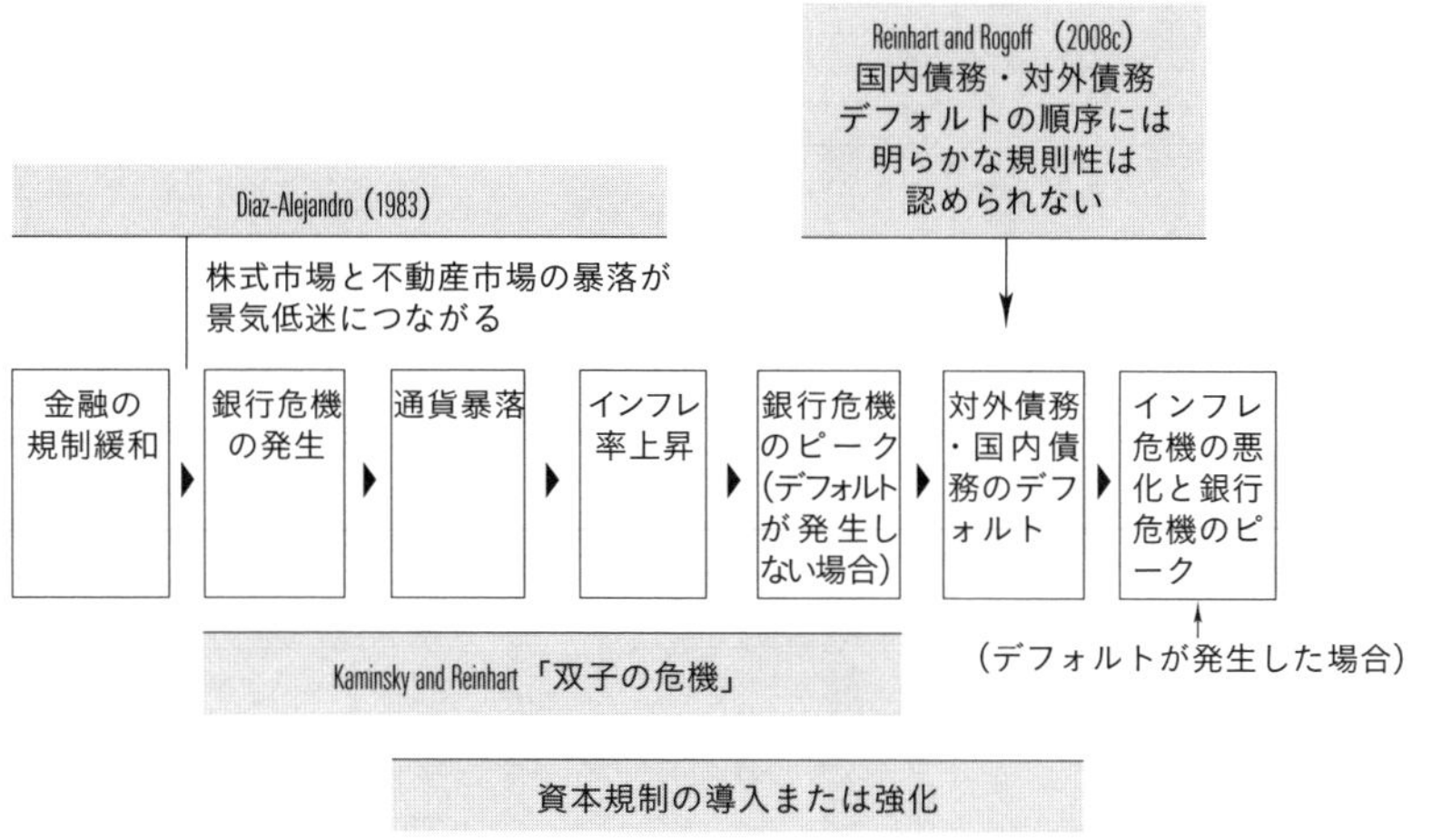

（資料）Diaz-Alejandro (1985), Kindleberger (1989), Demirgüç-Kunt and Detragiache (1998), Kaminsky and Reinhart (1999), Reinhart (2002), and Reinhart and Rogoff (2004, 2008c) などの経験的な証拠に基づいて作成。

由化と同時に銀行は国外の信用市場にアクセスできるようになるため、国内でリスクの高い融資をしがちになる。[*25]やがて、貸し出しの増大と資産価格の上昇のブームが去ると、銀行のバランスシート悪化が表面化し、銀行部門で問題が起きるという経過をたどる。[*26]大手銀行より体力の乏しい金融会社などでは、事態は一段と深刻化しやすい。

危機進行の次の段階では、苦境に陥った銀行に中央銀行が信用供与を拡大する形で支援に乗り出す。すると、為替レートが（公式の固定相場制でなくとも）厳格に管理されている場合には、為替レートを維持することと、破綻しかかった金融機関に対して最後の貸し手になることを政策的に両立させることが困難になる。これまでの研究で取り上げられた事例をみる限り、為替レートの維持よりも最後の貸し手としての役割が優先されることが多い。困難に直面した金融部門に貸し出せる額に限りがあるとしても、中央銀行はそちらを優先し、金融部門が健全なときに比べれば、金利引き上げによる通貨防衛に消極的になる。そこで図16・12に示すように、「通貨暴落」へと進行することになる。通貨の下落または切り下げが発生すると、事態は少なくとも三通りの経路をたどって一段と悪化することが多い。第一に、外貨で借り入れている銀行は、通貨のミスマッチが深刻化するため苦しい立場に追い込まれる。[*27]第二に、多くの場合にインフレが悪化する（通貨危機がどの程度インフレ率を押し上げるかは、国によって大きく異なる。高インフレあるいは慢性的インフレの前歴がある国の場合、そうでない国に比べ、通貨下落は迅速かつ大幅に物価に転嫁されやすい[*28]）。第三に、政府が外貨建て債務を抱えている場合、対外・国内債務をデフォルトする可能性が高まる。

この段階に来ると、銀行危機は通貨暴落後に（公的債務危機がないまま）ピークを迎えるか、危機が一段と拡大してついにはソブリン・デフォルトへいたるか、どちらかになる。[*29]国内債務と対外債務のクレジット・イベントを分析したところ、両者の順序にとくに規則性は検出できなかった。国内債務のデフォルトは対外債務デフォルトの前に起きることもあれば、同時あるいは後に起きることもあり、はっきりしたパターンはない。インフレに関しては、第9章で実証したように、デフォルト後にはインフレが目立って悪化することがわかっている。とくに国内債務・対外債務両方の「双子のデフォルト」になったとき、その傾向が強い。今回の分析はこの段階までとし、危機の最終的な解決段階は対象としない。

政府が為替レートを明示的または暗黙のうちに固定している（または固定に近い状態を維持している）場合には、通貨暴落が深刻な事態に発展しがちだという点に注意しなければならない。為替レートの安定性が暗に保証されているだけでも、銀行も企業も個人も安心して外貨建ての負債を大量に背負い込むようになる。突然の通貨下落により債務負担が急激に膨らむようなことはあるまいと高を括るためだ。その意味で通貨の暴落は、民間部門が頼り切っていた政府保証の破綻であり、したがって重要な約束の不履行に当たる。もちろん変動相場制を採用する国にとっても、為替レートの大幅変動は痛手である。外貨建て債務が高水準に達している場合や、生産が中間財の輸入に大きく依存している場合には、とくにそうだ。それでも、政府や中央銀行に対する信頼の喪失という事態にはいたらないため、傷はまだ浅い。

さまざまな形をとって数世紀にわたり際限なく繰り返し発生してきた金融危機の性質を深く調べるほど、「どうすれば防げるか」という問いに答えることはむずかしくなる。最後の章では、ブームになっては危機に陥る不安定なサイクルから「卒業」するにはどうしたらいいか、またどういう状況であれば「卒業」したと言えるのか、考えることにしたい。

まとめ

本章では、グローバル金融危機の深刻度を示す総合指数の開発および、前世紀の大恐慌と今世紀の第二次大収縮との危機後の比較分析を通じて、グローバル危機の性質を定量的に把握し、危機をより広い視野で捉えることを試みた。そして、二一世紀初のグローバル金融危機である第二次大収縮の残す爪痕が、さまざまな指標でみて桁外れに深刻であることを確認した。マクロ経済にもたらす結果が第二次世界大戦後で最も深刻なグローバル・リセッションであって、それ以上に悪い事態ではないことを、せめてもの幸運としなければなるまい。

第六部

過去から何を学んだか

PART VI WHAT HAVE WE LEARNED?

この世の中に新しいものなど存在しない。新しくみえるのは、忘れていたからだ。

——ローズ・ベルタン

第17章

危機の早期警戒システム、卒業、政策対応、人間の弱点を巡る考察

デフォルトや通貨の品位低下が横行していた産業革命前のヨーロッパから、二一世紀初のグローバル金融危機である第二次大収縮まで、金融危機を巡る長い旅も終わりに近づいてきた。定量的にたどってきた危機の歴史から、将来の金融危機をいくらかでもやわらげるためのヒントが何か見つかっただろうか。二〇〇七年のサブプライム危機前夜を取り上げた第13章では、住宅価格や債務など、マクロ経済の基本的な時系列データの動きにつねに注意し、過去の深刻な金融危機における指標と比較検討することが有用だと指摘した。だがもっと積極的な策を講じ

ることはできないだろうか。本章では最初の節で、危機の「早期警戒システム」に関する研究成果をざっと見ておきたい。この分野の研究はまだ始まったばかりであり、いまのところ大きな成果を挙げるにはいたっていないことは、認めざるを得ない。しかし本書に示した最初の分析結果を踏まえると、現在データの報告システムの改善や長期時系列データ（本書は基本的にこれに依存している）の整備への投資などを通じて、マクロプルデンシャル監視体制（金融システム全体とともにシステムに参加する個々の機関を監視）を強化する余地は大いにあると言えよう。それが実現すれば、データの中からパターンや統計的規則性を発見しやすくなるはずだ。

第一段階として、各国の債務について長期にわたるデータを収集することがきわめて有用と考えられる。統計分析を行うには、最低でも数十年、理想的には数世紀にわたるデータがほしい。本書の研究では、これまでほとんど日の目を見ることのなかった公的国内債務のデータを六〇カ国以上についてほぼ一〇〇年分（一部の国についてはもっと長期にわたる）集めることができ、この点に関しては大きく前進することができた。しかし大半の国の長期時系列データは中央政府の債務に限られており、州や地方自治体の債務は入手できていない。事実上の国営企業の債務や暗黙の政府保証なども含めた幅広いデータの収集が望ましい。さらに、消費者、銀行、企業の債務に関する長期時系列データも収集できれば、大いに役に立つ。そうした情報の収集が困難な国が多いことは重々承知しているが、これまで以上のことが必ずできると信じる。本書で使用した住宅価格の時系列データ（第10、13、14、16章）は、新興市場国も含めた幅広い国の情報を活用できたため、先行研究に少なからぬ改善を加えることができた。さらに多くの国や長い期間を含めてデータを拡張できれば、より大きな成果が得られるだろう。

本章の第二節では、公的国内債務、住宅価格などのデータの収集・監視を促進するうえで、IMFを始めとする国際機関が果たすべき役割を論じる。全世界をカバーする国際機関が、現時点ではどこもデータの収集を行っておらず、加盟国にデータ提供を要求してもいないのには、驚きを禁じ得ない。たとえ既存機関でリスクに関するより質の高いデータを収集できるとしても、国際的な金融規制の策定と実行を支援する独立した国際機関を新たに設立することがきわめて望ましいと考えられる。私たちがこう主張するのは、各国のルールの調整役が必要であることに加え、国内の政治圧力を受けにくい独立性の高い規制機関が必要だと考えるからである。

第三節では、本書で繰り返し取り上げてきたテーマとして、危機の頻発からの「卒業」を改めて論じる。新興市場国は、ソブリン・デフォルトや高インフレを繰り返す歴史から卒業することはできるのだろうか。結論を先に言えば、卒業には時間がかかるのであり、卒業祝いが早すぎるケースが多い。

最後に、歴史から学べる教訓を掲げて本書の結びとする。

早期警戒システム

これまでの章では、銀行危機の主な前例やさまざまなタイプの危機同士の関連性（たとえば銀行危機と対外債務危機、インフレ危機と債務危機など）を論じてきた。これらの危機の発生を予測する「早期警戒システム」を本格的に論じるのは、もとより本書の意図するところではない。一九九四年のメキシコ危機、さらに一九九七年のアジア危機といった名だたる大規模危機の発生を契機に、危機の「警戒信号」を正確に発しうるさまざまなマクロ経済・金融指標について、その有効性の比較評価を試みる実証研究がさかんに行われるようになった。[*1] これらの研究は、計量経済学的なさまざまな手法を採用し、多くの危機を対象に広範な指標を検証して、一定の成果を挙げてきた。だがすでに指摘したように、初期の研究は当時入手可能だった限られたデータに依存せざるを得ず、多くの国について重要な長期時系列データが存在しなかった。とくにバブルや過剰債務の決定的な要因となりうる不動産市場のデータは、今日にいたるまで適切な情報がそろっておらず、危機予測に関するほとんどの研究で、まったく取り上げられていない。

本書の研究では、ほぼ世界全域にまたがる多数の先進国・新興市場国について、この必要不可欠な住宅価格データを収集できたため、いままでは先行研究の重大な不備を埋め合わせることが可能になった。[*2] とは言え住宅価格に関する今回の試みが決定的なものだと言うつもりはない。今回の試みでは、カミンスキーとラインハートの複数の論文で提案された「警戒信号アプローチ」と呼ばれる手法に倣い、危機を警告する点からさまざまな指標の順位付けを行い、住宅価格がどこに位置づけられるかを調べた。[*3] 表17・1に、銀行危機と通貨危機に関する警戒信号アプローチの主な結果を掲載する。住宅価格以外の指標に関して、危機の標本の再確認や更

表 17.1 銀行危機と通貨危機の先行指標

指標のランキング	摘要	指標の発表頻度
銀行危機		
ベスト：		
実質為替レート	トレンドからの乖離	月 1 回
実質住宅価格[a]	年間変化率（%）	月・四半期・年 1 回（国による）
短期資本の流入／GDP 比率	変化率（%）	年 1 回
経常収支／投資比率	変化率（%）	年 1 回
実質株価	年間変化率（%）	月 1 回
ワースト：		
インスティテューショナル・インベスター誌およびムーディーズのソブリン格付け	指数の変化	II 誌は半年に 1 回、ムーディーズは月 1 回
交易条件	年間変化率（%）	月 1 回
通貨危機		
ベスト：		
実質為替レート	トレンドからの乖離	月 1 回
銀行危機	2 値変数	月 1 回または年 1 回
経常収支／ GDP	変化率（%）	年 1 回
実質株価	年間変化率（%）	月 1 回
輸出	年間変化率（%）	月 1 回
通貨供給量Ｍ２／外貨準備	年間変化率（%）	月 1 回
ワースト：		
インスティテューショナル・インベスター誌およびムーディーズのソブリン格付け	指数の変化	II 誌は半年に 1 回、ムーディーズは月 1 回
内外金利差（貸出金利）[b]	変化率（%）	月 1 回

（資料）Kaminsky, Lizondo, and Reinhart (1998), Kaminsky and Reinhart (1999), Goldstein, Kaminsky, and Reinhart (2000), および筆者の計算。
(a) 今回新しく収集した指標である。
(b) 債券利率の差を意味する金利スプレッドとは異なる。

新、拡張は行っていない。あくまで住宅価格の有効性を、この分野でよく使われる他の指標の有効性と比較するにとどめた。

分析の結果、銀行危機に関しては、住宅価格はきわめて信頼度の高い指標の一つであることがわかった。誤った警告を出す回数が少ない点で、経常収支や実質株価よりもすぐれている。したがって住宅価格の動向をモニターすれば、銀行危機の発生可能性の予測に大きく貢献できるだろう。一方、通貨危機に関しては、不動産価格サイクルとの関連性は、銀行危機の場合ほど鮮明ではなかった。銀行危機の場合ほどには実質為替レートの過大評価の代理変数として機能せず、経常収支、輸出にも劣った。

この警戒信号アプローチにしても、他の手法にしても、バブルが崩壊する日をピンポイントで予知できるわけではないし、迫り来る危機の深刻度を正確に示せるわけでもない。しかし深刻な金融問題が進行する前には典型的な前駆症状が現れるものであり、系統的な分析を行えば、そうした症状が出現したかどうかについて貴重な情報が得られるはずだ。効果的かつ信頼性の高い早期警戒システムを確立するためには、さまざまな指標から比較的信頼度の高い警戒信号をタイムリーに発信できるような、系統的な分析フレームワークを設計しなければならない。これはこれでむずかしい課題だが、それよりもはるかに厄介なのは、政策担当者や市場参加者の根強い思い込みである。たとえ信号を発したとしても、彼らは「昔のルールはもう当てはまらない」と信じ込み、時代遅れのフレームワークに基づく的外れの古くさいお題目とみなしかねない。本書で検討した過去の例からすれば、危機の警戒信号は無視される可能性が高い。

私たちが国際機関など制度の改善も必要と考えるのは、このためである。

国際機関の役割

国際機関は、各国に報告データの透明性を高めるよう促し、またレバレッジに関する規則の徹底を通じて、危機のリスクを抑えるうえで重要な役割を果たせると考えられる。

銀行のバランスシートに関するより透明性の高いデータに加え、政府債務と暗黙の政府保証に関する質と精度の高いデータを入手できれば、非常に有用である。会計報告の透明性が高まるだけで万事が解決するわけではないが、解決の一助となることはまちがいない。この方面で国際機関（過去二〇年間に国際秩序に貢献する目的で設立された機関）が果たすべき役割は大きい。とくにＩＭＦは、政府債務の統計に暗黙の保証やオフバランス項目も含める厳格な基準を設定することによって、公共の利益に貢献できよう。

ＩＭＦは一九九六年に特別データ公表基準（ＳＤＤＳ）を定めた。これは価値ある第一歩だが、この方面でできることはまだまだ多い。二〇〇七年の金融危機で明らかになったアメリカ政府の帳簿の不透明性を見るだけでも、外部基準の必要性が痛感されよう（ＦＲＢは価格評価のしにくい民間資産を数兆ドル規模で購入したが、危機の進行中は議会に対してさえ、資産の一部について内容の公表を拒んだ。資産の買い取りがきわめてデリケートな配慮を要する措置であることは認めるにしても、長い目で見れば、系統的な透明性向上こそが正しい道であるはずだ)。政府には帳簿を曖昧にしておきたい理由が多々あることを考えると、透明性の強化は、言うは易く行うは難い。だが次の危機が起きる前に外部機関によってルールが設けられ、ルール破りをすることが危機の予兆だと見なされるようになれば、好ましい慣行が定着するのではないだろうか。IMFにしても、政府がトラブルに陥ってから火消し役として馳せ参ずるよりも、政府に借入ポジションの公開を促す方が、危機防止の点で効果的であろう。とは言え歴史を振り返ると、IMFの危機前の影響力は、危機発生後に比べると乏しいことは否めない。

私たちは、国際的な金融規制機関も重要な役割を果たせると確信している。国境を超えた資本移動は活発化する一方で、ハイリターンのみならず規制の緩いところに流れる傾向がある。したがって、グローバルに事業を展開する現代の巨大金融機関を規制するには、各国の金融規制を調整する何らかの措置が望まれる。また各国の規制当局は、規制の内容や運用の緩和を求める政治家から絶えず圧力をかけられるが、国際的な規制機関であれば、そうした圧力をある程度は遮断できよう。このような任務を負う組織には、融資を主たる業務とする現行の国際機関とはまったく異なる人材が必要であり、まったく新しい機関の設置が望ましいと考える。*4

卒業

さまざまなタイプの金融危機の歴史を検証していくうちに、重要な疑問が数多く浮かび上がってきたが、そのほとんどに私たちはまだ答えを出せていない。中でも今回の研究と直結している疑問は、「卒業」というテーマと関係がある。サヴァスターノとの共同研究で初めて「卒業」の概念を提起し、本書でも繰り返し強調してきた。[*5] たとえばフランスやスペインは、公的債務のデフォルトを何世紀にもわたって繰り返しながら、なぜ（少なくとも狭義の法律上の意味での）デフォルトから脱することができたのだろうか。この点を論じるには、まず「卒業」とは何かを定義しておかなければならない。「新興市場国」から「先進国」の地位への移行には、明確な進級基準が定められているわけではないし、卒業証書をもらえるわけでもない。チェンとラインハートが指摘するように、国際的に投資適格と認められ、かつその格付けを維持することは、卒業の一つの定義となりうる。そしてここで重要なのは、維持することである。[*6] 別の言い方をするなら、公的債務をデフォルトする可能性を大幅に減らし、それに対して信頼を得ることとも定義できる。かつてはデフォルトを頻発していたとしても、もはやそうではなく、投資家にもそれを認めてもらう、ということである。そうなれば、国際資本市場へのアクセスが途切れる状況を脱し、つねにアクセスが可能になる。また、一人当たりGDPが一定水準をクリアする、マクロ経済の不安定性が大幅に低下する、財政・金融両面で適切な景気対策を講じる能力がある、といった面から定義することもできよう。あるいは最低基準として、多くの新興市場国にみられるプロシクリカル（景気循環増幅的）な政策から脱却した、と定義することも可能だろう。[*7] 言うまでもなく、いま挙げたことは互いに関連する。

卒業があらゆる種類の金融危機と完全に縁を切ることだとしたら、卒業したと言える国は一つもない。すでに指摘したとおり、公的債務デフォルトや高インフレの頻発からの卒業は可

国名	独立年（1800 年以降に独立した場合）	2008 年の IIR	1979 年と 2008 年の変化率
ノルウェー*	1905	95.9	7.0
ポーランド	1918	73.0	23.5
ポルトガル		84.8	32.8
ルーマニア	1878	58.4	3.6
ロシア		69.4	−9.4
スペイン		89.6	19.3
スウェーデン		94.8	10.6
トルコ		52.0	37.2
イギリス		94.0	3.4
中南米			
アルゼンチン	1816	41.9	−20.5
ボリビア	1825	30.3	−1.3
ブラジル	1822	60.6	4.3
チリ	1818	77.4	23.2
コロンビア	1819	54.7	−6.0
コスタリカ	1821	52.3	7.6
ドミニカ共和国	1845	36.1	−0.3
エクアドル	1830	30.9	−22.3
エルサルバドル	1821	46.6	33.7
グアテマラ	1821	41.3	19.7
ホンジュラス	1821	31.5	12.4
メキシコ	1821	69.3	−2.5
ニカラグア	1821	19.3	8.9
パナマ	1903	57.1	11.6
パラグアイ	1811	29.7	−13.7
ペルー	1821	57.7	27.0
ウルグアイ	1811	48.8	7.8
ベネズエラ	1830	43.1	−29.3
北米			
カナダ*	1867	94.6	1.1
アメリカ*		93.8	−5.1
大洋州			
オーストラリア*	1901	91.2	3.5
ニュージーランド*	1907	88.2	10.0

（資料）*Institutional Investor* (various years), 筆者の計算。and Qian and Reinhart (2009).

（注記）＊印は、公的対外債務のデフォルトまたはリスケジューリングを 1 度もしていないことを表す。表中の n.a. はデータ入手不能。

表 17.2 標本国 66 カ国のソブリン格付け（IIR）（1979 ～ 2008 年）

国名	独立年（1800 年以降に独立した場合）	2008 年の IIR	1979 年と 2008 年の変化率
アフリカ			
アルジェリア	1962	54.7	–3.9
アンゴラ	1975	n.a.	
中央アフリカ共和国	1960	n.a.	
コートジボワール	1960	19.5	–28.7
エジプト	1831	50.7	16.8
ケニア	1963	29.8	–15.8
モーリシャス*	1968	56.3	38.3
モロッコ	1956	55.1	9.6
ナイジェリア	1960	38.3	–15.8
南アフリカ	1910	65.8	3.8
チュニジア	1957	61.3	11.3
ザンビア	1964	n.a.	
ジンバブエ	1965	5.8	–18.0
アジア			
中国		76.5	5.4
香港*		n.a.	
インド	1947	62.7	8.5
インドネシア	1949	48.7	–5.0
日本		91.4	–5.5
韓国*	1945	79.9	8.7
マレーシア*	1957	72.9	2.6
ミャンマー	1948	n.a.	
フィリピン	1947	49.7	4.0
シンガポール*	1965	93.1	14.2
台湾*	1949	n.a.	
タイ*		63.1	8.4
ヨーロッパ			
オーストリア		94.6	8.9
ベルギー*	1830	91.5	5.7
デンマーク*		94.7	19.4
フィンランド*	1917	94.9	20.0
フランス	943	94.1	3.0
ドイツ		94.8	–3.5
ギリシャ	1829	81.3	18.7
ハンガリー	1918	66.8	4.2
イタリア		84.1	10.3
オランダ*		95.0	5.3

能かもしれない。オーストリア、フランス、スペインなどがそれを実証している。だが銀行危機や金融危機から卒業した国は、歴史上ほとんど見当たらない。二〇〇七年の金融危機を待つまでもなく、第10章で指摘したとおり、標本国六六カ国のうち一九四五年以降に銀行危機を免れた国はごくわずかしかない。そして二〇〇八年まで期間を延長すると、たった一カ国になってしまう。通貨暴落から卒業できた国もほとんどないようだ。固定相場とは異なり、投機家による一斉攻撃の標的になりにくい変動相場制をとる先進国でさえ、たびたび暴落（一五％以上の減価）に直面している。為替レートのボラティリティは完全には抑え込めないとしても、資本市場が発達し公式に変動相場制をとる国なら、通貨の急落にもっとうまく対応できそうなものである。

国際資本市場にアクセスできるという条件を卒業の定義として採用するなら、実地に応用するにはどうしたらいいだろうか。言い換えれば、「定量的」で実際的な卒業の尺度をどのように決めたらいいだろうか。堅固な定義であるためには、いわゆる市場心理にむやみに影響されるべきではない。たとえばメキシコ、韓国、アルゼンチンはそれぞれ一九九四年、一九九七年、二〇〇一年に深刻な危機に陥ったが、それまではこの三カ国はいずれも優等生と称賛され、「卒業まちがいなし」と多くの国際機関からも市場からも太鼓判を押されていたのである。

このように卒業の判定はむずかしく、本書で取り上げるのは多分に無理がある。ここでは各国が第2章で定義した「債務国クラブ」のいずれに属すかを手短に述べ、ソブリン・デフォルトの可能性に関する評価が過去三〇年間にどのように変化したか、全体像を示すにとどめたい。この目的で表17・2に、全標本六六カ国（および独立年）と、インスティテューショナル・インベスター誌によるソブリン格付け（IIR）を掲げた。うち六カ国はデータがないが、香港と台湾以外はすべて、国際民間資本市場にアクセスできないクラブCに属すと考えて差し支えない。表のいちばん右の欄に、一九七九年（初めてIIRが発表された年）と二〇〇八年三月との変化率を掲げた。なお、このソブリン格付けは市場関係者の調査に基づき年二回発表される。

　卒業候補となるためには、クラブAの合格基準である七三・五点以上をとるだけでなく、成績が右肩上がりでなければならない。つまり、三〇年前よりスコアを上げる必要がある。たとえばトルコは、スコアは大幅に上がったけれども、残念ながら二〇〇八年の評価が合格基準に達していない。図17・1には、表17・2からIIRの変化率を抽出し、上昇率の高い順に下から並べた。卒業候補国は強調表示してある。有望なのは、チリ、中国、ギリシャ、韓国、ポルトガルである。マレーシアとポーランドは、最新の格付けがクラブAの合格基準を若干下回るため、ボーダーライン上にいる。アフリカの全部と中南米のほとんどの国は、候補に挙がっていない。この簡単な試みはむろん最終的なものではないが、どの国が「新興市場国」あるいは「途上国」の段階から卒業できそうか、ある国がいつまでも開発段階にとどまっているのはなぜか、といったことをおおまかに理解する手がかりとなろう。

図 17.1 ソブリン格付け（IIR）の変化率と「卒業」候補国

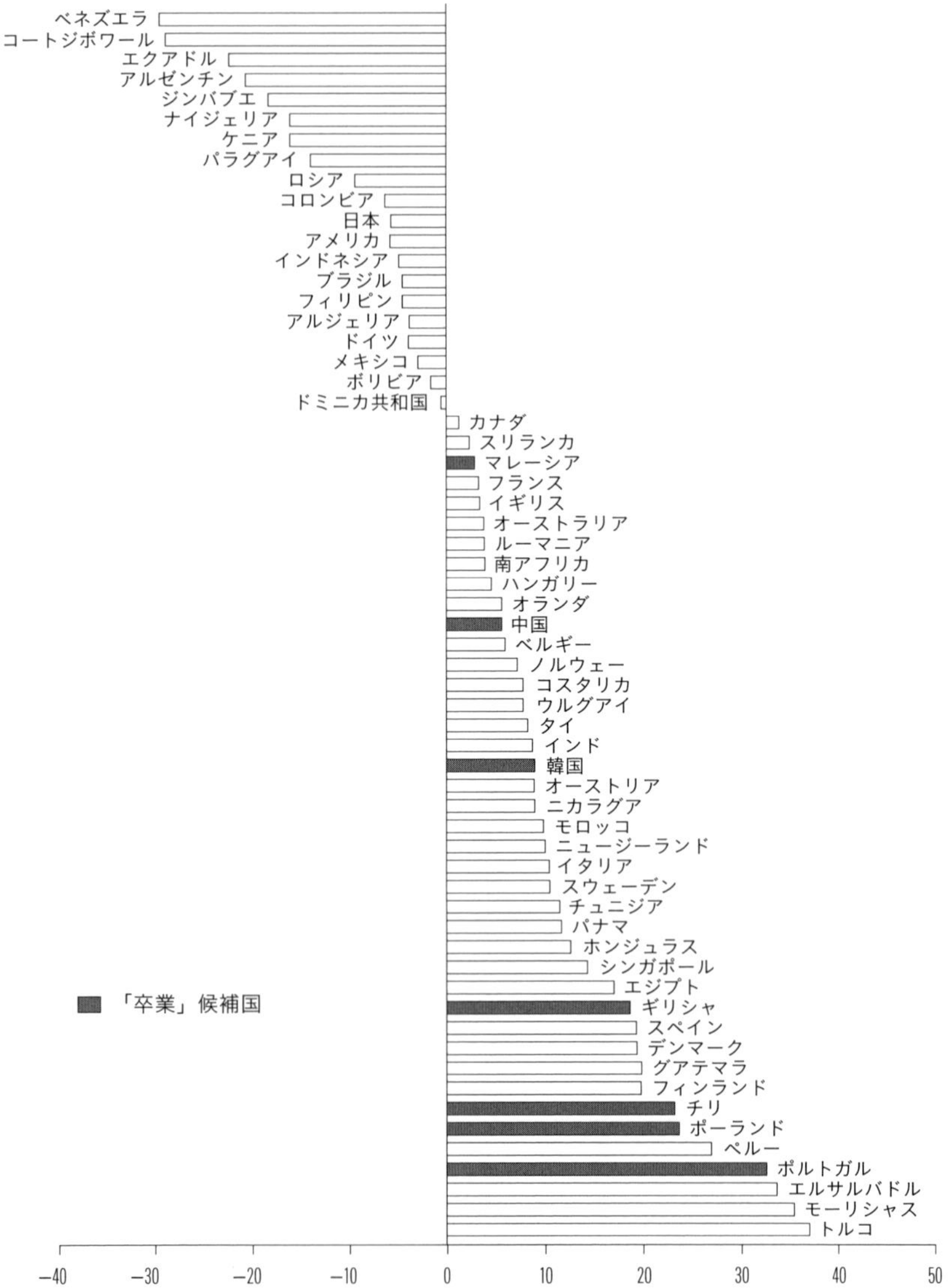

（資料）Qian and Reinhart (2009).
（注記）マレーシアとポーランドは候補国に含めたが、ボーダーライン上にある。

政策対応に関する考察

「今回はちがう」シンドロームがしぶとく繰り返されること自体、真に解決すべき課題を克服できていないことの証左と言えよう。このシンドロームは、姿形は変わっても、どの地域どの時代にも発症してきた。大国と呼ばれるような国も、この症状を免れないらしい。借り手も貸し手も、政策担当者も学者も、そしておおむね世間も、記憶力はさっぱりよくならないとみえる。こういう状況では、次の危機勃発を防ぐ教訓を歴史から学ぶことは、どう贔屓目に見ても期待薄と言わざるを得ない。たとえよくできた早期警戒システムから危険を告げる信号が発されたところで、「昔のルールはもう当てはまらない」とばかり、きっと無視されてしまうだろう。そのうえ「ルーカスの批判」という強力な援軍もある(「ルーカスの批判」とは、マクロ経済政策立案に関する研究で知られるロバート・ルーカスが行った批判を指す。経済政策の変化がもたらす効果を、過去のデータ、とくに高度に集計化されたデータから得られた関係にのみ基づいて予測するのは単純に過ぎる、とルーカスは主張した)。

たとえ危機は避けられないとしても、金融を巡る過去の愚行を幅広く見てきた今回の研究からは、基本的な知見をいくつか得ることができる。金融危機の歴史を研究するうえで、質の高い時系列データを整備すること(これは本書の大前提である)の重要性はすでに強調したとおりだが、さらに以下の点を指摘しておきたい。

第一に、債務危機とインフレ危機に対処し深刻化を食い止めるには、以下の点に留意すべきである。

●政府債務の全容を把握しておくことが何よりも重要である。公的国内債務残高の規模や構成などを考慮しなかったら、対外債務の維持可能性を分析しても意味がない。理想的には、偶発債務も含めて考慮したい。

●債務の維持可能性を分析するにあたっては、経済動向の現実的なシナリオに基づかなければならない。経済成長によって債務を完済できるという見方があるが、過去の事例はこれを裏付けていない。したがって前政権から多額の債務を引き継いだ政府にとって、とりうる選択肢は限られている。端的に言えば、資本流入が「急停止」する可能性を覚悟しなければならない。世界の経済大国と呼ばれる国を除き、この現象は、どの国でもたびたび発生している。

●金融政策の枠組みでは、インフレのリスクも（為替が固定相場制か変動相場制かを問わず）国内債務の水準と密接に関連するとみられる。実際、これまで多くの国の政府が、インフレによって国内債務を目減りさせる誘惑に駆られてきた。

第二に、政策担当者は銀行危機が長引きやすいことを肝に銘じなければならない。一九九二年の日本や一九七七年のスペインなど一部の危機では、当局が問題の発生をなかなか認めようとしなかったために泥沼化した。危機の後には歳入が縮小するうえ、救済コストが嵩むため、政府財政は大幅に悪化する。最近では景気刺激策の有効性を巡って活発な論争が展開され、危機の長期化を防ぎ景気悪化の緩衝材の役割を果たせるかどうかが議論されている。しかし今回の研究は銀行危機を幅広くカバーしてはいるが、この点について言えることはほとんどない。

そもそも第二次世界大戦前の銀行危機では、財政面からの景気対策が講じられた例は滅多にない。戦後になると、先進国での深刻な銀行危機自体が数えるほどしかなかった。二〇〇七年以前で政策対応の一環として明白な景気刺激策が採られたのは、日本のケースだけである。新興市場国では何回も深刻な銀行危機が起きているが、国際資本市場にアクセスできなくなるため、財政出動を選ぶ余地はなかった。銀行危機に伴って政府支出が増えるのは、救済コストに加え、債務返済コストが大幅に膨らむからである。たった一つの例から景気対策の効果を云々するのが危険だということは、承知している。しかし危機が経済活動にもたらす悪影響を打ち消すために、政府がどこまで関与すべきかを考えるに当たっては、危機後の政府債務の急増は見過ごせない要素である。とりわけ債務に対して不耐性を露呈した前歴のある国は、債務水準がさほど高くなくても返済を困難に感じやすいので、とくにこの点に留意すべきである。

第三に、「卒業」に関して政策上何よりも重要なのは、時期尚早の自己判断による「卒業宣言」は慢心を招き、結局は成績悪化につながるということである。デフォルトあるいはデフォルト寸前まで行った債務危機のいくつかは、格付けが引き上げられた直後やＯＥＣＤ加盟の直後（メキシコ、韓国、トルコなど）、あるいは国際社会で広く優等生だと評価された直後（一九九〇年代後半のアルゼンチンなど）に発生している。

「今回はちがう」シンドロームの最新の症例

今回の金融危機の前には、貸し手も借り手も過去の過ちから学んだはずだ、だからすくなくとも先進国と新興市場国では金融危機はもうしばらくは再発しない、という見方が広まっていた。マクロ経済政策は十分な知識と情報に基づいて立てられるようになったし、融資の審査も厳格化されたから、今日の世界ではデフォルトが大量発生する可能性は低い、というわけである。新興市場国にとって「今回はちがう」理由としてよく挙げられたのは、国内債務への依存度が高まっているから、というものだった。

だが安心するのは早すぎた。卒業宣言をした人たちが新興市場の歴史を知らなかったことは確実である。他の地域はともかく、新興市場ではすくなくとも一八〇〇年以来ずっと、資本流入とデフォルトのサイクルが続いてきた。このサイクルが近いうちに止まると判断しうる根拠が十分にあったとは言い難い。

一方、富裕国で今回の危機前に流行した「今回はちがう」シンドロームの主な症状は、現代の金融政策当局の手腕に対する信頼に根ざしている。中央銀行はインフレを低く抑えると同時にうまく景気を安定させる方法を発見したと自負し、それぞれ独自の「インフレ・ターゲティング」に熱を入れていた。彼らが成果を上げげたのは、着実な制度的進歩、とりわけ中央銀行の独立性の確保によるものだが、過大評価されたきらいは否めない。ブームに沸いている間は完璧に機能しているようにみえた政策も、大型の景気後退に陥ると、突然前ほどよくは見えなくなった。しかも市場の投資家は、不測の事態の際には中央銀行が救ってくれると当てにした。これがあの有名なグリーンスパン・プット（当時のFRB議長グリーンスパンに因んで名付けられた）である。グリーンスパン・プットとは、資産価格が急上昇してもFRBはなかなか利上げしない（したがって価格上昇は放置される）が、下落した場合には利下げで機敏に対応して価格を押し上げようとするとの見方から来ており、この見方は実証的にもよく裏付けられていた。そこで市場は、FRBは投資家に負けなしの賭を保証してくれると信じ込むようになった。そして、ひとたび下落が始まったらFRBは非常手段を講じてくれるという期待は、いまや事実だったことが証明されたのである。いまとなっては後知恵だが、中央銀行がもっぱらインフレに注意を払うのは、レバレッジ（借り入れ）が行き過ぎにならないよう他の規制当局が監督できる状況でなければ、適切とは言えなかった。

したがって歴史が教えてくれる教訓は、こうだ。たとえ制度が高度化し政策担当者が賢くなったとしても、限界を超えようという誘惑がつねに存在する、ということである。どれほど大金持ちでも破産することがあるように、どれほど規制が行き届いているようにみえる金融システムも、強欲や政治的圧力や利益追求の下では崩壊しうる。

技術は進歩し、人間の身長は伸び、流行は移り変わる。だが人間が自分で自分を欺く能力は、すこしも変わらないようだ。政府も投資家も自らを騙し、何度となく幸福感に酔いしれては、だいたいは悲惨な結末を迎えている。金融市場を運営する政府の能力（正確には運営を誤る能力）を分析の主要テーマに取り上げたフリードマンとシュウォーツを読んだ人なら、この教訓にきっと納得がゆくことだろう。*8 そしてキンドルバーガーはじつに思慮深くも、古典的名著『熱狂、恐慌、崩壊――金融恐慌の歴史』の第1章に「金融危機――何度も蘇る多年草」というタイトルを付けている。*9

私たちは、巨額の負債に支えられた経済の脆さを論じるところから始めて、結局はまたここに戻ってきた。バブルのときに安易に借り入れを増やす例は枚挙にいとまがなく、しかもそういう状況が驚くほど長く続くこともめずらしくない。だが借金に頼る経済、とりわけ短期債務が多く、流動性の低い担保資産に対する信頼だけを頼りに借り換えが続くような経済は、長続きしない。まして借り入れが野放図に膨らむようではなおさらである。今回はちがうようにみえたとしても、ほとんどの場合、状況をよく見ればそうでないことがわかる。心強いことに、歴史は警告を発してくれる。政策当局がそれに気づき、リスクを正しく評価することは、十分に可能なはずだ――信用バブルによる功績に酔い痴れていなければ。そして、前任者が何世紀も繰り返してきたあの言葉、「今回はちがう」を口にしていなければ。

原注

はじめに

1. Notably those of Winkler (1928), Wynne (1951), and Marichal (1989).
2. 最近では、Ferguson (2008) が通貨と金融の歴史についてすばらしい著作を発表した。また MacDonald (2006) も参照されたい。

序章

1. Shleifer and Vishny (1992) および Geanakoplos (2008) を参照。楽観論者と悲観論者の運勢が入れ替わることによってレバレッジのサイクルが変化するプロセスについて、興味深いテクニカル分析が行われている。
2. Classic articles on multiple equilibria and financial fragility include those of Diamond and Dybvig (1983) and Allen and Gale (2007) on bank runs, Calvo (1988) on public debt, and Obstfeld (1996) on exchange rates. See also Obstfeld and Rogoff (1996), chapters 6 and 9.

3. See Buchanan and Wagner (1977).

4. Krugman (1979).

5. See, for instance, North and Weingast (1988) and also Ferguson (2008).

6. See Bernanke (1983) and Bernanke and Gertler (1990), for example.

7. Friedman and Schwartz (1963) が一九三〇年代の大恐慌を「大収縮」と名付けたのに倣い、私たちは最近のグローバル金融危機を「第二次大収縮」と命名した。「収縮」とは信用市場と資産価格の全面的な崩壊を意味し、言うまでもなく雇用と生産の縮小を伴い、深刻な後遺症を残す。

第1章

1. See Reinhart and Rogoff (2004).

2. Frankel and Rose (1996).

3. Ibid.;Kaminsky and Reinhart (1999).

4. 株価暴落の日付を特定する基準の解釈については、Kaminsky and Reinhart (1999) を、先進国の銀行危機直前の時点における不動産価格の動きについては Reinhart and Rogoff (2008b) を参照されたい。

5. See Kaminsky and Reinhart (1999), Caprio and Klingebiel (2003), Caprio et al. (2005), and Jácome (2008). For the period before World War II, Willis (1926), Kindleberger (1989), and Bordo et al. (2001) provide multicountry coverage on banking crises.

6. See Camprubri (1957) for Peru, Cheng (2003) and McElderry (1976) for China, and Noel (2002) for Mexico.

7. 過去のソブリン・デフォルトを取り上げた研究者はほかにも大勢いることをお断りしておく。

8. Notably, that supplied by Lindert and Morton (1989), Suter (1992), Purcell and Kaufman (1993), and MacDonald (2006). Of course, required reading in this field includes Winkler (1933) and Wynne (1951). Important further readings include Eichengreen (1991a, 1991b, 1992), and Eichengreen and Lindert (1989).

9. 現時点ではホンジュラスが一九八一年以来、デフォルト状態にある。

10. 市場の古い警句では、次のように言い習わす。「銃の脅しで奪われるよりも多くのカネが、たった四語の言葉のせいで失われる。それは、〝今回はちがう（This time is different）〟という言葉である」。

11. たとえば一九九〇年代半ばには、タイが、ドル・ペッグではなく（不特定の）通貨バスケットにペッグしていると主張した。しかし投資家のみるところ、明らかにバスケットにはドル以外の主要通貨は含まれておらず、タイ・バーツの変動幅はごく狭かった。

12. 中央銀行が自国通貨を買い支えるときは、強い通貨（多くはドル）を売って自国通貨（たとえばバーツ）を買う。このため買い支えに失敗し自国通貨が暴落すると、介入した中央銀行はキャピタル・ロスを計上することになる。

第2章

1. 第8章で新興市場国における国内債務の新たなデータを検討し、場合によってはこれが重大な要因であることを示す。だがこの点を考慮したとしても、対外債務デフォルトを繰り返す現象に関する本章の指摘が大きく変わることはない。

2. 日本の債務／GDP比率は、IMF「世界経済見通し」(二〇〇八年一〇月)に拠った。

3. 世界銀行の基準に従い、開発途上国を国民一人当たり所得に応じて大きく二つのグループに分けた。中所得国(二〇〇五年の一人当たりGNPが七五五ドル以上)と低所得国である。新興市場国のうち、外国から民間融資を受けられる国の大半(全部ではない)は中所得国である。また外国から民間融資を受けられない国の大半(全部ではない)は低所得国であり、これらの国は、国外での資金調達を主に政府借款に頼っている。

4. ここに挙げたデフォルトの多くは数年にわたって続いたことに注意されたい。くわしくは第8章で扱う。

5. 表2・1と2・2に記載したのは、対外債務の総額である点に注意されたい。総額を採ったのは、債務国の政府には、民間人が国外に保有する資産に課税したり、これを没収したりすることはまず不可能だからである。たとえばアルゼンチンが二〇〇一年に対外債務九五〇億ドルをデフォルトしたとき、民間人が国外に保有していた資産総額は、一説によると一二〇〇〜一五〇〇億ドルに達するという。こうした現象はめずらしいことではなく、一九八〇年代の債務危機では常態化していた。

6. ＩＭＦは債務の維持可能性について本書とはまったく異なる手法で研究し、開発途上国（債務比率がきわめて高い最貧国を除く）の対外債務許容限界は、公的支援の有無にもよるが、三一～三九％と結論づけている（二〇〇二年）。この結果から、債務不耐性の国の許容限界はもっと低いとも考えられる。

7. 調査の詳細は、インスティテューショナル・インベスター誌二〇〇二年九月号とウェブサイトを参照されたい。半年ごとに発表される同誌の評価は、私たちの以下の分析を決定づけるものではないが、一～二年以内の短期的なデフォルト・リスクを示す指標と解釈できる。

8. かなりの新興市場国については、外国民間銀行債の流通市場価格を使って返済額を推定することが可能である。この価格は、一九八〇年代半ば以降のデータがそろっている。だがブレイディ債が一九九〇年代に再編された際に銀行債の多くが国債に転換されたため、一九九二年以降の流通市場価格は新興国ソブリン債指数（ＥＭＢＩ）スプレッドで代用しなければならない。この指数は、現在でもリスク指標として広く使われている。しかしこうした市場ベースの指標を採用すると、標本選択に偏りが出る。というのもＥＭＢＩ構成国のほぼ全部と、一九八〇年代以降の流通市場価格データがそろっている国はすべて、過去にデフォルトまたは債務再編を経験しているからだ。これでは、デフォルトを起こしたことのない国という比較対照群がほぼ空集合になってしまう。

9. 債務関連用語は、コラム１・１で簡単に説明したので参照されたい。

10. この作業は、一九七九～二〇〇二年について今回より少ない標本数で行われたReinhart, Rogoff, and Savastano (2003a) に新しいデータを加えて実施した。

11. Prasad, Rogoff, Wei, and Kose (2003) では、一九九〇年代に金融面の市場開放が事実上かなり進んでいた国では、資本市場の統合によって各国固有のリスクは分散されるとの前提とは逆に、平均的にみて生産の変動性に比して消費の変動性は上昇したと指摘されている。また Prasad et al. も、資本市場の統合が経済成長におよぼす影響に関する各国の実証データをみる限り、プラスの影響はあったとしてもごく弱く、おそらくは皆無だと述べている。

12. See Kaminsky, Reinhart, and Végh (2004) on this issue.

13. 言うまでもなく、つねにそうだというわけではない。一九八〇年代以前には多くの国の政府が、外国からの直接投資（ＦＤＩ）を受け入れるのは自国の将来を抵当に入れるようなものだと考えており、負債による資金調達を選ぶ政府が多かった。ＦＤＩが主流になったとき（たとえば一九五〇年代、六〇年代には原油や天然資源投資が活発化した）でも、多くの国が最終的には外国資本による事業を国有化し、将来に深い禍根を残している。したがって、ＦＤＩを低成長に効く万能薬とみなすべきではない。

14. Rogoff (1999) および Bulow and Rogoff (1990) は、資本フローが国債などに集中しないよう債権国の法制度を改革すべきだと論じている。

15. 債務削減の問題については、コラム５・３で論じる。

第3章

1. Detailed citations are in our references and data appendix.

2. See Williamson's "regional" papers (1999, 2000a, 2000b). These regional papers provided time series for

numerous developing countries for the mid-1800s to before World War II.

3. For OXLAD, see http://oxlad.qeh.ox.ac.uk/. See Williamson (1999, 2000a, 2000b).

4. See http://gpih.ucdavis.edu/and http://www.iisg.nl/hpw/. Although our analysis of inflation crises begins in 1500, many of the price series begin much earlier.

5. HSOUS is cited in the references as Carter et al. (2006) ;Garner's Economic History Data Desk is available at http://home.comcast.net/~richardgarner04/.

6. Reinhart and Rogoff (2004).

7. See Richard Bonney's European State Finance Database (ESFDB), avillable at http://www.le.ac.uk/hi/bon/ESFDB/frameset.html.

8. Allen and Unger's time series, *European Commodity Prices* 1260-1914, is available at http://www.history.ubc.ca. Sevket Pamuk has constructed comparable series for Turkey through World War I (see http://www.ata.boun.edu.tr/sevket%20pamuk.htm).

9. See Maddison (2004). The TED is available at http://www.ggdc.net/.

10. 購買力平価（ＰＰＰ）は、ゲアリー＝ケイミスのウェイトを使用して計算した。ゲアリー＝ケイミス・ドルは国際ドルとも呼ばれ、ある年のアメリカ国内における米ドルと等しい購買力を持つ仮想の通貨単位である。一九九〇年を基準年とする。ゲアリー＝ケイミス・ドルを使用すると各国通貨の国内での価値を表すことができ、国同士や時代間の比較が容易になる。

11. 例外もある。たとえばRodney Edvinssonは一七二〇～二〇〇〇年のスウェーデンについて、アメリカ歴史統計（HSOUS）は一七九〇年初頭のアメリカについて、注意深い推定を行っている。ここから、古い時代の景気循環や危機との関連性を考察することができる。

12. 歳入が景気循環と密接な関係にあることは、よく知られているとおりである。

13. See, for example, calculations in the background material to Reinhart and Rogoff (2004), available on the author's Web pages.

14. See Mitchell (2003a, 2003b) and Kaminsky, Reinhart, and Végh (2004).

15. See Brahmananda (2001), Yousef (2002), and Baptista (2006).

16. ここには一八〇〇年以前の公的対外債務デフォルトが含まれていないため、実際の数はもっと多いと考えられる。また公的国内債務のデフォルトは、まだごく一部がわかってきたばかりである。Reinhart and Rogoff (2008c) を参照されたい。

17. This description comes from the IMF's Web site, http://www.imf.org/external/data.htm: "Download time series data for GDP growth, inflation, unemployment, payments balances, exports, imports, external debt, capital flows, commodity prices, more."

18. オランダ、シンガポール、アメリカなど一部の国では、債務のほぼ全額が国内債務である。

19. オーストラリア、ガーナ、インド、韓国、南アなどについては、植民地時代の債務データも一括して扱った。

20. See Miller (1926), Wynne (1951), Lindert and Morton (1989), and Marichal (1989).

21. Flandreau and Zumer (2004) are an important data source for Europe, 1880-1913.22.

22. 総額ベースの資本流入額を知るには、やはりこのデータは有用である。というのも古い時代には、外国の民間資金を借りるとか、銀行融資を受けるといったケースはごくわずかだからである。

23. 一九七二年以前のインドネシアは、この処理が有効だった国の代表例である。

24. Jeanne and Guscina (2006) は、一九八〇~二〇〇五年の主要新興市場国一九カ国について、国内・対外債務の構成に関する詳細データを収集した。Cowan et al. (2006) は、一九八〇~二〇〇四年の西半球の開発途上国について、同様のデータを収集した。新興市場の公的国内債務を分析した最初の試みとしては、Reinhart, Rogoff, and Savastano (2003a) を参照されたい。

25. http://www.imf.org/.

26. 最貧国の中には公的な融資機関に対する債務を完済できない国がかなりあるが、これを通常の意味での金融危機と解釈すべきではない。こうした機関は、たとえ債務が完済されなくとも、支援を継続して提供することが多いからである。これに関連するテーマとして、Bulow and Rogoff (2005) は、開発銀行などの国際機関が完全な支援機関として機能しうるかどうかを論じた。

第4章

1. 一九二〇年代後半にはスターリンの集団農場政策により大量の餓死が発生し、ロシアは穀物輸入に充てる資金が緊急に必要になった。このため同国は一九三〇年と三一年に、美術品を外国人に売却している。石油王カルースト・グルベンキアンや銀行家のアンドリュー・メロンらが買ったとされる。だがもちろんスターリンは、帝政ロシア時代の債務を返すために美術品を売るつもりは毛頭なかった。

2. See Person and Tabellini (1990) and Obstfeld and Rogoff (1996) for literature surveys.

3. Tomz (2007).

4. See Eaton and Gersovitz (1981).

5. 国が借り入れを増やし続けてまったく返済をしなかったら、世界の（リスク調整済み）実質金利がその国の実質長期成長率を上回っている場合には、歳入に対する債務の水準は急上昇する。現実にも、妥当な理論的制約の下でも、こうしたケースが十分に起こりうる。

6. より一般的に言うと、Eaton and Gersovitz のゲーム理論に基づく評判説はきわめて多様な均衡（結果）を前提しており、すべて同一の評判メカニズムで合理的に説明できる。

7. See Bulow and Rogoff (1989b).

8. See Bulow and Rogoff (1989a).

9. Bulow and Rogoff (1989b) は、関税戦争に基づく単純な例を挙げた。Cole and Kehoe (1996) は、この議論をより一般的な状況で扱った。

10. Borensztein et al. (1998) は、ＦＤＩと経済成長の関係を実証的に検証した。

11. See Diamond and Rajan (2001).

12. See Jeanne (2009).

13. See Sachs (1984).

14. See, for example, Obstfeld and Rogoff (1996, chapter 6).

15. See Bulow and Rogoff (1988a, 1989a).

16. 債権国の市民（銀行を除く）は、債務国の市民と同じように貿易で利益を得ている。またＩＭＦのような国際的な融資機関が介在する場合、デフォルトが発生すれば他の借り手にも悪影響が出かねないとのＩＭＦの懸念を利用して、債権者も債務者も共に支援を促すことがありうる。

17. See Jayachandran and Kremer (2006).

18. See, for example, Broner and Ventura (2007).

19. See Barro (1974).

20. See North and Weingast (1988).

21. See Kotlikoff, Persson, and Svensson (1988).

22. See Tabellini (1991).

23. For example, see Barro and Gordon (1983).

第5章

1. MacDonald (2006), Ferguson (2008).

2. Cipolla (1982)

3. North and Weingast (1988), Weingast (1997).

4. Carlos et al. (2005).

5. Kindleberger (1989) は一九五〇年代も金融危機に含めるべきだと主張しているが、これは数少ない例である。

6. この比較は、デフォルト国のＧＤＰが世界ＧＤＰに占める割合で加重している。加重しない場合（すなわちアフリカや東南アジアの最貧国もアメリカと同じウェイトとする場合）、一九六〇年代後半から一九八二年までの期間では、デフォルト中の独立国の比率はかなり低くなる。

7. Kindleberger (1989) は、第二次世界大戦後にデフォルトが多発したと指摘しているが、数字による裏付けはない。

8. 図５・２で、一九八〇年代の債務危機がそれ以前のデフォルトほど大規模ではない点に注意されたい。これは、デフォルトに直面したのが低・中所得国のみだったためである。一方、大恐慌の際には、新興市場国だけでなく一部の先進国もデフォルトを起こした。第二次世界大戦中のデフォルトはさらに多かった。

9. Calvo (1998) は故ルーディガー・ドーンブッシュを高く評価し、古い警句「人を殺すのはスピードではない。急停止である」を好んで引用した（Dornbusch et al. 1995）。

10. Reinhart, Rogoff, and Savastano (2003b) は、対外債務のデフォルト歴を持つ国ではインフレも頻発すると指摘した。

11. Fisher (1933).

12. 国内債務のデフォルトが起きると、インフレは一段と悪化する。くわしくは第9章を参照されたい。

13. 新興市場国への資本流入や信用市場へのアクセスに影響をおよぼす外部要因を定量的に分析した初期の研究としては、Calvo, Leiderman, and Reinhart (1993)、Dooley et al. (1996)、Chuhan et al. (1998) がある。

国内要因および一部のグローバル要因によるデフォルトを予測した研究には、Manasse and Roubini (2005) がある。

14. See Kaminsky, Reinhart, and Végh (2004) and Aguiar and Gopinath (2007).

15. Reinhart and Reinhart (2009) は、新興市場国で債務危機が発生する直前の数年間には巨額の資本流入が見られると指摘した。このような資本流入ラッシュは、先進国でも新興市場国でも同じように起きている点に注意されたい。

16. For a fuller account of the episode, see Baker (1994).

17. Hale (2003).

18. コラム5・3には、Reinhart, Rogoff, and Savastano (2003a) の研究結果の一部をまとめた。これを読むと、前の借金の再編後にすぐまた借りるパターンがよくわかる。

19. Reinhart, Rogoff, and Savastano (2003a).

第6章

1. See Reinhart, Rogoff, and Savastano (2003a) :they thank Harold James for this observation.

2. Winkler (1933), p.29.「自由という木には、折にふれて愛国者と独裁者の血を注いでやらなければならない」と言ったトーマス・ジェファーソンは、この言葉を知っていたのだろうか。

3. MacDonald (2006).

4. Ibid.

5. Kindleberger (1989).

6. Reinhart, Rogoff, and Savastano (2003a).

7. For example, see Mauro et al. (2006).

8. この頃に外国から借金をしたのは、中南米諸国だけではない。ギリシャ（当時独立運動をしていた）、ポルトガル、ロシアもロンドンでポンド建て国債を発行した。

9. まるでフィクションのように聞こえるが、この話は事実である。くわしく知りたい方は、David Sinclair "The Land That Never Was: Sir Gregor MacGregor and the Most Audacious Fraud in History" (2004) を読まれたい。ポイエス（ホンジュラス湾のどこかにあると考えられていた。現在のベリーズのある位置らしい）へ行こうと大西洋を渡った二五〇人の入植者のうち、生きて帰ってきたのは五〇人だけだった。

10. マックレガーは四万ポンドの追加調達にも成功したので、総額二〇万ポンドを調達したことになる。これは、一八二二〜二五年のブームのときに中米諸国が調達した一六万三〇〇〇ポンドを大きく上回る額である。

第7章

1. Reinhart, Rogoff, and Savastano (2003a) は、特定の開発途上国および新興市場国の一九九〇〜二〇〇二年の国内データを収集した。その後、Jeanne and Guscina (2006) が一九八〇〜二〇〇五年の主要新興国一九カ国について、国内債務の詳細データを収集した。Cowan et al. (2006) は、一九八〇～二〇〇四年の西半球の国について、同様のデータを収集した。Reinhart and Rogoff (2008a) は、対外債務も含む幅広い関連データをカバーするデータベースを構築した。

2. 中南米のごく一部の国では、公的国内債務が大量に積み上がったことはない（とくにウルグアイはこの点で優等である）。また旧仏領アフリカには、国債市場が事実上存在しない。

3. 戦間期の初期には、多くの国が金本位制を採っていた。

4. 一〇～一五年前までは、一国の対外債務の大半は公的債務だった。民間ベースでの外国からの借り入れが相当な額に達したのは、ここ数年のことに過ぎない。Prasad et al. (2003) を参照されたい。Arellano and Kocherlakota (2008) は、民間債務と政府債務の関係性を記述するモデルを開発した。

5. See chapter 12 for a discussion of the aftermath and consequences of high inflation.

6. See Calvo (1991) on these "perilous" practices.

7. See Barro (1974).

8. See Woodford (1995) on the former, Diamond (1965) on the latter.

9. For example, Tabellini (1991) or Kotlikoff et al. (1988).

10. ごく最近の国内債務デフォルトを含めれば、合計件数は七〇をゆうに上回ることになる。

11. Brock (1989) 参照。この研究で標本とした開発途上国の準備率は、一九六〇～一九八〇年代前半まで、平均二五％だった。これは先進国の三倍以上である。

12. 隠れたデフォルトのもう一つの例に、アルゼンチン政府が二〇〇七年にとった物価連動債の取扱いが挙げられる。中立的な専門家の多くが、当時の政府の物価統計は実際よりも大幅に低めに報告されていたと指摘する。このような「過少申告」により物価連動債は部分的にデフォルトされたことになり、多くの国債保有者が損害を被った。にもかかわらず、アルゼンチンのこの事実上のデフォルトは海外で報道されず、格付け機関の注意も引かなかった。

第8章

1. One of the best standard sources is Maddison (2004).
2. For instance, Bulow and Rogoff (1988b) ; Reinhart, Rogoff, and Savastano (2003a).
3. See Reinhart, Rogoff, and Savastano (2003a).
4. たとえばＫＳ検定では、二つの度数分布が等しいという帰無仮説は有意水準１％で棄却された。
5. プロシクリカルなマクロ経済政策については、Gavin and Perotti (1997) および Kaminsky, Reinhart, and Végh (2004) を参照されたい。また Aguiar and Gopinath (2007) は、プロシクリカルな経常収支の変動を、新興市場国において一過性のショックに対する恒常的ショックの比率が高いことで説明するモデルを提出した。
6. 今日の富裕国もかつてはほぼ同じ経験をしているのであり、何度となくデフォルトもしたし、きわめてプロシクリカルな財政政策もとっていた。
7. Cagan (1956) 参照。通貨発行益は、政府が通貨発行権を行使することによって得られる実質収入を意味する。この収益は、物価が一定で取引需要の増大に応じて必要になった通貨の量と、それ以外の増発分に分けられ、後者はインフレを誘発し、それによって既存通貨の購買力を低下させる。このことを一般に「インフレ税」が発生したという。Sargent (1982) の古典的な論文には、第一次世界大戦終了時の五カ国（オーストリア、チェコ、ドイツ、ハンガリー、ポーランド）について、中央銀行の国債保有高が示されている。ただしこの債務は、政府の連結バランスシートでは差し引きゼロになっていた。

8. See Dornbusch and Fischer (1993).

9. Barro (1983) を始めとする理論研究においては、予想されていなかったインフレを利用して名目債務をデフォルトする可能性が正しく理解されている。

10. ブラジルのケースは、国債の一部が物価連動債だった点で、特殊と言える。もっとも連動スキームにタイムラグがあるため、政府には高率のインフレを誘発して債務を大幅に目減りさせる余地が残されていた。同国は長年にわたりハイパーインフレを繰り返しており、実際にもそうしていたと考えられる。

11. Calvo and Guidotti (1992) は、名目債務の最適満期構造モデルを開発した。そのモデルでは、政府は柔軟な対応（財政が逼迫した場合にインフレによって長期債務を目減りさせる）を選べば、低インフレの維持によって得られる信頼（インフレによる目減りがあまり起きない超短期債務を選択する）が失われるというトレードオフに直面する。

第9章

1. 国がデフォルトを起こす前に経済はどれほど悪化しているのかという一般的な疑問には、インフレ率と一人当たりGDP以外の経済指標を使っても答えを出すことができる（とくに貧困・健康・所得配分といった社会指標にデフォルトがおよぼす影響は、国内債務をデフォルトする場合と対外債務とで大幅に異なると予想される)。

2. 対外債務のデフォルト後にインフレ率が上昇するのは、その国の通貨が大幅に下落していることを考えれば、とりたてて驚くには当たらない。

3. 一九八二年のボリビアの国内債務デフォルトは、この平均から除外した。デフォルトの一年前（$t-1$）に、同国のインフレ率が一万一〇〇〇%を突破していたためである。

4. Reinhart and Savastano (2003) は、ボリビアとペルーでハイパーインフレが発生した際には、外貨預金が国内通貨に強制転換させられたと指摘した。二〇〇二年のアルゼンチンでも同様の措置がとられている。

5. 言うまでもなくアメリカは、現代における例外的な国である。同国の債務は事実上すべて国内債務である（外貨建てのカーター債が償還されれば）。米国債の四〇%は非居住者（その大半は中央銀行か政府系機関）が保有しているが、すべてドル建てである。したがってアメリカ国内でインフレが発生すれば、非居住者も影響を被ることになる。

6. 一八二〇年代に対外債務デフォルトが急増したのは、独立したばかりの中南米諸国が第一波の大量ソブリン・デフォルトを起こしたためである。ただしこのとき、ギリシャとポルトガルもデフォルトした。

7. See figure 9.6.

8. Drazen (1998).

9. See Alesina and Tabellini (1990).

10. ＩＭＦや世界銀行などの国際融資機関は、単に債務データを報告するだけでなく、ベスト・プラクティスに関する情報を公表することもできるはずだ。国際機関の進化については、Wallis and Weingast (1988) などを参照されたい。

第10章

1. 第二次世界大戦前の銀行恐慌については Gorton (1988) および Calomiris and Gorton (1991) を、新興市場国のケーススタディについては Sundararajan and Balino (1991) を、中南米における銀行危機については Jacome (2008) を参照されたい。

2. Studies that encompass episodes in both advanced and emerging economies include those of Demirgüç-Kunt and Detragiache (1998), Kaminsky and Reinhart (1999), and Bordo et al. (2001).

3. See, for instance, Agénor et al. (2000).

4. Reinhart and Rogoff (2008a, 2008c) では、一般に危機に先立って産出高の伸びが減速することが示されている。

5. See Diamond and Dybvig (1983).

6. Ibid.

7. See Bernanke and Gertler (1995).

8. See Kiyotaki and Moore (1997).

9. See, for example, Bernanke and Gertler (1995).

10. See Bernanke et al. (1999).

11. この数字は対外債務デフォルトのみに関するものである。金約款の全面的破棄などアメリカを始めとする先進国が一九三〇年代の大恐慌の際にさまざまな形で行った国内債務の再編は、すべて国内債務（国内法に基づく債務）のソブリン・デフォルトとみなすべきである。

12. 最善の努力はしたが、低所得国のとくに古い時代について、われわれのデータが不十分であることは承知している。

13. 具体的には、先進国における危機の平均発生回数は七・二回、新興国は二・八回である。

14. See Obstfeld and Taylor (2004).

15. See Kaminsky and Reinhart (1999).

16. Demirguc-Kunt and Detragiache (1998) 参照。また北欧における金融自由化に関しては、Drees and Pazarbasioglu (1998) が示唆に富む議論を展開しているので、参照されたい。

17. See Caprio and Klingebiel (1996).

18. 資本流入ラッシュを定義するのに、Reinhart and Reinhart (2009) は各国を均等に扱う（ただし国による経常収支の変動は許容できるほどの柔軟性を持たせる）というルールの下で、Kaminsky and Reinhart (1999) と同じく各国共通の判定基準を設定している（この場合には標本の二〇パーセンタイル）。この基準では、よく知られたケースのほとんどはラッシュに該当するが、それよりもひんぱんに起きる経常収支の悪化は該当しない。基調的な度数分布は国によって大幅に異なるため、共通基準に基づく各国の判定ラインはかなりのばらつきがある。たとえば貿易取引が比較的少ないインドの場合、資本流入ラッシュの判定ラインは経常赤字／GDP比率が一・八％以上となるが、貿易指向の強いマレーシアでは六・六％である。

19. Reinhart and Reinhart は、通貨、債務、インフレ危機について比較分析を行った。

20. See Reinhart and Reihart (2009).

21. Mendoza and Terrones (2008) 参照。また Kaminsky and Reinhart (1999) が、銀行危機および通貨危機前後における民間部門の実質的な信用供給量の伸びを分析している。

22. See Reihart and Rogoff (2008b). Each year refers to the beginning of the crisis.

23. See Bordo and Jeanne (2002).

24. See Gerdrup (2003).

25. 実質住宅価格の時系列データが入手困難のため、過去との比較を行うのはむずかしい。それでも今回、住宅価格を巡る二つの事例のデータを収集することができた。一つは大恐慌中のアメリカ、もう一つは一八九八年のノルウェーである。

26. Ceron and Suarez (2006) 参照。この研究では、平均下落期間を六年と推定している。

27. たとえばAgénor et al. (2000) は、新興市場国の産出高と実質消費は先進国よりはるかに変動性が大きいと指摘する。また Kaminsky, Reinhart, and Végh (2003) は、政府の実質支出の変動幅は新興市場国の方が大幅であると指摘した。

28. このことは、住宅価格には株価よりはるかに大きな慣性効果が働くという事実ともよく一致する。

29. See Philippon (2007).

30. See Frydl (1999) and Norges Bank (2004). See also Sanhueza (2001), Hoggarth et al. (2005), and Caprio et al. (2005).

31. 為替介入の効果測定でも同様の問題が起きる。期間をどの程度とるか、また資金調達コストをどう想定するかによって、結果は大きく異なる。Neely (1995) を参照されたい。

32. See Vale (2004).

33. Frydl (1999), Kaminsky and Reinhart (1999), Rajan et al. (2008) などを参照されたい。これらの研究では、ミクロ経済データを使って、銀行危機後の信用収縮が産出高におよぼす影響を調べている。Barro and Ursúa (2008) では、産出高が急減したケースのほぼ全部に銀行危機が関わっていた。

34. 税収は Mitchell (2003a, 2003b) に拠り、消費者物価指数を使って実質化した。データの出所は、巻末資料A・2に国別・時代別に掲載した。

35. 日本などいくつかのケースでは、一〇年以上にわたって財政赤字がハイペースで膨らんでいる。このため、三年間だけを抽出するのでは、長期的影響を過小評価することになる。

36. 図10・10に示したのは、債務比率ではなく債務の変動率であることに注意されたい。これは、危機はGD

Ｐの大幅縮小を伴うことが多く、それによって比率がゆがめられるのを避けるためである。債務／ＧＤＰ比率を論じるときは、この点によく注意してほしい。なお計算は、中央銀行の債務総額に基づいて行った。

37. ここで重大な疑問は、銀行危機が市場の流動性を急激に変化させ、資産価格への影響を増幅するケースはどのくらいあるのかという点である。これについては、Barro (2009) が分析している。

第11章

1. See, for example, Sargent and Velde (2003). Ferguson (2008) provides an insightful discussion of the early roots of money.
2. See Winkler (1928).
3. MacDonald (2006).

第12章

1. 現代に近い時期のインフレ危機に関しては、Vegh (1992) および Fischer et al. (2002) が必読書である。
2. 表12・2では、マレーシアなど多くの国について、独立年より前まで遡っている。
3. 中国ではヨーロッパよりかなり前に紙幣印刷機が発明されており、一二〜一三世紀に紙幣による高インフレが発生したことで有名である。くわしくは、Fischer et al. (2002) などを参照されたい。こうした事例もデータベースに収録した。

4. Reinhart and Rogoff (2002).

5. Cagan (1956).

6. 本書の執筆時点で、アルゼンチンの公式統計によるインフレ率は八%だが、非公式の推定では二六%となっている。

7. Reinhart, Rogoff, and Savastano (2003b).

8. インフレ抑制策の下でドル化の抑制に成功した事例を次節で扱う。

9. Reinhart and Rogoff (2004) は、二重為替レートになっている国の平均的な成長率は低く、インフレ率も高くなりがちであると指摘している。

10. このパターンは、一九九〇年代後半に市場経済への移行期にあった国々（アゼルバイジャン、ベラルーシ、リトアニア、ロシアなど）でよく見られた。しかしそれ以外の国や時代でも、たとえば一九八〇年代前半のボリビアとペルー、一九九〇年代半ばのエジプトなどで見られる。

11. See Bufman and Leiderman (1992).

12. See Dornbusch and Werner (1994).

第13章

1. 序章の注7に書いたとおり、Friedman and Schwartz (1963) が一九三〇年代の大恐慌を「大収縮」と呼んだのに倣い、本書では二〇〇七年に始まったグローバル金融危機を「第二次大収縮」と呼ぶ。なお Felton and Reinhart (2008, 2009) は「二一世紀初のグローバル金融危機」と呼んでいる。

2. くわしくは第10章を参照されたい。

3. この点については第10章で掘り下げて論じる。

4. 中国は厳重な資本規制を行っていたため、アジア通貨危機には巻き込まれなかった。しかし同国の銀行は非効率な国営企業に巨額の融資をしていたため、連鎖的な銀行危機が発生するのは避けられず、結局は高い代償を払うことになった。

5. 図13・1は、金融危機の全貌を捉えているとは言えない。というのも、本書を執筆中に銀行危機に見舞われたアイルランドとアイスランドは、標本国六六カ国に含まれていないからである。

6. ケース＝シラー指数については Robert Shiller (2005) 参照。この指数は、最近ではS＆Pから毎月発表される (http://www.standardandpoors.com 参照)。ケース＝シラー指数は同一都市圏の中古住宅価格を基に算出されるので、新築を含む全住宅の価格指数よりも価格動向を正確に表すとされる。主要都市圏に対象が限定されているなどの偏りはあるが、アメリカの住宅価格の変動を最も正確に反映する指数として広く認められている。

7. ケース＝シラー指数による住宅価格の推移は信頼に足るようにみえるが、第二次世界大戦前などいくつかの時期については推定によりデータの欠落を補間しているため、注意が必要である。

8. 経常収支は、基本的には貿易収支に所得収支を加えたものであり、公的部門・民間部門両方の外国からの借り入れが含まれている。したがって、財政赤字とイコールではない。民間貯蓄で埋め合わせできる場合、財政は赤字でも経常勘定を黒字にすることは十分に可能である。

9. Greenspan (2007).

10. *Economist Magazine*, "The O'Nell Doctrine," lead editorial, April 25, 2002.

11. Bernanke (2005).

12. See Philippon (2007).

13. 住宅ローンを証券化する際には、大量のローンを束ねてから再びパッケージングし、固有の条件の付いた個々のローンを標準化された金融商品に仕立て直す。このように経常勘定が画期的な金融イノベーションによって支えられる限りにおいて、何の心配も要らない。少なくともアメリカの金融規制当局はそのように主張した。

14. See Obstfeld and Rogoff (2001, 2005, 2007).

15. Obstfeld and Rogoff (2001).

16. Roubini and Setser (2004).

17. Krugman (2007)。ワイリー・コヨーテというのはチャック・ジョーンズの漫画「ロードランナー」に登場するアニメ・キャラクター。あの手この手でロードランナーを捕獲しようとするが、必ず最後の瞬間に失敗に終わる。たとえばコヨーテが崖からジャンプするほんの一瞬前になって、その先は奈落の底であることが判明する。

18. See Obstfeld and Rogoff (2009) for a more detailed discussion of the literature, see also Wolf (2008).

19. Dooley et al. (2004a, 2004b).

20. Cooper (2005).

21. Hausmann and Sturzenegger (2007).

22. Curcuru et al. (2008) は、「暗黒物質」説はデータと矛盾すると指摘した。

23. See Bernanke and Gertler (2001).

24. Bordo and Jeanne (2002), Bank for International Settlements (2005).

25. See Rolnick (2004).

26. 私たちは、二〇〇七年のサブプライム危機と他の深刻な金融危機との顕著な類似性を、二〇〇七年一二月に発表したReinhart and Rogoff (2008b) の中で最初に指摘した。そして本書を執筆中に、この指摘が圧倒的な事実によって裏付けられたことは改めて言うまでもない。その資料は、Caprio and Klingebiel (1996, 2003)、Kaminsky and Reinhart (1999)、Caprio et al. (2005) などに拠った。

27. これらの金融危機の深刻度を計測する指標は後段で論じ、従来の計測値（銀行救済コスト）は不十分であることを指摘する。

28. See, for example, Kaminsky, Lizondo, and Reinhart (1998) and Kaminsky and Reinhart (1999).

29. アメリカの住宅価格はケース＝シラー指数で示した。他の国の住宅価格データは、国際決済銀行（ＢＩＳ）発表資料およびGregory D. Sutton (2002) の解説に拠った。古い時代のデータがないため景気循環の影響比較ができないといった不都合はあるが、今回の主要関心事であるピーク時からの下落幅などは適切に示されている。ただし住宅価格は変化を反映するのが遅いので、落ち込み期間が実際よりやや長めに出る傾向がある。

30. アメリカの株価はS&P500種株価指数による。

31. Reinhart and Reinhart (2009) によると、二〇〇五～〇七年のアメリカは「資本流入ラッシュ」に見舞われていたという。資本流入ラッシュとは、異常なほど巨額の資本が流入する時期を指す。このような流入ラッシュが起きたということは、外国から通常以上に大量に借り入れたのと同じことである。

32. 実質公的債務の増加とは、原則として、名目公的債務の増加を消費者物価指数で実質化したことを意味する。

33. Reinhart and Reinhart (2008) の結論参照。金利と為替レートのこのような動きはアノマリー（合理的に説明できない変化）であるとし、アメリカは「大きすぎてつぶせない」からこうした現象が起きると述べている。

第14章

1. このほかに、住宅価格その他関連データがそろっている戦前の先進国の例を二件含める。

2. 山から谷までの計算は、危機ごとに個別に行った。山と谷は危機の発生時に最も近い日を選び、各国の最高値と最低値を表している。この方法は、アメリカの景気循環に関する古典的研究 Burns and Mitchell (1946) とほぼ同じである。たとえば日本の株価の場合には、谷は同国市場が最低値に達した一九九五年になる（たとえその後に持ち直してから、再び下げたときにもっと低い谷が来ても、危機発生時に近い方を選ぶ）。

3. 第10章では六六カ国で過去二〇〇年間に発生した金融危機を調べ、新興国と先進国の類似性を指摘した。たとえば危機前に政府債務が積み上がることなどはその一つである。

4. 過去の平均（図中の黒部分）には現在進行中の危機は含まない。

5. とくに、多くの新興市場国のアンダー・エンプロイメントと呼ばれる不完全就業（希望労働時間に満たない過小労働）やいわゆるアングラ部門が、公式統計から漏れている。

6. Again, see Calvo (1998) and Dornbusch et al. (1995).

7. See International Monetary Fund (various years), *World Economic Outlook*, April 2002, chapter 3.

8. 大恐慌との比較や類似性を扱った研究で注目すべきものには、他に Eichengreen and O'Rourke (2009) が挙げられる。

第15章

1. ＩＭＦは、危機のため新規起債による資金調達が困難になった新興市場国にとって、最後の貸し手である。ＩＭＦの資金基盤を四倍に強化することが二〇〇九年四月二日にロンドンで開かれた二〇カ国・地域（Ｇ20）首脳会議（金融サミット）（主な富裕国と新興市場国を含む）で合意されたので、ソブリン・リスクを巡るパニックが世界に拡がる恐れは減ったと言える。ただしＩＭＦの保証は政府債務のみが対象である。新興市場国では二〇〇九年半ばの時点で社債のリスク・スプレッドが拡大しつつあり、表面利率はなお上がり続けている。過去の例を見ると、いずれかの時点で政府が企業救済に乗り出し債務問題に巻き込まれることが多いが、今回もそうなるかどうかは現時点では不明である。

2. Kaminsky, Reinhart, and Végh (2003) ;quote on p.55, emphasis ours.

3. Bordo and Murshid (2001)、Neal and Weidenmier (2003) 参照。後者は、見かけの伝染は同質のショックに対する反応と解釈できると主張している。この点に関しては後段で論じる。金融危機の伝播について歴史的視点から重要な論点を最も適切にまとめているのは、おそらく前者の研究である。この研究では現代と一八八〇～一九一三年（金融市場のグローバリゼーション全盛期）における危機後の状況を比較し、現代の方が一八八〇～一九一三年より国同士の直接的な結びつきが強いことを示す証拠はほとんどないと結論づけている。

4. 表15・1には、一八二五年のソブリン・デフォルトやナポレオン戦争中の通貨危機など他のタイプの危機は含めていない。異種の危機が同時発生するケースは第16章で扱い、指数化して分析する。

5. See Neal and Weidenmier (2003) and Reinhart and Rogoff (2008a).

6. これらの国では金融機関のバランスシートが不透明で、エクスポージャーの総額は現在にいたるまで判明していない。

7. See Reinhart and Reinhart (2009) for a full listing of episodes of capital inflow bonanzas.

第16章

1. Kaminsky and Reinhart (1999).

2. 通貨の品位低下を含めれば、六種類になる。しかし通貨の金属含有率に関するデータが乏しいこと（十数カ国にとどまる）、紙幣印刷機の登場で不換紙幣が流通するようになり、通貨の改鋳問題はなくなったことから、危機指数の対象から外した。指数の対象を一八〇〇年（本書における銀行危機の時期特定が本格的に始まる時点）以降としたため、改鋳の件数そのものも少なかった。

3. 危機が発生すれば「1」、しなければ「0」とカウントする方式なので致し方ない。大半の研究がこの方式を採用している。もちろん、深刻度を測定する指標の開発は可能である。

4. 高インフレ（二〇％以上四〇％未満）、超高インフレ（四〇％以上一〇〇〇％未満）、ハイパーインフレ（一〇〇〇％以上）の三段階に分ければ、インフレの深刻度は簡単に表すことができる。

5. 「キンドルバーガー流」の株価暴落とは、国際金融危機や混乱を伴う株価暴落で、多くは先進国で発生する。

6. 危機指数の対象には、Barro and Ursúa (2008, 2009) の定義による成長率低下危機は含めていない。これは、国民一人当たりＧＤＰが累計で一〇％以上低下する危機である。本書で危機と判定したものの多くは、この定義にも当てはまる。この点については後段で論じる。また、カルボらによる資本流入の「急停止（サドン・ストップ）」も危機指数の対象には含まれていない。これは国際的な資本フローが突如逆転する現象で、そうなるとたいていは資本市場へのアクセスができなくなる。システミックな銀行危機の多くは急停止を伴う点は注目に値する（二〇〇七年のサブプライム危機は例外である）。このことは、公的対外債務危機にも当てはまる。

7. Barro and Ursúa (2009)。一八六九〜二〇〇六年に発生した二五カ国（先進国一八、新興市場国七）一九五件の株価暴落から導出した。

8. Samuelson (1966).

9. 標本国六六カ国は世界ＧＤＰの九〇%を占めることを思い出してほしい。

10. 終戦直後のオーストリア、ドイツ、イタリア、日本はデフォルト状態にあったことに注意されたい。

11. See McConnell and Perez-Quiros (2000) and Blanchard and Simon (2001).

12. アルゼンチンの危機は、ほぼ全部ウルグアイに飛び火している。二〇〇一年の危機もそうだった。

13. ハイパーインフレがセンセーショナルな現象であることは言を俟たない。しかし一九九〇年に、本書のインフレ危機に該当する二〇%以上のインフレに見舞われた国が世界で90%近くあったことは、これはこれで驚くべき現象と言えよう。

14. Burns and Mitchell (1946) 参照。危機を巡る株式市場の早期警戒信号に関しては、Kaminsky et al. (1998)、Kaminsky and Reinhart (1999)、Barro and Ursúa (2009) などの研究がある。

15. International Monetary Fund (various years), *World Economic Outlook.*

16. Eichengreen and O'Rourke (2009) は、貿易を加えて類似性を強調する一方で、金融政策対応（とくに公定歩合）の違いを指摘している。

17. Maddison (2004).

18. League of Nations (various years), *World Economic Survey*.

19. See, for example, League of Nations (1944).

20. 第二次世界大戦中も大半の国について信頼できる貿易データを入手しているが、それでも欠落があり、一九四〇〜四七年の他の年代と同程度の精度で世界合計を計算することはできなかった。

21. Kaminsky and Reinhart (1999).

22. Demirgüç-Kunt and Detragiache (1998).

23. Reinhart (2002).

24. Reinhart and Rogoff (2004) は、通貨危機とインフレの関係性、通貨危機と資本規制のタイミングも分析している。

25. Diaz-Alejandro (1985).

26. Kaminsky and Reinhart (1999) は、他の研究とは異なり、銀行危機に開始日とピークの二通りの日付を設定している。

27. See Goldstein and Turner (2004).

28. See Reinhart, Rogoff, and Savastano (2003a).

29. 通貨の下落または切り下げの二次的、三次的な影響は、先進国ではあまり問題にならない。

第17章

1. 通貨危機のリスク指標については Kaminsky Lizondo, and Reinhart (1998)、Berg and Pattillo (1999)、Bussiere and Mulder (2000)、Berg et al. (2004)、Bussiere and Fratzscher (2006)、Bussiere (2007) およびその資料を、銀行危機については Demirguc-Kunt and Detragiache (1998,1999) を参照されたい。双子の危機（銀行危機と通貨危機の両方に見舞われるケース）については、Kaminsky and Reinhart (1999) および Goldstein, Kaminsky, and Reinhart (2000) を参照されたい。

2. できれば商業用不動産の比較可能な価格データも入手するのが理想的である。日本を始めとするアジア各国では、銀行危機前に発生した資産価格バブルにおいて商業用不動産が重要な要因となった。

3. Kaminsky, Lizondo, and Reinhart (1998)、Kaminsky and Reinhart (1999) 参照。警戒信号アプローチは前者にくわしい。このアプローチでは、各種の指標を「信号雑音比」でランク付けする。ある指標が警戒信号を発し、その後2年以内に危機が発生すれば、正しい信号だったと言える。危機が起きなければ、誤った信号すなわち雑音（ノイズ）である。最も望ましいのは、信号雑音比が最も低い警戒信号である。

4. We have argued the case for an international financial regulator in Reinhart and Rogoff (2008d).

5. See Reinhart, Rogoff, and Savastano (2003a).

6. Qian and Reinhart (2009).

7. See Kaminsky, Reinhart, and Végh (2004).

8. Friedman and Schwartz (1963).

9. See Kindleberger (1989).

訳者あとがき

本書は改めて言うまでもなく大著であり、ポール・クルーグマンの言葉を借りるなら「金融危機とその余波についての決定的な歴史実証研究」である。この労作に、このうえ何か付け足すのは憚られるので、ここでは著者の経歴と本書執筆の経緯を取り上げたニューヨーク・タイムズの記事（二〇一〇年七月三日付）を紹介し、あとがきに代えることにしたい。

ケネス・ロゴフはニューヨーク州ロチェスター生まれ。リベラルな家庭に育ち、さまざまな階層の子供たちと接するよう、スラム街のある学区の小学校に通わされたという。特筆すべきはチェスの才能で、一三歳の誕生日にチェスをプレゼントされるとたちまち頭角を現し、アメリカ中の競技会に出場するようになる。一四歳にして「マスター」の称号を獲得し、ニューヨーク州チャンピオンになり、さらに国内最高位の「シニアマスター」の称号を授与された。一六歳になると両親の反対を押し切ってヨーロッパへチェス行脚に出かけ、一八カ月にわたり賞金で食いつなぎながら欧州各地の大会に出場した末に、帰国してイェール大学に入学。当初はロシア語を主専攻にするつもりだったが、同級生のジェレミー・バロー（現在はスタンフォード大学経済学教授）に焚き付けられて経済学を選んだという。そして計量経済学の厳格さにすっかり魅せられ、マサチューセッツ工科大学大学院に進んで比較経済体制を研究している。この間にチェスの世界選手権があり、二五歳で最高位の「グランドマスター」の称号を獲得するも、このときを境にチェスからきっぱりと足を洗った。博士号取得後は連邦準備理事会（ＦＲＢ）の研究員を経て二〇〇一年に国際通貨基金（ＩＭＦ）のチーフエコノミストに就任。現在はハーバード大学教授となっている。

カーメン・ラインハートはロゴフほど知られてはいないが、論文の引用回数から推察されるように、世界で最も影響力を持つ女性経済学者であることはまちがいない。ラインハートはキューバの首都ハバナ生まれ。一〇歳のとき、両親とカバン三つでアメリカに逃れてきた。公認会計士だった父親は大工として働き、母親も縫子をして生活を支えたという。芸術と文学が好きだったラインハートはファッション・マーチャンダイジングを勉強するためにマイアミの短大に入学するが、ほんの気まぐれで受講した経済学に夢中になり、フロリダ国際大学へ進む。

そこで教鞭をとっていたピーター・モンティエルに見出され、コロンビア大学大学院で学ぶことができた。ここで未来の夫となる人と出会っている。途中ウォール街で働くなど紆余曲折はあったものの、一九八八年に博士号を取得し、IMFで働き始める。現在はメリーランド大学教授である。

ラインハートはとりわけデータ・マイニングに長けており、断片的なデータを組み合わせてパズルを解く才能は初期の論文から存分に発揮されている。この点をロゴフも高く買い、IMFでの共同研究のパートナーにラインハートを選んだ。本書の研究ではラインハートとロゴフは膨大な資料を渉猟し、途方もないサイズのスプレッドシートに文字通り手で入力したそうである。

「マクロ経済学における学術研究では、理論的整合性とエレガントさが最重視され、データの調査は二の次になっている」とロゴフは指摘する。経済学界で高く評価される研究が必ずしも金融危機を予測できず、また危機が発生してからもその後の経過を予想できないのはそのためだという。

かつては実証研究もさかんに行われていたが、一九七〇年代始め頃からはやらなくなり、経済学者はこぞって理論の構築に熱を入れるようになった。その原因ははっきりしないが、一説によれば、経済学者が科学者に憧れるせいだという。たとえば歴史経済学者のリチャード・シラは「ポール・サミュエルソンが物理学の理論を経済学に持ち込んで以来、経済の世界にも何かしら物理的な安定状態というものがあると経済学者は考えたがるようになった」と述べている。また、若い研究者は早く終身在職権を手に入れようとして、時間や経験を要する実証研究よりも狭いテーマに絞った理論研究を選びがちだとする説もある。ロゴフも、歴史学者は五〇代でピークを迎えるが、経済学の主要論文の大半は四〇歳になる前に書かれていると話す。ちなみにロゴフとラインハートは、この記事が書かれた時点で共に五〇代である。

ともあれ、本書に先立つ論文"This Time is Different: A Panoramic View of Eight Centuries of Financial Crises"は、二人がＩＭＦにいた二〇〇三年から準備したものである。発表したのは二〇〇八年三月で、本書はその翌年に発行された。したがって、本書の出版時期がグローバル金融危機と重なったのはまったくの偶然であり、「ちょうどその頃にはグローバル金融危機が起きているだろうからそのタイミングで出版しよう、と計画していたわけではもちろんない」とロゴフも話している。「もっとも歴史を踏まえれば、いつ出版されても何らかの危機は起きているだろうとは考えていたが」。なお先の論文を始め、本書に関連する一連の論文はすべてインターネットで公開されている。

本書はミルトン・フリードマンとアンナ・シュウォーツの『米国金融史』の系譜に連なる実証研究の金字塔であり、ラインハートの表現に従えば「誰もが自分たちは開発途上国の連中より優れているとか、先人より賢いと言いたがるが、それはまちがっている」ことをデータで証明した書でもある。このような著作が高い評価を受けベストセラーにもなったことを契機に、マクロ経済学研究にも政策当局の姿勢にもこれから変化が見られることだろう。すでにその兆しは現れている（ロゴフが語るエピソードによれば、日本の財務省にも影響があったらしい。

日本が対外債務をデフォルトしたとの指摘に憤慨したある高官が撤回を要求してきたので、一九四二年のタイムズ紙の記事を送ったところ、謝罪の手紙が来たという。「日本のことを教えてくれてありがとう」と書き添えてあった由)。

本書の翻訳に当たっては、経済学を始め、統計学、金融工学などさまざまな分野の専門家の方々からご指導ご助言をいただいた。この場を借りて深くお礼申し上げる。なお残る訳文中の誤りは、すべて訳者の責任である。さらに図表や数字の多い本であるため、デザインや校正の方々にもたいへんなご苦労をおかけした。そしてこれらすべてをコーディネートし、最後まで訳者を励ましてくださった日経ＢＰの黒沢正俊氏にも心から感謝したい。

二〇一一年一月　村井章子

国名（アルファベット順）	概要	発生年	資料
ウルグアイ（続）	2001年12月に政府系抵当銀行に資本注入。02年1月〜7月に銀行部門預金残高の33％が引き出された。02年には主要4行（銀行部門資産総額に占める比率33％）が閉鎖、長期定期預金の満期が延期された。	2002年	Caprio and Klingebiel (2003), Jácome (2008)
ベネズエラ	1978年、81年、82年、85年、86年に銀行の大型倒産が発生。	1978〜86年	Bordo et al. (2001), Caprio and Klingebiel (2003)
	国内2位のBanco Latinoで取り付け騒ぎがあり、1994年1月に閉鎖。多数の銀行（銀行部門預金残高に占める比率35％）が支払不能に陥る。政府が銀行47行のうち17行（銀行部門預金残高に占める比率50％）に介入。9行を国有化し、94年には7行を閉鎖した。95年にさらに5行に介入。	1993年10月〜95年	Kaminsky and Reinhart (1999), Bordo et al. (2001), Caprio and Klingebiel (2003), Jácome (2008)
ベトナム	大手国有銀行4行のうち2行（銀行部門貸出残高に占める比率51％）が支払不能に陥る。残り2行も支払能力不足となる。多数の株式会社が深刻な経営難に陥り、1998年末には銀行部門の不良債権比率が18％に達した。	1997年〜？	Caprio and Klingebiel (2003)
イエメン	多くの銀行で不良債権比率と為替リスクが高まる。	1996年〜？	Caprio and Klingebiel (2003)
ザンビア	Meridian Bank（商業銀行部門資産総額に占める比率13％）が支払不能に陥る。	1995年	Caprio and Klingebiel (2003)
ジンバブエ	商業銀行5行のうち2行で不良債権比率が高まる。	1995年	Bordo et al. (2001), Caprio and Klingebiel (2003)

国名（アルファベット順）	概要	発生年	資料
アメリカ（続）	世界的な信用規制と国内の過剰融資を背景に州法銀行の数が増加。銀行の現金準備率が下がる。不動産と株のバブルが崩壊し、危機がニューヨークから全米に拡がった。成長率は9％落ち込む。J.P. Morgan、Bank of Montreal、ニューヨーク州財務省が流動性を供給。	1907年3月	Conant (1915), Bordo and Eichengreen (1999)
	第一次世界大戦の開戦を受け、ニューヨーク証券取引所が12月まで閉鎖。緊急措置により通貨供給量を大幅に拡大したため、銀行危機は回避できた。	1914年7月	Bordo et al. (2001)
	大恐慌中に数千の銀行が閉鎖された。銀行の破綻はいくつかの連銀地区に集中する傾向があった。1930年12月にBank of the USAが破綻。31年8月～32年1月に銀行1860行が破綻した。	1929～33年	Bernanke and James (1990), Bordo et al. (2001)
	貯蓄貸付組合1400社と銀行1300行が破綻。	1984～91年	Bordo et al. (2001), Caprio and Klingebiel (2003)
ウルグアイ	National Bankが破綻。	1893年	Conant (1915)
	政府が流通紙幣を減らすと発表したため、取り付け騒ぎが起きる。	1898年9月	Conant (1915)
	Banco Mercantilが破綻。実質金利の急上昇で、銀行の合併と倒産が拡がる。	1971年3月	Kaminsky and Reinhart (1999)
	アルゼンチン通貨が切り下げられ固定相場が打ち切られた影響で、大規模な取り付け騒ぎが発生。多数の金融機関（金融部門資産総額に占める比率30％）が巻き込まれ、多数の銀行（銀行部門預金残高に占める比率20％）が破綻。	1981年3月～84年	Kaminsky and Reinhart (1999), Bordo et al. (2001), Caprio and Klingebiel (2003)

国名（アルファベット順）	概要	発生年	資料
アメリカ（続）	Second Bank of the USが清算される。債権者は債権を回収したが、株主は保護されなかった。地方銀行26行が破綻。	1841年3月	Conant (1915)
	オーストラリアとカリフォルニアで金鉱が発見され、投機とバブル崩壊へ。全世界の金融市場が麻痺状態に陥った（危機はアメリカから欧州へ、さらに中南米、極東に拡がった）。多くの銀行が営業を停止。	1857年8月	Conant (1915)
	政府が1879年まで正貨の払い出しを停止。金価格が上昇し（1864年にピークを打つ）、物価全般も上昇。	1861年12月	Conant (1915)
	南北戦争による恐慌が発生。	1864年4月	Conant (1915)
	フィラデルフィアの金融会社Jay Cooke and Co.の破綻をきっかけにリセッションが発生し、1877年まで続く。	1873年9月	Conant (1915)
	商品相場の下落と証券会社の破綻が取り付け騒ぎを招く。ニューヨークの大半の銀行が支払いを停止する。生産高への影響は軽微だった。	1884年5月	Conant (1915), Bordo and Eichengreen (1999)
	金融市場の不安定化と株価暴落を受けて取り付け騒ぎが発生。危機を防ぐために政策対応がとられるが、生産高は大幅に落ち込む。しかし経済の立ち直りは早かった。	1890年	Conant (1915), Bordo and Eichengreen (1999)

国名 （アルファベット順）	概要	発生年	資料
イギリス（続）	ベアリングス商会の投資がアルゼンチンとウルグアイ向けに偏る中、ブエノスアイレスの水道会社が債務不履行を起こして窮地に陥る。Bank of Englandがフランスとロシアの支援を受けて同商会を救済した。この後、緩やかで短いリセッションになる。	1890年11月	Conant (1915), Bordo and Eichengreen (1999)
	小規模な銀行危機発生。	1974～76年	Bordo et al. (2001), Caprio and Klingebiel (2003)
	Johnson Matthey Bankersが破綻。	1984年	Caprio and Klingebiel (2003)
	Bank of Credit and Commerce Internationalが破綻。	1991年	Caprio and Klingebiel (2003)
	ベアリングス商会が倒産。	1995年	Caprio and Klingebiel (2003)
アメリカ	米英戦争（1812年開戦）を受けて、州立銀行が正貨の払い出しを停止。金融機能が麻痺した。	1814年8月	Conant (1915)
	Second Bank of the US（第二合衆国銀行）が正貨を回収したため、銀行46行が支払不能に陥る。	1818～19年	Conant (1915)
	イギリスの危機前に、Bank of the United Statesを始めあらゆる銀行が営業停止の瀬戸際に追い込まれる。	1825年1月	Conant (1915)
	銀行3行が破綻。パニックを防ぐためBank of Englandが寛大な条件で他行に融資したが、パニックはニューオーリンズとニューヨークから始まり、他の都市へ飛び火した。	1836～38年	Conant (1915)

国名 （アルファベット順）	概要	発生年	資料
イギリス（続）	規制のない地方銀行から資金調達しての投機（架空の投資対象への投機も含む）が横行し、株式と中南米国債のバブルを招く。株価が暴落するとロンドンの銀行6行（Henry Thornton's Bankを含む）、地方銀行60行が閉鎖。ロンドンではパニックが発生。	1825年4月～26年	Conant (1915)
	1837年3月に銀行3行が破綻。Bank of Englandが他行へ特別融資を行ってパニックを防ごうとするが、多くの銀行が倒産する。公定歩合が引き上げられ、政府はフランス、ドイツから借り入れを行った。	1837年3月～39年	Conant (1915)
	アイルランドのジャガイモ飢饉に鉄道株ブームが重なり、地金が大量流出してパニックとなる。企業は鉄道とサトウキビ農園の拡張に熱を上げ、過剰投資。これらの事業が不振になると、銀行は次々に破綻した。	1847年4月～48年	Conant (1915)
	オーストラリアとカリフォルニアで金鉱が発見され、投機とバブル崩壊へ。全世界の金融市場が麻痺状態に陥った（危機はアメリカから欧州へ、さらに中南米、極東に拡がった）。多くの銀行が営業を停止し、機能しているのはBank of Englandのみとなった。	1857年8月	Conant (1915)
	パニックを防ぐため、1844年銀行法の運用が一時中止され、払い出しは金（ゴールド）で行われた。Joint Stock Discount社が倒産。	1866年5月	Conant (1915)
	地方銀行危機が発生。銀行は信用を失い、City of Glasgow Bankが10月2日に、West of England and South Wales District Bankが12月9日に破綻。	1878年10月	Conant (1915)

国名 （アルファベット順）	概要	発生年	資料
トルコ（続）	湾岸戦争の開戦で取り付け騒ぎが多発。政府が預金の全額保護を発表する。	1991年1月	Kaminsky and Reinhart (1999)
	銀行3行が破綻。	1994年4月	Bordo et al. (2001), Caprio and Klingebiel (2003)
	銀行2行が閉鎖、19行が貯蓄預金保険基金の管理下に置かれる。	2000年	Caprio and Klingebiel (2003)
ウガンダ	1994～98年に銀行の半数が支払不能に陥る。1998～2002年には、銀行の資本注入、民営化、閉鎖が相次ぐ。	1994～2002年	Caprio and Klingebiel (2003)
ウクライナ	1997年に銀行195行のうち32行が清算され、25行が更正措置の適用を受ける。主要銀行でも不良債権／総資産比率が50～65％に達する。1998年に政府が債務再編を決定し、銀行は打撃を受ける。	1997～98年	Caprio and Klingebiel (2003)
イギリス	ナポレオンのベルリン勅令（大陸封鎖令）が原因で大規模な投機が起きる。多くの銀行が新設され紙幣を発行。過剰発行のためロンドン株式市場で暴落が発生し、1811年4月11日に財務省が銀行を救済した。	1810年	Conant (1915)
	豊作で農作物価格が下落し、投機を招く。不動産価格が全体的に下落。地方銀行89行が破綻し、企業300～500社が廃業に追い込まれる。Bank of England銀行券の需要高まる。	1815～17年	Conant (1915)

国名（アルファベット順）	概要	発生年	資料
タイ	株価暴落を受けて、最大級の金融会社1社が破綻。金融部門の救済政策が始まる。	1979年3月	Kaminsky and Reinhart (1999)
	ある金融会社の巨額損失をきっかけに取り付け騒ぎが発生し、政府が金融・証券会社50社、商業銀行5行（金融部門資産総額に占める比率25％）に介入。商業銀行3行（商業銀行部門の資産総額に占める比率14％）が支払不能状態となる。	1983年10月～87年	Kaminsky and Reinhart (1999), Bordo et al. (2001), Caprio and Klingebiel (2003)
	2002年5月現在で、Bank of Thailandが金融会社91社のうち59社（金融部門資産総額に占める比率13％、金融会社資産総額に占める比率72％）、国内銀行15行のうち1行、国有化された銀行4行を閉鎖。2002年3月の時点で政府系資産管理会社が金融部門総資産の29.7％を保有する。貸出残高に占める不良債権比率はピーク時に33％に達したが、2002年2月には10.3％まで低下。	1996年5月	Bordo et al. (2001), Reinhart (2002), Caprio and Klingebiel (2003)
トーゴ	銀行部門が支払不能に陥る。	1993～95年	Caprio and Klingebiel (2003)
トリニダード・トバゴ	複数の金融機関が支払不能に陥り、国有銀行3行が合併。	1982～93年	Caprio and Klingebiel (2003)
チュニジア	大半の商業銀行が資本不足に陥る。	1991～95年	Caprio and Klingebiel (2003)
トルコ	ドイツ銀行危機を受けて、ドイツ系銀行の支店で取り付け騒ぎが発生。	1931年7月	Bernanke and James (1990)
	銀行3行が国有のAgriculture Bankと合併した後に清算される。大手銀行2行が再編。	1982～85年	Bordo et al. (2001), Caprio and Klingebiel (2003)

国名 （アルファベット順）	概要	発生年	資料
スウェーデン（続）	国内2位の銀行Nordbankenを政府が救済。NordbankenとGota Bank（銀行部門資産総額に占める比率は両行で22％）が支払不能に陥り、Sparbanken Foresta（同24％）の支援を受ける。主要行6行のうち5行（同70％以上）が経営難に陥る。	1991年11月～94年	Kaminsky and Reinhart (1999), Bordo et al. (2001), Jonung and Hagberg (2002), Caprio and Klingebiel (2003)
スイス	フランスから貨幣の供給を受けられなくなる。大勢の市民が銀行券を貨幣に交換してもらおうと殺到。銀行は割引・貸出業務を停止し、景気低迷の原因となる。	1870年7月～71年	Conant (1915)
	銀行破綻と再編統合が続く。	1910～13年	Vogler (2001)
	多くの銀行がドイツ銀行危機のあおりを受ける。総資産は縮小し、整理再編が相次いだ。	1931年	Bordo et al. (2001), Vogler (2001)
	英米の不況とドイツ銀行危機の影響を被る。	1933年	Bordo et al. (2001), Vogler (2001)
台湾	信託会社4社と企業11社が倒産。	1983～84年	Bordo et al. (2001), Caprio and Klingebiel (2003)
	Changua Fourthの破綻をきっかけに、他の信用組合の取り付け騒ぎが発生。	1995年7月	Bordo et al. (2001), Caprio and Klingebiel (2003)
	1998年末時点で銀行部門の不良債権比率が推定15％に達する。	1997～98年	Bordo et al. (2001), Caprio and Klingebiel (2003)
タジキスタン	大手銀行1行が支払不能に陥り、小規模行1行が閉鎖。	1996年～？	Caprio and Klingebiel (2003)
タンザニア	大手金融機関で貸出残高の約半分が返済遅滞となる。National Bank of Commerce（銀行部門資産総額に占める比率95％）が1990年に支払不能に陥る。	1987年	Caprio and Klingebiel (2003)

国名（アルファベット順）	概要	発生年	資料
スペイン（続）	Bank of Spainが積極的に中小銀行を救済。1978 ～ 83年に、銀行110行のうち24行が救済、4行が清算、4行が合併、中小行20行が国有化された。これら52行（銀行部門預金残高に占める比率20％）はいずれも支払不能に直面していた。	1977 ～ 85年	Kaminsky and Reinhart (1999), Bordo et al. (2001), Caprio and Klingebiel (2003)
スリランカ	国有銀行（銀行部門資産総額に占める比率70％）の不良債権比率が推定35％に達した。	1989 ～ 93年	Caprio and Klingebiel (2003)
スワジランド	中央銀行が3行を支配下に置いた。	1995年	Caprio and Klingebiel (2003)
スウェーデン	金地金価格を巡って「地金報告」（1804年のアイルランド通貨報告に類似したもの）が提出される。	1811年1月	Conant (1915)
	深刻な銀行危機が発生。	1876 ～ 79年	Jonung and Hagberg (2002)
	Riksbank法が成立し、Riksbankが中央銀行となり、独占的通貨発行権が与えられる。	1897年	Bordo et al. (2001), Jonung and Hagberg (2002)
	銀行貸出が拡大し、銀行に対する信用が低下して取り付け騒ぎが発生。預金準備高が乏しかったため、Riksbankが国有銀行への融資を行う。生産高は減少するが、経済の立ち直りは早かった。	1907年	Bordo and Eichengreen (1999), Jonung and Hagberg (2002)
	リセッションの後にスウェーデン史上最大級の銀行危機が発生。	1922 ～ 23年	Jonung and Hagberg (2002)
	マッチ王イーヴァル・クルーガーと取引のあった銀行が、クルーガーの死後に経営難に陥る。ただし預金者は政府により保護され、被害はなかった。	1931 ～ 32年	Bordo et al. (2001), Jonung and Hagberg (2002)

国名（アルファベット順）	概要	発生年	資料
南アフリカ	Trust Bankが経営難に陥る。	1977年12月～78年	Bordo et al. (2001), Reinhart (2002), Caprio and Klingebiel (2003)
	一部の銀行が経営難に陥る。	1989年	Caprio and Klingebiel (2003)
スペイン	イベリア半島戦争でスペインはフランスに占領され、Bank of St.Charlesは1814年に事実上廃業する。	1814～17年	Conant (1915)
	Bank of St.Charlesが再編され、Bank of Ferdinandとなる。	1829年7月	Conant (1915)
	Bank of Isabella II（Bank of Ferdinandを制裁する目的で政府が1844年に設立）とBank of Ferdinandが合併する（行名はBank of Ferdinand）。新銀行は旧Bank of Isabella IIの債務を引き受け、政府の管理下に置かれる。1848年には準備高が減少し通貨供給量が増大する中、政府から貸し出しの拡大を要求される。横領が多発。政府は同行を再編し、Bank of Englandに倣ってBank of Spainを設立。	1846年2月～47年	Conant (1915)
	カタルーニャ地方で多くの銀行が支払不能に陥り、古い伝統を誇る有力な融資機関が破綻してバルセロナ経済に多大な影響をおよぼす。	1920～23年	Bordo et al. (2001)
	主要銀行2行が破綻。	1924～25年	Bernanke and James (1990), Bordo et al. (2001)
	金本位制を放棄し、大恐慌による打撃を緩和。取り付け騒ぎが頻発するも、Bank of Spainが最後の貸し手として積極的に融資を行った。	1931年	Bordo et al. (2001), Temin (2008)

国名（アルファベット順）	概要	発生年	資料
サントメ・プリンシペ民主共和国	1992年末時点で、Monobankの貸出残高の90％が不良債権であることが判明。93年に同銀行は清算された。新たに2銀行が免許を受け、同行の資産を引き継ぐが、翌94年に新銀行のうち1行が貸し出しを停止。	1991年	Caprio and Klingebiel (2003)
スコットランド	Western Bankが放漫経営で破綻。企業4社に無謀な融資をしており、これが判明してこの4社も倒産。株式市場はパニックとなり、取り付け騒ぎも発生した。	1857年10月～58年	Conant (1915)
	The City of Glasgow Bankが3年にわたる帳簿操作が露見して破綻。4社への巨額融資が判明し、この4社は倒産。株主は被害を被ったが、債権者は保護された。	1878年9月～80年	Conant (1915)
	Bank of ScotlandがCaledonian Bankを吸収。North of Scotland BankがTown and Country Bankを吸収した。	1908年3月	Conant (1915)
セネガル	1988年に銀行融資の50％が不良債権となる。商業銀行6行と開発銀行1行（銀行部門資産総額に占める比率20～30％）が閉鎖。	1988～91年	Bordo et al. (2001), Caprio and Klingebiel (2003)
シエラレオネ	1995年に銀行部門の不良債権比率が40～50％に達する。銀行への資本注入と再編が行われた。	1990年	Caprio and Klingebiel (2003)
シンガポール	不良債権が総額2億ドル（ＧＤＰ比0.6％）に達した。	1982年	Bordo et al. (2001), Caprio and Klingebiel (2003)
スロバキア	回収不能債権が推定1010億クラウン（貸出残高の約31％、ＧＤＰ比15％）に達した。	1991年	Caprio and Klingebiel (2003)
スロベニア	銀行3行（銀行部門資産総額に占める比率2/3）が再編された。	1993～94年	Caprio and Klingebiel (2003)

国名 （アルファベット順）	概要	発生年	資料
ルーマニア	ドイツ系銀行を始めとする複数行が破綻。大規模な取り付け騒ぎが起きる。	1931年7月	Bernanke and James (1990)
	主要国有銀行6行で不良債権比率が25～30％に達する。	1990年	Caprio and Klingebiel (2003)
ロシア	Bank of Russiaが4月に閉鎖。正貨の払い出しが停止され、ついに再開されず。財政は恒久的に赤字で、信用事情は極端に悪化する。	1862年4月～63年	Conant (1915)
	Skopine Community Bankで預金準備率が不足し、1875年にバブルが崩壊すると、払い出しに応じられなくなる。以後、共同体銀行の設立は制限された。	1875年	Conant (1915), Reinhart and Rogoff (2008a)
	合資商業銀行で不良債権比率が高まる。多くの小規模銀行が破綻。大手行は国有銀行に救済された。	1896年	Cameron (1967)
	多くの新設銀行に対する不信感から、インターバンク市場が機能停止する。	1995年8月	Caprio and Klingebiel (2003)
	銀行の約半分に相当する720行（銀行部門資産総額に占める比率4％、個人預金残高の32％）が支払不能に陥る。このほか18行（銀行部門資産総額に占める比率40％、個人預金残高の41％）が経営難に陥り、救済を求める。	1998～99年	Caprio and Klingebiel (2003)
ルワンダ	有力筋とつながっていた銀行1行が閉鎖。	1991年	Caprio and Klingebiel (2003)
サントドミンゴ	金本位制の導入に失敗した後、National Bankが破綻。銀行券は通用しなくなった。	1894年	Conant (1915)

国名 （アルファベット順）	概要	発生年	資料
フィリピン（続）	商業銀行1行、貯蓄銀行88行のうち7行、農業貸付銀行750行のうち40行が管財人の管理下に置かれる。銀行部門の不良債権比率は1998年11月に12％に、99年には20％に達した模様。	1997年7月～98年	Reinhart (2002), Caprio and Klingebiel (2003)
ポーランド	取り付け騒ぎが原因で大手銀行3行が支払いを停止。銀行部門の混乱は1927年まで続く。	1926年7月～27年	Bernanke and James (1990)
	取り付け騒ぎが発生。とくに標的となったのはオーストリア系銀行で、オーストリア危機が飛び火した模様。	1931年6月	Bernanke and James (1990)
	政府系商業銀行9行のうち7行（商業銀行貸出残高に占める比率90％）、Bank for Food Economy、協同銀行システムが機能不全に陥る。	1991年	Caprio and Klingebiel (2003)
ポルトガル	Bank of Lisbonが支払いを停止。政府との癒着により人材面で問題を抱えていた。	1828年	Conant (1915)
	Bank of Lisbonが信用を失い、債券を償還できなくなる。最終的にBank of Portugalと合併。	1846年5月～47年	Conant (1915)
	巨額の財政赤字、ベアリング危機、ブラジル革命などを背景に通貨が下落。政府は対内債務の一部をデフォルトし、対外債務については交渉により金利の減免措置を適用される。危機により成長率は大幅低下。	1890年	Conant (1915), Bordo and Eichengreen (1999)
	戦後の混乱で銀行の倒産が相次ぐ。	1920年	Bordo et al. (2001)
	多数の銀行が破綻。	1923年	Bordo et al. (2001)
	金本位制を放棄。	1931～32年	Bordo et al. (2001)

国名（アルファベット順）	概要	発生年	資料
パラグアイ（続）	1998年末までに監督官庁が官民を問わずすべての銀行と多数の金融会社（最大手行や貯蓄貸付組合を含む）に介入。翌年末には銀行資産の80％を外国人が掌握し、大半の銀行が外国人の所有に帰す。2000年にはすべての銀行が健全化したとみられる。銀行2行（銀行部門預金残高に占める比率10％）が1997年に閉鎖。中堅銀行1行（同6.5％）が政府介入を受け98年に閉鎖。	1995～99年	Bordo et al. (2001), Caprio and Klingebiel (2003), Jácome (2008)
	国内3位の銀行（銀行部門預金残高に占める比率10％）が政府介入を受け閉鎖。	2002年	Caprio and Klingebiel (2003), Jácome (2008)
ペルー	金貨の鋳造が停止され、以後25年間にわたって銀本位制が続く。	1872～73年	Conant (1915), Reinhart and Rogoff (2008a)
	大手銀行2行が破綻。銀行部門は不良債権比率が高まる。また1987年に銀行システムが国有化され、金融仲介機能が失われて混乱する。	1983年4月～90年	Kaminsky and Reinhart (1999), Bordo et al. (2001), Caprio and Klingebiel (2003)
	資本流出が原因で信用収縮が発生し、多くの銀行が支払不能に陥る。この中には、Banco Wiese（市場シェア16.7％）、Banco Latino（同3％）が含まれていた。銀行2行（銀行部門預金残高に占める比率21％）が整理される。小規模行6行（同6.5％）も経営難に陥った。	1999年	Jácome (2008)
フィリピン	コマーシャル・ペーパー市場が崩壊し、取り付け騒ぎが発生。ノンバンクと貯蓄銀行が破綻。政府系銀行2行（銀行部門資産総額に占める比率50％）、民間銀行6行（同12％）、貯蓄銀行32行（貯蓄銀行部門資産総額に占める比率53％）、農業貸付銀行128行の経営が悪化。	1981年1月～87年	Kaminsky and Reinhart (1999), Bordo et al. (2001), Caprio and Klingebiel (2003)

国名（アルファベット順）	概要	発生年	資料
ノルウェー（続）	戦時中の無節操な貸し出しと1920年代前半の世界的な景気後退により、銀行部門が不安定化する。	1921～23年	Bordo et al. (2001), Jonung and Hagberg (2002)
	金本位制を放棄。システミック・リスクを防ぐため、Norges Bankが中小行を支援。1921年のときよりうまく危機管理が行われた。	1931年	Bordo et al. (2001), Øksendal (2007)
	預金税が導入され、大量の預金が引き出される。	1936年	Bernanke and James (1990)
	地方貯蓄銀行2行が破綻し、最終的に合併により救済される。中央銀行がリセッション（1985～86年）と不動産ローンの焦げ付きで経営不振に陥った銀行6行に特別融資を供与。国内最大手行3行（銀行部門資産総額に占める比率85%）を政府が管理下に置く。	1987～93年	Kaminsky and Reinhart (1999), Bordo et al. (2001), Jonung and Hagberg (2002), Caprio and Klingebiel (2003)
パナマ	1988年に銀行が9週間におよぶ一斉休業。国有銀行の大半と民間商業銀行の資産内容が悪化し、15行が営業停止になった。	1988～89年	Caprio and Klingebiel (2003)
パプアニューギニア	貯蓄貸付組合の85%が営業を停止。	1989年～？	Caprio and Klingebiel (2003)
パラグアイ	Bank of ParaguayとRiver Plate Bankが支払いを停止。大規模な取り付け騒ぎに発展する。金価格は300%上昇し、両行は最終的に清算された。	1890年	Conant (1915)

国名 （アルファベット順）	概要	発生年	資料
オランダ（続）	多くの銀行が破綻または経営不振となる。銀行危機の結果、政府の指導が強まる。銀行は産業向け融資を拡大するが、危機後は鉱工業生産が停滞した。	1921年	't Hart et al. (1997), Bordo et al. (2001)
	主要行のAmsterdamsche Bankが、やはり大手のNoordhollandsch Landbouwcredietを買収。	1939年	Bordo et al. (2001)
ニュージーランド	大手国有銀行1行（銀行部門資産総額に占める比率25%）が相当額の不良債権を抱え、支払不能に陥る。	1987～90年	Bordo et al. (2001), Caprio and Klingebiel (2003)
ニカラグア	1996年に銀行部門の不良債権比率が50%に達する。	1987～96年	Caprio and Klingebiel (2003)
	銀行11行のうち4行（銀行部門預金残高に占める比率40%）が政府介入を受け、他の金融機関へ売却された。	2000～02年	Jácome (2008)
ニジェール	1980年代半ばに銀行部門の不良債権比率が50%に達した。4行が清算、3行が80年代後半に再編。2002年にも再編対象となる銀行が続出した。	1983年～？	Caprio and Klingebiel (2003)
ナイジェリア	1993年に複数の銀行（銀行部門資産総額に占める比率20%、預金残高では22%）が支払不能に陥る。95年には約半分の銀行が経営難に陥る。	1992～95年	Bordo et al. (2001), Caprio and Klingebiel (2003)
	複数の銀行（銀行部門資産総額に占める比率4%）が経営難に陥る。	1997年	Bordo et al. (2001), Caprio and Klingebiel (2003)
ノルウェー	不動産投機が横行。利上げと共にバブルが崩壊し、多くの銀行が破綻した。Bank of Norwayが介入して危機の波及を食い止めた。	1898年	Jonung and Hagberg (2002)

国名（アルファベット順）	概要	発生年	資料
メキシコ（続）	中期国債Ajustabonosを保有していた複数の金融機関が金利の上昇で苦境に立たされる。	1992年10月	Kaminsky and Reinhart (1999)
	1994年に銀行9行が政府介入を受け、11行が商業銀行34行による融資・資産買取プログラムに参加。銀行9行（銀行部門資産総額に占める比率19％）が支払不能となる。銀行資産の外国人保有比率は1％だったが、1998年の時点で18％に達した。	1994～97年	Bordo et al. (2001), Caprio and Klingebiel (2003), Jácome (2008)
モロッコ	銀行部門が混乱。	1983年	Caprio and Klingebiel (2003)
モザンビーク	大手商業銀行が支払不能に陥っていたことが1992年に発覚。	1987～95年	Caprio and Klingebiel (2003)
ミャンマー	国内最大の国有商業銀行で不良債権比率が高まる。	1996年～？	Caprio and Klingebiel (2003)
ネパール	1988年初めに主要銀行3行（銀行部門資産総額に占める比率95％）の未払債務／総資産比率が平均29％に達した。	1988年	Caprio and Klingebiel (2003)
オランダ	Bank of Amsterdamが政令により閉鎖。1月から始まった清算手続きは完了まで数年を要した。	1819年12月～29年	Conant (1915)
	公定歩合の変動が激しく、最終的に危機が発生。	1897年	Bordo et al. (2001), Homer and Sylla (1991)
	アムステルダム証券取引所が一時閉鎖され、銀行部門の改革がハイペースで進行。従来の金融機関に代わって大手商業銀行が誕生し、多くの銀行が買収・吸収された。	1914年	't Hart et al. (1997), Bordo et al. (2001)

国名（アルファベット順）	概要	発生年	資料
モーリタニア	1984年に主要銀行5行の不良債権比率が45～70%に達する。	1984～93年	Caprio and Klingebiel (2003)
モーリシャス	中央銀行が不正行為を理由に商業銀行12行のうち2行を閉鎖。	1997年	Caprio and Klingebiel (2003)
メキシコ	政府は多くの国から借り入れをした後に返済を停止（1885年6月）。外国資本の流入は止まり、信用危機と取り付け騒ぎが発生する。銀行は貸し出しを停止。1884年にNational BankとMercantile Bankが合併してNational Bank of Mexico(Banamex)となり、政府融資を担当する。	1883年	Conant (1915)
	Banamexが主要ライバル行のMexican Mercantile Bankを吸収合併。	1893年	Conant (1915)
	米国の株価暴落を受けて深刻な信用収縮が発生。銀行は融資を回収できなくなり、Mexican Central Bankや多くの州立銀行が破綻した。他の銀行は政府支援を受けるか合併により生き延びた。銀行が破綻した結果、企業の倒産が相次ぎ、経済活動は低迷。政府は過度の信用拡大を警戒し、無謀な融資に注意を促す書状を2月に出状。6月には規制を導入した。	1908年2月	Conant (1915)
	主要銀行で取り付け騒ぎが発生し、支払いを停止。	1929年	Bernanke and James (1990)
	資本逃避が発生。政府は対策として民間銀行システムを国有化。	1981～82年	Bordo et al. (2001)
	政府が銀行システムを管理下に置く。	1982年9月～91年	Kaminsky and Reinhart (1999), Caprio and Klingebiel (2003)

国名（アルファベット順）	概要	発生年	資料
レバノン	銀行4行が支払不能に、11行が中央銀行からの特別融資を受ける。	1988～90年	Caprio and Klingebiel (2003)
レソト	商業銀行4行のうち1行が不良債権を抱える。	1988年	Caprio and Klingebiel (2003)
リベリア	銀行11行のうち7行（銀行部門資産総額に占める比率60％）が営業を停止。	1991～95年	Caprio and Klingebiel (2003)
リトアニア	1995年に銀行25行のうち小規模行12行が清算。民間銀行3行（銀行部門預金残高に占める比率29％）が破綻。国有銀行3行が支払不能となる。	1995～96年	Caprio and Klingebiel (2003)
マケドニア	銀行部門の不良債権比率が約70％に達する。政府が外貨建て債務を肩代わりし、国内2位の銀行を閉鎖。	1993～94年	Caprio and Klingebiel (2003)
マダガスカル	銀行部門貸出残高の25％が回収不能となる。	1988年	Caprio and Klingebiel (2003)
マレーシア	香港の銀行が破綻したのをきっかけに、関連行の支店で取り付け騒ぎが発生。複数の銀行（銀行部門預金残高に占める比率3％）が支払不能となり、また一部銀行（同4％）が資本注入を受けた。	1985年7月～88年	Kaminsky and Reinhart (1999), Bordo et al. (2001), Caprio and Klingebiel (2003)
	金融サービス部門が再編され、整理統合により39社が10社となる。独立系最大手を含む2社が中央銀行に買い取られる。銀行2行（銀行部門資産総額に占める比率14％）が支払不能となり、他行と合併。銀行部門の不良債権比率はピーク時に25～35％に達するが、2002年3月には10.8％まで下がった。	1997年9月	Caprio and Klingebiel (2003)
マリ	最大手行の不良債権比率が75％に達する。	1987～89年	Caprio and Klingebiel (2003)

国名 （アルファベット順）	概要	発生年	資料
ケニア	主要銀行（銀行部門負債総額に占める比率15％）が流動性不足に陥り、破綻する。	1985～89年	Caprio and Klingebiel (2003)
	地方銀行2行が政府介入を受ける。	1992年	Caprio and Klingebiel (2003)
	多くの銀行（銀行部門負債総額に占める比率30％）が深刻な支払能力不足に陥る。	1993～95年	Caprio and Klingebiel (2003)
	不良債権比率が19％に達する。	1996年	Caprio and Klingebiel (2003)
韓国	金融の規制緩和で多くの銀行が誕生。	1986年1月	Shin and Hahm (1998), Reinhart (2002)
	2002年5月までに銀行5行が強制廃業に追い込まれる。金融機関303社（うち215は信用組合）が閉鎖、銀行4行が国有化。銀行部門の不良債権比率はピーク時に30～40％に達し、2002年3月には約3％まで下がった。	1997年7月	Bordo et al. (2001), Reinhart (2002), Caprio and Klingebiel (2003)
クウェート	銀行部門の不良債権比率は1986年まで40％前後で推移。	1983年	Caprio and Klingebiel (2003)
キルギス	銀行部門貸出残高の80～90％が不良債権の疑い。小規模銀行4行が1995年に閉鎖。	1993年	Caprio and Klingebiel (2003)
ラオス	一部の銀行が経営不振となる。	1990年代前半	Caprio and Klingebiel (2003)
ラトビア	ドイツ系銀行で取り付け騒ぎ発生。大手銀行2行がとくに痛手を被る。	1931年7月	Bernanke and James (1990)
	1995～99年に銀行35行が免許停止、閉鎖、または営業停止処分となる。	1994～99年	Caprio and Klingebiel (2003)

国名（アルファベット順）	概要	発生年	資料
日本（続）	デフレ誘導政策により経済活動が停滞し、国立銀行4行が破綻、5行が営業停止、10行が整理統合。	1882～85年	Conant (1915)
	貿易赤字と外貨準備不足に加え、生産高が大幅に落ち込む。成長率は1年間で6％減。	1901年	Bordo and Eichengreen (1999)
	年初に東京市場が暴落。世界的に市場は不安定化。日銀が介入し、数行を救済。救済されなかった銀行は破綻した。深刻なリセッション。	1907年	Bordo and Eichengreen (1999)
	金本位制を放棄。	1917年	Bordo et al. (2001), Flath (2005)
	関東大震災を受けて、東京銀行と朝鮮銀行が不良債権を抱える。両行は政府支援を受けて再建された。	1923年9月	Bernanke and James (1990)
	銀行恐慌の結果、規制が厳格化される。東京渡辺銀行の破綻をきっかけに全国で取り付け騒ぎが発生。銀行15行が支払不能に陥った。政府は銀行を救済しようとしなかったため、不確実性が高まり、取り付け騒ぎが拡大。銀行の大規模な整理統合が行われた。	1927年4月	Bernanke and James (1990), Bordo et al. (2001)
	株価と不動産価格の急落で、銀行が経営不振に陥る。1995年の不良債権額は4,690億～1兆ドル（ＧＤＰ比10～25％）に、98年末には7,250億ドル（ＧＤＰ比18％）に達し、2002年には貸出残高の35％を占めるにいたる。銀行7行が国有化、金融機関61社が閉鎖、28社が合併。	1992～97年	Bordo et al. (2001), Caprio and Klingebiel (2003)
ヨルダン	国内3位の銀行が破綻。	1989年8月～90年	Caprio and Klingebiel (2003)

国名（アルファベット順）	概要	発生年	資料
イタリア（続）	政府が複数の銀行を合併させて銀行システムを修復。信用拡大を許可して通貨危機を招く。リラは下落。しかし景気後退はゆるやかだった。	1893年1月	Conant (1915), Bordo and Eichengreen (1999)
	ニューヨーク、ロンドン、パリでの投機と市場急落により金融バブルが崩壊。生産高が急激に落ち込んだ。	1907年	Bordo and London, Eichengreen (1999)
	貯蓄銀行が破綻の危機に瀕し、発券銀行3行に救済される。これら3行は戦争中産業界を支えた。	1914年	Teichova et al. (1997), Bordo et al. (2001)
	戦時中と戦後の過剰融資が一因で、国内3位と4位の銀行が支払不能に陥る。	1921年	Bordo et al. (2001)
	大手銀行からの預金引き出しが相次ぐ。パニックが4月まで続き、政府が主要行を再編。不良資産を引き受けた。	1930年12月～31年	Bernanke and James (1990), Bordo et al. (2001)
	農業銀行の閉鎖、貯蓄銀行と商業銀行の合併により、イタリアの銀行システムは全面的に再編された。	1935年	Teichova et al. (1997), Bordo et al. (2001)
	銀行58行（銀行部門貸出残高に占める比率11％）が他の金融機関と合併。	1990～95年	Bordo et al. (2001), Caprio and Klingebiel (2003)
ジャマイカ	商業銀行グループが閉鎖。	1994～97年	Bordo et al. (2001), Caprio and Klingebiel (2003)
	整理機構のFINSACが銀行5行、生保5社、建設2社、商業銀行9行を支援。	1995～2000年	Caprio and Klingebiel (2003)
日本	国立銀行条例により銀行は政府紙幣の受け入れを強制された。その結果、10行に9行が破綻する。	1872～76年	Conant (1915)

国名 （アルファベット順）	概要	発生年	資料
インドネシア（続）	銀行部門の不良債権比率が14％に達する。うち70％以上が国有銀行だった。	1994年	Bordo et al. (2001), Caprio and Klingebiel (2003)
	2002年5月までにBank Indonesiaは銀行237行のうち70行を閉鎖、13行を国有化。危機のピーク時には銀行部門の不良債権比率は65～75％に達した。2002年2月には12％まで下がった。	1997～2002年	Caprio and Klingebiel (2003)
アイルランド	多くの銀行で取り付け騒ぎが発生。11月にAgricultural Bankが破綻。	1836年11月～37年	Conant (1915)
	Tipperary Joint Stock Bankが、幹部（John Sadlier）の横領のため破綻。	1856年2月	Conant (1915)
イスラエル	銀行部門ほぼ全体（株式市場時価総額に占める比率60％）が株価急落の影響を被る。証券取引所は18日間閉鎖され、銀行株は40％以上下落。	1977～83年	Bordo et al. (2001), Caprio and Klingebiel (2003)
	国内最大手4行の株価が急落し、国有化された。	1983年10月	Reinhart (2002)
イタリア	オーストリア・プロシャ戦争への参戦が見込まれたため、National Bankが通貨発行を停止。	1866年6月～68年	Conant (1915)
	Tiber Bank、Italian Mortgage Bank Society、Naples Building AssociationがNational Bankに吸収される。	1887年	Conant (1915)
	不動産バブルが破裂し、銀行があおりを受ける。フランスとの関税合戦で金利が押し上げられたこともバブル崩壊の一因となった。成長率は鈍化し、5年間横ばいとなった。	1891年	Bordo and Eichengreen (1999)

国名（アルファベット順）	概要	発生年	資料
香港	預金受け入れ金融機関9社が倒産。	1982年	Bordo et al. (2001), Caprio and Klingebiel (2003)
	銀行7行が清算または買収された。	1983～86年	Bordo et al. (2001), Caprio and Klingebiel (2003)
	大手投資銀行1行が破綻。	1998年	Caprio and Klingebiel (2003)
ハンガリー	ブダペストの銀行で取り付け騒ぎ発生。銀行の一斉休業が実施された。	1931年7月	Bernanke and James (1990)
	1993年後半に銀行8行（銀行部門資産総額に占める比率25％）が支払不能に陥る。	1991～95年	Caprio and Klingebiel (2003)
アイスランド	国有銀行3行のうち1行が支払不能に陥る。	1985～86年	Bordo et al. (2001), Caprio and Klingebiel (2003)
	国有商業銀行に資本注入。	1993年	Bordo et al. (2001), Caprio and Klingebiel (2003)
インド	Bank of Bengalが資金需要に応じられず、資本注入を受ける。	1863年	Scutt (1904), Reinhart and Rogoff (2008a)
	不作のため欧州銀行からの借り入れが増大。金に代わって銀が用いられるようになる。	1908年4月	Conant (1915)
	1995年に政府系銀行27行の不良債権比率が推定20％に達する。	1993～96年	Bordo et al. (2001), Caprio and Klingebiel (2003)
インドネシア	大手行Bank Summaが破綻し、他の3行で取り付け騒ぎが起きる。	1992年11月	Kaminsky and Reinhart (1999)

国名 （アルファベット順）	概要	発生年	資料
ギリシャ（続）	国内的な事情により、金融部門に相当額の公的資金を注入。	1991～95年	Bordo et al. (2001), Reinhart (2002), Caprio and Klingebiel (2003)
グアテマラ	小規模な国有銀行2行で不良債権比率が高まり、閉鎖された。	1991年	Caprio and Klingebiel (2003)
	小規模な銀行3行Banco Empresarial、Promotor、Metropolitano（銀行部門預金残高に占める比率7％）が政府介入を受けた後、支払能力比率の基準に満たないとして閉鎖された。	2001年	Jácome (2008)
	国内3位の大手行Bancafe（銀行部門預金残高に占める比率9％）が閉鎖。数カ月後には小規模行Banco del Comercio（同1％）が閉鎖された。	2006年	Jácome (2008)
ギニア	銀行6行（銀行部門預金残高に占める比率99％）が支払不能に陥る。	1985年	Caprio and Klingebiel (2003)
	銀行2行が破産、1行が深刻な経営危機に陥る（合計で市場シェア45％）。	1993～94年	Caprio and Klingebiel (2003)
ギニア・ビサウ	年末時点で商業銀行の貸出残高の45％が不良債権だった。	1995年	Caprio and Klingebiel (2003)
ホンジュラス	小規模銀行Bancorp（市場シェア3％）が9月に閉鎖。	1999年	Jácome (2008)
	小規模行Banhcreser（市場シェア3％）が閉鎖。	2001年	Jácome (2008)
	小規模行2行（Banco Sogerin、Banco Capital）が政府介入を受け、預金保険機構の管理下に置かれた。	2002年	Jácome (2008)

国名（アルファベット順）	概要	発生年	資料
ガンビア	1992年に政府系銀行が再編され、民営化される。	1985～92年	Caprio and Klingebiel (2003)
グルジア	大手銀行の大半が事実上支払不能に陥る。銀行部門貸出残高の約1/3が不良債権だった。	1991年	Caprio and Klingebiel (2003)
ドイツ	Hamburg Bankがオーストリアの National Bankに救済される。これで信頼感が回復し、危機の恐れはなくなった。Hamburg Bankは6カ月で債務を返済。	1857年	Conant (1915)
	ロシア危機をきっかけに、ベルリンで株価が61％暴落。抵当銀行が最初に打撃を受けたが、割引銀行が流動性を供給した。Dresdner Creditanstalt、Bank of Leipzig、Leipzig Bankが破綻。経済成長率は小幅の落ち込みにとどまった。	1901年	Conant (1915), Bordo and Eichengreen (1999)
	銀行危機が発生し、多くの銀行が資本注入を受けるか、預金の政府保証を受けた。1930年半ばからは取り付け騒ぎが発生。払い出しのできない銀行が続出し、銀行の一斉休業が実施された。	1930年	Bernanke and James (1990), Bordo et al. (2001), Temin (2008)
	Giro institutionsが経営不振に。	1977年	Caprio and Klingebiel (2003)
ガーナ	銀行11行のうち7行が支払不能に陥る。とくに農村部の銀行が影響を受けた。	1982～89年	Bordo et al. (2001), Caprio and Klingebiel (2003)
	不良債権比率が11％から27％へ上昇。国有銀行2行の経営が悪化し、他の3行が支払不能に陥る。	1997年	Bordo et al. (2001), Caprio and Klingebiel (2003)
ギリシャ	対外債務をデフォルト。金本位制は維持した。	1931年	Bordo et al. (2001)

国名（アルファベット順）	概要	発生年	資料
フランス（続）	Bank of Franceの支店が営業を停止。降伏後にドイツがBank of Strasburgの営業を停止させ、アルザス・ロレーヌ地方ではBank of Prussiaが中央銀行の役割を果たす。	1871年5月	Conant (1915)
	投機と新しい金融技術が登場した結果、銀行の資産内容が悪化。フランス銀行が中小行への融資を行い、準備金補充のためBank of Englandから借り入れた。経済成長率は5％減。以前のすう勢を回復するまでに長期間を要した。	1882年2月	Conant (1915), Bordo and Eichengreen (1999)
	ある銀行家が銅市場で買い占めを目論む。Comptoir d'Escompteは銅鉱山会社のワラントを引き受け、銅価格の暴落で巨額の損失を被る。頭取は自殺し、取り付け騒ぎになり、健全な資産まで清算される羽目に陥った。Comptoir d'EscompteはBank of Franceに救済を要請。この危機で成長率は14％落ち込んだ。	1889年3月	Conant (1915), Bordo and Eichengreen (1999)
	日露戦争の開戦直後から株価が急落し、銀行恐慌が発生。	1904年2月	Conant (1915)
	アメリカの恐慌が原因で、金と通貨の需要が世界的に高まる。フランスが被った損失の大半は植民地の銀によるものだったため、ＧＤＰへの影響は軽微だった。	1907年	Conant (1915), Bordo and Eichengreen (1999)
	主要銀行2行が破綻。地方銀行で取り付け騒ぎ発生。	1930～32年	Bernanke and James (1990), Bordo et al. (2001)
	Credit Lyonnaisが深刻な支払能力不足に陥る。	1994～95年	Bordo et al. (2001), Caprio and Klingebiel (2003)
ガボン	銀行1行が一時的に閉鎖。	1995年	Caprio and Klingebiel (2003)

国名 （アルファベット順）	概要	発生年	資料
フィンランド（続）	大手行のSkopbankが9月19日に破綻し、政府支援を受ける。貯蓄銀行が影響を被り、政府が3行（貯蓄銀行預金残高に占める比率31％）を管理下に置く。	1991年9月～94年	Kaminsky and Reinhart (1999), Bordo et al. (2001), Jonung and Hagberg (2002), Caprio and Klingebiel (2003)
フランス	Bank of Franceが深刻な危機に直面。	1802年	Conant (1915)
	アウステルリッツの戦いを目前にして第三次対仏大同盟が結成される中、Bank of Franceの債務残高が6,800万フランに達する。手元の正貨は78万2,000フランしかなく、コマーシャル・ペーパー、国債、信用状などを使ってスペイン財務省から正貨を買う。フランスは1805年12月2日にアウステルリッツの戦いに勝利し、信頼を取り戻した。	1805年9月～06年	Conant (1915)
	アルザス地方で銀行の倒産が相次ぐ。	1827年12月～28年	Conant (1915)
	Bank of Belgiumの破綻を受け、パリで大規模な取り付け騒ぎ発生。	1838年12月～39年	Conant (1915)
	1848年3月24日に、フランス銀行と複数の地方銀行が発券する紙幣が法定通貨に認定される。紙幣の統一の必要性が認識され、地方銀行をBank of Franceが統合（4月27日、5月2日）。	1848年2月～50年	Conant (1915)
	綿花の投機が横行した後、フランス恐慌に発展。	1864年1月	Conant (1915)
	Credit Mobilierの破綻をきっかけにフランス危機が発生。	1867年11月～68年	Conant (1915)

国名 （アルファベット順）	概要	発生年	資料
エストニア	中規模銀行2行が破綻したのをきっかけに1931年1月までパニックが続く。	1930年11月	Bernanke and James (1990)
	大規模な取り付け騒ぎ発生。	1931年9月	Bernanke and James (1990)
	銀行部門資産総額の41％を占める銀行が支払不能に陥り、5行が免許取り消しになる。主要行2行が合併のうえ国有化され、さらに2行が合併のうえ融資回収機構に転換された。	1992 ～ 95年	Caprio and Klingebiel (2003)
	Social Bank（銀行部門資産総額に占める比率10％）が破綻。	1994年	Caprio and Klingebiel (2003)
	銀行3行が破綻。	1998年	Caprio and Klingebiel (2003)
エチオピア	国有銀行が再編され、不良債権を政府が肩代わりする。	1994 ～ 95年	Caprio and Klingebiel (2003)
フィンランド	ロシアおよびバルカン危機に加え、輸出品の価格下落で金融部門は危機に瀕する。Bank of Finlandが融資を拡大し、紙幣を増刷するが、実質ＧＤＰ成長率は4％落ち込む。	1900年	Bordo and Eichengreen (1999)
	北欧危機を他の国よりうまく乗り切る。通貨をすでに大幅に切り下げていたため、景気回復がスムーズだった。	1921年	Bordo et al. (2001), Jonung and Hagberg (2002)
	1929年に始まったリセッションで多くの銀行が巨額の損失を計上し、倒産。Bank of Finlandが融資と銀行合併を推進。	1931年	Bordo et al. (2001), Jonung and Hagberg (2002)
	金融は安定し、ＧＤＰ成長率もさほど落ち込まなかった。	1939年	Bordo et al. (2001), Jonung and Hagberg (2002)

国名 （アルファベット順）	概要	発生年	資料
エクアドル（続）	全体の60％に相当する銀行が、政府介入を受けるか、買収または閉鎖された。1998～99年には金融機関7社（商業銀行資産総額に占める比率25～30％）が閉鎖。99年3月には銀行預金が6カ月にわたって凍結。2000年1月には、金融機関16社（同65％）のうち12社が閉鎖、4社が国有化された。すべての預金の凍結解除は2000年3月。	1998年4月～99年	Caprio and Klingebiel (2003), Jácome (2008)
エジプト	信用収縮と新証券の発行が原因で危機が発生する。	1907年3月	Conant (1915)
	ドイツ系銀行のカイロ支店とアレクサンドリア支店で取り付け騒ぎ。	1931年7月	Bernanke and James (1990)
	政府が大手投資会社数社を閉鎖。	1980年1月～81年	Bordo et al. (2001), Reinhart (2002), Caprio and Klingebiel (2003)
	政府系銀行4行が資本注入を受ける。	1990年1月～95年	Bordo et al. (2001), Reinhart (2002), Caprio and Klingebiel (2003)
エルサルバドル	国有商業銀行9行の不良債権比率が平均37％に達する。	1989年	Caprio and Klingebiel (2003)
	コーヒー相場の急落など交易条件の悪化を受けて1996年に経済成長が止まり、1997年から金融部門は苦境に陥る。中規模のBanco Credisa（市場シェア5％）が閉鎖。	1998年	Jácome (2008)
赤道ギニア	国内最大級の銀行2行が清算。	1983～85年	Caprio and Klingebiel (2003)
エリトリア	銀行部門の大半が支払不能に陥る。	1993年	Caprio and Klingebiel (2003)

国名 （アルファベット順）	概要	発生年	資料
デンマーク（続）	小規模の銀行2行が破綻したのをきっかけに銀行部門が混乱し、銀行貸出が急減。1990～92年の累積赤字は貸出残高の9％に達した。経営不振に陥った60行のうち40行が合併。	1987年3月～92年	Kaminsky and Reinhart (1999), Bordo et al. (2001), Caprio and Klingebiel (2003)
ジブチ	商業銀行6行のうち2行が営業を停止。他の銀行も経営不振に陥った。	1991～93年	Caprio and Klingebiel (2003)
ドミニカ共和国	国内3位の銀行（銀行部門資産総額に占める比率7％）が政府支援を受ける。	1996年	Jácome (2008)
	国内3位の銀行（銀行部門資産総額に占める比率10％）が政府支援を受けたのをきっかけに、2003年に銀行危機が発生。預金の引き出しは、銀行の負債隠しが露見した2002年半ばから始まっていた。危機発生後、金融機関2社（同10％）でも不正な会計慣行が発見された。	2003年	Jácome (2008)
エクアドル	銀行部門救済のため、外貨建て国債を自国通貨に転換するプログラムを実施。	1981年	Bordo et al. (2001), Caprio and Klingebiel (2003)
	中堅銀行のBanco de Los Andes（銀行部門預金残高に占める比率6％）が政府支援を受け、のちに民間銀行に買収された。	1994年	Jácome (2008)
	当局が中小金融機関に介入。1995年末時点で、資金供給を受けた金融会社は30社、銀行は7行に達した。96年初めには、国内5位の大手商業銀行も支援を受けた。	1996年	Bordo et al. (2001), Caprio and Klingebiel (2003)

国名（アルファベット順）	概要	発生年	資料
デンマーク	政府がDeposit Bank発行の銀行券を額面通り償還しないことを宣言。これは、公的債務の一部不履行に当たる。Royal Bankが新設され、Courantbank、Specie Bank、Deposit Bankは廃止された。	1813年1月	Conant (1915)
	金融危機が発生し、National Bankが1860年代まで中央銀行の機能を果たす。	1857年	Jonung and Hagberg (2002)
	Industrial Bankが損失補填に資本金の半額を充当。地方銀行2行が破綻し、銀行の一斉休業が実施された。	1877年	Conant (1915), Jonung and Hagberg (2002)
	National Bankが商業銀行と貯蓄銀行を支援。	1885年	Jonung and Hagberg (2002)
	主要銀行の破綻をきっかけにFreeholders' Bankが営業停止。他の銀行では取り付け騒ぎが発生した。National Bankがパニックの鎮静化に乗り出し、5行を吸収、銀行の負債を凍結した。	1902年2月	Conant (1915)
	ドイツを始めとする世界的な市場の混乱により、信頼感が低下。主要行5行のコンソーシアムが体力の乏しい銀行の負債を保証し、信用危機は迅速に回復した。	1907年	Conant (1915), Bordo and Eichengreen (1999), Jonung and Hagberg (2002)
	戦争中の無謀な貸し出しと1920年代の世界的な物価下落を背景に、銀行危機が数年にわたり長引く。	1921年	Bordo et al. (2001), Jonung and Hagberg (2002)
	銀行が流動性不足に陥り、金本位制を放棄するまでこの問題が続く。	1931年	Bordo et al. (2001)

国名（アルファベット順）	概要	発生年	資料
コンゴ民主共和国（続）	国有銀行4行が支払不能に陥り、そのほかに1行が民間の力を借りて資本を増強した。	1991～92年	Caprio and Klingebiel (2003)
	不良債権比率が75%に達する。国有銀行2行が清算に追い込まれ、2行が民営化された。1997年には12行が深刻な経営不振に陥った。	1994年～？	Caprio and Klingebiel (2003)
コンゴ共和国	1992年から危機が始まり、2001～02年には大手2行が再編・民営化。支払不能に陥った他行は清算された。	1992年～？	Caprio and Klingebiel (2003)
コスタリカ	政府系銀行（銀行部門貸出残高に占める比率90%）が経営破綻。貸出残高の32%が回収不能に陥った。	1987年	Caprio and Klingebiel (2003), Bordo et al. (2001)
	国内3位の大手国有銀行Banco Anglo Costarricense（銀行部門預金残高に占める比率17%）が閉鎖された。	1994～97年	Bordo et al. (2001), Caprio and Klingebiel (2003), Jácome (2008)
コートジボワール	大手4行（銀行部門貸出残高に占める比率90%）の経営が悪化。3行が支払不能に陥った。このほか政府系銀行6行が閉鎖された。	1988～91年	Bordo et al. (2001), Caprio and Klingebiel (2003)
クロアチア	大手5行（銀行部門貸出残高に占める比率50%）が支払不能に陥り、銀行再編機構の監督下に置かれた。	1996年	Caprio and Klingebiel (2003)
チェコスロバキア	外貨預金の流出をきっかけに国内の預金の引き出しが相次ぐ。しかし全国的な銀行危機にはいたらなかった。	1931年7月	Bernanke and James (1990)
チェコ共和国	1993年以降に複数の銀行が閉鎖された。94～95年には銀行部門の不良債権比率が38%に達する。	1991年～？	Caprio and Klingebiel (2003)

国名 （アルファベット順）	概要	発生年	資料
チリ（続）	住宅ローン制度が破綻する。	1976年	Bordo et al. (2001), Caprio and Klingebiel (2003)
	3行で預金量が減り始め、政府が介入。最終的に銀行4行とノンバンク4社（全体で金融部門貸出残高に占める比率33％）が政府の支援を受ける。1983年にはさらに7行と1社（金融部門資産総額に占める比率45％）に政府が介入。同年末時点の不良債権比率は19％に達した。	1980年	Kaminsky and Reinhart (1999), Bordo et al. (2001), Caprio and Klingebiel (2003)
中国	上海の絹貿易会社の倒産をきっかけに多くの地方銀行が破綻。	1883年	Cheng (2003)
	戦後不況で多くの銀行が破綻。	1923～25年	Young (1971)
	戦時中は上海のすべての中国系銀行が閉鎖された。	1931年	Cheng (2003)
	銀の流出により景気が低迷し、金融危機を招く。大手銀行2行が政府の監督下に置かれ、再編された。	1934～37年	Cheng (2003)
	大手国有銀行4行（銀行部門資産総額に占める比率68％）が支払不能に陥る。銀行部門の不良債権比率は推定50％に達した。	1997～99年	Caprio and Klingebiel (2003)
コロンビア	Banco Nacionalが政府支援を受ける。最終的に主要行6行と金融会社8社（金融部門資産総額に占める比率25％）に政府が介入した。	1982年7月～87年	Kaminsky and Reinhart (1999), Bordo et al. (2001), Caprio and Klingebiel (2003)
	多くの銀行と金融機関が破綻。資本比率が下がり、流動性不足となる。金融部門の総資産は20％以上縮小した。	1998年4月	Reinhart (2002), Jácome (2008)
コンゴ民主共和国	銀行部門が機能不全に陥る。	1982年	Caprio and Klingebiel (2003)

国名（アルファベット順）	概要	発生年	資料
カナダ（続）	Royal BankがBank of British HondurasとBank of British Guianaを買収。	1912年	Conant (1915)
	Home Bank of Canada（支店数70）が不良債権を抱えて破綻。	1923年	Kryzanowski and Roberts (1999), Bordo et al. (2001)
	カナダ預金保険機構に加盟する15金融機関（銀行2行を含む）が破綻。	1983 ～ 85年	Bordo et al. (2001), Caprio and Klingebiel (2003)
カーボベルデ	1995年末時点で商業銀行の不良債権比率が30％に達した。	1993年	Caprio and Klingebiel (2003)
中央アフリカ共和国	銀行4行が清算。	1976 ～ 82年	Caprio and Klingebiel (2003)
	最大手2行（銀行部門資産総額に占める比率90％）が再編に追い込まれる。銀行部門の不良債権比率は40％に達した。	1988 ～ 99年	Caprio and Klingebiel (2003)
チャド	銀行部門全体が支払不能に陥る。	1980年代	Caprio and Klingebiel (2003)
	民間銀行の不良債権比率が35％に達する。	1992年	Caprio and Klingebiel (2003)
チリ	アルゼンチンとの戦争の危険性が高まり、銀行通貨システムと金本位制が崩壊。金の輸出が拡大し、チリ銀行は金との兌換を拒絶。こうした背景から7月5日にサンチャゴで取り付け騒ぎが起きる。政府は金と交換しない紙券通貨を発行、通貨供給量を拡大したため、インフレと投機を招く。	1898年7月	Conant (1915), Bordo and Eichengreen (1999)
	株価暴落後4年にわたりインフレ誘発型の政策がとられる。ペソは30％下落。政府は金融危機を防ぐため銀行に財務省証券を貸し出す。	1907年	Conant (1915), Bordo and Eichengreen (1999)

国名（アルファベット順）	概要	発生年	資料
ブルキナファソ	銀行部門の不良債権比率が推定34%に達する。	1988～94年	Caprio and Klingebiel (2003)
ブルンジ	1995年に銀行部門の不良債権比率が推定25%に達し、1行が清算された。	1994～95年	Caprio and Klingebiel (2003)
カメルーン	1989年に銀行部門の不良債権比率が60～70%に達し、商業銀行5行が閉鎖、3行が再編された。	1987～93年	Caprio and Klingebiel (2003)
	1996年末時点で不良債権比率が30%に達し、2行が閉鎖、3行が再編された。	1995～98年	Caprio and Klingebiel (2003)
カナダ	ロワー・カナダ（仏語圏）で発生した暴動が原因で、Bank of Upper CanadaとGore Bankが正貨の払い出しを停止。	1837年	Conant (1915)
	カナダ西部の銀行が支払いを停止したのをきっかけに金融恐慌が発生。Bank of Upper Canadaが破綻。オンタリオ州の急成長を背景に銀行が土地投機で資本を失う。銀行は慎重な与信審査を怠り、弁護士、政治家、地主層に貸し出した。	1866年9月	Conant (1915)
	銀行数行が破綻し、1874年から79年まで不況が続く。	1873年9月	Conant (1915)
	Ontalio Bankがニューヨーク株式市場の投機に失敗し、破綻。同行の株券は紙屑と化した。	1906年10月	Conant (1915)
	経常赤字と農作物の不作で、東部の銀行から西部に資金が回らなくなる。銀行は貸出金利の引き上げ、貸し出しの縮小、農家への融資制限などの措置を講じる。期間は短いが急激なリセッション。銀行は自治領通貨の借り入れや銀行券の増発などを行う。	1908年1月	Conant (1915), Bordo and Eichengreen (1999)

国名（アルファベット順）	概要	発生年	資料
ブラジル（続）	財務省が紙幣増刷で財政赤字を埋め合わせる。インフレに対する市民の不満が高まり、金本位制に復帰。Banco de Brasilが再編され、中央銀行として設立されたが、政治からの独立性が確保されなかった。通貨供給量の減少により、銀行部門の規模は3年間で20％縮小した。	1923年	Triner (2000), Bordo et al. (2001)
	工場労働者を犠牲にした資本の過剰蓄積が行われ、賃金引き上げによる経済構造の調整に失敗。経済危機は政治危機に発展し、軍事クーデターが起きた。	1963年	Bordo et al. (2001)
	3大銀行（Comind、Maison Nave、Auxiliar）を政府が没収。	1985年11月	Kaminsky and Reinhart (1999)
	預金を債券に転換。	1990年	Bordo et al. (2001), Caprio and Klingebiel (2003)
	1994年に中小行17行を清算。民間銀行3行が政府の介入を受け、州立銀行8行が政府の監督下に置かれる。中央銀行は43の金融機関に介入または一時的に管理下に置いた。銀行部門全体の不良債権比率は1997年末時点で15％に達した。民間銀行は98年に黒字転換したが、政府系銀行は99年まで回復しなかった。	1994年7月～96年	Kaminsky and Reinhart 1994－1996 (1999), Bordo et al. (2001), Caprio and Klingebiel (2003)
ブルネイ	複数の金融会社と銀行が破綻。	1986年	Caprio and Klingebiel (2003)
ブルガリア	1995年に銀行部門の貸出残高の75％が不良債権化し、96年には取り付け騒ぎが発生。政府は救済を行わず、19行（銀行部門資産総額に占める比率は約1/3）の閉鎖に踏み切る。生き残った銀行には97年までに資本注入を実施。	1995～97年	Caprio and Klingebiel (2003)

国名 （アルファベット順）	概要	発生年	資料
ボリビア（続）	主要2行（銀行部門資産総額に占める比率11％）が1994年に閉鎖。翌95年には商業銀行15行のうち4行（同30％）が流動性不足に陥り、不良債権比率も高まる。	1994年	Caprio and Klingebiel (2003)
	小規模銀行1行（銀行部門預金残高に占める比率4.5％）が政府介入により消滅。	1999年	Jácome (2008)
ボスニア＝ヘルツェゴビナ	旧ユーゴスラビアの分裂と内戦のため、銀行部門の不良債権比率が高まる。	1992年～？	Caprio and Klingebiel (2003)
ボツワナ	銀行の合併、清算、資本注入が相次ぐ。	1994 ～ 95年	Caprio and Klingebiel (2003)
ブラジル	政府の借り入れが増え、通貨投機もさかんになる。政府は紙幣の増刷を重ねる。National Bank of BrazilとBank of the US of Brazilが合併。新銀行は政府発行紙幣を回収。金融部門の混乱のあおりで、総生産が減少した。	1890年12月～92年	Conant (1915), Bordo and Eichengreen (1999)
	内戦と通貨下落があったが、ロンドンのロスチャイルド商会からの借り入れでしのぐ。	1897 ～ 98年	Conant (1915), Bordo and Eichengreen (1999)
	コーヒーの輸出が通貨下落に対応できず。寡占状態で競争が乏しく、デフレからの回復が遅れた。銀行では取り付け騒ぎが発生し、流動性供給もおよばず。債権回収が実施された。	1900 ～ 01年	Conant (1915), Bordo and Eichengreen (1999)
	国外からの送金が困難になったため、払い出しが停止された。	1914年	Brown (1940), Bordo et al. (2001)

国名（アルファベット順）	概要	発生年	資料
ベルギー（続）	政府の負担に対し市民の間に不安が拡がるが、Bank of Belgiumは多大な犠牲を払って払い出しを継続した（割引率を引き上げ、コマーシャル・ペーパーの引き受けに制限を設けた）。	1870年7月～71年	Conant (1915)
	全世界で投資家が資産を投げ売りし、現金を引き揚げる。資産価格は下落し、金融機関は破綻の危機に直面。世界各地で株価は下落。	1914年	Bordo et al. (2001)
	デフレが蔓延し資金調達危機が起きる。	1925～26年	Johnson (1998), Bordo et al. (2001)
	国内最大手のBank of Brusselsが破綻寸前との噂が流れ、各行で一斉に取り付け騒ぎが起きる。その後に通貨切り下げを見越した外貨預金の引き出しも相次ぐ。	1931年5月	Bernanke and James (1990), Bordo et al. (2001)
	Banque Belge de Travailの破綻をきっかけに全国的な銀行危機と通貨危機が発生。	1934年	Bernanke and James (1990), Bordo et al.
	経済はゆるやかに回復するも、戦争が近いとの見通しから投資は低調。外貨準備高と金準備は大幅に減少する。	1939年	Bordo et al. (2001)
ベナン	3行の商業銀行がすべて破綻。貸出残高の80％が不良債権だった。	1988～90年	Caprio and Klingebiel (2003)
ボリビア	1987年10月、中央銀行が州立商業銀行12行のうち2行の清算を決定。他に7行が巨額の損失を計上した。最終的には5行が清算。銀行部門の不良債権比率は1987年に30％、88年半ばには92％に達した。	1987年10月～88年	Kaminsky and Reinhart (1999), Caprio and Klingebiel (2003)

国名 （アルファベット順）	概要	発生年	資料
オーストリア （続）	主要銀行が経営不振に陥り、6月から清算手続きに入る。	1924年	Bernanke and James (1990)
	国内2位の銀行が破綻し、主要行と合併。	1929年11月	Bernanke and James (1990)
	Creditanstaltが破綻し、外国人預金者による取り付け騒ぎが起きる。	1931年5月	Bernanke and James (1990)
アゼルバイジャン	民間銀行12行が閉鎖。国営銀行3行が事実上倒産し、1行も深刻な流動性不足に陥る。	1995年	Caprio and Klingebiel (2003)
バングラデシュ	大手4行（銀行部門貸出残高に占める比率70％）の不良債権比率が20％に達する。1980年代後半からは、銀行部門全体が支払不能状態に陥った。	1987 ～ 96年	Bordo et al. (2001), Caprio and Klingebiel (2003)
ベラルーシ	多くの銀行が資本不足に陥る。強制的な合併の結果、一部の銀行は質の悪い債権ポートフォリオを抱えることになった。	1995年	Caprio and Klingebiel (2003)
ベルギー	Bank of Belgium（1835年創設）とSociete Generaleが競合する中、戦争懸念で信用収縮が発生。Societe GeneraleはBank of Belgiumの倒産を目論むが、結果的に両行とも体力を失うことになる。Bank of Belgiumに取り付け騒ぎが起き、財務省の支援を仰ぐ。	1838年12月～39年	Conant (1915)
	Bank of Belgiumが国家の預金機関としての機能を放棄。Societe Generaleは危機の影響を懸念し、アントワープを除く全支店を閉鎖。	1842年	Conant (1915)
	Societe Generaleが支払停止。政府から改革を要求され、銀行券発行権を失う。National Bank of Belgiumが創設される。	1848年2月	Conant (1915)

国名（アルファベット順）	概要	発生年	資料
アルゼンチン（続）	メキシコ・ペソの下落で取り付け騒ぎが多発し、12月～3月に預金が18％減少。8行が営業を停止、3行が破綻。1997年末までに銀行205行のうち63行が閉鎖または吸収合併された。	1995年	Bordo et al. (2001), Reinhart (2002), Caprio and Klingebiel (2003)
	政府の政策に対する不信感から2001年3月に取り付け騒ぎが始まる。同年11月には多数の銀行が破綻の危機に瀕し、コラリート（預金引出制限）とコラロン（定期預金の凍結）が実施された。2002年12月にコラリートは解除。2003年1月に1行が廃業、3行が国有化され、他の多くの銀行も事業規模を縮小した。		Caprio and Klingebiel (2003), Jácome (2008)
アルメニア	中央銀行が営業中の銀行の半分を閉鎖。大手銀行は多額の不良債権を抱える状況が続く。貯蓄銀行の財務内容も悪化。	1994年8月～96年	Caprio and Klingebiel (2003)
オーストラリア	国内の貸し出しが急増し、銀行資産の質が劣化。土地ブームに加え、適切な銀行規制がなかったため、投機が横行する。預金流出でMercantile BankとFederal Bank of Australiaが閉鎖。銀行株は急落し、銀行は長期貸出を縮小あるいは打ち切る。多くの銀行が廃業に追い込まれ、1890年代はリセッションが続いた。	1893年1月	Conant (1915), Bordo and Eichengreen (1999)
	大手銀行2行が損失補填のため政府から資本注入を受ける。	1989～92年	Bordo et al. (2001), Caprio and Klingebiel (2003)
オーストリア	投機がさかんに行われた後、ウィーン証券取引所で暴落が起き、市中銀行52行、地方銀行44行が破綻。	1873年5月～74年	Conant (1915)

国名（アルファベット順）	概要	発生年	資料
アルゼンチン（続）	銀行貸出が増大し、銀行券の過剰発行で不動産価格が高騰。その後土地価格が50％下落し、Bank of the Nationが配当支払いを停止し倒産。ペソは2年間で36％下落。1890年7月には発券業務を停止し、金価格は320％高騰。同年12月にはBank of the Nationに代わってBank of the Argentine Nationが新設された。	1890年7月～1891年	Bordo and Eichengreen (1999), Conant (1915)
	農作物の不作に加え、第一次世界大戦中の欧州からの流動性需要が高まり、取り付け騒ぎが多発。民間銀行は2年間で預金の45％を失った。	1914年	Conant (1915), Bordo and Eichengreen (1999), Nakamura and Zarazaga (2001)
	金本位制を放棄し、回収不能債権が増大。	1931年	Della Paolera and Taylor (1999), Bordo et al. (2001)
	政府に対する巨額の貸付と不良債権が積み上がり、最終的に新設の中央銀行が全額を引き受けた。	1934年	Della Paolera and Taylor (1999), Bordo et al. (2001)
	大手民間銀行Banco de Intercambio Regionalが破綻し、3行が連鎖倒産。最終的に70行以上（商業銀行資産総額に占める比率16％以上、金融会社資産総額に占める比率35％以上）が中銀に救済されるか、破産した。	1980年3月～82年	Kaminsky and Reinhart (1999), Bordo et al. (2001), Caprio and Klingebiel (2003)
	5月初めに政府が大手銀行1行を閉鎖。これが多数の銀行の取り付け騒ぎに発展し、5月19日にはドル建て預金が凍結されるにいたった。	1985年5月	Kaminsky and Reinhart (1999)
	銀行部門の不良債権比率が貸出残高合計の27％、国営銀行貸出残高の37％に達する。多数の銀行（銀行部門資産総額に占める比率40％）が破綻した。	1989～90年	Bordo et al. (2001), Caprio and Klingebiel (2003)

巻末資料 A・4

銀行危機の国別一覧（1800～2008年）

国名（アルファベット順）	概要	発生年	資料
アルバニア	1992年に一党独裁から民主政権に移行。同年7月の銀行法改正に伴い銀行システムが誕生したが、新設銀行の不良債権比率は31％に達した。銀行間取引も機能せず、一部の銀行が流動性不足に直面。	1992年	Caprio and Klingebiel (2003)
アルジェリア	貨幣不足のため正貨による支払いが中止された。抵当銀行が存在せず、不動産を担保に融資した一般銀行の多くは、損失回避のためひんぱんに抵当権を実行した。	1870年8月	Conant (1915), Reinhart and Rogoff (2008a), Caprio and Klingebiel (2003)
	銀行部門の不良債権比率が50％に達した。	1990～92年	Caprio and Klingebiel (2003)
アンゴラ	国有商業銀行2行が破綻。	1992～96年	Caprio and Klingebiel (2003)
アルゼンチン	対外債務、国内融資、輸入の増大で外貨準備高が不足し、National Bank of the Argentine Republicが営業を停止。ペソは27％下落。しかし危機は短く、鉱工業生産への影響も少なかった。	1885年1月	Conant (1915), Bordo and Eichengreen (1999)

高所得国		中所得国		低所得国	
国名	発生年	国名	発生年	国名	発生年
		パラグアイ、ウルグアイ	2002		
		ドミニカ共和国	2003		
		グアテマラ	2006		
アイスランド、アイルランド、アメリカ、イギリス	2007				
オーストリア、スペイン	2008				

（注記）巻末資料A・4に、本表に掲載した危機を国別にまとめ、簡単な説明を加えた。
＊印は、その危機に伴いBarro and Ursúa (2008)の定義による産出高の減少が発生したケースを意味する。ただしBarro and Ursúaでは、今回の標本国の多くはカバーされていない。

高所得国		中所得国		低所得国	
国名	発生年	国名	発生年	国名	発生年
オーストラリア	1989	アルゼンチン*、エルサルバドル、南アフリカ、スリランカ	1989		
イタリア	1990	アルジェリア、ブラジル*、エジプト、ルーマニア	1990	シエラレオネ	1990
チェコ、フィンランド、ギリシャ、スウェーデン、イギリス	1991	グルジア、ハンガリー、ポーランド、スロバキア	1991	ジブチ、リベリア、サントーメ	1991
日本	1992	アルバニア、ボスニア＝ヘルツェゴビナ、エストニア、インドネシア	1992	アンゴラ、チャド、コンゴ共和国、ケニア、ナイジェリア	1992
マケドニア、スロベニア	1993	カーボベルデ、ベネズエラ	1993	ギニア、エリトリア、インド、キルギス、トーゴ	1993
資本移動：高（1980～2007年）					
フランス	1994	アルメニア、ボリビア、ブルガリア、コスタリカ、ジャマイカ、ラトビア、メキシコ*、トルコ	1994	ブルンジ、コンゴ共和国、ウガンダ	1994
イギリス	1995	アルゼンチン、アゼルバイジャン、ブラジル、カメルーン、リトアニア、パラグアイ、ロシア、スワジランド	1995	ギニアビサウ、ザンビア、ジンバブエ	1995
		クロアチア、エクアドル、タイ	1996	ミャンマー、イエメン	1996
台湾	1997	インドネシア、韓国*、マレーシア、モーリシャス、フィリピン、ウクライナ	1997	ベトナム	1997
		コロンビア*、エクアドル、エルサルバドル、ロシア	1998		
		ボリビア、ホンジュラス、ペルー	1999		
		ニカラグア	2000		
		アルゼンチン*、グアテマラ	2001		

高所得国		中所得国		低所得国	
国名	発生年	国名	発生年	国名	発生年
オーストリア、ベルギー、フィンランド、ドイツ*、ギリシャ、ノルウェー、ポルトガル*、スペイン*、スウェーデン*、スイス	1931	アルゼンチン*、ブラジル、中国、チェコ、エストニア、ハンガリー、ラトビア、ポーランド、ルーマニア、トルコ	1931		
ベルギー*	1934	アルゼンチン、中国	1934		
イタリア	1935	ブラジル	1937		
ベルギー*、フィンランド	1939				
				インド*	1947
		ブラジル	1963		
資本移動：中（1970〜1979年）					
		ウルグアイ	1971		
イギリス	1974	チリ*	1976	中央アフリカ共和国	1976
ドイツ、イスラエル、スペイン	1977	南アフリカ	1977		
		ベネズエラ	1978		
資本移動：高（1980〜2007年）					
		アルゼンチン*、チリ*、エクアドル、エジプト	1980		
		メキシコ、フィリピン、ウルグアイ	1981		
香港、シンガポール	1982	コロンビア、トルコ	1982	コンゴ民主共和国、ガーナ	1982
カナダ、韓国、クウェート、台湾	1983	モロッコ、ペルー、タイ	1983	赤道ギニア、ニジェール	1983
イギリス、アメリカ	1984			モーリタニア	1984
		アルゼンチン*、ブラジル*、マレーシア*	1985	ギニア、ケニア	1985
デンマーク、ニュージーランド、ノルウェー	1987	ボリビア、カメルーン、コスタリカ、ニカラグア	1987	バングラデシュ、マリ、モザンビーク、タンザニア	1987
		レバノン、パナマ	1988	ベニン、ブルキナファソ、中央アフリカ共和国、コートジボワール、マダガスカル、ネパール、セネガル	1988

高所得国		中所得国		低所得国	
国名	発生年	国名	発生年	国名	発生年
デンマーク	1885				
イタリア	1887				
フランス	1889				
ポルトガル、イギリス、アメリカ	1890	アルゼンチン*、ブラジル、チリ、パラグアイ、南アフリカ	1890		
ドイツ、イタリア、ポルトガル	1891				
オーストラリア	1893	ウルグアイ	1893		
オランダ、スウェーデン	1897				
ノルウェー	1898	チリ	1899		
フィンランド	1900	ブラジル	1900		
ドイツ、日本	1901				
デンマーク、フランス*、イタリア、日本、スウェーデン、アメリカ	1907	メキシコ	1907		
		チリ	1908		
		メキシコ	1913	インド	1913
ベルギー、フランス*、イタリア、日本、オランダ、ノルウェー*、イギリス、アメリカ	1914	アルゼンチン*、ブラジル*	1914		
資本移動：低（1915 ～ 1919年）					
		チリ*	1915		
資本移動：中（1920 ～ 1929年）					
ポルトガル*	1920	メキシコ	1920		
フィンランド、イタリア、オランダ*、ノルウェー	1921			インド	1921
カナダ、日本、台湾	1923	中国	1923		
オーストリア	1924				
ベルギー*、ドイツ*	1925	ブラジル、チリ*	1926		
日本、台湾	1927				
アメリカ*	1929	ブラジル、メキシコ*	1929	インド	1929
資本移動：低（1930 ～ 1969年）					
フランス、イタリア	1930				

巻末資料 A・3

銀行危機の略年表（1800 ～ 2008年）

高所得国		中所得国		低所得国	
国名	発生年	国名	発生年	国名	発生年
資本移動：低～中（1800 ～ 1879年）					
フランス	1802				
フランス	1805				
イギリス	1810				
スウェーデン	1811				
デンマーク	1813				
スペイン、アメリカ	1814				
イギリス	1815				
アメリカ	1818				
イギリス、アメリカ	1825				
アメリカ	1836				
カナダ、イギリス	1837				
イギリス	1847				
ベルギー	1848				
イギリス、アメリカ	1857			インド	1863
イタリア、イギリス	1866				
オーストリア、アメリカ	1873	ペルー	1873		
		南アフリカ	1877		
資本移動：高（1880 ～ 1914年）					
ドイツ	1880				
フランス	1882	メキシコ	1883		
アメリカ	1884				

TABLE A.2.4 Continued

Country	Period covered	Source	Commentary
Portugal	1851–1997	Instituto Nacional Estadisticas–Portuguese Statistical Agency	Lcu
	1914–1975	LofN, UN	Lcu
	1980–2007	Banco de Portugal	In euros from 1999
Russia	1922–1938	LofN, UN	Lcu
	1993–2005	Jeanne and Guscina (2006)	
Singapore	1969–1982	UN	Lcu
	1986–2006	Monetary Authority	Lcu
South Africa	1859–1914	Page (1919)	U.K. pound
	1910–1983	LofN, UN	Lcu
	1946–2006	South Africa Reserve Bank	Lcu
Spain	1850–2001	Estadisticas Historicas de España: Siglos XIX–XX	Lcu
	1999–2006	Banco de España	Euro
Sri Lanka	1950–1983	UN	Lcu
	1990–2006	Central Bank of Sri Lanka	Lcu
Sweden	1914–1984	LofN, UN	Lcu
	1950–2006	Riksgälden	Lcu
Thailand (Siam)	1913–1984	LofN, UN	Lcu
	1980–2006	Jeanne and Guscina (2006), Bank of Thailand	Lcu
Tunisia	1972–1982	UN	Lcu
	2004–2007	Central Bank of Tunisia	Lcu
Turkey	1933–1984	LofN, UN	Lcu
	1986–2007	Turkish Treasury	U.S. dollar
United Kingdom	1914–2007	LofN, UN	Lcu
United States	1791–2007	Treasury Direct	Lcu
Uruguay	1914–1947	LofN, UN	Lcu
	1972–1984		
	1980–2004	CLYPS	U.S. dollar
Venezuela	1914–1982	LofN, UN	Lcu
	1983–2005	Jeanne and Guscina (2006)	Lcu
Zimbabwe	1969–1982	UN	Lcu

TABLE A.2.4 Continued

Country	Period covered	Source	Commentary
Malaysia	1947–1957	LofN, UN	Lcu
	1976–1981		
	1980–2004	Jeanne and Guscina (2006)	
Mauritius	1970–1984	LofN, UN	Lcu
	1998–2007	Bank of Mauritius	Lcu
Mexico	1814–1946	Bazant (1968)	Not continuous
	1914–1979	LofN, UN	Lcu
	1980–2006	Direccion General de la Deuda Publica	
Morocco	1965–1980	UN	Lcu
The Netherlands	1880–1914	Flandreau and Zumer (2004)	Lcu
	1914–1977	LofN, UN	Lcu
	1914–2008	Dutch State Treasury Agency	Lcu
New Zealand	1858–2006	Statistics New Zealand, New Zealand Treasury	Lcu
Nicaragua	1914–1945	LofN, UN	Lcu
	1970–1983		
	1991–2005	CLYPS	U.S. dollar
Norway	1880–1914	Flandreau and Zumer (2004)	Lcu
	1913–1983	LofN, UN	Lcu
	1965–2007	Ministry of Finance	Lcu
Panama	1915–1983	LofN, UN	U.S. dollar
	1980–2005	CLYPS	U.S. dollar
Paraguay	1927–1947	LofN, UN	Lcu
	1976–1982		
	1990–2004	CLYPS	U.S. dollars
Peru	1918–1970	LofN, UN	Lcu
	1990–2005	CLYPS	U.S. dollar
The Philippines	1948–1982	LofN, UN	Lcu
	1980–2005	GFD, Jeanne and Guscina (2006)	
Poland	1920–1947	LofN, UN	Lcu
	1994–2004	Jeanne and Guscina (2006)	Lcu

TABLE A.2.4 Continued

Country	Period covered	Source	Commentary
Dominican Republic	1914–1952	LofN, UN	Lcu
Ecuador	1914–1972	LofN, UN	Lcu
	1990–2006	Ministry of Finance	U.S. dollar
Egypt	1914–1959	LofN, UN	Lcu
	2001–2005	Ministry of Finance	Lcu
France	1913–1972	LofN, UN	Lcu
	1999–2007	Ministère du Budget, des comptes public	Lcu
Greece	1920–1983	LofN, UN	Lcu
	1912–1941	UN	
Guatemala	1921–1982	LofN, UN	Lcu
	1980–2005	CLYPS	U.S. dollar
Honduras	1914–1971	LofN, UN	Lcu
	1980–2005		U.S. dollar
Hungary	1913–1942	LofN, UN	Lcu
	1992–2005	Jeanne and Guscina (2006)	
India	1840–1920	Statistical Abstract Relating to British India (various years)	
	1913–1983	LofN, UN	Lcu
	1980–2005	Jeanne and Guscina (2006)	
Indonesia	1972–1983	UN	Lcu
	1998–2005	Bank Indonesia, GDF	
Italy	1880–1913	Flandreau and Zumer (2004)	Lcu
	1882–2007	Dipartamento del Tesoro	Lcu
	1894–1914	LofN, UN	Lcu
Japan	1872–2007	Historical Statistics of Japan, Bank of Japan	Lcu
	1914–1946	UN	
Kenya	1961–1980	LofN, UN	Lcu
	1997–2007	Central Bank of Kenya	Lcu
Korea	1970–1984	LofN, UN	Lcu
	1990–2004	Jeanne and Guscina (2006)	Lcu

(*continued*)

TABLE A.2.4
Domestic public debt

Country	Period covered	Source	Commentary
Argentina	1863–1971	Garcia Vizcaino (1972)	Lcu
	1914–1981	LofN, UN	Lcu
	1980–2005	GFD, Jeanne and Guscina (2006)	
Australia	1914–1981	LofN, UN	Lcu
	1980–2007	Australian Office of Financial Management	Lcu
Austria	1945–1984	UN	Lcu
	1970–2006	Austrian Federal Financing Agency	Euro
Belgium	1914–1983	LofN, UN	Lcu
	1992–2007	BNB, Centre d'études économiques de la KUL	
Bolivia	1914–1953	LofN, UN	Lcu
	1968–1981		
	1991–2004	CLYPS	U.S. dollar
Brazil	1923–1972	LofN, UN	Lcu
	1991–2005	GFD, Jeanne and Guscina (2006)	
Canada	1867–2007	Statistics Canada, Bank of Canada	Lcu
Chile	1827–2000	Díaz et al. (2005)	Lcu
	1914–1953	LofN, UN	Lcu
	1914–1946	UN	
	1990–2007	Ministerio de Hacienda	U.S. dollar
China	1894–1949	RR (2008c)	Lcu
Colombia	1923–2006	Contraloria General de la Republica	Lcu
Costa Rica	1892–1914	Soley Güell (1926)	Lcu
	1914–1983	LofN, UN	Lcu
	1980–2007	CLYPS, Ministerio de Hacienda	U.S. dollar
Côte d'Ivoire	1970–1980	UN	Lcu
Denmark	1914–1975	LofN, UN	Lcu
	1990–2007	Danmarks Nationalbank	Lcu

TABLE A.2.3 Continued

Country	Period covered	Source	Commentary
Sri Lanka	1950–1983	UN	Lcu
	1970–2005	GFD	U.S. dollar
	1990–2006	Central Bank of Sri Lanka	Lcu
Sweden	1914–1984	LofN, UN	Lcu
	1950–2006	Riksgälden	Lcu
Thailand (Siam)	1913–1984	LofN, UN	Lcu
	1970–2005	GFD	U.S. dollar
	1980–2006	Jeanne and Guscina (2006), Bank of Thailand	Lcu
Tunisia	1970–2005	GFD	U.S. dollar
	2004–2007	Central Bank of Tunisia	Lcu
	1972–1982	LofN, UN	Lcu
Turkey	1854–1933	RR (2008c)	Estimated from debentures
	1933–1984	LofN, UN	Lcu
	1970–2005	GFD	U.S. dollar
	1986–2007	Turkish Treasury	U.S. dollar
United Kingdom	1914–2007	LofN, UN	Lcu
Uruguay	1871–1930	RR (2008c)	Estimated from debentures
	1914–1947, 1972–1984	LofN, UN	Lcu
	1970–2005	GFD	U.S. dollar
	1980–2004	CLYPS	U.S. dollar
Venezuela	1822–1842	RR (2008c)	Estimated from debentures, U.S. dollar
	1914–1982	LofN, UN	Lcu
Zambia	1970–2005	GFD	
Zimbabwe	1969–1982	UN	Lcu
	1970–2005	GFD	U.S. dollar

TABLE A.2.3 Continued

Country	Period covered	Source	Commentary
Nicaragua	1914–1945	LofN, UN	Lcu
	1970–1983		
	1970–2005	GDF	U.S. dollar
	1991–2005	CLYPS	U.S. dollar
Norway	1880–1914	Flandreau and Zumer (2004)	Lcu
	1913–1983	LofN, UN	Lcu
	1965–2007	Ministry of Finance	Lcu
Panama	1915–1983	LofN, UN	U.S. dollar
	1980–2005	CLYPS	U.S. dollar
Paraguay	1927–1947	LofN, UN	Lcu
	1976–1982		
	1970–2005	GFD	U.S. dollar
	1990–2004	CLYPS	U.S. dollar
Peru	1822–1930	RR (2008c)	Estimated from debentures
	1918–1970	LofN, UN	Lcu
	1990–2005	CLYPS	U.S. dollar
	1970–2005	GFD	U.S. dollar
The Philippines	1948–1982	LofN, UN	Lcu
	1970–2005	GFD	U.S. dollar
Poland	1920–1947	LofN, UN	Lcu
	1986–2005	GFD	U.S. dollar
Portugal	1851–1997	Instituto Nacional Estadisticas–Portuguese Statistical Agency	
	1914–1975	LofN, UN	Lcu
	1980–2007	Banco de Portugal	In euros from 1999
Russia	1815–1917	RR (2008c)	
	1922–1938	LofN, UN	Lcu
	1993–2005	Jeanne and Guscina (2006)	
Singapore	1969–1982	UN	Lcu
South Africa	1859–1914	Page (1919)	U.K. pound
	1910–1983	LofN, UN	Lcu
	1946–2006	South Africa Reserve Bank	Lcu
Spain	1850–2001	Estadisticas Historicas de España: Siglos XIX–XX	Lcu
	1999–2006	Banco de España	Euro

TABLE A.2.3 Continued

Country	Period covered	Source	Commentary
Indonesia	1972–1983	UN	Lcu
	1970–2005	GDF	U.S. dollar
Italy	1880–1913	Flandreau and Zumer (2004)	Lcu
	1914–1984	LofN, UN	Lcu
	1982–2007	Dipartamento del Tesoro	Lcu
Japan	1872–2007	Historical Statistics of Japan, Bank of Japan	Lcu
	1910–1938	Mizoguchi and Umemura (1988)	Yen
Kenya	1961–1980	LofN, UN	Lcu
	1970–2005	GDF	U.S. dollar
	1997–2007	Central Bank of Kenya	Lcu
Korea	1970–1984	LofN, UN	Lcu
	1970–2005	GDF	U.S. dollar
	1990–2004	Jeanne and Guscina (2006)	U.S. dollar
Malaysia	1947–1957	LofN, UN	Lcu
	1976–1981		
	1970–2005	GDF	U.S. dollar
	1980–2004	Jeanne and Guscina (2006)	
Mauritius	1970–1984	LofN, UN	Lcu
	1970–2005	GDF	U.S. dollar
	1998–2007	Bank of Mauritius	Lcu
Mexico	1814–1946	Bazant (1968)	Not continuous
	1820–1930	RR (2008c)	Estimated from debentures
	1914–1979	LofN, UN	Lcu
	1970–2005	GDF	U.S. dollar
	1980–2006	Direccion General de la Deuda Publica	
Morocco	1965–1980	UN	Lcu
	1970–2005	GDF	U.S. dollar
The Netherlands	1880–1914	Flandreau and Zumer (2004)	Lcu
	1914–1977	LofN, UN	Lcu
	1914–2008	Dutch State Treasury Agency	Lcu
New Zealand	1858–2006	Statistics New Zealand, New Zealand Treasury	Lcu

(*continued*)

TABLE A.2.3 Continued

Country	Period covered	Source	Commentary
Colombia	1923–2006	Contraloria General de la Republica	Lcu
Costa Rica	1892–1914	Soley Güell (1926)	Lcu
	1914–1983	LofN, UN	Lcu
	1980–2007	CLYPS, Ministerio de Hacienda	U.S. dollar
Côte d'Ivoire	1970–2005	GFD	U.S. dollar
Dominican Republic	1914–1952	LofN, UN	Lcu
	1961–2004	Banco de la Republica	U.S. dollar
Ecuador	1914–1972	LofN, UN	Lcu
	1970–2005	GFD	U.S. dollar
	1990–2007	Ministry of Finance	U.S. dollar
Egypt	1862–1930	RR	Estimated from debentures
	1914–1959	LofN, UN	Lcu
	1970–2005	GFD	U.S. dollar
France	1913–1972	LofN, UN	Lcu
	1999–2007	Ministère du Budget, des comptes public	Lcu
Germany	1914–1983	LofN, UN	Lcu
Greece	1920–1983	LofN, UN	Lcu
Guatemala	1921–1982	LofN, UN	Lcu
	1970–2005	GFD	U.S. dollar
	1980–2005	CLYPS	U.S. dollar
Honduras	1914–1971	LofN, UN	Lcu
	1970–2005	GDF	U.S. dollar
	1980–2005		U.S. dollar
Hungary	1913–1942	LofN, UN	Lcu
	1982–2005	GDF	U.S. dollar
	1992–2005	Jeanne and Guscina (2006)	
India	1840–1920	Statistical Abstract Relating to British India (various years)	
	1913–1983	LofN, UN	Lcu
	1980–2005	Jeanne and Guscina (2006)	

TABLE A.2.3
External public debt

Country	Period covered	Source	Commentary
Algeria	1970–2005	GFD	U.S. dollar
Angola	1989–2005	GFD	U.S. dollar
Argentina	1863–1971	Garcia Vizcaino (1972)	Lcu
	1914–1981	LofN, UN	Lcu
	1970–2005	GFD	U.S. dollar
Australia	1852–1914	Page (1919)	
	1914–1981	LofN, UN	Lcu
	1980–2007	Australian Office of Financial Management	Lcu
Austria	1945–1984	UN	Lcu
	1970–2006	Austrian Federal Financing Agency	Euro
Belgium	1914–1981	LofN, UN	Lcu
	1992–2007		
Bolivia	1914–1953	LofN, UN	Lcu
	1968–1981		
	1970–2005	GFD	
	1991–2004	CLYPS	U.S. dollar
Brazil	1824–2000	Instituto Brasileiro de Geografia e Estatistica	U.K. pound and U.S. dollar
	1923–1972	LofN, UN	Lcu
	1970–2005	GFD	U.S. dollar
	1991–2005	Jeanne and Guscina (2006)	U.S. dollar
Canada	1867–2007	Statistics Canada, Bank of Canada	Lcu
Central African Republic	1970–2005	GFD	U.S. dollar
Chile	1822–2000	Díaz et al. (2005)	Lcu
	1970–2005	GFD	U.S. dollar
	1822–1930	RR (2008c)	Estimated from debentures
China	1865–1925	RR (2008c)	Estimated from debentures
	1981–2005	GFD	U.S. dollar

(*continued*)

TABLE A.2.2 Continued

Country	Period covered	Source	Commentary
Sweden	1880–1913	Flandreau and Zumer (2004)	
	1914–1984	LofN, UN	Lcu
	1950–2006	Riksgälden	Lcu
Thailand (Siam)	1913–1984	LofN, UN	Lcu
	1980–2006	Jeanne and Guscina (2006), Bank of Thailand	
Tunisia	1972–1982	LofN, UN	Lcu
	2004–2007	Central Bank of Tunisia	Lcu
Turkey	1933–1984	LofN, UN	Lcu
	1986–2007	Turkish Treasury	U.S. dollar
United Kingdom	1693–1786	Quinn (2004)	Total funded debt
	1781–1915	Page (1919), Bazant (1968)	1787–1815, not continuous
	1850–2007	U.K. Debt Management Office	
United States	1791–2007	Treasury Direct	
Uruguay	1914–1947	LofN, UN	Lcu
	1972–1984		
	1999–2007	Banco Central del Uruguay	U.S. dollar
Venezuela	1914–1982	LofN, UN	
	1983–2005	Jeanne and Guscina (2006)	
Zimbabwe	1924–1936	Frankel (1938)	U.K. pound
	1969–1982	UN	

TABLE A.2.2 Continued

Country	Period covered	Source	Commentary
Norway	1880–1914	Flandreau and Zumer (2004)	Lcu
	1913–1983	LofN, UN	Lcu
	1965–2007	Ministry of Finance	Lcu
Panama	1915–1983	LofN, UN	U.S. dollar
	1980–2005	CLYPS	U.S. dollar
Paraguay	1927–1947	LofN, UN	Lcu
	1976–1982		
	1990–2004	CLYPS	U.S. dollar
Peru	1918–1970	LofN, UN	Lcu
	1990–2005	CLYPS	U.S. dollar
The Philippines	1948–1982	LofN, UN	Lcu
	1980–2005	GFD, Jeanne and Guscina (2006)	
Poland	1920–1947	LofN, UN	
	1994–2004	GFD, Jeanne and Guscina (2006)	
Portugal	1851–1997	Instituto Nacional Estadisticas–Portuguese Statistical Agency	
	1914–1975	LofN, UN	Lcu
	1980–2007	Banco de Portugal	In euros from 1999
Russia	1880–1914	Crisp (1976), Flandreau and Zumer (2004)	French franc and lcu
	1922–1938	LofN, UN	Lcu
	1993–2005	Jeanne and Guscina (2006)	
Singapore	1969–1982	UN	Lcu
	1986–2006	Monetary Authority	Lcu
South Africa	1859–1914	Page (1919)	U.K. pound
	1910–1982	LofN, UN	Lcu
	1946–2006	South Africa Reserve Bank	Lcu
Spain	1504–1679	ESFDB	Not continuous
	1850–2001	Estadisticas Historicas de España: Siglos XIX–XX	Lcu
	1999–2006	Banco de España	Euro
Sri Lanka	1861–1914	Page (1919)	U.K. pound
	1950–1983	UN	Lcu
	1990–2006	Central Bank of Sri Lanka	Lcu

(*continued*)

TABLE A.2.2 Continued

Country	Period covered	Source	Commentary
India	1840–1920	Statistical Abstract Relating to British India	
	1913–1983	LofN, UN	Lcu
	1980–2005	Jeanne and Guscina (2006)	
Indonesia	1972–1983	UN	Lcu
	1998–2005	Bank Indonesia, GDF	
Italy	1880–1913	Flandreau and Zumer (2004)	Lcu
	1914–1894	LofN, UN	Lcu
	1982–2007	Dipartamento del Tesoro	Lcu
Japan	1872–2007	Historical Statistics of Japan, Bank of Japan	Lcu
Kenya	1911–1935	Frankel (1938)	U.K. pound
	1961–1980	LofN, UN	Lcu
	1997–2007	Central Bank of Kenya	Lcu
Korea	1910–1938	Mizoguchi and Umemura (1988)	Yen
	1970–1984	LofN, UN	
	1990–2004	Jeanne and Guscina (2006)	
Malaysia	1947–1957	UN	Lcu
	1976–1981		
	1980–2004	Jeanne and Guscina (2006)	
Mauritius	1970–1984	LofN, UN	Lcu
	1998–2007		Lcu
Mexico	1814–1946	Bazant (1968)	Not continuous
	1914–1979	LofN, UN	Lcu
	1980–2006	Direccion General de la Deuda Publica	
Morocco	1965–1980	UN	Lcu
The Netherlands	1880–1914	Flandreau and Zumer (2004)	Lcu
	1914–1977	LofN, UN	Lcu
	1914–2008	Dutch State Treasury Agency	Lcu
New Zealand	1858–2006	Statistics New Zealand, New Zealand Treasury	Lcu
Nicaragua	1914–1945	LofN, UN	Lcu
	1970–1983		
	1991–2005	CLYPS	U.S. dollar

TABLE A.2.2 Continued

Country	Period covered	Source	Commentary
Denmark	1880–1913	Flandreau and Zumer (2004)	Lcu
	1914–1975	LofN, UN	Lcu
	1990–2007	Danmarks National Bank	Lcu
Dominican Republic	1914–1952	LofN, UN	Lcu
Ecuador	1914–1972	LofN, UN	Lcu
	1990–2006	Ministry of Finance	U.S. dollar
Egypt	1914–1959	LofN, UN	Lcu
	2001–2005	Ministry of Finance	Lcu
El Salvador	1914–1963, 1976–1983	LofN, UN	Lcu
	1990–2004	CLYPS	U.S. dollar
	2003–2007	Banco Central de Reserva	U.S. dollar
Finland	1914–1983	LofN, UN	Lcu
	1978–2007	State Treasury Finland	Lcu
France	1880–1913	Flandreau and Zumer (2004)	Lcu
	1913–1972	LofN, UN	Lcu
	1999–2007	Ministère du Budget, des comptes public	Lcu
Germany	1880–1913	Flandreau and Zumer (2004)	Lcu
	1914–1983	LofN, UN	Lcu
	1950–2007	Bundesbank	Lcu
Greece	1869–1893	Levandis (1944)	Not continuous, Lcu
	1880–1913	Flandreau and Zumer (2004)	Lcu
	1920–1983	LofN, UN	Lcu
	1993–2006	OECD	
Guatemala	1921–1982	LofN, UN	Lcu
	1980–2005	CLYPS	U.S. dollar
Honduras	1914–1971	LofN, UN	Lcu
	1980–2005	CLYPS	U.S. dollar
Hungary	1913–1942	LofN, UN	Lcu
	1992–2005	Jeanne and Guscina (2006)	

(*continued*)

TABLE A.2.2
Total (domestic plus external) public debt

Country	Period covered	Source	Commentary
Argentina	1863–1971	Garcia Vizcaino (1972)	Lcu
	1914–1981	LofN, UN	Lcu
	1980–2005	GFD, Jeanne and Guscina (2006)	
Australia	1852–1914	Page (1919)	
	1914–1981	LofN, UN	Lcu
	1980–2007	Australian Office of Financial Management	Lcu
Austria	1880–1913	Flandreau and Zumer (2004)	Lcu
	1945–1984	UN	Lcu
	1970–2006	Austrian Federal Financing Agency	Euro
Belgium	1830–2005	BNB, Centre d'études économiques de la KUL	Euro
Bolivia	1914–1953	LofN, UN	Lcu
	1968–1981		
	1991–2004	CLYPS	U.S. dollar
Brazil	1880–1913	Flandreau and Zumer (2004)	Lcu
	1923–1972	LofN, UN	Lcu
	1991–2005	GFD, Jeanne and Guscina (2006)	
Canada	1867–2007	Statistics Canada, Bank of Canada	Lcu
Chile	1827–2000	Diaz et al. (2005)	Lcu
	1914–1953	LofN, UN	Lcu
	1990–2007	Ministerio de Hacienda	U.S. dollar
China	1894–1950	Cheng (2003), Huang (1919), RR (2008c)	
	1981–2005	GFD, Jeanne and Guscina (2006) (2006)	
Colombia	1923–2006	Contraloria General de la Republica	Lcu
Costa Rica	1892–1914	Soley Güell (1926)	Lcu
	1914–1983	LofN, UN	Lcu
	1980–2007	CLYPS, Ministerio de Hacienda	U.S. dollar
Côte d'Ivoire	1970–1980	UN	Lcu

TABLE A.2.1 Continued

Country	Period covered	Sources	Commentary
Mexico	1824–1946	Bazant (1968), LM, MAR	Includes first loan
	1928–1944	UN	
Panama	1923–1930	UN	
	1928–1945	UN	
Peru	1822–1930	MAR	Includes first loan
	1928–1945	UN	
Russia	1815–1916	Miller (1926), Crisp (1976), LM	
South Africa	1928–1946	UN	
Thailand (Siam)	1928–1947	UN	
Turkey	1854–1965	Clay (2000), LM	Includes first loan
	1933–1939	UN	
Uruguay	1871–1939	MAR	
	1928–1947	UN	
Venezuela	1822–1930	MAR	Includes first loan
	1928–1947	UN	

TABLE A.2.1
Public debentures: External government bond issues

Country	Period covered	Sources	Commentary
Argentina	1824–1968	LM, MAR	Includes first loan
	1927–1946	UN	
Australia	1857–1978	LM, Page (1919)	
	1927–1946	UN	
Bolivia	1864–1930	MAR	
	1927–1946	UN	
Brazil	1843–1970	Bazant (1968), LM, MAR, Summerhill (2006)	Includes first loan
	1928–1946	UN	
Canada	1860–1919	LM	
	1928–1946	UN	
Chile	1822–1830	LM, MAR	Includes first loan
	1928–1946	UN	
China	1865–1938	Huang (1919), Winkler (1928)	
Colombia	1822–1929	MAR	
	1928–1946	UN	
Costa Rica	1871–1930	MAR	
Egypt	1862–1965	Landes (1958), LM	Includes first loan
	1928–1946	UN	
El Salvador	1922–1930	MAR	
	1928–1946	UN	
Greece	1824–1932	Levandis (1944)	Includes first loan (independence loan)
	1928–1939	UN	
Guatemala	1856–1930	MAR	
	1928–1939	UN	
Honduras	1867–1930	MAR	
India	1928–1945	UN	
Japan	1870–1965	LM	Includes first loan
	1928–1939	UN	

巻末資料 A・2
公的債務

This appendix covers the government debt series used, while appendix A.1 is devoted to the database on macroeconomic time series.

Abbreviations of Frequently Used Sources and Terms

Additional sources are listed in the tables that follow.

BNB	Banque Nationale de Belgique
CLYPS	Cowan, Levy-Yeyati, Panizza, Sturzenegger (2006)
ESFDB	European State Finance Database
GDF	World Bank, *Global Development Finance*
GFD	Global Financial Data
IFS	International Monetary Fund, *International Financial Statistics* (various issues)
Lcu	local currency units
LM	Lindert and Morton (1989)
LofN	League of Nations, *Statistical Yearbook* (various years)
MAR	Marichal (1989)
MIT	Mitchell (2003a, 2003b)
RR	Reinhart and Rogoff (year as noted)
UN	United Nations, *Statistical Yearbook* (various years)
WEO	International Monetary Fund, *World Economic Outlook* (various issues)

TABLE A.1.11
Stock market indexes (equity prices) (local currency and U.S. dollars)

Country	Period covered	Country	Period covered
Argentina	1967–2008	Korea	1962–2008
Australia	1875–2008	Malaysia	1970–2008
Austria	1922–2008	Mexico	1930–2008
Belgium	1898–2008	The Netherlands	1919–2008
Brazil	1954–2008	New Zealand	1931–2008
Canada	1914–2008	Norway	1918–2008
Chile	1927–2008	Pakistan	1960–2008
Colombia	1929–2008	Peru	1932–2008
Denmark	1915–2008	The Philippines	1952–2008
Finland	1922–2008	Portugal	1931–2008
France	1856–2008	Singapore	1966–2008
Germany	1856–2008	South Africa, Union of	1910–2008
Greece	1952–2008	Spain	1915–2008
Hong Kong	1962–2008	Sweden	1913–2008
India	1921–2008	Switzerland	1910–2008
Ireland	1934–2008	Taiwan	1967–2008
Israel	1949–2008	United Kingdom	1800–2008
Italy	1906–2008	United States	1800–2008
Japan	1915–2008	Venezuela	1937–2008
Kenya	1964–2008	Zimbabwe	1968–2008

Source: Global Financial Data.

TABLE A.1.10 Continued

Country	Period covered	Source	Commentary
South Korea	1986:1–2006:12	Kookmin Bank	Housing price index
	2007:Q1–2008:Q1	Kookmin Bank	Housing price index
Spain	1990:Q1–2008:Q1	Banco de España	House price index, appraised housing, Spain
	1970–2007	Bank for International Settlements	House price index, appraised housing, Spain
Thailand	1991:Q1–2008:Q4	Bank of Thailand	House price index, single detached house
United Kingdom	1952:1–2008:4	Nationwide	Average house price, U.K.
	1970–2007	Bank for International Settlements	House price index, U.K.
United States	1890–2007	Standard and Poor's	Case-Shiller national price index, U.S.
	1987:Q1–2008:Q2	Standard and Poor's	Case-Shiller national price index, U.S.

TABLE A.1.10
Real house prices

Country	Period covered	Source	Commentary
Argentina	1981–2007	Reporte Immobiliario	Average value of old apartments, Buenos Aires
Colombia	1997:Q1–2007:Q4	Departamento Administrativo Nacional de Estadistica	New housing price index, total twenty-three municipalities
Finland	1983:Q1–2008:Q1	StatFin Online Service	Dwellings in old blocks of flats, Finland
	1970–2007	Bank for International Settlements	House price index, Finland
Hong Kong	1991:7–2008:2	Hong Kong University	Real estate index series, Hong Kong
Hungary	2000–2007	Otthon Centrum	Average price of old condominiums, Budapest
Iceland	2000:3–2008:4	Statistics Iceland	House price index, Iceland
Indonesia	1994:Q1–2008:Q1	Bank of Indonesia	Residential property price index, new houses, new developments, big cities
Ireland	1996:Q1–2008:Q1	ESRI, Permanent TSB	House prices, standardized, Ireland
Japan	1955:H1–2007:H2	Japan Real Estate Institute	Land prices, urban, residential index, Japan
Malaysia	2000:Q1–2007:Q4	Bank Negara	House price index, Malaysia
Norway	1970–2007	Bank for International Settlements	House price index, all dwellings, Norway
	1819–2007	Norges Bank	Housing prices, Norway
The Philippines	1994:Q4–2007:Q4	Colliers International: Philippines	Prime three-bedroom condominiums, Makati Central Business District

TABLE A.1.9
Global indicators and financial centers

Country	Series	Period covered	Sources
United Kingdom	Current account balance/ GDP	1816–2006	Imlah (1958), MIT, United Kingdom National Statistics
	Consol rate	1790–2007	GFD, Bank of England
	Discount rate	1790–2007	GFD, Bank of England
United States	Current account balance/ GDP	1790–2006	Carter et al. (2006), WEO
	60- to 90-day commercial paper	1830–1900	Carter et al. (2006)
	Discount rate	1915–2007	GFD, Board of Governors of the Federal Reserve
	Federal funds rate	1950–2007	Board of Governors of the Federal Reserve
	Long-term bond	1798–2007	Carter et al. (2006), Board of Governors of the Federal Reserve
World	Commodity prices, nominal and real	1790–1850	Gayer, Rostow, and Schwartz (1953)
		1854–1990	Boughton (1991)
		1862–1999	*Economist*
		1980–2007	WEO
	Sovereign external default dates	1341–2007	Suter (1992), Purcell and Kaufman (1993), Reinhart, Rogoff, and Savastano (2003a), MacDonald (2006), Standard and Poor's (various issues)

TABLE A.1.8 Continued

Country	Period covered	Sources	Currency, commentary
Nicaragua	1895–2007	GFD, WEO	
Norway	1851–2007	GFD, WEO	
Panama	1905–2007	GFD, WEO	Lcu
Paraguay	1879–1949 1923–2007	GFD, WEO	U.S. dollar
Peru	1866–1952 1882–2007	GFD, WEO	Lcu U.S. dollar
The Philippines	1884–2007	GFD, WEO	
Poland	1924–2007	GFD, WEO	
Portugal	1861–2007	GFD, WEO	
Romania	1862–1993 1921–2007	GFD, WEO	Lcu U.S dollar
Russia	1802–1991 1815–2007	GFD, WEO	Lcu U.S. dollar
Singapore	1948–2007	GFD, WEO	
South Africa	1826–2007 1900–2007	GFD, WEO	Lcu U.S. dollar
Spain	1822–2007	GFD, WEO	
Sri Lanka	1825–2007 1900–2007	GFD, WEO	Lcu U.S. dollar
Sweden	1832–2007	GFD, WEO	
Taiwan	1891–2007	GFD, WEO	
Thailand (Siam)	1859–2007	GFD, WEO	
Turkey	1878–2007	GFD, WEO	
United Kingdom	1796–2007	GFD, WEO	
United States	1788–2007	GFD, WEO	
Uruguay	1862–1930 1899–2007	GFD, WEO	
Venezuela	1830–2007 1900–2007	GFD, WEO	
Zambia	1908–2007	GFD, WEO	
Zimbabwe	1900–2007	GFD, WEO	

TABLE A.1.8 Continued

Country	Period covered	Sources	Currency, commentary
El Salvador	1859–1988	GFD, WEO	Exports begin in 1854, lcu
	1870–2007		U.S. dollar
Finland	1818–2007	GFD, WEO	Lcu
	1900–2007		U.S. dollar
France	1800–2007	GFD, WEO	
Germany	1880–2007	GFD, WEO	
Ghana	1850–2007	GFD, WEO	Lcu
	1900–2007		U.S. dollar
Greece	1849–2007	GFD, WEO	Lcu
	1900–2007		U.S. dollar
Guatemala	1851–2007	GFD, WEO	
Honduras	1896–2007	GFD, WEO	
India	1832–2007	GFD, WEO	
Indonesia	1823–1974	GFD, WEO	Lcu
	1876–2007		U.S. dollar
Italy	1861–2007	GFD, WEO	
Japan	1862–2007	GFD, WEO	
Kenya	1900–2007	GFD, WEO	
Korea	1886–1936	GFD, WEO	Lcu
	1905–2007		U.S. dollar
Malaysia	1905–2007	GFD, WEO	Includes Singapore until 1955
Mauritius	1833–2007	GFD, WEO	Lcu
	1900–2007		U.S. dollar
Mexico	1797–1830	GFD, WEO	U.K. pound
	1872–2007		Lcu
	1797–1830		U.S. dollar
	1872–2007		
Morocco	1947–2007	GFD, WEO	
Myanmar (Burma)	1937–2007	GFD, WEO	
The Netherlands	1846–2007	GFD, WEO	

(continued)

TABLE A.1.8
Total exports and imports (local currency units and U.S. dollar, as noted)

Country	Period covered	Sources	Currency, commentary
Algeria	1831–2007	GFD, WEO	
Angola	1891–2007	GFD, WEO	
Argentina	1864–2007	GFD, WEO	Lcu
	1885–2007	GFD, WEO	U.S. dollar
	1880–1913	Flandreau and Zumer (2004)	Exports
Australia	1826–2007	GFD, WEO	
Austria	1831–2007	GFD, WEO	
Belgium	1846–2007	GFD, WEO	
	1816–2007	GFD, WEO	U.S. dollar
Bolivia	1899–1935	GFD	Lcu
	1899–2007		U.S. dollar
Brazil	1821–2007	GFD, WEO	
	1880–1913	Flandreau and Zumer (2004)	Exports
Canada	1832–2007	GFD, WEO	Lcu
	1867–2007		U.S. dollar
Chile	1857–1967	GFD, WEO	Lcu
China	1865–1937	GFD, WEO	Lcu
	1950–2007		
Colombia	1835–1938		Lcu
	1919–2007	GFD, WEO	U.S. dollar
Costa Rica	1854–1938	GFD, WEO	Lcu
	1921–2007		U.S. dollar
Côte d'Ivoire	1892–2007	GFD, WEO	Lcu
	1900–2007		U.S. dollar
Denmark	1841–2007	GFD, WEO	Exports begin in 1818, lcu
	1865–2007		U.S. dollar
Ecuador	1889–1949	GFD, WEO	Lcu
	1924–2007		U.S. dollar
Egypt	1850–2007	GFD, WEO	Lcu
	1869–2007		U.S. dollar

TABLE A.1.7 Continued

Country	Period covered	Sources	Commentary
Sweden	1881–1993	MIT	
	1980–2003	KRV	
Taiwan	1898–1938	MIT	
	1950–2000		
Thailand (Siam)	1891–2000	MIT	Revenue began in 1851
	1963–2003	KRV	
Tunisia	1909–1954	MIT	
	1965–1999		
	1963–2003	KRV	
Turkey	1923–2000	MIT	
	1963–2003	KRV	
United Kingdom	1486–1815	ESFDB	
	1791–1993	MIT	
	1963–2003	KRV	
United States	1789–1994	MIT	
	1960–2003	KRV	
Uruguay	1871–1999	MIT	
	1963–2003	KRV	
Venezuela	1830–1998	MIT	
	1963–2003	KRV	
Zambia	1963–2003	KRV	
Zimbabwe	1894–1997	MIT	
	1963–2003	KRV	

TABLE A.1.7 Continued

Country	Period covered	Sources	Commentary
Norway	1850–1992	MIT	
	1965–2003	KRV	
Panama	1909–1996	MIT	
	1963–2003	KRV	
Paraguay	1881–1900	MIT	Revenues through 1902
	1913–1993		
	1963–2003	KRV	
Peru	1846–1998	MIT	
	1963–2003	KRV	
The Philippines	1901–2000	MIT	Missing data for World War II
	1963–2003	KRV	
Poland	1922–1937	MIT	
	1947–1993		Expenditure only
Portugal	1879–1902	MIT	
	1917–1992		
	1975–2003	KRV	
Romania	1883–1992	MIT	Expenditure begins in 1862
Russia	1769–1815	ESFDB	
	1804–1914	MIT	
	1924–1934		
	1950–1990		
	1931–1951	Condoide (1951)	National budget
Singapore	1963–2000	MIT	
South Africa	1826–1904	MIT	Natal began in 1850
	1905–2000		
	1963–2003	KRV	
Spain	1520–1553	ESFDB	Not continuous
	1753–1788		
	1850–1997	MIT	
	1965–2003	KRV	
Sri Lanka	1811–2000	MIT	
	1963–2003	KRV	

TABLE A.1.7 Continued

Country	Period covered	Sources	Commentary
	1816–1939	MIT	
	1959–1999		
	1963–2003	KRV	
Italy	1862–1993	MIT	
	1965–2003	KRV	
Japan	1868–1993	MIT	
	1963–2003	KRV	
Kenya	1895–2000	MIT	
	1970–2003	KRV	
Korea	1905–1939	MIT	Japanese yen
	1949–1997		South Korea
	1963–2003	KRV	
Malaysia	1883–1938	MIT	Malaya
	1946–1999		
	1963–2003	KRV	
Mauritius	1812–2000	MIT	
	1963–2003	KRV	
Mexico	1825–1998	MIT	
	1963–2003	KRV	
Morocco	1938–2000	MIT	Revenues also 1920–1929
	1963–2003	KRV	
Myanmar (Burma)	1946–1999	MIT	
	1963–2003	KRV	
The Netherlands	1845–1993	MIT	
	1965–2003	KRV	
New Zealand	1841–2000	MIT	
	1965–2003	KRV	
Nicaragua	1900–1999	MIT	
	1963–2003	KRV	
Nigeria	1874–1998	MIT	
	1963–2003	KRV	

(*continued*)

TABLE A.1.7 Continued

Country	Period covered	Sources	Commentary
Dominican Republic	1905–1999	MIT	
	1963–2003	KRV	
Ecuador	1884–1999	MIT	
	1979–2003	KRV	
Egypt	1821–1879	Landes (1958)	
	1852–1999	MIT	
	1963–2003	KRV	
El Salvador	1883–1999	MIT	
	1963–2003	KRV	
Finland	1882–1993	MIT	
	1965–2003	KRV	
France	1600–1785	ESFDB	
	1815–1993	MIT	
	1965–2003	KRV	
Germany (Prussia)	1688–1806	ESFDB	
Germany	1872–1934	MIT	Revenues end in 1942
	1946–1993		West Germany
	1979–2003	KRV	
Greece	1885–1940	MIT	Expenditure begins in 1833 and again in 1946
	1954–1993		
	1963–2003	KRV	
Guatemala	1882–1999	MIT	
	1963–2003	KRV	
Honduras	1879–1999	MIT	
	1963–2003	KRV	
Hungary	1868–1940	MIT	
India	1810–2000	MIT	
	1963–2003	KRV	
Indonesia	1821–1940	Mellegers (2006)	Netherlands East Indies, florins, high government

TABLE A.1.7 Continued

Country	Period covered	Sources	Commentary
Austria	1791–1993	MIT	Missing data for World Wars I and II
	1965–2003	KRV	
Belgium	1830–1993		Missing data for World War I
	1965–2003	KRV	
Bolivia	1888–1999	MIT	Revenues begin in 1885
	1963–2003	KRV	
Brazil	1823–1994	Instituto Brasileiro de de Geografia e Estatística, MIT	
	1980–2003	KRV	
Canada	1806–1840	MIT	Lower Canada
	1824–1840		Upper Canada
	1867–1995		Canada
	1963–2003	KRV	
Central African Republic	1906–1912	MIT	
	1925–1973		
	1963–2003	KRV	
Chile	1810–1995	Braun et al. (2000)	Base = 1995
	1857–1998	MIT	
	1963–2003	KRV	
China	1927–1936	Cheng (2003)	Nationalist government
	1963–2003	KRV	
Colombia	1905–1999	MIT	
	1963–2003	KRV	
Costa Rica	1884–1999	MIT	
	1963–2003	KRV	
Côte d'Ivoire	1895–1912	MIT	
	1926–1999		
	1963–2003	KRV	
Denmark	1853–1993	MIT	
	1965–2003	KRV	

(*continued*)

TABLE A.1.6 Continued

Country	Period covered	Source	Commentary
United Kingdom	1830–2006	MAD, TED	
	1820–2006	RR (2008a)	Interpolation 1821–1829
United States	1870–2006	MAD, TED	
	1820–2006	RR (2008a)	Interpolation 1821–1869
Uruguay	1870–2005	MAD, TED	
Venezuela	1900–2005	MAD, TED	
	1820–2005	RR (2008a)	Interpolation 1821–1899
Zambia	1950–2005	MAD, TED	
Zimbabwe	1950–2005	MAD, TED	
	1919–2005	MAD, TED	

Note: The information is also available on a per capita basis.

TABLE A.1.7

Central government expenditures and revenues
(domestic currency units unless otherwise noted)

Country	Period covered	Sources	Commentary
Algeria	1834–1960 1964–1975 1994–1996	MIT	Revenues begin in 1830
	1963–2003	KRV	
Angola	1915–1973	MIT	
	1980–2003	KRV	
Argentina	1864–1999	MIT	
	1880–1913	Flandreau and Zumer (2004)	
	1963–2003	KRV	
Australia	1839–1900	MIT	Revenues begin in 1824, for New South Wales and other provinces circa 1840
	1901–1997	MIT	Commonwealth
	1965–2003	KRV	

TABLE A.1.6 Continued

Country	Period covered	Source	Commentary
Morocco	1950–2005	MAD, TED	
	1820–2005	RR (2008a)	Interpolation 1821–1949
Myanmar (Burma)	1950–2005	MAD, TED	
	1820–2005	RR (2008a)	Interpolation 1821–1949
Panama	1945–2005	MAD, TED	
	1939–2005	RR (2008a)	Interpolation 1939–1944
Paraguay	1939–2005	MAD, TED	
Peru	1895–2005	MAD, TED	
The Philippines	1902–2005	MAD, TED	
	1870–2005	RR (2008a)	Interpolation 1871–1901
Poland	1929–1938	MAD, TED	
	1950–2006		
	1870–2005	RR (2008a)	Interpolation 1871–1928
Portugal	1865–2006	MAD, TED	
	1820–2006	RR (2008a)	Interpolation 1821–1864
Romania	1926–1938	MAD, TED	
	1950–2006		
Russia	1928–2006	MAD, TED	
Singapore	1950–2005	MAD, TED	
	1820–2005	RR (2008a)	Interpolation 1821–1949
South Africa	1950–2005	MAD, TED	
	1905–2005	RR (2008a)	Interpolation 1905–1949
Spain	1850–2006	MAD, TED	
	1820–2005	RR (2008a)	Interpolation 1821–1849
Sweden	1820–2006	MAD, TED	
Thailand (Siam)	1950–2005	MAD, TED	
	1820–2005	RR (2008a)	Interpolation 1821–1949
Tunisia	1950–2005	MAD, TED	
	1820–2005	RR (2008a)	Interpolation 1821–1949
Turkey	1923–2005	MAD, TED	

(*continued*)

TABLE A.1.6 Continued

Country	Period covered	Source	Commentary
Ecuador	1939–2005	MAD, TED	
	1900–2000	OXF	Base = 1970
	1900–2005	RR (2008a)	Interpolation 1900–1938
Egypt	1950–2005	MAD, TED	
	1820–2005	RR (2008a)	Interpolation 1821–1949
El Salvador	1900–2000	OXF	Base = 1970
Finland	1860–2006	MAD, TED	
	1820–2006	RR (2008a)	Interpolation 1821–1859
France	1820–2006	MAD, TED	
Germany	1850–2006	MAD, TED	
	1820–2006	RR (2008a)	Interpolation 1821–1849
Greece	1921–2006	MAD, TED	
	1820–2006	RR (2008a)	Interpolation 1821–1920
Guatemala	1920–2005	MAD, TED	
Honduras	1920–2005	MAD, TED	
Hungary	1824–2006	MAD, TED	
	1870–2006	RR (2008a)	Interpolation 1871–1923
India	1884–2006	MAD, TED	
	1820–2006	RR (2008a)	Interpolation 1821–1883
Indonesia	1870–2005	MAD, TED	
	1820–2005	RR (2008a)	Interpolation 1821–1869
Japan	1870–2006	MAD, TED	
	1820–2006	RR (2008a)	Interpolation 1821–1869
Kenya	1950–2005	MAD, TED	
Korea	1911–2006	MAD, TED	
	1820–2006	RR (2008a)	Interpolation 1821–1910
Malaysia	1911–2005	MAD, TED	
	1820–2006	RR (2008a)	Interpolation 1821–1910
Mauritius	1950–2005	MAD, TED	
Mexico	1900–2006	MAD, TED	
	1820–2006	RR (2008a)	Interpolation 1821–1899

TABLE A.1.6
Gross national product (PPP in constant dollars)

Country	Period covered	Source	Commentary
Algeria	1950–2005	MAD, TED	
	1820–2005	RR (2008a)	Interpolation 1821–1949
Angola	1950–2005	MAD, TED	
Argentina	1875–2000	DIA	Base = 1996
	1900–2005	MAD, TED	
	1870–2005	RR (2008a)	Interpolation 1871–1899
Australia	1820–2006	MAD, TED	
Austria	1870–2006	MAD, TED	
	1820–2006	RR (2008a)	Interpolation 1821–1869
Belgium	1846–2006	MAD, TED	
	1820–2006	RR (2008a)	Interpolation 1821–1845
Bolivia	1945–2005	MAD, TED	
	1936–2005	RR (2008a)	Interpolation 1936–1944
Brazil	1820–2000	DIA	Base = 1996
	1870–2005	MAD, TED	
	1820–2005	RR (2008a)	Interpolation 1821–1869
Canada	1870–2006	MAD, TED	
	1820–2006	RR (2008a)	Interpolation 1821–1869
Central African Republic	1950–2003	MAD	
Chile	1810–2000	DIA	Base = 1996
	1820–2005	MAD, TED	
China	1929–1938	MAD, TED	
	1950–2006		
Colombia	1900–2005	MAD, TED	
Costa Rica	1920–2005	MAD, TED	
Denmark	1820–2006	MAD, TED	
Dominican Republic	1950–2005	MAD, TED	
	1942–2005	RR (2008a)	Interpolation 1942–1949

(*continued*)

TABLE A.1.5 Continued

Country	Period covered	Source	Commentary
United States	1790–2002	Carter et al. (2006)	Real, per capita
	1948–1999	GFD	
Uruguay	1935–1999	GFD	
	1955–2000	OXF	
	1900–2000	OXF	Real (base = 1970)
GNI	1955–1999	GFD	
Venezuela	1830–2002	Baptista (2006)	
	1900–2000	OXF	Real (base = 1970)
	1950–2007	GFD, WEO	

TABLE A.1.5 Continued

Country	Period covered	Source	Commentary
Mexico (*continued*)	1900–2000	OXF	
	1900–2000	OXF	Real (base = 1970)
	1925–1999	GFD	
Myanmar (Burma)	1913–1970	Bassino and Van der Eng (2006)	
	1950–1999	GFD	
The Netherlands	1800–1913	National Accounts of the Netherlands	
Norway	1830–2003	Grytten (2008)	
Peru	1900–2000	OXF	Real (base = 1970)
	1900–2000	OXF	Nominal
	1942–1999	GFD	
The Philippines	1910–1970	Bassino and Van der Eng (2006)	
	1946–1997	GFD, WEO	
Russia	1885–1913	Flandreau and Zumer (2004)	Nominal
GNI	1928–1940	GFD	
	1945–1995	GFD	
	1979–1997	GFD	
	1992–1999	GFD	Production
South Africa	1911–1999	GFD	
Sri Lanka	1900–1970	Bassino and Van der Eng (2006)	
Sweden	1720–2000	Edvinsson (2002)	Real, per capita
	1800–2000	Edvinsson (2002)	Nominal and real
Taiwan	1910–1970	Bassino and Van der Eng (2006)	
Thailand (Siam)	1946–2007	GFD, WEO	
	1910–1970	Bassino and Van der Eng (2006)	
Turkey	1923–2005	GFD	Nominal
	1950–1999	GFD	
United Kingdom	1830–1999	GFD	GNI
	1948–1999	GFD	

(*continued*)

TABLE A.1.5 Continued

Country	Period covered	Source	Commentary
Denmark	1818–1975	Nordic Historical National Accounts	
Egypt	1886–1945	Yousef (2002)	
	1952–2007	GFD, WEO	
	1821–1859	Landes (1958)	Cotton output
Finland	1860–2001	Nordic Historical National Accounts	
Greece	1833–1939	Kostelenos et al. (2007)	
	1880–1913	Flandreau and Zumer (2004)	
GNI	1927–1999	GFD	
	1948–1999	GFD	
India	1900–1921	GFD	
	1948–2007	GFD, WEO	
	1861–1899	Brahmananda (2001)	Real, per capita
	1820–2000	DIA	Index of total production
Indonesia	1815–1913	Van Zanden (2006)	Java
	1910–1970	Bassino and Van der Eng (2006)	
	1921–1939	GFD	
	1951–1999	GFD	
	1911–1938	GFD	
	1953–1999	GFD	
Korea	1911–1940	Cha and Kim (2006)	Thousand yen, GNI also calculated
GNI	1953–1999	GFD	
Malaysia	1910–1970	Bassino and Van der Eng (2006)	
	1949–1999	GFD	
Mexico	1820–2000	DIA	Index of total production (1995 = 100)

TABLE A.1.5
Index of nominal and real gross national product and output (domestic currency units)

Country	Period covered	Source	Commentary
Algeria	1950–2007	GFD, WEO, IFS	
Angola	1962–2007	GFD, WEO, IFS	
Argentina	1884–1913	Flandreau and Zumer (2004)	Nominal
	1875–2000	DIA	Index of total production (1995 = 100)
	1900–2000	OXF	Real (base = 1970)
	1900–2007	GFD, WEO	
Australia	1798–2007	GFD, WEO	Nominal
	1820–2000	DIA	Index of total production (1995 = 100)
Belgium	1835–2007	BNB, Centre d'études économiques de la Katholieke Universiteit Leuven	Nominal
Bolivia			
Brazil	1861–2007	GFD, WEO	Nominal
	1850–2000	DIA	Index of total production (1995 = 100)
	1900–2000	OXF	(Base = 1970)
Canada			
Chile	1810–2000	DIA	Index of total production (1995 = 100)
China (NNP)	1962–1999	GFD	
Colombia	1900–2000	OXF	Real (base = 1970)
	1925–1999	GFD	
Costa Rica	1947–1999	GFD	
Côte d' Ivoire			

(*continued*)

TABLE A.1.4
The silver content of currencies

Country	Period covered	Sources	Currency, commentary
Austria	1371–1860	Allen and Unger (2004)	Kreuzer, Vienna
Belgium	1349–1801	Korthals Altes (1996)	Hoet
France	1258–1789	Allen (2001), Allen and Unger (2004)	Livre tournois
Germany	1350–1798	Allen (2001), Allen and Unger (2004)	Pfennig, Frankfurt
	1417–1830	Allen (2001), Allen and Unger (2004)	Pfennig, Augsburg
Italy	1289–1858	Malanima (n.d.)	Lira fiorentina
The Netherlands	1366–1575	Allen and Unger (2004)	Flemish grote
	1450–1800	Van Zanden (2005)	Guilder
Portugal	1750–1855	Godinho (1955)	Reis
Russia	1761–1840	Lindert and Mironov (n.d.)	Common ruble
	1761–1815		Assignatzia
Spain	1351–1650	Allen and Unger (2004)	Dinar, Valencia
	1501–1800		Vellon maravedis, New Castile
	1630–1809	Allen and Unger (2004)	Real
Sweden	1523–1573	Soderberg (2004)	Mark ortug
Turkey	1555–1914	Ozmucur and Pamuk (2002)	Akche
United Kingdom	1261–1918	Allen and Unger (2004)	Penny
United States	1800–1979	Allen and Unger (2004)	Dollar

TABLE A.1.3
Early silver-based exchange rates (domestic currency units per U.K. penny)

Country	Period covered	Source	Currency, commentary
Austria	1371–1860	Allen and Unger (2004)	Kreuzer, Vienna
Belgium	1349–1801	Korthals Altes (1996)	Hoet
France	1258–1789	Allen and Unger (2004)	Livre tournois
Germany	1350–1830	Allen and Unger (2004)	Composite pfennig
Italy	1289–1858	Malanima (n.d.)	Lira fiorentina
Netherlands	1366–1800	Allen and Unger (2004), Van Zanden (2005)	Composite
Portugal	1750–1855	Godinho (1955)	Reis
Russia	1761–1840	Lindert and Mironov (n.d.)	Common ruble
Spain	1351–1809	Allen and Unger (2004)	Composite
Sweden	1523–1573	Söderberg (2004)	Mark ortug
Turkey	1555–1914	Ozmucur and Pamuk (2002)	Akche

TABLE A.1.2 Continued

Country	Period covered	Source	Other relevant rates
Romania	1814–2007	GFD	
	1900–2000	OXF, IFS	
	1921–2007	GDF, IFS	
Singapore	1834–2007	GFD, IFS	U.K. pound
South Africa	1900–2007	GFD, IFS	U.K. pound
Spain	1814–2007	GFD, IFS	German mark
Sri Lanka	1900–2007	GFD, IFS	U.K. pound
Sweden	1814–2007	GDF, IFS	U.K. pound, German mark
Taiwan	1895–2007	GDF, IFS	U.K. pound, Japanese yen
Thailand (Siam)	1859–2007	GFD, IFS	U.K. pound
Tunisia	1900–2007	GFD, IFS	French franc
Turkey	1859–2007	GFD, IFS	U.K. pound
United Kingdom	1619–1810	ESFDB, Course of the Exchange	French franc
	1660–2007	GFD, IFS	
United States	1660–2007	GFD, IFS	
Uruguay	1900–2007	GFD, IFS	
Venezuela	1900–2007	GFD, IFS	
Zambia	1900–2007	GFD, IFS	U.K. pound
Zimbabwe	1900–2007	GFD, IFS	U.K. pound

TABLE A.1.2 Continued

Country	Period covered	Source	Other relevant rates
Italy	1816–2007	GFD, IFS	U.K. pound, German mark
Japan	1862–2007	GFD, IFS	U.K. pound
Kenya	1898–2007	GFD, IFS	U.K. pound
Korea	1905–2007	GFD, IFS	Japanese yen
Malaysia	1900–2007	GFD, IFS	U.K. pound
Mauritius	1900–2007	GFD, IFS	U.K. pound
Mexico	1814–2007	GFD, IFS	U.K. pound, French franc
	1823–1999	GFD	
Morocco	1897–2007	GFD, IFS	French franc, euro
Myanmar (Burma)	1900–2007	GFD, IFS	U.K. pound
The Netherlands	1698–1810	ESFDB, Course of the Exchange	U.K. pound
	1792–2007	GFD, IFS	German mark
New Zealand	1892–2007	GFD, IFS	U.K. pound
Nicaragua	1912–2007	GFD, IFS	
Nigeria	1900–2007	GFD, IFS	U.K. pound
Norway	1819–2007	GFD, IFS	Swedish krona, German mark
Panama	1900–2007	GFD, IFS	
Paraguay	1900–2000 1980–2007	OXD IFS	Argentine peso
Peru	1883–2007	GFD, IFS	U.K. pound
The Philippines	1893–2007	GFD, IFS	Spanish peseta
Poland	1916–2007	GFD, IFS	
Portugal	1750–1865 1794–2007	Course of the Exchange GDF, IFS	Dutch grooten U.K. pound, German mark

(continued)

TABLE A.1.2 Continued

Country	Period covered	Source	Other relevant rates
Central African Republic	1900–2007	GFD, IFS	French franc
Chile	1830–1995	Braun et al. (2000)	U.K. pound
	1878–2007	GFD, IFS	
China	1848–2007	GFD, IFS	U.K. pound
Colombia	1900–2000	OXF	U.K. pound
	1919–2007	GDF, IFS	
Costa Rica	1921–2007	GDF, IFS	
Denmark	1864–2007	GDF, IFS	U.K. pound, German mark
Dominican Republic	1905–2007	GDF, IFS	
Ecuador	1898–2000	OXF, Pick (various years)	
	1980–2007	IFS	
Egypt	1869–2007	GFD, IFS	U.K. pound
El Salvador	1870–2007	GFD, IFS	
Finland	1900–2007	GFD, IFS	German mark
France	1619–1810	ESFDB, Course of the Exchange	U.K. pound
	1800–2007	GFD, IFS	U.K. pound, German mark
Germany	1698–1810	ESFDB, Course of the Exchange	U.K. pound
	1795–2007	GFD, IFS	
Greece	1872–1939	Lazaretou (2005)	U.K. pound, German mark
	1901–2007	GFD, IFS	
Guatemala	1900–2007	GFD, IFS	
Honduras	1870–2007	GFD, IFS	
Hungary	1900–2007	GFD, IFS	Austrian schilling
India	1823–2007	GFD, IFS	U.K. pound
Indonesia	1876–2007	GFD, IFS	Dutch guilder

TABLE A.1.1 Continued

Country	Period covered	Sources	Commentary
	1774–2003	Carter et al. (2006)	
	1980–2007	WEO	
Uruguay	1870–1940	Williamson (1999)	
	1929–2000	OXF	
	1980–2007	WEO	
Venezuela	1830–2002	Baptista (2006)	
	1914–2007	GFD, WEO	
Zambia	1938–2007	GFD, WEO	
Zimbabwe	1920–1970	MIT	
	1930–2007	GFD, WEO	

TABLE A.1.2

Modern nominal exchange rates (domestic currency units per U.S. dollar and other currencies noted)

Country	Period covered	Source	Other relevant rates
Algeria	1831–2007	GFD, IFS	French franc, euro
Angola	1921–2007	GFD, IFS	
Argentina	1880–1913	Flandreau and Zumer (2004)	French franc
	1885–2007	GFD, IFS	
Australia	1835–2007	GFD, IFS	U.K. pound
Austria	1814–2007	GFD, IFS	U.K. pound, German mark
Belgium	1830–2007	GFD, IFS	French franc
Bolivia	1863–2007	GFD, IFS	
Brazil	1812–2007	GFD, IFS	U.K. pound
Canada	1858–2007	GFD, IFS	U.K. pound

(*continued*)

TABLE A.1.1 Continued

Country	Period covered	Sources	Commentary
Romania	1779–1831	Hoffman et al. (2002)	Wheat prices, Wallachia
	1971–2007	WEO	
Russia	1853–1910	Borodkin (2001)	Wheat and rye flour prices, St. Petersburg
	1880–1913	Flandreau and Zumer (2004)	
	1917–1924	GFD, WEO	
	1927–1940		
	1944–1972		
	1991–2007		
Singapore	1948–2007	GFD, WEO	
South Africa	1895–2007	GFD, WEO	
Spain	1500–1650	Hamilton (1969)	Valencia
	1651–1800	Hoffman et al. (2002)	Prices of wheat, eggs, and linen
	1800–2000	DIA	
	1980–2000	WEO	
Sri Lanka	1939–2007	GFD, WEO	
Sweden	1732–1800	Hoffman et al. (2002)	Wheat prices
	1800–2000	Edvinsson (2002)	
	1980–2007	WEO	
Taiwan	1897–1939	Williamson (2000b)	
	1980–2007	WEO	
Thailand (Siam)	1820–1941	Williamson (2000b)	
	1948–2007	GFD, WEO	
Tunisia	1939–2007	GFD, WEO	
Turkey	1469–1914	Pamuk (2005)	Istanbul
	1854–1941	Williamson (2000a)	
	1922–2007	GFD, WEO	
United Kingdom	1450–1999	Van Zanden (2002)	Southern England
	1781–2007	GFD, WEO	
United States	1720–1789	Carter et al. (2006)	Wholesale prices

TABLE A.1.1 Continued

Country	Period covered	Sources	Commentary
Mexico	1786–1821	Garner (2007)	Zacatecas
	1877–1940	Williamson (1999)	
	1918–2007	GFD, WEO	
Morocco	1939–2007	GFD, WEO	
Myanmar (Burma)	1870–1940	Williamson (2000b)	
	1939–2007	GFD, WEO	
The Netherlands	1500–1800	Van Zanden (2005)	
	1800–1913	Van Riel (2009)	
	1880–2007	GFD, WEO	
New Zealand	1857–2004	Statistics New Zealand	
	1980–2007	WEO	
Nicaragua	1937–2007	GFD, WEO	
Nigeria	1953–2007	GFD, WEO	
Norway	1516–2005	Grytten (2008)	
	1980–2007	WEO	
Panama	1939–2000	OXD	
	1980–2007	WEO	
Paraguay	1938–2007	GFD, WEO	
	1750–1816	Garner (2007)	Potosi
Peru	1790–1841	Garner (2007)	Lima
	1800–1873	DIA	
	1913–2000		
	1980–2007	WEO	
The Philippines	1899–1940	Williamson (2000b)	
	1937–2007	GFD, WEO	
Poland	1701–1815	Hoffman et al. (2002)	Oat prices, Warsaw
	1816–1914	Allen (2001)	Warsaw
	1921–1939	GFD, WEO	
	1983–2007		
Portugal	1728–1893	Hoffman et al. (2002)	Wheat prices
	1881–1997	Bordo et al. (2001)	
	1980–2007	WEO	

(*continued*)

TABLE A.1.1 Continued

Country	Period covered	Sources	Commentary
Germany	1427–1765	Allen (2001)	Munich
	1637–1855	Hoffman et al. (2002)	Wheat prices
	1820–2007	GFD, WEO	
Ghana	1949–2007	GFD, WEO	
Greece	1833–1938	Kostelenos et al. (2007)	GDP deflator
	1922–2007	GFD, WEO	
Guatemala	1938–2000	OXD	
	1980–2007	WEO	
Honduras	1938–2000	OXD	
	1980–2007	WEO	
Hungary	1923–2007	GFD, WEO	
India	1866–2000	DIA	
	1873–1939	Williamson (2000b)	
	1913–2007	GFD, WEO	
Indonesia	1820–1940	Williamson (2000b)	
	1948–2007	GFD, WEO	
Italy	1548–1645	Allen (2001)	Naples
	1734–1806		
	1701–1860	deMaddalena (1974)	Wheat prices, Milan
	1861–2007	GFD, WEO	
Japan	1600–1650	Kimura (1987)	Rice prices, Osaka
	1818–1871	Bassino and Ma (2005)	Rice prices, Osaka
	1860–1935	Williamson (2000b)	
	1900–2007	GFD, WEO	
Kenya	1947–2007	GFD, WEO	
Korea	1690–1909	Jun and Lewis (2002)	Rice prices in the southern region of Korea
	1906–1939	Williamson (2000b)	
	1948–2007	GFD, WEO	
Malaysia	1948–2007	GFD, WEO	
Mauritius	1946–2007	GFD, WEO	

TABLE A.1.1 Continued

Country	Period covered	Sources	Commentary
Canada	1867–1975	Statistics Canada (StatCan)	
	1910–2007	GFD, WEO	
Central African Republic	1956–1993	MIT	
	1980–2007	WEO	
Chile	1754–1806	Garner (2007)	Santiago only
	1810–2000	DIA	
	1900–2000	OXF	
	1913–2007	GFD, WEO	
China	1644–2000	Lu and Peng (2006)	Rice prices
	1867–1935	Hsu	Wholesale prices
	1926–1948	GFD, WEO	
	1978–2007		
Colombia	1863–1940	Williamson (1999)	
	1900–2000	OXF	
	1923–2007	GFD, WEO	
Costa Rica	1937–2007	GFD, WEO	
Côte d'Ivoire	1951–2007	GFD, WEO	
Denmark	1748–1800	Hoffman et al. (2002)	Wheat prices
	1815–2007	GFD, WEO	
Dominican Republic	1942–2000	OXF	
	1980–2007	WEO	
Ecuador	1939–2007	GFD, WEO	
Egypt	1859–1941	Williamson (2000a)	
	1913–2007	GFD, WEO	
	1915–1999	GFD	
El Salvador	1937–2000	OXD	
	1980–2007	WEO	
Finland	1860–2001	Finnish Historical National Accounts	
	1980–2007	WEO	
France	1431–1786	Allen (2001)	
	1840–1913		
	1807–1935	Dick and Floyd (1997)	Retail prices
	1840–2007	GFD, WEO	

(*continued*)

OXF	Oxford Latin American Economic History Database
RR	Reinhart and Rogoff (years as noted)
TED	Total Economy Database
WEO	International Monetary Fund, *World Economic Outlook* (various issues)

TABLE A.1.1

Prices: Consumer or cost-of-living indexes (unless otherwise noted)

Country	Period covered	Sources	Commentary
Algeria	1869–1884	Hoffman et al. (2002)	Wheat prices
	1938–2007	GFD, WEO	
Angola	1914–1962	MIT	
	1991–2007	WEO	
Argentina	1775–1812	Garner (2007)	Buenos Aires only
	1864–1940	Williamson (1999)	
	1884–1913	Flandreau and Zumer (2004)	
	1900–2000	OXF	
	1913–2000	DIA	
	1913–2007	GFD, WEO	
Australia	1818–1850	Butlin (1962), Vanplew (1987), GPIHG	New Wales, food prices
	1850–1983	Shergold (1987), GPIHG	Sydney, food
	1861–2007	GFD, WEO	
Austria	1440–1800	Allen (2001)	Vienna
	1800–1914	Hoffman et al. (2002)	Wheat prices
	1880–1913	Flandreau and Zumer (2004)	
	1919–2007	GFD, WEO	
Belgium	1462–1913	Allen (2001)	Antwerp
	1835–2007	GFD, WEO	
Bolivia	1936–2007	GFD, WEO	
Brazil	1763–1820	Garner (n.d.)	Rio de Janeiro only
	1830–1937	Williamson (1999)	Rio de Janeiro only
	1861–2000	DIA	
	1912–2007	GFD, WEO	

巻末資料 A・1
マクロ経済の時系列データ

This appendix covers the macroeconomic time series used; a separate appendix (appendix A.2) is devoted to the database on government debt.

Abbreviations of Frequently Used Sources and Terms

Additional sources are listed in the tables that follow.

BNB	Banque Nationale de Belgique
DIA	Díaz et al. (2005)
ESFDB	European State Finance Database
GDF	World Bank, *Global Development Finance* (various issues)
GFD	Global Financial Data
GNI	Gross national income
GPIHG	Global Price and Income History Group
IFS	International Monetary Fund, *International Financial Statistics* (various issues)
II	*Institutional Investor*
IISH	International Institute of Social History
KRV	Kaminsky, Reinhart, and Végh (2003)
Lcu	local currency units
MAD	Maddison (2004)
MIT	Mitchell (2003a, 2003b)
NNP	Net national product

Instituto Brasileiro de Geografia e Estatística
Ministère du Budget, des comptes public (France)
Ministerio de Hacienda (Chile)
Ministerio de Hacienda (Costa Rica)
Ministry of Finance (Ecuador)
Ministry of Finance (Egypt)
Ministry of Finance (Norway)
Monetary Authority (Singapore)
National Accounts of the Netherlands
New Zealand Treasury
Nordic Historical National Accounts
Organisation for Economic Co-operation and Development (for Greece)
Riksgalden (National Debt Office, Sweden)
South Africa Reserve Bank
State Treasury (Finland)
Statistical Abstracts Relating to British India
Statistics Canada
Statistics New Zealand
Treasury Direct (United States)
Turkish Treasury
U.K. Debt Management Office

Histories of Governmental Foreign Bond Defaults and Debt Readjustments, vol. II. London: Oxford University Press.

Young, Arthur Nichols. 1971. *China's Nation-Building Effort, 1927–1937: The Financial and Economic Record*. Stanford, Calif.: Stanford University Press.

Yousef, Tarik M. 2002. "Egypt's Growth Performance under Economic Liberalism: A Reassessment with New GDP Estimates, 1886–1945." *Review of Income and Wealth* 48: 561–579.

References: National Sources

Australian Office of Financial Management
Austrian Federal Financing Agency
BNB (Banque Nationale de Belgique)
Banco Central del Uruguay
Banco Central de Reserva (El Salvador)
Banco de España
Banco de la Republica (Dominican Republic)
Banco de Portugal
Bank of Canada
Bank of Indonesia
Bank of Japan
Bank of Mauritius
Bank of Thailand
Bundesbank (Germany)
Central Bank of Kenya
Central Bank of Sri Lanka
Central Bank of Tunisia
Contraloria General de la Republica (Colombia)
Danmarks Nationalbank
Dipartamento del Tesoro (Italy)
Direccion General de la Deuda Publica (Mexico)
Dutch State Treasury Agency
Estadisticas Historicas de España: Siglos XIX–XX (Spain)
Finnish Historical National Accounts
Historical Statistics of Japan
Historical Statistics of the United States

Velasco, Andres. 1996. "Fixed Exchange Rates: Credibility, Flexibility and Multiplicity." *European Economic Review* 40 (April): 1023–1036.

Vogler R. 2001. "The Genesis of Swiss Banking Secrecy: Political and Economic Environment." *Financial History Review* 8 (1): 73–84.

Wallis, John, and Barry R. Weingast. 1988. "Dysfunctional or Optimal Institutions: State Debt Limitations, the Structure of State and Local Governments, and the Finance of American Infrastructure." In *Fiscal Challenges: An Interdisciplinary Approach to Budget Policy*, ed. Elizabeth Garrett, Elizabeth Graddy, and Howell Jackson. Cambridge: Cambridge University Press. Pp. 331–363.

Wall Street Journal. Various issues.

Wang, Yeh-chien. 1992. "Secular Trends of Rice Prices in the Yangze Delta, 1638–1935." In *Chinese History in Economic Perspective*, ed. Thomas G. Rawski and Lillian M. Li. Berkeley: University of California Press.

Weingast, Barry, 1997. "The Political Foundations of Democracy and the Rule of Law." *American Political Science Review* 91 (2): 245–263.

Williamson, Jeffrey G. 1999. "Real Wages, Inequality, and Globalization in Latin America before 1940." *Revista de Historia Economica* 17: 101–142.

———. 2000a. "Factor Prices around the Mediterranean, 1500–1940." In *The Mediterranean Response to Globalization before 1950*, ed. S. Pamuk and

J. G. Williamson. London: Routledge. Pp. 45–75.

———. 2000b. "Globalization, Factor Prices and Living Standards in Asia before 1940." In *Asia Pacific Dynamism, 1500–2000*, ed. A. J. H. Latham and H. Kawakatsu. London: Routledge. Pp. 13–45.

Williamson, John. 2002. "Is Brazil Next?" International Economics Policy Briefs PB 02-7. Institute for International Economics, Washington, D.C.

Willis, Parker H., and B. H. Beckhart, eds. 1929. *Foreign Banking Systems.* New York: Henry Holt.

Winkler, Max. 1928. *Investments of United States Capital in Latin America.* Cambridge, Mass.: World Peace Foundation.

———. 1933. *Foreign Bonds: An Autopsy.* Philadelphia: Roland Sway.

Wolf, Martin. 2008. *Fixing Global Finance. Baltimore,* Md.: Johns Hopkins University Press.

Woodford, Michael. 1995. "Price-Level Determinacy without Control of a Monetary Aggregate." *Carnegie-Rochester Conference Series on Public Policy* 43: 1–46.

World Bank. Various years. *Global Development Finance.* Washington D.C.: World Bank.

Wynne, William H. 1951. *State Insolvency and Foreign Bondholders: Selected Case*

Century. Cambridge: Cambridge University Press.

Temin, Peter. 2008. "The German Crisis of 1931: Evidence and Tradition." *Cliometrica: Journal of Historical Economics and Econometric History* 2 (1): 5–17.

't Hart, Marjolein, Joost Jonker, and Jan Luiten van Zanden. 1997. *A Financial History of the Netherlands*. Cambridge: Cambridge University Press.

Tomz, Michael. 2007. *Reputation and International Cooperation: Sovereign Debt across Three Centuries*. Princeton, N.J.: Princeton University Press.

Total Economy Database. Available at http://www.conference-board.org/ economics/ database.cfm.

Triner, Gail D. 2000. *Banking and Economic Development: Brazil*, 1889–1930. New York: Palgrave Macmillan.

United Nations, Department of Economic Affairs. 1948. *Public Debt*, 1914–1946. New York: United Nations.

———. 1949. *International Capital Movements during the Inter-War Period*. New York: United Nations.

———. 1954. *The International Flow of Private Capital*, 1946–1952. New York: United Nations.

———. Various years. *Statistical Yearbook, 1948–1984*. New York: United Nations.

Vale, Bent. 2004. Chapter 1. In "The Norwegian Banking Crisis." Ed. Thorvald G. Moe, Jon A. Solheim, and Bent Vale. Occasional Paper 33. Norges Bank, Oslo.

Vanplew, W. 1987. *Australia: Historical Statistics*. Sydney: Fairfax, Syme and Weldon.

Van Riel, Arthur. 2009. "Constructing the Nineteeth-Century Cost of Living Deflator (1800–1913)." Working Memorandum. International Institute of Social History, Amsterdam.

Van Zanden, Jan Luiten. 2002. "Wages and the Cost of Living in Southern England (London), 1450–1700." Working Memorandum. International Institute of Social History, Amsterdam.

———. 2005. "What Happened to the Standard of Living before the Industrial Revolution? New Evidence from the Western Part of the Netherlands." In *Living Standards in the Past: New Perspectives on Well-Being in Asia and Europe*, ed. Robert Allen, Tommy Bengtsson, and Martin Dribe. New York: Oxford University Press.

———. 2006. "Economic Growth in Java, 1815–1930: The Reconstruction of the Historical National Accounts of a Colonial Economy." Working Memorandum. International Institute of Social History, Amsterdam.

Végh, Carlos A. 1992. "Stopping High Inflation: An Analytical Overview." *IMF Staff Papers* 91 (107): 626–695.

Sargent, Thomas J. 1982. “The Ends of Four Big Hyperinflations.” In *Inflation: Causes and Effects,* ed. Robert J. Hall. Chicago: University of Chicago Press.

Sargent, Thomas, and Francois Velde. 2003. *The Big Problem with Small Change.* Princeton, N.J.: Princeton University Press.

Scutt, G. P Symes. 1904. *The History of the Bank of Bengal.* Bengal: Bank of Bengal Press.

Shergold, Peter. 1987. “Prices and Consumption.” In *Australian Historical Statistics.* Sydney: Fairfax, Syme and Weldon.

Shiller, Robert. 2005. *Irrational Exuberance.* 2nd ed. Princeton, N.J.: Princeton University Press. (邦訳は『投機バブル――根拠なき熱狂――アメリカ株式市場、暴落の必然』植草一秀監訳、沢崎冬日訳、ダイヤモンド社)

Shin, Inseok, and Joon-Ho Hahm. 1998. “The Korean Crisis: Causes and Resolution.” Korea Development Institute Working Paper. Prepared for the Korea Development Institute–East-West Center Conference on the Korean Crisis: Causes and Resolution, Hawaii. August.

Shleifer, Andrei, and Robert W. Vishny. 1991. “Liquidation Values and Debt Capacity: A Market Equilibrium Approach.” *Journal of Finance* 47 (4): 1343–1366.

Sinclair, David. 2004. *The Land That Never Was: Sir Gregor MacGregor and the Most Audacious Fraud in History.* London: Headline.

Söderberg, Johan. 2004. “Prices in Stockholm: 1539–1620.” Working Memorandum. International Institute of Social History, Amsterdam.

Soley Güell, Tomas. 1926. *Historia Monetaria de Costa Ric*a. San Jose, Costa Rica: Imprenta Nacional.

Standard and Poor's Commentary. Various issues.

Summerhill, William. 2006. “Political Economics of the Domestic Debt in Nineteenth-Century Brazil.” Working Memorandum. University of California, Los Angeles.

Sundararajan, Vasudevan, and Tomás Baliño. 1991. *Banking Crises: Cases and Issues.* Washington D.C.: International Monetary Fund.

Suter, Christian. 1992. *Debt Cycles in the World-Economy: Foreign Loans, Financial Crises, and Debt Settlements, 1820–1990.* Boulder, Colo.: Westview.

Sutton, Gregory D. 2002. “Explaining Changes in House Prices.” *BIS Quarterly Review* (September): 46–55.

Tabellini, Guido. 1991. “The Politics of Intergenerational Redistribution.” *Journal of Political Economy* 99 (April): 335–357.

Teichova, Alice, Ginette Kurganvan Hentenryk, and Dieter Ziegler, eds. 1997. *Banking, Trade and Industry: Europe, America and Asia from the Thirteenth to the Twentieth*

Washington, D.C.: World Bank/ Oxford University Press. Pp. 247–282.

———. 2002b. "The Modern History of Exchange Rate Arrangements: A Reinterpretation." NBER Working Paper 8963. National Bureau of Economic Research, Cambridge, Mass. May.

———. 2004. "The Modern History of Exchange Rate Arrangements: A Reinterpretation." *Quarterly Journal of Economics* 119 (1): 1–48.

———. 2008a. "This Time Is Different: A Panoramic View of Eight Centuries of Financial Crises." NBER Working Paper 13882. National Bureau of Economic Research, Cambridge, Mass. March.

———. 2008b. "Is the 2007 U.S. Subprime Crisis So Different? An International Historical Comparison." *American Economic Review* 98 (2): 339–344.

———. 2008c. "The Forgotten History of Domestic Debt." NBER Working Paper 13946. National Bureau of Economic Research, Cambridge, Mass. April.

———. 2008d. "Regulation Should Be International." *Financial Times*, November 18.

———. 2009. "The Aftermath of Financial Crisis." *American Economic Review* 99 (2): 1–10.

Reinhart, Carmen M., and Miguel A. Savastano. 2003. "The Realities of Modern Hyperinflation." *Finance and Development*, June, 20–23.

Reinhart, Carmen M., Kenneth S. Rogoff, and Miguel A. Savastano. 2003a. "Debt Intolerance." *Brookings Papers on Economic Activity* 1 (Spring): 1–74.

———. 2003b. "Addicted to Dollars." NBER Working Paper 10015. National Bureau of Economic Research, Cambridge, Mass. October.

Rogoff, Kenneth. 1999. "Institutions for Reducing Global Financial Instability." *Journal of Economic Perspectives* 13 (Fall): 21–42.

Rolnick, Arthur J. 2004. "Interview with Ben S. Bernanke." *Region Magazine* (Minneapolis Federal Reserve), June. Available at http://www.minneapolisfed.org/publications_papers/pub_display.cfm?id=3326.

Roubini, Nouriel, and Brad Setser. 2004. "The United States as a Debtor Nation: The Sustainability of the US External Imbalances." Draft. New York University, New York. November.

Sachs, Jeffrey. 1984. *Theoretical Issues in International Borrowing*. Princeton Studies in International Finance 54. Princeton University, Princeton, N.J.

Samuelson, Paul. 1966. "Science and Stocks." *Newsweek*, September 19.

Sanhueza, Gonzalo. 2001. "Chilean Banking Crisis of the 1980s: Solutions and Estimation of the Costs." Central Bank of Chile Working Paper 104. Central Bank of Chile, Santiago.

Oxford Latin American Economic History Database. Available at http://oxlad.qeh.ox.ac.uk/references.php.

Ozmucur, Suleyman, and Sevket Pamuk. 2002. "Real Wages and Standards of Living in the Ottoman Empire, 1489–1914." *Journal of Economic History* 62 (June): 292–321.

Page, William. 1919. Commerce and Industry: *Tables of Statistics for the British Empire from 1815.* London: Constable.

Pamuk, Sevket. 2005. "Prices and Wages in Istanbul, 1469–1914." Working Memorandum. International Institute of Social History, Amsterdam.

Persson, Torsten, and Guido Tabellini. 1990. *Macroeconomic Policy, Credibility and Politics.* London: Routledge.

Philippon, Thomas. 2007. "Why Has the U.S. Financial Sector Grown So Much? The Role of Corporate Finance." NBER Working Paper 13405. National Bureau of Economic Research, Cambridge, Mass. September.

Pick, Franz. Various years, 1955–1982. *Pick's Currency Yearbook.* New York: Pick.

Prasad, Eswar, Kenneth S. Rogoff, Shang-Jin Wei, and M. Ayhan Kose. 2003. "Effects of Financial Globalization on Developing Countries: Some Empirical Evidence." IMF Occasional Paper 220. International Monetary Fund, Washington, D.C.

Purcell, John F. H., and Jeffrey A. Kaufman. 1993. *The Risks of Sovereign Lending: Lessons from History.* New York: Salomon Brothers.

Qian, Rong, and Carmen M. Reinhart. 2009. "Graduation from Crises and Volatility: Elusive Goals." Working mimeograph. University of Maryland, College Park.

Quinn, Stephen. 2004. "Accounting for the Early British Funded Debt, 1693–1786." Working paper. Mimeograph. Texas Christian University.

Rajan, Raghuram, Enrica Detragiache, and Giovanni Dell'Ariccia. 2008. "The Real Effect of Banking Crises." *Journal of Financial Intermediation* 17: 89–112.

Reinhart, Carmen M. 2002. "Default, Currency Crises, and Sovereign Credit Ratings." *World Bank Economic Review* 16 (2): 151–170.

Reinhart, Carmen M., and Vincent R. Reinhart. 2008. "Is the U.S. Too Big to Fail?" VoxEU, November 17. Available at http://www.voxeu.com/index.php?q=node/2568.

———. 2009. "Capital Flow Bonanzas: An Encompassing View of the Past and Present." In *NBER International Seminar in Macroeconomics 2008,* ed. Jeffrey Frankel and Francesco Giavazzi. Chicago: Chicago University Press for the National Bureau of Economic Research. Pp. 1–54.

Reinhart, Carmen M., and Kenneth S. Rogoff. 2002a. "FDI to Africa: The Role of Price Stability and Currency Instability." In Annual *World Bank Conference on Development Economics 2002: The New Reform Agenda,* ed. Boris Pleskovic and Nicholas Stern.

Michael Bordo, Alan M. Taylor, and Jeffrey Williamson. Chicago: University of Chicago Press. Pp. 473–514.

Neely, Christopher. 1995. "The Profitability of U.S. Intervention in the Foreign Exchange Markets." *Journal of International Money and Finance* 14: 823–844.

Noel, Maurer. 2002. *The Power and the Money—The Mexican Financial System,* 1876–1932. Stanford, Calif.: Stanford University Press.

Norges Bank. 2004. "The Norwegian Banking Crisis." Ed. Thorvald G. Moe, Jon A. Solheim, and Bent Vale. Occasional Paper 33. Norges Bank, Oslo.

North, Douglass, and Barry Weingast. 1988. "Constitutions and Commitment: The Evolution of Institutions Governing Public Choice in Seventeenth Century England." In *Empirical Studies in Institutional Change,* ed. L. Alston, P. Eggertsson, and D. North. Cambridge: Cambridge University Press.

Nurkse, Ragnar. 1946. *The Course and Control of Inflation: A Revue of Monetary Experience in Europe after World War I.* Geneva: League of Nations.

Obstfeld, Maurice. 1994. "The Logic of Currency Crises." *Cahiers Economiques et Monetaires* 43: 189–213.

———. 1996. "Models of Currency Crises with Self-Sustaining Features." *European Economic Review* 40 (April): 1037–1048.

Obstfeld, Maurice, and Kenneth S. Rogoff. 1996. *Foundations of International Macroeconomics.* Cambridge, Mass.: MIT Press.

———. 2001. "Perspectives on OECD Capital Market Integration: Implications for U.S. Current Account Adjustment." In *Global Economic Integration: Opportunities and Challenges.* Federal Reserve Bank of Kansas City, Mo. March. Pp. 169–208.

———. 2005. "Global Current Account Imbalances and Exchange Rate Adjustments." *Brookings Papers on Economic Activity* 1: 67–146.

———. 2007. "The Unsustainable U.S. Current Account Position Revisited." In G7 *Current Account Imbalances: Sustainability and Adjustment,* ed. Richard Clarida. Chicago: University of Chicago Press.

———. 2009. "The US Current Account and the Global Financial Crisis." Draft of a paper prepared for the Ohlin Lectures in International Economics, Harvard University.

Obstfeld, Maurice, and Alan Taylor. 2004. *Global Capital Markets: Integration, Crisis, and Growth.* Japan–U.S. Center Sanwa Monographs on International Financial Markets. Cambridge: Cambridge University Press.

Øksendal, Lars. 2007. "Re-Examining Norwegian Monetary Policy in the 1930s." Manuscript. Department of Economics, Norwegian School of Economics and Business Administration, Bergen.

Mauro, Paolo, Nathan Sussman, and Yishay Yafeh. 2006. *Emerging Markets and Financial Globalization: Sovereign Bond Spreads in 1870–1913 and Today*. London: Oxford University Press.

McConnell, Margaret, and Gabriel Perez-Quiros. 2000. "Output Fluctuations in the United States: What Has Changed since the Early 1980's?" *American Economic Review* 90 (5): 1464–1476.

McElderry, Andrea Lee. 1976. *Shanghai Old-Style Banks, 1800–1935: A Traditional Institution in a Changing Society*. Ann Arbor: Center for Chinese Studies, University of Michigan.

McGrattan, Ellen, and Edward Prescott. 2007. "Technology Capital and the U.S. Current Accounts." Working Paper 646. Federal Reserve Bank of Minneapolis. June.

Mellegers, Joost. 2006. "Public Finance of Indonesia, 1817–1940." Working Memorandum. Indonesian Economic Development, International Institute of Social History, Amsterdam.

Mendoza, Enrique G., and Marco Terrones. 2008. "An Anatomy of Credit Booms: Evidence from the Macro Aggregates and Micro Data." NBER Working Paper 14049. National Bureau of Economic Research, Cambridge, Mass. May.

Miller, Margaret S. 1926. *The Economic Development of Russia, 1905–1914*. London: P. S. King and Son.

Mitchell, Brian R. 2003a. *International Historical Statistics: Africa, Asia, and Oceania*, 1750–2000. London: Palgrave Macmillan.

———. 2003b. *International Historical Statistics: The Americas, 1750–2000*. London: Palgrave Macmillan.

Mizoguchi, Toshiyuki, and Mataji Umemura. 1988. *Basic Economic Statistics of Former Japanese Colonies, 1895–1938: Estimates and Findings*. Tokyo: Toyo Keizai Shinposha. (『旧日本植民地経済統計——推計と分析』溝口敏行、梅村又次編、東洋経済新報社)

Moody's Investor Service. 2000. "Historical Default Rates of Corporate Bond Issuers, 1920–1999." *Moody's Investor Service Global Credit Research*, special comment, January.

Morris, Stephen, and Hyun Song Shin. 1998. "Unique Equilibrium in a Model of Self-Fulfilling Currency Attacks." *American Economic Review* 88 (June): 587–597.

Nakamura, Leonard I, and Carlos E. J. M. Zarazaga. 2001. Banking and Finance in Argentina in the Period 1900–35. Federal Reserve Bank of Philadelphia Working Paper 01-7. Federal Reserve Bank of Philadelphia, Pa. June.

Neal, Larry, and Marc Weidenmier. 2003. "Crises in the Global Economy from Tulips to Today: Contagion and Consequences." In *Globalization in Historical Perspective*, ed.

Review 7: 662–677.
Krugman, Paul. 2007. "Will There Be a Dollar Crisis?" *Economic Policy* 51 (July): 437–467.
Kryzanowski, Lawrence, and Gordon S. Roberts. 1999. "Perspectives on Canadian Bank Insolvency during the 1930s." *Journal of Money, Credit & Banking* 31 (1): 130–136.
Landes, David S. 1958. *Bankers and Pashas: International Finance and Economic Imperialism in Egypt*. Cambridge, Mass.: Harvard University Press.
Lazaretou, Sophia. 2005. "The Drachma, Foreign Creditors, and the International Monetary System: Tales of a Currency during the 19th and the Early 20th Centuries." *Explorations in Economic History* 42 (2): 202–236.
League of Nations. 1944. *International Currency Experience: Lessons of the Interwar Period.* Geneva: League of Nations.
———. Various years. *Statistical Abstract.* Geneva: League of Nations.
———. Various years. *Statistical Yearbook, 1926–1944.* Geneva: League of Nations.
———. Various years. *World Economic Survey, 1926–1944.* Geneva: League of Nations.
Levandis, John Alexander. 1944. *The Greek Foreign Debt and the Great Powers, 1821–1898.* New York: Columbia University Press.
Lindert, Peter H., and Boris Mironov. n.d. Ag-Content of the Ruble. Available at http://gpih.ucdavis.edu/.
Lindert, Peter H., and Peter J. Morton. 1989. "How Sovereign Debt Has Worked." In *Developing Country Debt and Economic Performance*, vol. 1, ed. Jeffrey Sachs. Chicago: University of Chicago Press. Pp. 39–106.
Lu, Feng, and Kaixiang Peng. 2006. "A Research on China's Long Term Rice Prices: 1644–2000." *Frontiers of Economics in China* 1 (4): 465–520.
MacDonald, James. 2006. *A Free Nation Deep in Debt: The Financial Roots of Democracy.* New York: Farrar, Straus, and Giroux.
Maddison, Angus. 2004. *Historical Statistics for the World Economy: 1–2003 AD.* Paris: Organisation for Economic Co-operation and Development. Available at http://www.ggdc.net/maddison/.
Malanima, Paolo. n.d. *Wheat Prices in Tuscany, 1260–1860.* Available at http://www.iisg.nl/.
Mamalakis, Markos. 1983. *Historical Statistics of Chile.* Westport, Conn.: Greenwood.
Manasse, Paolo, and Nouriel Roubini. 2005. "'Rules of Thumb' for Sovereign Debt Crises." IMF Working Paper 05/42. International Monetary Fund, Washington, D.C.
Marichal, Carlos. 1989. *A Century of Debt Crises in Latin America: From Independence to the Great Depression, 1820–1930.* Princeton, N.J.: Princeton University Press.

American Economic Review, forthcoming.
Jeanne, Olivier, and Guscina, Anastasia. 2006. "Government Debt in Emerging Market Countries: A New Dataset." International Monetary Fund Working Paper 6/98. International Monetary Fund, Washington, D.C. April.
Johnson, H. Clark. 1998. *Gold, France, and the Great Depression: 1919–1935.* New Haven, Conn.: Yale University Press.
Jonung, L., and T. Hagberg. 2002. "How Costly Was the Crisis?" Työväen Akatemia, Kauniainen. September.
Jun, S. H., and J. B. Lewis. 2002. "Labour Cost, Land Prices, Land Rent, and Interest Rates in the Southern Region of Korea, 1690–1909." Working Memorandum. Academy of Korean Studies, Seoul. Available at http:// www.iisg.nl/hpw/korea.php.
Kaminsky, Graciela L., and Carmen M. Reinhart. 1999. "The Twin Crises: The Causes of Banking and Balance-of-Payments Problems." *American Economic Review* 89 (3): 473–500.
Kaminsky, Graciela L., J. Saul Lizondo, and Carmen M. Reinhart. 1998. "Leading Indicators of Currency Crises." *IMF Staff Papers* 45 (1): 1–48.
Kaminsky, Graciela L., Carmen M. Reinhart, and Carlos A. Végh. 2003. "The Unholy Trinity of Financial Contagion." *Journal of Economic Perspectives* 17 (4): 51–74.
———. 2004. "When It Rains, It Pours: Procyclical Capital Flows and Policies." In *NBER Macroeconomics Annual* 2004, ed. Mark Gertler and Kenneth S. Rogoff. Cambridge, Mass: MIT Press. Pp. 11–53.
Kimura, M. 1987. "La Revolucion de los Precios en la Cuenca del Pacifico, 1600–1650." Mimeo. Universidad Nacional Autonoma de México, Mexico City.
Kindleberger, Charles P. 1989. *Manias, Panics and Crashes: A History of Financial Crises.* New York: Basic Books.（邦訳は『熱狂、恐慌、崩壊——金融恐慌の歴史』吉野俊彦、八木甫訳、日本経済新聞出版社）
Kiyotaki, Nobuhiro, and John Moore. 1997. "Credit Cycles." *Journal of Political Economy* 105: 211–248.
Kohlscheen, Emanuel. 2007. "Why Are There Serial Defaulters? Evidence from Constitutions." *Journal of Law and Economics* 50 (November): 713–729.
Korthals Altes, W. L. 1996. *Van L Hollands tot Nederlandse* f. Amsterdam: Neha.
Kostelenos, George, S. Petmezas, D. Vasileiou, E. Kounaris, and M. Sfakianakis. 2007. "Gross Domestic Product, 1830–1939." In *Sources of Economic History of Modern Greece.* Athens: Central Bank of Greece.
Kotlikoff, Lawrence J., Torsten Persson, and Lars E. O. Svensson. 1988. "Social Contracts as Assets: A Possible Solution to the Time-Consistency Problem." *American Economic*

Economy (Summer). Available at http://www.entrepreneur.com/tradejournals/article/106423908.html.

Hamilton, Earl. 1969. *War and Prices in Spain,* 1651–1800. New York: Russell and Russell.

Hausmann, Ricardo, and Federico Sturzenegger. 2007. "The Missing Dark Matter in the Wealth of Nations and Its Implications for Global Imbalances." *Economic Policy* 51: 469–518.

Hoffman, P. T., D. S. Jacks, P. Levin, and P. H. Lindert. 2002. "Real Inequality in Europe since 1500." *Journal of Economic History* 62 (2): 381–413.

Hoggarth, Glenn, Patricia Jackson, and Erlend Nier. 2005. "Banking Crises and the Design of Safety Nets." *Journal of Banking & Finance* 29 (1): 143–159.

Homer, Sidney, and Richard Sylla. 1991. A History of Interest Rates. New Brunswick, N.J., and London: Rutgers University Press.

Hsu, Leonard Shih-Lien. 1935. *Silver and Prices in China: Report of the Committee for the Study of Silver Values and Commodity Prices.* Shanghai: Commercial Press.

Huang, Feng-Hua. 1919. *Public Debts in China.* New York: MAS.

Imlah, A. H. 1958. *Economic Elements in the Pax Britannica.* Cambridge. Mass.: MIT Press.

Institutional Investor. Various years. *Institutional Investor.*

Instituto Brasileiro de Geografia e Estadistica. 2007. *Estadisticas Historicas de Brazil.* Rio de Janeiro: Instituto Brasileiro de Geografia e Estadistica.

Instituto Nacional de Estatistica (Portuguese Statistical Agency). 1998. *Estadisticas Historicas Portuguesas.* Lisbon: INE.

International Institute of Social History. n.d. Available at http://www.iisg.nl/.

International Monetary Fund. 2002. "Assessing Sustainability." Available at http://www.imf.org/external/np/pdr/sus/2002/eng/052802.htm.

———. Various years. *International Financial Statistics.* Washington, D.C.: International Monetary Fund.

———. Various years. *World Economic Outlook. Washington,* D.C.: International Monetary Fund.

Jácome, Luis. 2008. "Central Bank Involvement in Banking Crises in Latin America." International Monetary Fund Working Paper 08/135. International Monetary Fund, Washington, D.C. May.

Jayachandran, Seema, and Michael Kremer. 2006. "Odious Debt." *American Economic Review* 96 (March): 82–92.

Jeanne, Olivier. 2009. "Debt Maturity and the International Financial Architecture."

States and New World, 1500–1900." Available at http://home.comcast.net/~richardgarner04/.

Gavin, Michael, and Roberto Perotti. 1997. "Fiscal Policy in Latin America." *NBER Macroeconomics Annual* 12: 11–61.

Gayer, Arthur D., W. W. Rostow, and Anna J. Schwartz. 1953. *The Growth and Fluctuation of the British Economy,* 1790–1850. Oxford: Clarendon.

Gelabert, Juan. 1999a. "Castile, 1504–1808." In *The Rise of the Fiscal State in Europe, c. 1200–1815,* ed. R. J. Bonney. Oxford: Oxford University Press.

———. 1999b. "The King's Expenses: The Asientos of Philip III and Philip IV of Spain. In *Crises, Revolutions and Self-Sustained Growth: Essays in European Fiscal History,* 1130–1830, ed. W. M. Ormrod, M. M. Bonney, and R. J. Bonney. Stamford, England: Shaun Tyas.

Gerdrup, Karsten R. 2003. "Three Episodes of Financial Fragility in Norway since the 1890s." Bank for International Settlements Working Paper 142. Bank for International Settlements, Basel, Switzerland. October.

Global Financial Data. n.d. *Global Financial Data.* Available at https://www.globalfinancialdata.com/.

Global Price and Income History Group. Available at http://gpih.ucdavis.edu.

Godinho, V. Magalhaes. 1955. *Prix et Monnaies au Portugal, 1750–1850.* Paris: Librairie Armand Colin.

Goldstein, Morris. 2003. "Debt Sustainability, Brazil, and the IMF." Working Paper WP03-1. Institute for International Economics, Washington, D.C.

Goldstein, Morris, and Philip Turner. 2004. *Controlling Currency Mismatches in Emerging Markets.* Washington, D.C.: Institute for International Eco-nomics.

Goldstein, Morris, Graciela L. Kaminsky, and Carmen M. Reinhart. 2000. *Assessing Financial Vulnerability.* Washington, D.C.: Institute for International Economics.

Gorton, Gary. 1988. "Banking Panics and Business Cycles." *Oxford Economic Papers* 40: 751–781.

Greenspan, Alan. 2007. *The Age of Turbulence.* London and New York: Penguin.

Groningen Growth and Development Centre and the Commerce Department. 2008. Total Economy Database. Available at http://www.ggdc.net.

Grytten, Ola. 2008. "The Economic History of Norway." In *EH.Net Encyclopedia,* ed. Robert Whaples. Available at http://eh.net/encyclopedia/article/grytten.norway.

Hale, David. 2003. "The Newfoundland Lesson: During the 1930s, Long before the IMF, the British Empire Coped with a Debt Crisis in a Small Country. This Is a Tale of the Choice between Debt and Democracy. It Shouldn't Be Forgotten." *International*

Eichengreen, Barry, and Peter H. Lindert, eds. 1989. *The International Debt Crisis in Historical Perspective.* Cambridge, Mass.: MIT Press.

Eichengreen, Barry, and Kevin O'Rourke. 2009. "A Tale of Two Depressions." June 4. Available at http://www. voxeu.org.

European State Finance Database. Available at http://www.le.ac.uk/hi/bon/ESFDB/.

Felton, Andrew, and Carmen M. Reinhart. 2008. *The First Global Financial Crisis of the 21st Century.* London: VoxEU and Centre for Economic Policy Research. July. Available at http://www.voxeu.org/index.php?q=node/1352.

———. *2009. The First Global Financial Crisis of the 21st Century, Part 2: June–December, 2008.* London: VoxEU and Centre for *Economic Policy* Research. Available at http://www.voxeu.org/index.php?q=node/3079.

Ferguson, Niall. 2008. *The Ascent of Money: A Financial History of the World.* New York: Penguin Press.（邦訳は『マネーの進化史』仙名紀訳、早川書房）

Fischer, Stanley, Ratna Sahay, and Carlos A. Végh. 2002. "Modern Hyperand High Inflations." *Journal of Economic Literature* 40 (3): 837–880.

Fisher, Irving. 1933. "Debt-Deflation Theory of Great Depressions." *Econometrica* 1 (4): 337–357.

Flandreau, Marc, and Frederic Zumer. 2004. *The Making of Global Finance,* 1880–1913. Paris: Organisation of Economic Co-operation and Devel-opment.

Flath, David. 2005. *The Japanese Economy.* 2nd ed. Oxford: Oxford University Press.

Fostel, Ana, and John Geanakoplos. 2008. "Leverage Cycles and the Anxious Economy." *American Economic Review* 98 (4): 1211–1244.

Frankel, Jeffrey A., and Andrew K. Rose. 1996. "Currency Crashes in Emerging Markets: An Empirical Treatment." *Journal of International Economics* 41 (November): 351–368.

Frankel, S. Herbert. 1938. *Capital Investment in Africa*: Its Course and Effects. London: Oxford University Press.

Friedman, Milton, and Anna J. Schwartz. 1963. *A Monetary History of the United States, 1867–1960.* Princeton, N.J.: Princeton University Press.

Frydl, Edward J. 1999. "The Length and Cost of Banking Crises." International Monetary Fund Working Paper 99/30. International Monetary Fund, Washington, D.C. March.

Garcia Vizcaino, José. 1972. *La Deuda Pública Nacional.* Buenos Aires: EU-DEBA Editorial Universitaria de Buenos Aires.

Garner, Richard. 2007. "Late Colonial Prices in Selected Latin American Cities." Working Memorandum. Available at http://home.comcast.net/~richardgarner04/.

———. n.d. "Economic History Data Desk: Economic History of Latin America, United

Dick, Trevor, and John E. Floyd. 1997. "Capital Imports and the Jacksonian Economy: A New View of the Balance of Payments." Paper presented at the Third World Congress of Cliometrics, Munich, Germany, July.

Dooley, Michael, Eduardo Fernandez-Arias, and Kenneth Kletzer. 1996. "Recent Private Capital Inflows to Developing Countries: Is the Debt Crisis History?" *World Bank Economic Review* 10 (1): 27–49.

Dooley, Michael, David Folkerts-Landau, and Peter Garber. 2004a. "An Essay on the Revived Bretton Woods System." *International Journal of Finance & Economics* 9 (4): 307–313.

———. 2004b. "The Revived Bretton Woods System: The Effects of Periphery Intervention and Reserve Management on Interest Rates and Exchange Rates in Center Countries." NBER Working Paper 10332. National Bureau of Economic Research, Cambridge, Mass. March.

Dornbusch, Rudiger, and Stanley Fischer. 1993. "Moderate Inflation." *World Bank Economic Review* 7 (1): 1–44.

Dornbusch, Rudiger, Ilan Goldfajn, and Rodrigo O. Valdés. 1995. "Currency Crises and Collapses." *Brookings Papers on Economic Activity* 26 (2): 219–293.

Dornbusch, Rudiger, and Alejandro Werner. 1994. "Mexico: Stabilization, Reform, and No Growth." *Brookings Papers on Economic Activity* 1: 253–315.

Drazen, Allan. 1998. "Towards a Political Economy Theory of Domestic Debt." In *The Debt Burden and Its Consequences for Monetary Policy*, ed. G. Calvo and M. King. London: Macmillan.

Drees, Burkhard, and Ceyla Pazarbasioglu. 1998. "The Nordic Banking Cri-sis: Pitfalls in Financial Liberalization." IMF Occasional Paper 161. International Monetary Fund, Washington, D.C.

Eaton, Jonathan, and Mark Gersovitz. 1981. "Debt with Potential Repudiation: Theory and Estimation." *Review of Economic Studies* 48 (2): 289–309.

Economist Magazine. 2002. "The O'Neill Doctrine." Lead editorial, April 25.

Edvinsson, Rodney. 2002. "Growth, Accumulation, Crisis: With New Macroeconomic Data for Sweden 1800–2000." Ph.D. dissertation, University of Stockholm, Sweden.

Eichengreen, Barry. 1991a. "Historical Research on International Lending and Debt." *Journal of Economic Perspectives* 5 (Spring): 149–169.

———. 1991b. "Trends and Cycles in Foreign Lending." In *Capital Flows in the World Economy*, ed. H. Siebert. Tübingen: Mohr. Pp. 3–28.

———. 1992. *Golden Fetters: The Gold Standard and the Great Depression 1919–1939*. New York: Oxford University Press.

Research Department, Inter-American Development Bank, Washington, D.C. Available at http://www.iadb.org/res/pub_desc.cfm?pub_id=DBA-007.

Crisp, Olga. 1976. *Studies in the Russian Economy* before 1914. London: Macmillan.

Curcuru, Stephanie, Charles Thomas, and Frank Warnock. 2008. "Current Account Sustainability and Relative Reliability." *NBER International Seminar on Macroeconomics 2008.* Chicago: University of Chicago Press for the National Bureau of Economic Research.

Della Paolera, Gerardo, and Alan M. Taylor. 1999. "Internal versus External Convertibility and Developing-Country Financial Crises: Lessons from the Argentine Bank Bailout of the 1930s." NBER Working Paper 7386. National Bureau of Economic Research, Cambridge, Mass. October.

de Maddalena, Aldo. 1974. *Prezzi e Mercedi a Milano dal 1701 al 1860.* Milan: Banca Commerciale Italiana.

Demirgüç-Kunt, Asli, and Enrica Detragiache. 1998. "The Determinants of Banking Crises in Developing and Developed Countries." *IMF Staff Papers* 45: 81–109.

———. 1999. "Financial Liberalization and Financial Fragility." In *Annual World Bank Conference on Development Economics,* 1998, ed. Boris Pleskovic and Joseph Stiglitz. Washington, D.C.: World Bank.

Diamond, Douglas, and Philip H. Dybvig. 1983. "Bank Runs, Deposit Insurance, and Liquidity." *Journal of Political Economy* 91 (3): 401–419.

Diamond, Douglas, and Raghuram Rajan. 2001. "Liquidity Risk, Liquidity Creation and Financial Fragility: A Theory of Banking." *Journal of Political Economy* 109 (April): 287–327.

Diamond, Peter A. 1965. "National Debt in a Neoclassical Growth Model." *American Economic Review* 55 (5): 1126–1150.

Díaz, José B., Rolf Lüders, and Gert Wagner. 2005. "Chile, 1810–2000, La República en Cifras." Mimeo. Instituto de Economía, Pontificia Universidad Católica de Chile, Santiago. May.

Diaz-Alejandro, Carlos. 1983. "Stories of the 1930s for the 1980s." In *Financial Policies and the World Capital Market: The Problem of Latin American Countries,* ed. Pedro Aspe Armella, Rudiger Dornbusch, and Maurice Obstfeld. Chicago: University of Chicago Press for the National Bureau of Economic Research. Pp. 5–40.

———. 1984. "Latin American Debt: I Don't Think We Are in Kansas Anymore." *Brookings Papers in Economic Activity* 2: 355–389.

———. 1985. "Goodbye Financial Repression, Hello Financial Crash." *Journal of Development Economics* 19 (1–2): 1–24.

University of Colorado Working Paper. University of Colorado, Boulder.

Carter, Susan B., Scott Gartner, Michael Haines, Alan Olmstead, Richard Sutch, and Gavin Wright, eds. 2006. *Historical Statistics of the United States: Millennial Edition.* Cambridge: Cambridge University Press. Available at http://hsus.cambridge.org/HSUSWeb/HSUSEntryServlet.

Ceron, Jose, and Javier Suarez. 2006. "Hot and Cold Housing Markets: International Evidence." CEMFI Working Paper 0603. Center for Monetary and Financial Studies, Madrid. January.

Cha, Myung Soo, and Nak Nyeon Kim. 2006. "Korea's First Industrial Revolution, 1911–40." Naksungdae Institute of Economic Research Working Paper 2006–3. Naksungdae Institute of Economic Research, Seoul. June.

Cheng, Linsun. 2003. *Banking in Modern China: Entrepreneurs, Professional Managers, and the Development of Chinese Banks, 1897–1937.* Cambridge: Cambridge University Press.

Chuhan, Punam, Stijn Claessens, and Nlandu Mamingi. 1998. "Equity and Bond Flows to Asia and Latin America: The Role of Global and Country Factors." *Journal of Development Economics* (55): 123–150.

Cipolla, Carlo. 1982. The Monetary *Policy of Fourteenth Century Florence.* Berkeley: University of California Press.

Clay, C. G. A. 2000. *Gold for the Sultan: Western Bankers and Ottoman Finance 1856–1881: A Contribution to Ottoman and International Financial History.* London and New York: I. B. Tauris.

Cole, Harold L., and Patrick J. Kehoe. 1996. "Reputation Spillover across Relationships: Reviving Reputation Models of Debt." Staff Report 209. Federal Reserve Bank of Minneapolis.

Conant, Charles A. 1915. *A History of Modern Banks of Issue.* 5th ed. New York: G. P. Putnam's Sons.

Condoide, Mikhail V. 1951. *The Soviet Financial System: Its Development and Relations with the Western World.* Columbus: Ohio State University.

Cooper, Richard. 2005. "Living with Global Imbalances: A Contrarian View." Policy brief. Institute for International Economics, Washington, D.C.

Correlates of War. Militarized Interstate Disputes Database. http://correlatesofwar.org/.

Course of the exchange. Reported by John Castaing. Available at http://www.le.ac.uk/hi/bon/ESFDB/NEAL/neal.html.

Cowan, Kevin, Eduardo Levy-Yeyati, Ugo Panizza, and Federico Sturzenegger. 2006. "Sovereign Debt in the Americas: New Data and Stylized Facts." Working Paper 577.

Facts, and Bank Regulation." In *Financial Markets and Financial Crises,* ed. R. Glenn Hubbard. Chicago: University of Chicago Press for the National Bureau of Economic Research.

Calvo, Guillermo. 1988. "Servicing the Public Debt: The Role of Expectations." *American Economic Review* 78 (September): 647–661.

———. 1989. "Is Inflation Effective for Liquidating Short-Term Nominal Debt?" International Monetary Fund Working Paper 89/2. International Monetary Fund, Washington, D.C. January.

———. 1991. "The Perils of Sterilization." *IMF Staff Papers* 38 (4): 921–926.

———. 1998. "Capital Flows and Capital Market Crises: The Simple Economics of Sudden Stops." *Journal of Applied Economics* 1 (1): 35–54.

Calvo, Guillermo A., and Pablo Guidotti. 1992. "Optimal Maturity of Nominal Government Debt: An Infinite Horizon Model." *International Economic Review* 33 (November): 895–919.

Calvo, Guillermo A., Leonardo Leiderman, and Carmen M. Reinhart. 1993. "Capital Inflows and Real Exchange Rate Appreciation in Latin America: The Role of External Factors." *IMF Staff Papers* 40 (1): 108–151.

Calvo, Guillermo A., Alejandro Izquierdo, and Rudy Loo-Kung. 2006. "Relative Price Volatility under Sudden Stops: The Relevance of Balance Sheet Effects." *Journal of International Economics* 9 (1): 231–254.

Cameron, Rondo E. 1967. *Banking in the Early Stages of Industrialization: A Study in Comparative Economic History.* New York: Oxford University Press.

Camprubri Alcázar, Carlos. 1957. *Historia de los Bancos en el Perú,* 1860–1879. Lima: Editorial Lumen.

Caprio, Gerard Jr., and Daniela Klingebiel. 1996. "Bank Insolvency: Bad Luck, Bad Policy, or Bad Banking?" *In Annual World Bank Conference on Development Economics,* 1996, ed. Boris Pleskovic and Joseph Stiglitz. Washington, D.C.: World Bank. Pp. 79–104.

———. 2003. "Episodes of Systemic and Borderline Financial Crises." Mimeo. Washington, D.C.: World Bank. Available at http://go.worldbank.org/5DYGICS7B0 (Dataset 1). January.

Caprio, Gerard, Daniela Klingebiel, Luc Laeven, and Guillermo Noguera. 2005. "Banking Crisis Database." In *Systemic Financial Crises,* ed. Patrick Honohan and Luc Laeven. Cambridge: Cambridge University Press.

Carlos, Ann, Larry Neal, and Kirsten Wandschneider. 2005. "The Origin of National Debt: The Financing and Re-Financing of the War of the Spanish Succession."

Working Paper. Centre de Recerca en Economia Internacional, Barcelona. July.

Brown, William Adams. 1940. *The International Gold Standard Reinterpreted,* 1914–1940. New York: National Bureau of Economic Research

Buchanan, James, and Richard Wagner. 1977. *Democracy in Deficit: The Political Legacy of Lord Keynes.* Amsterdam: Elsevier.

Bufman, Gil, and Leonardo Leiderman. 1992. "Simulating an Optimizing Model of Currency Substitution." *Revista de Análisis Económico* 7 (1): 109–124.

Bulow, Jeremy, and Kenneth Rogoff. 1988a. "Multilateral Negotiations for Rescheduling Developing Country Debt: A Bargaining-Theoretic Framework." *IMF Staff Papers* 35 (4): 644–657.

———. 1988b. "The Buyback Boondoggle." *Brookings Papers on Economic Activity* 2: 675–698.

———. 1989a. "A Constant Recontracting Model of Sovereign Debt." *Journal of Political Economy* 97: 155–178.

———. 1989b. "Sovereign Debt: Is to Forgive to Forget?" *American Economic Review* 79 (March): 43–50.

———. 1990. "Cleaning Up Third-World Debt without Getting Taken to the Cleaners." *Journal of Economic Perspectives* 4 (Winter): 31–42.

———. 2005. "Grants versus Loans for Development Banks." *American Economic Review* 95 (2): 393–397.

Burns, Arthur F., and Wesley C. Mitchell. 1946. *Measuring Business Cycles.* National Bureau of Economic Research Studies in Business Cycles 2. Cambridge, Mass.: National Bureau of Economic Research.

Bussiere, Matthieu. 2007. "Balance of Payments Crises in Emerging Markets: How 'Early' Were the Early Warning Signals?" European Central Bank Working Paper 713. European Central Bank, Frankfurt. January.

Bussiere, Matthieu, and Marcel Fratzscher. 2006. "Towards a New Early Warning System of Financial Crises." *Journal of International Money and Finance* 25 (6): 953–973.

Bussiere, Matthieu, and Christian Mulder. 2000. "Political Instability and Economic Vulnerability." *International Journal of Finance and Economics* 5 (4): 309–330.

Butlin, N. G. 1962. *Australian Domestic Product, Investment and Foreign Borrowing,* 1861–1938/39. Cambridge: Cambridge University Press.

Cagan, Philip. 1956. "The Monetary Dynamics of Hyperinflation in Milton Friedman." In *Studies in the Quantity Theory of Money,* ed. Milton Friedman. Chicago: University of Chicago Press. Pp. 25–117.

Calomiris, Charles, and Gary Gorton. 1991. "The Origins of Banking Panics: Models,

Bonney, Richard. n.d. European State Finance Database. Available at http://www.le.ac.uk/hi/bon/ESFDB/frameset.html.

Bordo, Michael D. 2006. "Sudden Stops, Financial Crises and Original Sin in Emerging Countries: Déjà vu?" NBER Working Paper 12393. National Bureau of Economic Research, Cambridge, Mass. July.

Bordo, Michael, and Barry Eichengreen. 1999. "Is Our Current Interna-tional Economic Environment Unusually Crisis Prone?" In *Capital Flows and the International Financial System.* Sydney: Reserve Bank of Australia Annual Conference Volume.

Bordo, Michael, and Olivier Jeanne. 2002. "Boom-Busts in Asset Prices, Economic Instability, and Monetary Policy." NBER Working Paper 8966. National Bureau of Economic Research, Cambridge, Mass. June.

Bordo, Michael D., and Antu Panini Murshid. 2001. "Are Financial Crises Becoming Increasingly More Contagious? What Is the Historical Evidence?" In *International Financial Contagion: How It Spreads and How It Can Be Stopped,* ed. Kristin Forbes and Stijn Claessens. New York: Kluwer Academic. Pp. 367–406.

Bordo, Michael, Barry Eichengreen, Daniela Klingebiel, and Maria Soledad Martinez-Peria. 2001. "Is the Crisis Problem Growing More Severe?" *Economic Policy* 16 (April): 51–82.

Borensztein, Eduardo, José De Gregorio, and Jong-Wha Lee. 1998. "How Does Foreign Direct Investment Affect Economic Growth?" *Journal of International Economics* 45 (1): 115–135.

Borodkin, L. I. 2001. " Inequality of Incomes in the Period of Industrial Revolution: Is Universal Hypothesis about Kuznets's Curve?" *Russian Political Encyclopedia.* Moscow: Rosspen.

Bouchard, Léon. 1891. *Système financier de l'ancienne monarchie.* Paris: Guillaumin.

Boughton, James. 1991. "Commodity and Manufactures Prices in the Long Run." International Monetary Fund Working Paper 91/47. International Monetary Fund, Washington, D.C. May.

Brahmananda, P. R. 2001. *Money, Income and Prices in 19th Century India.* Dehli: Himalaya.

Braun, Juan, Matias Braun, Ignacio Briones, and José Díaz. 2000. "Economía Chilena 1810–1995, Estadisticas Historicas." Pontificia Universidad Católica de Chile Documento de Trabajo 187. Pontificia Universidad Católica de Chile, Santiago. January.

Brock, Philip. 1989. "Reserve Requirements and the Inflation Tax." *Journal of Money, Credit and Banking* 21 (1): 106–121.

Broner, Fernando, and Jaume Ventura. 2007. "Globalization and Risk Sharing." CREI

Barro, Robert, and José F. Ursúa. 2008. "Macroeconomic Crises since 1870." NBER Working Paper 13940. National Bureau of Economic Research, Cambridge, Mass. April.

———. 2009. "Stock-Market Crashes and Depressions." NBER Working Paper 14760. National Bureau of Economic Research, Cambridge, Mass. February.

Bassino, Jean-Pascal, and Debin Ma. 2005. "Japanese Unskilled Wages in International Perspective, 1741–1913." *Research in Economic History* 23: 229–248.

Bassino, Jean-Pascal, and Pierre van der Eng. 2006. "New Benchmark of Wages and GDP, 1913–1970." Mimeo. Montpellier University, Mont-pellier, France.

Bazant, Jan. 1968. *Historia de la Deuda Exterior de Mexico: 1823–1946.* Mexico City: El Colegio de México.

Berg, Andrew, and Catherine Pattillo. 1999. "Predicting Currency Crises: The Indicators Approach and an Alternative." *Journal of International Money and Finance* 18: 561–586.

Berg, Andrew, Eduardo Borensztein, and Catherine Pattillo. 2004. "Assessing Early Warning Systems: How Have They Worked in Practice?" International Monetary Fund Working Paper 04/52. International Monetary Fund, Washington, D.C.

Bernanke, Ben S. 1983. "Nonmonetary Effects of the Financial Crisis in the Propagation of the Great Depression." *American Economic Review* 73 (June): 257–276.

———. 2005. "The Global Saving Glut and the U.S. Current Account Deficit." Speech given at the Homer Jones Lecture, St. Louis, Mo., April 14. Available at http://www.federalreserve.gov/boarddocs/speeches/2005/20050414/default.htm.

Bernanke, Ben S., and Mark Gertler. 1990. "Financial Fragility and Economic Performance." *Quarterly Journal of Economics* 105 (February): 87–114.

———. 1995. "Inside the Black Box: The Credit Channel of Monetary Policy Transmission." *Journal of Economic Perspectives* 9 (Fall): 27–48.

———. 2001. "Should Central Banks Respond to Movements in Asset Prices?" *American Economic Review* 91 (2): 253–257.

Bernanke, Ben S., and Harold James. 1990. "The Gold Standard, Deflation, and Financial Crisis in the Great Depression: An International Comparison." NBER Working Paper 3488. National Bureau of Economic Research, Cambridge, Mass. October.

Bernanke, Ben S., Mark Gertler, and Simon Gilchrist. 1999. "The Financial Accelerator in a Quantitative Business Cycle Framework." In *Hand-book of Macroeconomics,* vol. 1A, ed. John Taylor and Michael Woodford. Amsterdam: North-Holland.

Blanchard, Olivier, and John Simon. 2001. "The Long and Large Decline in U.S. Output Volatility." *Brookings Papers on Economic Activity* 1: 135–164.

参考文献

Agénor, Pierre-Richard, John McDermott, and Eswar Prasad. 2000. "Macro-economic Fluctuations in Developing Countries: Some Stylized Facts." *World Bank Economic Review* 14: 251–285.

Aguiar, Mark, and Gita Gopinath. 2007. "Emerging Market Business Cycles: The Cycle Is the Trend." *Journal of Political Economy* 115 (1): 69–102.

Alesina, Alberto, and Guido Tabellini. 1990. "A Positive Theory of Fiscal Deficits and Government Debt." *Review of Economic Studies* 57: 403–414.

Allen, Franklin, and Douglas Gale. 2007. *Understanding Financial Crises*. Oxford: Oxford University Press.

Allen, Robert C. 2001. "The Great Divergence: Wages and Prices from the Middle Ages to the First World War." *Explorations in Economic History* 38 (4): 411–447.

———. n.d. Consumer Price Indices, *Nominal/Real Wages and Welfare Ratios of Building Craftsmen and Labourers*, 1260–1913. Oxford, England: Oxford University Press. Available at http://www.iisg.nl/hpw/data.php#europe.

Allen, Robert C., and Richard W. Unger. 2004. *European Commodity Prices, 1260–1914*. Oxford, England: Oxford University Press. Available at http://www.history.ubc.ca/unger.

Arellano, Cristina, and Narayana Kocherlakota. 2008. "Internal Debt Crises and Sovereign Defaults." NBER Working Paper 13794. National Bureau of Economic Research, Cambridge, Mass. February.

Baker, Melvin. 1994. *The Second Squires Administration and the Loss of Re-sponsible Government*, 1928–1934. Available at http://www.ucs.mun.ca/~melbaker/1920s.htm.

Bank for International Settlements. 2005. *Annual Report*. Basel: Bank for International Settlements.

Baptista, Asdrúbal. 2006. *Bases Cuantitativas de la Economía Venezolana, 1830–2005*. Caracas: Ediciones Fundación Polar.

Barro, Robert. 1974. "Are Government Bonds Net Wealth?" *Journal of Po-litical Economy* 82 (6): 1095–1117.

———. 1983. "Inflationary Finance under Discretion and Rules." *Canadian Journal of Economics* 16 (1): 1–16.

———. 2009. "Rare Disasters, Asset Prices and Welfare Costs." *American Economic Review* 99 (1): 243–264.

Barro, Robert J., and David B. Gordon. 1983. "A Positive Theory of Monetary Policy in a Natural Rate Model." *Journal of Political Economy* 91 (August): 589–610.

へ

ほ

ま

み

む

め

も

ゆ

ら

り

る

ろ

わ

こ

さ

し

す

せ

た

ち

て

と

に

の

は

ひ

ふ

れ

ろ

わ

人名索引

あ

い

う

え

お

か

き

く

け

ま

み

む

め

も

ゆ

よ

ら

り

る

ひ

ふ

へ

ほ

ち

つ

て

す

せ

そ

た

し

さ

う

え

お

か

用語索引

番号

欧字

B

G

I

K

O

かな

あ

い

カーメン・M・ラインハート（Carmen M.Reinhart） メリーランド大学教授。キューバ難民の子供。両親とカバン3つでアメリカに逃れてきた。ベアー・スターンズのチーフ・エコノミストなどを経てコロンビア大学で研究生活に。ロゴフとはIMFが縁で共同研究することになった。夫は元FRB金融政策局長のビンセント・ラインハート。

ケネス・S・ロゴフ（Kenneth S.Rogoff） ハーバード大学教授。1953年生まれ。80年マサチューセッツ工科大学で経済学博士号を取得。99年からハーバード大学経済学部教授。国際金融分野の権威。2001～03年までIMFのチーフエコノミストを務めた。チェスの天才。共著に“Foundations of International Macroeconomics”など。

訳者紹介

村井章子（むらい・あきこ） 翻訳家。上智大学文学部卒業。訳書にジョン・スチュアート・ミル『ミル自伝』（みすず書房）、ミルトン・フリードマン『資本主義と自由』、ジョン・K・ガルブレイス『大暴落1929』、ヘンリー・ハズリット『世界一シンプルな経済学』（以上、日経BP社）、ハント『ツイッターノミクス』（文藝春秋）など。

国家は破綻する 金融危機の800年

2011年3月7日　第1版第1刷発行
2011年10月28日　第1版第6刷発行

著　者　カーメン・M・ラインハート
　　　　ケネス・S・ロゴフ
訳　者　村井章子
発行者　瀬川弘司
発　行　日経BP社
発　売　日経BPマーケティング
〒108-8646
東京都港区白金1-17-3 NBFプラチナタワー
電話　03-6811-8650（編集）
　　　03-6811-8200（営業）
Homepage http://ec.nikkeibp.co.jp/
ブックデザイン　祖父江慎＋鯉沼恵一（cozfish）
制　作　アーティザンカンパニー
印刷・製本　図書印刷株式会社

ISBN978-4-8222-4842-0